ASSEMBLÉE NATIONALE

PREMIÈRE SESSION
TRENTE-QUATRIÈME LÉGISLATURE

FM: Francine Morency.

Projet de loi 125
(1991, chapitre 64)

Code civil du Québec

Présenté le 18 décembre 1990
Principe adopté le 4 juin 1991
Adopté le 18 décembre 1991
Sanctionné le 18 décembre 1991

Éditeur officiel du Québec
1991

PROJETS DE LOI SANCTIONNÉS MODIFIANT LE CODE CIVIL

Les Publications du Québec et l'Assemblée nationale du Québec vous offrent la possibilité de recevoir automatiquement et dès parution, les projets de loi sanctionnés modifiant le CODE CIVIL du Québec (PL-125 de 1991).

— L'abonnement aux projets de loi fonctionne selon le système de commande permanente. Chaque abonné reçoit les projets de loi au fur et à mesure qu'ils paraissent. Ils sont accompagnés de la facture correspondante.

— Le prix de l'abonnement correspond à une remise de 10 % sur le prix de vente au détail des projets de loi.

— L'abonné peut annuler son abonnement en tout temps, par écrit.

Abonnement et information
Les Publications du Québec
Service à la clientèle
Division des abonnements
C.P. 1190
Outremont (Québec)
H2V 4S7
Tél. : (514) 948-1222
(sans frais) 1 800 465-9266
Télécopieur : (514) 278-3030

Important :
Paiement par chèque ou mandat-poste à l'ordre de « Les Publications du Québec ».
Prix et conditions de vente modifiables sans préavis.

Détacher ici ▼

BON D'ABONNEMENT

Je désire m'abonner aux **Projets de loi modifiant le CODE CIVIL**

Quantité _____ Projets de loi sanctionnés (français seulement)

☐ Mme
☐ M.

_____
Prénom   Initiales   Nom de famille

Entreprise : _____
(Si livraison à l'entreprise ou au bureau)

_____
Titre (Fonction)   Serv.

Adresse :
☐ Domicile
☐ Bureau

_____
N°   Nom de rue   App. / Bur.

_____
CP   Succ.

_____
Ville   Prov.   Code postal

( ) _____ — _____   ( ) _____ — _____
Tél. rés. :   Tél. bur. :

Québec ✚✚

Détacher ici ▼

Correspondance—réponse d'affaires
Se poste sans timbre au Canada

Le port sera payé par:

4245

Les Publications du Québec
Service à la clientèle
Division des abonnements
Case postale 1190
Outremont (Québec)

H2V 9Z9

NOTES EXPLICATIVES

Le Code civil du Québec remplace le Code civil du Bas Canada adopté par le chapitre 41 des lois de 1865 de la législature de la province du Canada, Acte concernant le Code civil du Bas Canada, tel qu'il a été modifié de temps à autre, de même que le chapitre 39 des lois de 1980, Loi instituant un nouveau Code civil et portant réforme du droit de la famille, et les lois qui l'ont modifiée, ainsi que le chapitre 18 des lois de 1987, Loi portant réforme au Code civil du Québec du droit des personnes, des successions et des biens.

Le Code civil du Québec comprend dix livres, à savoir: le Livre premier: Des personnes; le Livre deuxième: De la famille; le Livre troisième: Des successions; le Livre quatrième: Des biens; le Livre cinquième: Des obligations; le Livre sixième: Des priorités et des hypothèques; le Livre septième: De la preuve; le Livre huitième: De la prescription; le Livre neuvième: De la publicité des droits et le Livre dixième: Du droit international privé.

LIVRE PREMIER

DES PERSONNES

Le Livre premier du Code civil du Québec porte sur le droit des personnes. Il reprend, en les modifiant à certains égards, pour tenir compte entre autres des modifications apportées au Code civil du Bas Canada par le chapitre 54 des lois de 1989, les dispositions du chapitre 18 des lois de 1987. Ce livre comprend cinq titres.

Le premier titre traite de la jouissance et de l'exercice des droits civils et il énonce les principes généraux en la matière.

Le deuxième titre est consacré à certains droits de la personnalité. Il compte quatre chapitres qui portent respectivement sur l'intégrité de la personne, notamment quant aux soins, à la garde en établissement et à l'examen psychiatrique, sur le respect des droits de l'enfant, sur le respect de la réputation et de la vie privée et sur le respect du corps après le décès.

Le troisième titre, divisé en quatre chapitres, traite de certains éléments relatifs à l'état des personnes. Il aborde, au premier chapitre, les règles relatives à l'attribution du nom, à son utilisation, au changement de nom par voie administrative ou judiciaire, ainsi que celles ayant trait au changement de la mention du sexe à l'acte de l'état civil et à la révision des décisions. Le deuxième chapitre *établit les règles relatives au domicile et à la résidence ; le troisième précise les règles sur l'absence, sur le jugement déclaratif de décès, sur le retour et sur la preuve du décès. Quant au quatrième chapitre, il est consacré à l'état civil et divisé en six sections portant respectivement sur l'officier de l'état civil, sur le registre de l'état civil et sur les actes de l'état civil que sont les actes de naissance, de mariage et de décès, ainsi que sur la modification du registre, sur la publicité du registre et sur certains pouvoirs réglementaires relatifs à la tenue du registre ou à sa publicité.*

Le titre quatrième énonce, dans trois chapitres, les règles relatives à la capacité des personnes. Le premier chapitre est consacré à la majorité, à la minorité et à l'émancipation. Le deuxième chapitre, sur la tutelle au mineur, est divisé en sept sections qui traitent successivement de la charge tutélaire, de la tutelle légale, de la tutelle dative, de l'administration tutélaire, du conseil de tutelle, des mesures de surveillance de la tutelle, ainsi que du remplacement du tuteur et de la fin de la tutelle. Quant au troisième chapitre, il établit les règles des régimes de protection du majeur ; il présente quelques dispositions générales et d'autres règles traitant de l'ouverture des régimes de protection, de la curatelle au majeur, de la tutelle au majeur, du conseiller au majeur et de la fin du régime de protection.

Enfin, le titre cinquième du Livre premier porte sur les personnes morales. Il établit, dans un premier chapitre, les règles générales de la personnalité juridique des personnes morales et aborde les questions relatives à la constitution et aux espèces de personnes morales, aux effets de la personnalité juridique qui leur est attribuée, aux obligations des administrateurs et à leurs inhabilités ainsi qu'à l'attribution judiciaire de la personnalité. Un second chapitre, consacré aux dispositions applicables à certaines personnes morales, traite du fonctionnement de ces personnes morales, de leur dissolution et de leur liquidation.

LIVRE DEUXIÈME

DE LA FAMILLE

Le Livre deuxième porte sur le droit de la famille. Il reprend substantiellement le chapitre 39 des lois de 1980, tel qu'il a été modifié au cours des ans, tout en introduisant quelques règles nouvelles, notamment en matière de filiation, pour tenir compte du développement de la procréation médicalement assistée. Ce livre comprend quatre titres.

Le premier titre traite du mariage et est divisé en sept chapitres. Les trois premiers chapitres portent respectivement sur le mariage et sa célébration, sur la preuve du mariage et sur les nullités de mariage. Le quatrième chapitre détermine les effets du mariage et contient les dispositions relatives aux droits et aux devoirs des époux, à la résidence familiale, à la constitution et au partage du patrimoine familial et à la prestation compensatoire. Le cinquième chapitre, après avoir énoncé certaines règles générales sur le choix du régime matrimonial et l'exercice des droits et pouvoirs résultant du régime matrimonial, précise les règles applicables au régime de la société d'acquêts, à celui de la séparation de biens et aux régimes communautaires. Les chapitres sixième et septième portent sur la séparation de corps et la dissolution du mariage, le dernier chapitre reprenant certaines règles édictées en 1980 relativement aux effets du divorce.

Le titre deuxième s'attache à la filiation par le sang ou consécutive à l'adoption. Le premier chapitre, sur la filiation par le sang, détermine les preuves de la filiation et les actions qui s'y rattachent, et il introduit certaines règles sur la procréation médicalement assistée. Le deuxième chapitre, sur l'adoption, énonce les conditions de l'adoption, précise la nature de l'ordonnance de placement et du jugement d'adoption, indique les effets de l'adoption et établit le caractère confidentiel des dossiers d'adoption.

Les deux derniers titres du Livre deuxième ont trait à l'obligation alimentaire et à l'autorité parentale.

LIVRE TROISIÈME

DES SUCCESSIONS

Le Livre troisième porte sur le droit des successions. Il reprend substantiellement les dispositions adoptées par le chapitre 18 des lois de 1987 et les modifications apportées au Code civil du Bas Canada par le chapitre 55 des lois de 1989. Ce livre compte six titres.

Le titre premier détermine les circonstances de l'ouverture d'une succession et établit les qualités requises pour succéder.

Le titre deuxième, qui traite de la transmission de la succession, comprend trois chapitres. Le premier porte sur la saisine, le deuxième sur la pétition d'hérédité et ses effets sur la transmission de la succession, tandis que le troisième concerne le droit d'option des successibles et énonce les règles relatives à la délibération et à l'option, à l'acceptation d'une succession et à la renonciation à celle-ci.

Le titre troisième, qui établit les règles de la dévolution légale des successions, est divisé en six chapitres. Le premier chapitre détermine la vocation successorale. Le deuxième porte sur la parenté et fixe les notions de degré, de génération et de ligne, directe ou collatérale, ascendante ou descendante. Le troisième chapitre définit la représentation, détermine quand elle a lieu et en précise les effets. Le quatrième chapitre établit l'ordre de dévolution des successions entre le conjoint survivant, les descendants, les ascendants et collatéraux privilégiés ou ordinaires. Le cinquième chapitre établit les règles relatives à la survie de l'obligation alimentaire. Enfin, le sixième chapitre aborde la question des droits de l'État.

Le titre quatrième, divisé en six chapitres, traite successivement de la nature du testament, de la capacité requise pour tester, des formes de testament, des dispositions testamentaires et des légataires, de la révocation des testaments et legs, ainsi que de la preuve et de la vérification des testaments.

Le titre cinquième, qui comprend quatre chapitres, énonce les règles relatives à la liquidation successorale: le premier traite de l'objet de la liquidation et de la séparation des patrimoines; le deuxième porte sur le liquidateur de la succession et établit les règles concernant la désignation et la charge du liquidateur, l'inventaire des biens et les fonctions du liquidateur; le troisième porte sur le paiement des dettes et des legs particuliers et le quatrième chapitre régit la fin de la liquidation.

Le titre sixième, divisé en cinq chapitres, contient les règles du partage. Y sont traités les droits au partage et au maintien de l'indivision, les modalités du partage, les règles à suivre pour la composition des lots, les attributions préférentielles ou les contestations et la remise des titres; y sont également déterminés l'obligation de rapporter les dons, les legs et les dettes, la façon de rapporter et les effets du rapport. Les deux derniers chapitres portent sur les effets du partage et sur la nullité du partage.

LIVRE QUATRIÈME

DES BIENS

Le Livre quatrième porte sur le droit des biens. Il reprend substantiellement les dispositions adoptées par le chapitre 18 des lois de 1987 et intègre les modifications apportées au Code civil du Bas Canada par le chapitre 16 des lois de 1988. Ce livre compte sept titres.

Le titre premier porte sur la distinction des biens et leur appropriation. Ses quatre chapitres traitent respectivement de la distinction des biens, immeubles et meubles, des biens dans leurs rapports avec ce qu'ils produisent, des biens dans leurs rapports avec ceux qui y ont des droits ou qui les possèdent et de certains rapports de fait concernant les biens. Dans le dernier chapitre sont précisées les règles de la possession et celles sur l'acquisition des biens vacants, biens sans maître ou meubles perdus ou oubliés.

Le titre deuxième traite de la propriété. Le premier chapitre précise la nature et l'étendue du droit de propriété et le deuxième les règles relatives à l'accession immobilière et mobilière. Quant au troisième chapitre, il énonce d'abord une règle générale sur les inconvénients normaux du voisinage puis des règles particulières à la propriété immobilière, telles celles sur les limites des fonds et le bornage, sur les eaux, les arbres, l'accès au fonds d'autrui et sa protection, les vues, le droit de passage et les clôtures et ouvrages mitoyens.

Le titre troisième est consacré aux principales modalités de la propriété. Le premier chapitre définit la copropriété par indivision, la copropriété dite divise et la propriété superficiaire; les trois autres chapitres régissent les régimes de la copropriété par indivision, de la copropriété divise et de la propriété superficiaire.

Le titre quatrième régit les démembrements du droit de propriété. Ce titre, divisé en quatre chapitres, traite successivement de l'usufruit, de l'usage, des servitudes et de l'emphytéose.

Le titre cinquième établit les règles relatives aux restrictions à la libre disposition de certains biens. Le premier chapitre énonce les règles concernant les stipulations d'inaliénabilité et le second celles qui concernent la substitution.

Le titre sixième porte sur certains patrimoines d'affectation. Le premier chapitre définit la fondation et le second est consacré à la fiducie: il en précise la nature, détermine les diverses espèces de fiducie et leur durée, établit les règles relatives à l'administration de la fiducie, prévoit les modifications à la fiducie et au patrimoine, ainsi que la fin de la fiducie.

Enfin, le titre septième détermine les règles relatives à l'administration du bien d'autrui. Le premier chapitre contient des dispositions générales et le deuxième détermine l'étendue des activités de l'administrateur du bien d'autrui selon deux types d'administration, la simple ou la pleine administration; le troisième chapitre, sur les règles de l'administration, précise les obligations de l'administrateur envers le bénéficiaire et les tiers, celles du bénéficiaire envers les tiers, et d'autres règles sur l'inventaire, les sûretés et les assurances, sur l'administration collective et la délégation, sur les placements présumés sûrs, sur la répartition des bénéfices et des dépenses, ainsi que sur le compte annuel. Le quatrième chapitre, sur la fin de l'administration, détermine les causes qui mettent fin à l'administration, ainsi que les règles relatives à la reddition de compte et à la remise du bien.

LIVRE CINQUIÈME

DES OBLIGATIONS

Le Livre cinquième porte sur le droit des obligations. Il comprend deux titres: un titre premier sur les obligations en général et un titre deuxième sur les contrats nommés.

TITRE PREMIER

DES OBLIGATIONS EN GÉNÉRAL

Le titre premier du Livre cinquième présente les éléments de la théorie générale des obligations; il est divisé en neuf chapitres.

Le premier chapitre, introductif de la matière, établit les principes qui sont à la base même de la théorie générale des obligations.

Le chapitre deuxième, intitulé « Du contrat », compte cinq sections. Les deux premières, générales, prévoient l'assujettissement des contrats aux règles du chapitre et traitent de la nature du contrat et de certaines de ses espèces. La troisième section établit les conditions de formation du contrat que sont le consentement, la capacité, la cause, l'objet et, en certains cas, la forme, et elle fixe la sanction de l'inobservation de ces conditions. La quatrième section est consacrée aux règles d'interprétation du contrat tandis que la cinquième traite des effets du contrat à l'égard des parties et des tiers, de même que de ceux qui sont particuliers à certains contrats.

Le chapitre troisième regroupe les principales règles de la responsabilité civile. Il traite des conditions de la responsabilité, de certains cas d'exonération de responsabilité et du partage de responsabilité.

Le chapitre quatrième complète l'exposé des principales sources de l'obligation et traite successivement de la gestion d'affaires, de la réception de l'indu et de l'enrichissement sans cause ou injustifié.

Le chapitre cinquième est consacré aux modalités de l'obligation. Y sont successivement abordées les obligations à modalité simple, soit l'obligation conditionnelle et l'obligation à terme, de même que les obligations à modalité complexe, soit l'obligation conjointe, divisible et indivisible, solidaire, alternative et facultative.

Le sixième chapitre, qui traite de l'exécution de l'obligation, est divisé en trois sections. La première énonce les règles du paiement, y compris celles relatives à l'imputation des paiements, aux offres réelles et à la consignation. La deuxième est consacrée à la mise en oeuvre du droit à l'exécution de l'obligation et traite non seulement de l'exception d'inexécution, du droit de rétention et de la mise en demeure préalable, mais également des divers recours ouverts au créancier pour forcer l'exécution en nature de l'obligation, pour obtenir la résolution ou la résiliation du contrat et la réduction de l'obligation ou pour en obtenir l'exécution par équivalence pécuniaire. La troisième section est consacrée aux mesures de protection du droit à l'exécution de l'obligation : mesures conservatoires, action oblique et action paulienne ou en inopposabilité.

Le septième chapitre concerne la transmission et les mutations de l'obligation. Y sont successivement présentées les règles de la cession de créance, de la subrogation, de la novation et de la délégation.

Le chapitre huitième est consacré aux causes d'extinction de l'obligation et il traite spécifiquement de la compensation, de la confusion, de la remise, de l'impossibilité d'exécuter l'obligation et de la libération du débiteur.

Enfin, le neuvième chapitre regroupe les principales règles de la restitution des prestations consécutive à l'anéantissement rétroactif d'un acte juridique.

TITRE DEUXIÈME

DES CONTRATS NOMMÉS

Le titre deuxième du Livre cinquième regroupe les règles particulières à divers contrats, dits nommés ; il est divisé en dix-huit chapitres.

Le premier chapitre, réservé à la vente, compte trois sections. La première, générale, traite de la promesse de vente, de la vente du bien d'autrui, des obligations du vendeur et de l'acheteur, et elle présente aussi les règles propres à l'exercice des droits des parties. Cette section traite en outre de diverses modalités de la vente : la vente à l'essai, la vente à tempérament, la vente avec faculté de rachat et la vente aux enchères, et elle expose les règles sur la vente d'entreprise et sur celle de certains biens incorporels, soit les droits successoraux et les droits litigieux. La deuxième section présente les règles particulières à la vente d'immeubles à usage d'habitation et la troisième est réservée aux contrats apparentés à la vente, soit l'échange, la dation en paiement et le bail à rente.

Le chapitre deuxième, sur la donation, traite de la nature et de l'étendue du contrat de donation et de certaines conditions de la donation, y compris les règles de validité et les règles de forme; il traite aussi des droits et obligations des parties, de la révocation de la donation pour cause d'ingratitude, ainsi que de la donation par contrat de mariage.

Le chapitre troisième énonce les principales règles du contrat de crédit-bail.

Le chapitre quatrième est consacré au louage et il traite d'abord de la nature du louage, des droits et obligations résultant du bail et de la fin du bail. Suivent les dispositions particulières au bail d'un logement et notamment les règles relatives à ce bail, au loyer, à l'état du logement, à certaines modifications au logement, à l'accès et à la visite du logement, au droit au maintien dans les lieux et à la résiliation du bail. Sont enfin présentées les règles particulières au bail dans un établissement d'enseignement, au bail d'un logement à loyer modique et au bail d'un terrain pour maison mobile.

Le chapitre cinquième concerne l'affrètement et il prévoit, outre les règles générales applicables à tout contrat d'affrètement, les règles particulières à l'affrètement coque-nue, à temps, ou au voyage.

Le chapitre sixième, sur le transport, expose les règles générales pour tout mode de transport, de personnes ou de biens, puis les règles particulières au transport maritime de biens.

Le chapitre septième porte sur le contrat de travail.

Le chapitre huitième regroupe les règles relatives au contrat d'entreprise et au contrat de service; il contient, entre autres, les règles particulières aux ouvrages, notamment les règles propres aux ouvrages immobiliers.

Le chapitre neuvième, sur le mandat, traite successivement de la nature et de l'étendue du mandat, des obligations des parties entre elles ou envers les tiers et de la fin du mandat et il présente les règles particulières au mandat donné en prévision de l'inaptitude du mandant.

Le chapitre dixième est consacré à la société et à l'association et il traite plus particulièrement de la société en nom collectif, de la société en commandite et de la société en participation.

Le chapitre onzième est réservé au dépôt; il traite du dépôt en général, du dépôt nécessaire, du dépôt hôtelier et du séquestre.

Le chapitre douzième concerne le contrat de prêt et il traite plus particulièrement du prêt à usage et du simple prêt.

Le chapitre treizième est consacré au cautionnement; y sont présentées les règles relatives à la nature, à l'objet et à l'étendue du cautionnement, de même que les règles propres aux effets et à la fin du cautionnement.

Le chapitre quatorzième, sur la rente, traite de la nature, de l'étendue et de certains effets du contrat de rente.

Le chapitre quinzième, sur les assurances, compte quatre sections. La première, générale, traite de la nature du contrat d'assurances et de ses espèces, de la formation et du contenu du contrat, ainsi que des déclarations et engagements du preneur en assurance terrestre. La deuxième section, qui porte sur les assurances de personnes, établit entre autres les règles relatives au contenu de la police, à l'intérêt d'assurance, à la déclaration de l'âge et du risque, à la prise d'effet et à l'exécution de l'assurance, ainsi qu'à la désignation des bénéficiaires et des titulaires subrogés. La troisième section est consacrée à l'assurance de dommages et elle présente, outre les dispositions communes, les dispositions relatives aux assurances de biens et aux assurances de responsabilité. La quatrième section est réservée à l'assurance maritime.

Enfin, les trois derniers chapitres du titre deuxième sont respectivement consacrés au contrat de jeu et pari, à la transaction et à la convention d'arbitrage.

LIVRE SIXIÈME

DES PRIORITÉS ET DES HYPOTHÈQUES

Le Livre sixième établit le régime juridique des priorités et des hypothèques. Il comprend trois titres.

Le titre premier, sur le gage commun des créanciers, maintient, avec certains aménagements, la règle selon laquelle les biens d'un débiteur sont affectés à l'exécution de ses obligations et constituent le gage commun de ses créanciers.

Le titre deuxième, sur les priorités, établit le droit de préférence, sans publication, de certaines créances, dans les cas prévus expressément au Code.

Le titre troisième porte sur les hypothèques et compte six chapitres. Le premier traite de la nature et des espèces d'hypothèques, ainsi que de leur objet et de leur étendue. Le deuxième chapitre, qui porte sur l'hypothèque conventionnelle, indique qui peut être constituant d'une hypothèque, suivant son espèce, et traite des règles relatives à l'obligation garantie par hypothèque. Ce chapitre présente aussi les règles applicables aux diverses espèces d'hypothèques: l'hypothèque immobilière, l'hypothèque mobilière, avec ou sans dépossession, et l'hypothèque dite ouverte. Le chapitre troisième est consacré à l'hypothèque légale. Le quatrième chapitre traite en particulier de certains effets de l'hypothèque. Le chapitre cinquième, divisé en sept sections, porte sur l'exercice des droits hypothécaires qui permettent au créancier de faire valoir sa sûreté. La première section expose quelques règles générales et la deuxième, les conditions générales d'exercice des droits hypothécaires. La troisième section concerne les mesures préalables à l'exercice des droits hypothécaires, dont le préavis d'exercice de ces droits donné par le créancier, les droits du débiteur ou de celui contre qui le droit est exercé et le délaissement. Les quatre dernières sections présentent les règles propres à chacun des droits hypothécaires, qu'il s'agisse de la prise de possession à des fins d'administration, de la prise en paiement du bien ou de la vente de celui-ci par le créancier, ou encore de la vente sous contrôle de justice. Enfin, le chapitre sixième expose les règles sur l'extinction des hypothèques.

LIVRE SEPTIÈME

DE LA PREUVE

Le Livre septième établit le droit de la preuve; il comprend trois titres.

Le titre premier traite du régime général de la preuve et comprend deux chapitres. Le premier porte sur l'objet et la charge de la preuve et le second présente les règles relatives à la connaissance d'office.

Le titre deuxième porte sur les moyens de preuve; il est divisé en cinq chapitres traitant respectivement des cinq moyens de preuve. Le premier chapitre concerne la preuve par un écrit et comprend sept sections qui traitent successivement des copies de lois, des actes authentiques, des actes semi-authentiques, des actes sous seing privé, des autres écrits, des inscriptions informatisées et, enfin, de la reproduction d'un écrit. Le chapitre deuxième est consacré au témoignage. Il définit le témoignage et sa valeur probante. Les chapitres troisième et quatrième, portant respectivement sur la présomption et l'aveu, définissent et distinguent les différentes catégories de présomptions et d'aveux et déterminent leur valeur probante. Le chapitre cinquième introduit dans le Code civil du Québec un cinquième moyen de preuve, la présentation d'un élément matériel.

Le titre troisième concerne la recevabilité des éléments et des moyens de preuve. Il comprend trois chapitres: le premier, portant sur les éléments de preuve, établit le principe général de recevabilité, le deuxième présente les règles relatives à la recevabilité des moyens de preuve et le troisième, les règles relatives à certaines déclarations.

LIVRE HUITIÈME

DE LA PRESCRIPTION

Le Livre huitième, relatif au droit de la prescription, compte trois titres.

Le titre premier porte sur le régime de la prescription. Ses quatre chapitres traitent respectivement des dispositions générales applicables à la prescription acquisitive et à la prescription extinctive, de la renonciation à la prescription, de l'interruption de la prescription et de la suspension de la prescription.

Le titre deuxième traite de la prescription acquisitive et comprend deux chapitres. Le premier chapitre précise les conditions d'exercice de la prescription acquisitive et le deuxième, les délais de cette prescription.

Le titre troisième présente les règles particulières à la prescription extinctive.

LIVRE NEUVIÈME

DE LA PUBLICITÉ DES DROITS

Le Livre neuvième porte sur la publicité des droits, publicité qui résulte essentiellement de l'inscription qui est faite d'un droit sur le registre approprié. Il est divisé en cinq titres.

Le premier titre établit le domaine de la publicité en indiquant notamment quels sont les droits soumis à la publicité.

Le titre deuxième porte sur les effets de la publicité, notamment sur l'opposabilité des droits à l'égard des tiers, sur le rang des droits entre eux et sur la protection des tiers de bonne foi. Y sont également présentées les règles sur la préinscription.

Le titre troisième expose les modalités de la publicité. Le premier chapitre désigne les registres où sont inscrits les droits et traite du registre foncier et du registre des droits personnels et réels mobiliers. Le deuxième chapitre traite des réquisitions d'inscription et notamment des attestations et de certaines règles d'inscription particulières. Le troisième chapitre présente les devoirs et fonctions de l'officier de la publicité des droits. Le quatrième chapitre traite de l'inscription des adresses et, enfin, le cinquième chapitre précise le cadre des règlements d'application à être établis.

Le titre quatrième, sur l'immatriculation des immeubles, traite à la fois du plan cadastral et des modifications qui y sont apportées. Il prévoit aussi des règles pour le report des droits; il expose également certaines règles applicables aux parties de lots.

Enfin, le titre cinquième, portant sur la radiation des droits, traite successivement des causes de radiation, de certaines radiations et des formalités et effets de la radiation.

LIVRE DIXIÈME

DU DROIT INTERNATIONAL PRIVÉ

Le Livre dixième introduit dans le Code civil un ensemble de règles portant sur le droit international privé. Il comprend quatre titres.

Le titre premier énonce les principes fondamentaux de cette branche du droit civil.

Le titre deuxième établit les règles de conflits de lois qui indiquent le système juridique compétent pour résoudre les situations comportant un élément d'extranéité. Il est divisé en quatre chapitres qui correspondent aux grandes divisions du droit civil soit le statut personnel, le statut réel, le statut des obligations et celui de la procédure.

Le titre troisième traite de la compétence internationale des autorités du Québec. Il est divisé en deux chapitres, l'un contenant des dispositions générales et l'autre les dispositions particulières aux matières personnelles à caractère extrapatrimonial et familial, aux matières personnelles à caractère patrimonial, ainsi qu'aux matières réelles et mixtes.

Enfin, le titre quatrième, divisé en deux chapitres, énonce les règles applicables à la reconnaissance et à l'exécution des décisions étrangères, de même que les règles relatives à la compétence des autorités étrangères.

Projet de loi 125

Code civil du Québec

LE PARLEMENT DU QUÉBEC DÉCRÈTE CE QUI SUIT:

DISPOSITION PRÉLIMINAIRE

Le Code civil du Québec régit, en harmonie avec la Charte des droits et libertés de la personne et les principes généraux du droit, les personnes, les rapports entre les personnes, ainsi que les biens.

Le code est constitué d'un ensemble de règles qui, en toutes matières auxquelles se rapportent la lettre, l'esprit ou l'objet de ses dispositions, établit, en termes exprès ou de façon implicite, le droit commun. En ces matières, il constitue le fondement des autres lois qui peuvent elles-mêmes ajouter au code ou y déroger.

LIVRE PREMIER

DES PERSONNES

TITRE PREMIER

DE LA JOUISSANCE ET DE L'EXERCICE DES DROITS CIVILS

1. Tout être humain possède la personnalité juridique; il a la pleine jouissance des droits civils.

2. Toute personne est titulaire d'un patrimoine.

Celui-ci peut faire l'objet d'une division ou d'une affectation, mais dans la seule mesure prévue par la loi.

10m.

3. Toute personne est titulaire de droits de la personnalité, tels le droit à la vie, à l'inviolabilité et à l'intégrité de sa personne, au respect de son nom, de sa réputation et de sa vie privée.

Ces droits sont incessibles.

4. Toute personne est apte à exercer pleinement ses droits civils.

Dans certains cas, la loi prévoit un régime de représentation ou d'assistance.

5. Toute personne exerce ses droits civils sous le nom qui lui est attribué et qui est énoncé dans son acte de naissance.

2805

6. Toute personne est tenue d'exercer ses droits civils selon les exigences de la bonne foi.

7. Aucun droit ne peut être exercé en vue de nuire à autrui ou d'une manière excessive et déraisonnable, allant ainsi à l'encontre des exigences de la bonne foi.

8. On ne peut renoncer à l'exercice des droits civils que dans la mesure où le permet l'ordre public.

9. Dans l'exercice des droits civils, il peut être dérogé aux règles du présent code qui sont supplétives de volonté ; il ne peut, cependant, être dérogé à celles qui intéressent l'ordre public.

TITRE DEUXIÈME

DE CERTAINS DROITS DE LA PERSONNALITÉ

CHAPITRE PREMIER

DE L'INTÉGRITÉ DE LA PERSONNE

10. Toute personne est inviolable et a droit à son intégrité.

Sauf dans les cas prévus par la loi, nul ne peut lui porter atteinte sans son consentement libre et éclairé.

1399

1101-04

SECTION I

DES SOINS

11. Nul ne peut être soumis sans son consentement à des soins, quelle qu'en soit la nature, qu'il s'agisse d'examens, de prélèvements, de traitements ou de toute autre intervention.

Si l'intéressé est inapte à donner ou à refuser son consentement à des soins, une personne autorisée par la loi ou par un mandat donné en prévision de son inaptitude peut le remplacer.

12. Celui qui consent à des soins pour autrui ou qui les refuse est tenu d'agir dans le seul intérêt de cette personne en tenant compte, dans la mesure du possible, des volontés que cette dernière a pu manifester.

S'il exprime un consentement, il doit s'assurer que les soins seront bénéfiques, malgré la gravité et la permanence de certains de leurs effets, qu'ils sont opportuns dans les circonstances et que les risques présentés ne sont pas hors de proportion avec le bienfait qu'on en espère.

13. En cas d'urgence, le consentement aux soins médicaux n'est pas nécessaire lorsque la vie de la personne est en danger ou son intégrité menacée et que son consentement ne peut être obtenu en temps utile.

Il est toutefois nécessaire lorsque les soins sont inusités ou devenus inutiles ou que leurs conséquences pourraient être intolérables pour la personne.

14. Le consentement aux soins requis par l'état de santé du mineur est donné par le titulaire de l'autorité parentale ou par le tuteur.

Le mineur de quatorze ans et plus peut, néanmoins, consentir seul à ces soins. Si son état exige qu'il demeure dans un établissement de santé ou de services sociaux pendant plus de douze heures, le titulaire de l'autorité parentale ou le tuteur doit être informé de ce fait.

15. Lorsque l'inaptitude d'un majeur à consentir aux soins requis par son état de santé est constatée, le consentement est donné par le mandataire, le tuteur ou le curateur. Si le majeur n'est pas ainsi représenté, le consentement est donné par le conjoint ou, à défaut de conjoint ou en cas d'empêchement de celui-ci, par un proche parent ou par une personne qui démontre pour le majeur un intérêt particulier.

16. L'autorisation du tribunal est nécessaire en cas d'empêchement ou de refus injustifié de celui qui peut consentir à des soins requis par l'état de santé d'un mineur ou d'un majeur inapte à donner son consentement; elle l'est également si le majeur inapte à consentir refuse catégoriquement de recevoir les soins, à moins qu'il ne s'agisse de soins d'hygiène ou d'un cas d'urgence.

Elle est, enfin, nécessaire pour soumettre un mineur âgé de quatorze ans et plus à des soins qu'il refuse, à moins qu'il n'y ait urgence et que sa vie ne soit en danger ou son intégrité menacée, auquel cas le consentement du titulaire de l'autorité parentale ou du tuteur suffit.

17. Le mineur de quatorze ans et plus peut consentir seul aux soins non requis par l'état de santé; le consentement du titulaire de l'autorité parentale ou du tuteur est cependant nécessaire si les soins présentent un risque sérieux pour la santé du mineur et peuvent lui causer des effets graves et permanents.

18. Lorsque la personne est âgée de moins de quatorze ans ou qu'elle est inapte à consentir, le consentement aux soins qui ne sont pas requis par son état de santé est donné par le titulaire de l'autorité parentale, le mandataire, le tuteur ou le curateur; l'autorisation du tribunal est en outre nécessaire si les soins présentent un risque sérieux pour la santé ou s'ils peuvent causer des effets graves et permanents.

19. Une personne majeure, apte à consentir, peut aliéner entre vifs une partie de son corps pourvu que le risque couru ne soit pas hors de proportion avec le bienfait qu'on peut raisonnablement en espérer.

Un mineur ou un majeur inapte ne peut aliéner une partie de son corps que si celle-ci est susceptible de régénération et qu'il n'en résulte pas un risque sérieux pour sa santé, avec le consentement du titulaire de l'autorité parentale, du mandataire, tuteur ou curateur, et l'autorisation du tribunal.

20. Une personne majeure, apte à consentir, peut se soumettre à une expérimentation pourvu que le risque couru ne soit pas hors de proportion avec le bienfait qu'on peut raisonnablement en espérer.

21. Un mineur ou un majeur inapte ne peut être soumis à une expérimentation qu'en l'absence de risque sérieux pour sa santé et d'opposition de sa part s'il comprend la nature et les conséquences de l'acte; le consentement du titulaire de l'autorité parentale ou du mandataire, tuteur ou curateur est nécessaire.

L'expérimentation qui ne vise qu'une personne ne peut avoir lieu que si l'on peut s'attendre à un bénéfice pour la santé de la personne qui y est soumise et l'autorisation du tribunal est nécessaire.

Lorsqu'elle vise un groupe de personnes mineures ou majeures inaptes, l'expérimentation doit être effectuée dans le cadre d'un projet de recherche approuvé par le ministre de la Santé et des Services sociaux, sur avis d'un comité d'éthique du centre hospitalier désigné par le ministre ou d'un comité d'éthique créé par lui à cette fin; il faut de plus qu'on puisse s'attendre à un bénéfice pour la santé des personnes présentant les mêmes caractéristiques d'âge, de maladie ou de handicap que les personnes soumises à l'expérimentation.

Ne constituent pas une expérimentation les soins que le comité d'éthique du centre hospitalier concerné considère comme des soins innovateurs qui sont requis par l'état de santé de la personne qui s'y soumet.

22. Une partie du corps, qu'il s'agisse d'organes, de tissus ou d'autres substances, prélevée sur une personne dans le cadre de soins qui lui sont prodigués, peut être utilisée aux fins de recherche, avec le consentement de la personne concernée ou de celle habilitée à consentir pour elle.

23. Le tribunal appelé à statuer sur une demande d'autorisation relative à des soins, à l'aliénation d'une partie du corps ou à une expérimentation, prend l'avis d'experts, du titulaire de l'autorité parentale, du mandataire, du tuteur ou du curateur et du conseil de tutelle; il peut aussi prendre l'avis de toute personne qui manifeste un intérêt particulier pour la personne concernée par la demande.

Il est aussi tenu, sauf impossibilité, de recueillir l'avis de cette personne et, à moins qu'il ne s'agisse de soins requis par son état de santé, de respecter son refus.

24. Le consentement aux soins qui ne sont pas requis par l'état de santé, à l'aliénation d'une partie du corps ou à une expérimentation doit être donné par écrit.

Il peut toujours être révoqué, même verbalement.

25. L'aliénation que fait une personne d'une partie ou de produits de son corps doit être gratuite; elle ne peut être répétée si elle présente un risque pour la santé.

L'expérimentation ne peut donner lieu à aucune contrepartie financière hormis le versement d'une indemnité en compensation des pertes et des contraintes subies.

SECTION II

DE LA GARDE EN ÉTABLISSEMENT ET DE L'EXAMEN PSYCHIATRIQUE

26. Nul ne peut être gardé dans un établissement de santé ou de services sociaux, en vue d'un examen psychiatrique ou à la suite d'un rapport d'examen psychiatrique, sans son consentement ou sans que la loi ou le tribunal l'autorise.

Le consentement peut être donné par le titulaire de l'autorité parentale ou, lorsque la personne est majeure et qu'elle ne peut manifester sa volonté, par son mandataire, son tuteur ou son curateur. Ce consentement ne peut être donné par le représentant qu'en l'absence d'opposition de la personne.

27. S'il a des motifs sérieux de croire qu'une personne représente un danger pour elle-même ou pour autrui en raison de son état mental, le tribunal peut, à la demande d'un médecin ou d'un intéressé, ordonner qu'elle soit, malgré l'absence de consentement, gardée dans un établissement de santé ou de services sociaux pour y subir un examen psychiatrique. Si la demande est refusée, elle ne peut être présentée à nouveau que si d'autres faits sont allégués.

Si le danger est imminent, la personne peut être admise sous garde, sans l'autorisation du tribunal, comme il est prévu par les lois relatives à la protection des personnes atteintes de maladie mentale.

28. Le jugement qui statue sur la garde d'une personne, en vue de la soumettre à un examen psychiatrique, ordonne également la remise d'un rapport au tribunal dans les sept jours. Il peut, s'il y a lieu, autoriser tout autre examen médical rendu nécessaire par les circonstances.

Le rapport ne peut être divulgué, sauf aux parties, sans l'autorisation du tribunal.

29. Le rapport du médecin doit porter, notamment, sur la nécessité d'une garde en établissement si la personne représente un danger pour elle-même ou pour autrui en raison de son état mental, sur l'aptitude de la personne qui a subi l'examen à prendre soin d'elle-même ou à administrer ses biens et, le cas échéant, sur l'opportunité d'ouvrir à son égard un régime de protection du majeur.

30. Lorsque le rapport conclut à la nécessité de garder la personne en établissement, la garde ne peut avoir lieu, en l'absence de consentement, qu'avec l'autorisation du tribunal.

Le jugement qui ordonne la garde d'une personne en fixe aussi la durée. Dans tous les cas, la personne doit être libérée dès que la garde n'est plus justifiée, même si le délai fixé n'est pas expiré.

31. Toute personne qui est gardée dans un établissement de santé ou de services sociaux et y reçoit des soins doit être informée par l'établissement du plan de soins établi à son égard, ainsi que de tout changement important dans ce plan ou dans ses conditions de vie.

Si la personne est âgée de moins de quatorze ans ou si elle est inapte à consentir, l'information est donnée à la personne qui peut consentir aux soins pour elle.

CHAPITRE DEUXIÈME

DU RESPECT DES DROITS DE L'ENFANT

32. Tout enfant a droit à la protection, à la sécurité et à l'attention que ses parents ou les personnes qui en tiennent lieu peuvent lui donner.

33. Les décisions concernant l'enfant doivent être prises dans son intérêt et dans le respect de ses droits.

Sont pris en considération, outre les besoins moraux, intellectuels, affectifs et physiques de l'enfant, son âge, sa santé, son caractère, son milieu familial et les autres aspects de sa situation.

34. Le tribunal doit, chaque fois qu'il est saisi d'une demande mettant en jeu l'intérêt d'un enfant, lui donner la possibilité d'être entendu si son âge et son discernement le permettent.

CHAPITRE TROISIÈME

DU RESPECT DE LA RÉPUTATION ET DE LA VIE PRIVÉE

35. Toute personne a droit au respect de sa réputation et de sa vie privée.

Nulle atteinte ne peut être portée à la vie privée d'une personne sans que celle-ci ou ses héritiers y consentent ou sans que la loi l'autorise.

36. Peuvent être notamment considérés comme des atteintes à la vie privée d'une personne les actes suivants :

1° Pénétrer chez elle ou y prendre quoi que ce soit ;

2° Intercepter ou utiliser volontairement une communication privée ;

3° Capter ou utiliser son image ou sa voix lorsqu'elle se trouve dans des lieux privés ;

4° Surveiller sa vie privée par quelque moyen que ce soit ;

5° Utiliser son nom, son image, sa ressemblance ou sa voix à toute autre fin que l'information légitime du public ;

6° Utiliser sa correspondance, ses manuscrits ou ses autres documents personnels.

37. Toute personne qui constitue un dossier sur une autre personne doit avoir un intérêt sérieux et légitime à le faire. Elle ne peut recueillir que les renseignements pertinents à l'objet déclaré du dossier et elle ne peut, sans le consentement de l'intéressé ou l'autorisation de la loi, les communiquer à des tiers ou les utiliser à des fins incompatibles avec celles de sa constitution ; elle ne peut non plus, dans la constitution ou l'utilisation du dossier, porter autrement atteinte à la vie privée de l'intéressé ni à sa réputation.

38. Sous réserve des autres dispositions de la loi, toute personne peut, gratuitement, consulter et faire rectifier un dossier qu'une autre personne détient sur elle soit pour prendre une décision à son égard, soit pour informer un tiers ; elle peut aussi le faire reproduire, moyennant des frais raisonnables. Les renseignements contenus dans le dossier doivent être accessibles dans une transcription intelligible.

39. Celui qui détient un dossier sur une personne ne peut lui refuser l'accès aux renseignements qui y sont contenus à moins qu'il ne justifie d'un intérêt sérieux et légitime à le faire ou que ces renseignements ne soient susceptibles de nuire sérieusement à un tiers.

40. Toute personne peut faire corriger, dans un dossier qui la concerne, des renseignements inexacts, incomplets ou équivoques ;

elle peut aussi faire supprimer un renseignement périmé ou non justifié par l'objet du dossier, ou formuler par écrit des commentaires et les verser au dossier.

La rectification est notifiée, sans délai, à toute personne qui a reçu les renseignements dans les six mois précédents et, le cas échéant, à la personne de qui elle les tient. Il en est de même de la demande de rectification, si elle est contestée.

41. Lorsque la loi ne prévoit pas les conditions et les modalités d'exercice du droit de consultation ou de rectification d'un dossier, le tribunal les détermine sur demande.

De même, s'il survient une difficulté dans l'exercice de ces droits, le tribunal la tranche sur demande.

CHAPITRE QUATRIÈME
DU RESPECT DU CORPS APRÈS LE DÉCÈS

42. Le majeur peut régler ses funérailles et le mode de disposition de son corps; le mineur le peut également avec le consentement écrit du titulaire de l'autorité parentale ou de son tuteur. À défaut de volontés exprimées par le défunt, on s'en remet à la volonté des héritiers ou des successibles. Dans l'un et l'autre cas, les héritiers ou les successibles sont tenus d'agir; les frais sont à la charge de la succession.

43. Le majeur ou le mineur âgé de quatorze ans et plus peut, dans un but médical ou scientifique, donner son corps ou autoriser sur celui-ci le prélèvement d'organes ou de tissus. Le mineur de moins de quatorze ans le peut également, avec le consentement du titulaire de l'autorité parentale ou de son tuteur.

Cette volonté est exprimée soit verbalement devant deux témoins, soit par écrit, et elle peut être révoquée de la même manière. Il doit être donné effet à la volonté exprimée, sauf motif impérieux.

44. À défaut de volontés connues ou présumées du défunt, le prélèvement peut être effectué avec le consentement de la personne qui pouvait ou aurait pu consentir aux soins.

Ce consentement n'est pas nécessaire lorsque deux médecins attestent par écrit l'impossibilité de l'obtenir en temps utile, l'urgence de l'intervention et l'espoir sérieux de sauver une vie humaine ou d'en améliorer sensiblement la qualité.

45. Le prélèvement ne peut être effectué avant que le décès du donneur n'ait été constaté par deux médecins qui ne participent ni au prélèvement ni à la transplantation.

46. L'autopsie peut être effectuée dans les cas prévus par la loi ou si le défunt y avait déjà consenti; elle peut aussi l'être avec le consentement de la personne qui pouvait ou aurait pu consentir aux soins. Celui qui demande l'autopsie ou qui y a consenti a le droit de recevoir une copie du rapport.

47. Le tribunal peut, si les circonstances le justifient, ordonner l'autopsie du défunt sur demande d'un médecin ou d'un intéressé; en ce dernier cas, il peut restreindre partiellement la divulgation du rapport d'autopsie.

Le coroner peut également, dans les cas prévus par la loi, ordonner l'autopsie du défunt.

48. Nul ne peut embaumer, inhumer ou incinérer un corps avant que le constat de décès n'ait été dressé et qu'il ne se soit écoulé six heures depuis le constat.

49. Il est permis, en suivant les prescriptions de la loi, d'exhumer un corps si un tribunal l'ordonne, si la destination du lieu où il est inhumé change ou s'il s'agit de l'inhumer ailleurs ou de réparer la sépulture.

L'exhumation est également permise si, conformément à la loi, un coroner l'ordonne.

TITRE TROISIÈME

DE CERTAINS ÉLÉMENTS RELATIFS À L'ÉTAT DES PERSONNES

CHAPITRE PREMIER

DU NOM

SECTION I

DE L'ATTRIBUTION DU NOM

50. Toute personne a un nom qui lui est attribué à la naissance et qui est énoncé dans l'acte de naissance.

Le nom comprend le nom de famille et les prénoms.

51. L'enfant reçoit, au choix de ses père et mère, un ou plusieurs prénoms, ainsi que le nom de famille de l'un d'eux ou un nom composé d'au plus deux parties provenant du nom de famille de ses père et mère.

52. En cas de désaccord sur le choix du nom de famille, le directeur de l'état civil attribue à l'enfant un nom composé de deux parties provenant l'une du nom de famille du père, l'autre de celui de la mère, selon leur choix respectif.

Si le désaccord porte sur le choix du prénom, il attribue à l'enfant deux prénoms au choix respectif des père et mère.

53. L'enfant dont seule la filiation paternelle ou maternelle est établie porte le nom de famille de son père ou de sa mère, selon le cas, et un ou plusieurs prénoms choisis par son père ou sa mère.

L'enfant dont la filiation n'est pas établie porte le nom qui lui est attribué par le directeur de l'état civil.

54. Lorsque le nom choisi par les père et mère comporte un nom de famille composé ou des prénoms inusités qui prêtent au ridicule ou sont susceptibles de déconsidérer l'enfant, le directeur de l'état civil peut inviter les parents à modifier leur choix.

Si ceux-ci refusent de le faire, il a autorité pour saisir le tribunal du différend qui l'oppose aux parents et demander l'attribution à l'enfant du nom de famille d'un des deux parents ou de deux prénoms usuels, selon le cas.

SECTION II

DE L'UTILISATION DU NOM

55. Toute personne a droit au respect de son nom.

Elle peut utiliser un ou plusieurs des prénoms énoncés dans son acte de naissance.

56. Celui qui utilise un autre nom que le sien est responsable de la confusion ou du préjudice qui peut en résulter.

Tant le titulaire du nom que son conjoint ou ses proches parents, peuvent s'opposer à cette utilisation et demander la réparation du préjudice causé.

SECTION III

§ 1.—*Disposition générale*

57. Qu'il porte sur le nom de famille ou le prénom, le changement de nom d'une personne ne peut avoir lieu sans l'autorisation du directeur de l'état civil ou du tribunal, suivant ce qui est prévu à la présente section.

§ 2.—*Du changement de nom par voie administrative*

58. Le directeur de l'état civil a compétence pour autoriser le changement de nom pour un motif sérieux dans tous les cas qui ne ressortissent pas à la compétence du tribunal; il en est ainsi, notamment, lorsque le nom généralement utilisé ne correspond pas à celui qui est inscrit dans l'acte de naissance, que le nom est d'origine étrangère ou trop difficile à prononcer ou à écrire dans sa forme originale ou que le nom prête au ridicule ou est frappé d'infamie.

Il a également compétence lorsque l'on demande l'ajout au nom de famille d'une partie provenant du nom de famille du père ou de la mère, déclaré dans l'acte de naissance.

59. Le majeur qui a la citoyenneté canadienne et est domicilié au Québec depuis au moins un an peut demander le changement de son nom. Cette demande vaut aussi, si elle porte sur le nom de famille, pour ses enfants mineurs qui portent le même nom ou une partie de ce nom.

Il peut aussi demander que les prénoms de ses enfants mineurs soient modifiés ou qu'il soit ajouté à leur nom de famille une partie provenant de son propre nom.

60. Le tuteur d'un mineur peut demander le changement de nom de son pupille, si ce dernier a la citoyenneté canadienne et est domicilié au Québec depuis au moins un an.

61. Celui qui demande un changement de nom expose ses motifs et indique le nom de ses père et mère, celui de son conjoint, de ses enfants et, s'il y a lieu, le nom de l'autre parent de ces derniers.

Il atteste sous serment que les motifs exposés et les renseignements donnés sont exacts, et il joint à sa demande tous les documents utiles.

62. À moins d'un motif impérieux, le changement de nom à l'égard d'un enfant mineur n'est pas accordé si le tuteur ou le mineur de quatorze ans et plus n'a pas été avisé de la demande ou s'il s'y oppose.

Cependant, lorsque l'on demande l'ajout au nom de famille du mineur d'une partie provenant du nom de famille de son père ou de sa mère, le droit d'opposition est réservé au mineur.

63. Avant d'autoriser un changement de nom, le directeur de l'état civil doit, à moins qu'une dispense spéciale de publication n'ait été accordée par le ministre de la Justice pour des motifs d'intérêt général, s'assurer que les avis de la demande ont été publiés; il doit donner aux tiers qui le demandent la possibilité de faire connaître leurs observations.

Il peut aussi exiger du demandeur les explications et les renseignements supplémentaires dont il a besoin.

64. Les autres règles relatives à la procédure de changement de nom, à la publicité de la demande et de la décision et les droits exigibles de la personne qui fait la demande sont déterminés par règlement du gouvernement.

§ 3.—*Du changement de nom par voie judiciaire*

65. Le tribunal est seul compétent pour autoriser le changement de nom d'un enfant en cas de changement dans la filiation, d'abandon par le père ou la mère ou de déchéance de l'autorité parentale.

66. Le mineur de quatorze ans et plus peut présenter lui-même une demande de changement de nom, mais il doit alors aviser le titulaire de l'autorité parentale et le tuteur.

Il peut aussi s'opposer seul à une demande.

§ 4.—*Des effets du changement de nom*

67. Le changement de nom produit ses effets dès que le jugement qui l'autorise est passé en force de chose jugée ou que la décision du directeur de l'état civil n'est plus susceptible d'être révisée.

Un avis en est publié à la *Gazette officielle du Québec*, à moins qu'une dispense spéciale de publication ne soit accordée par le ministre de la Justice pour des motifs d'intérêt général.

68. Le changement de nom ne modifie en rien les droits et les obligations d'une personne.

69. Les documents faits sous l'ancien nom d'une personne sont réputés faits sous son nouveau nom.

Cette personne ou un tiers intéressé peut, à ses frais et en fournissant la preuve du changement de nom, exiger que ces documents soient rectifiés par l'indication du nouveau nom.

70. Les actions auxquelles est partie une personne qui a changé de nom se poursuivent sous son nouveau nom, sans reprise d'instance.

SECTION IV

DU CHANGEMENT DE LA MENTION DU SEXE

71. La personne qui a subi avec succès des traitements médicaux et des interventions chirurgicales impliquant une modification structurale des organes sexuels, et destinés à changer ses caractères sexuels apparents, peut obtenir la modification de la mention du sexe figurant sur son acte de naissance et, s'il y a lieu, de ses prénoms.

Seul un majeur, non marié, domicilié au Québec depuis au moins un an et ayant la citoyenneté canadienne, peut faire cette demande.

72. La demande est faite au directeur de l'état civil; outre les autres documents pertinents, elle est accompagnée d'un certificat du médecin traitant et d'une attestation du succès des soins établie par un autre médecin qui exerce au Québec.

73. La demande obéit à la même procédure que la demande de changement de nom. Elle est sujette à la même publicité et aux mêmes droits et les règles relatives aux effets du changement de nom s'y appliquent, compte tenu des adaptations nécessaires.

Cependant, au registre de l'état civil, la nouvelle mention du sexe n'est portée qu'à l'acte de naissance de la personne.

SECTION V

DE LA RÉVISION DES DÉCISIONS

74. Les décisions du directeur de l'état civil relatives à l'attribution du nom ou à un changement de nom ou de mention du sexe, peuvent être révisées par le tribunal, sur demande d'une personne intéressée.

CHAPITRE DEUXIÈME

DU DOMICILE ET DE LA RÉSIDENCE

75. Le domicile d'une personne, quant à l'exercice de ses droits civils, est au lieu de son principal établissement.

76. Le changement de domicile s'opère par le fait d'établir sa résidence dans un autre lieu, avec l'intention d'en faire son principal établissement.

La preuve de l'intention résulte des déclarations de la personne et des circonstances.

77. La résidence d'une personne est le lieu où elle demeure de façon habituelle; en cas de pluralité de résidences, on considère, pour l'établissement du domicile, celle qui a le caractère principal.

78. La personne dont on ne peut établir le domicile avec certitude est réputée domiciliée au lieu de sa résidence.

À défaut de résidence, elle est réputée domiciliée au lieu où elle se trouve ou, s'il est inconnu, au lieu de son dernier domicile connu.

79. La personne appelée à une fonction publique, temporaire ou révocable, conserve son domicile, à moins qu'elle ne manifeste l'intention contraire.

80. Le mineur non émancipé a son domicile chez son tuteur.

Lorsque les père et mère exercent la tutelle mais n'ont pas de domicile commun, le mineur est présumé domicilié chez celui de ses parents avec lequel il réside habituellement, à moins que le tribunal n'ait autrement fixé le domicile de l'enfant.

81. Le majeur en tutelle est domicilié chez son tuteur, celui en curatelle, chez son curateur.

82. Les époux peuvent avoir un domicile distinct, sans qu'il soit pour autant porté atteinte aux règles relatives à la vie commune.

83. Les parties à un acte juridique peuvent, par écrit, faire une élection de domicile en vue de l'exécution de cet acte ou de l'exercice des droits qui en découlent.

L'élection de domicile ne se présume pas.

CHAPITRE TROISIÈME

DE L'ABSENCE ET DU DÉCÈS

SECTION I

DE L'ABSENCE

84. L'absent est celui qui, alors qu'il avait son domicile au Québec, a cessé d'y paraître sans donner de nouvelles, et sans que l'on sache s'il vit encore.

85. L'absent est présumé vivant durant les sept années qui suivent sa disparition, à moins que son décès ne soit prouvé avant l'expiration de ce délai.

86. Un tuteur peut être nommé à l'absent qui a des droits à exercer ou des biens à administrer si l'absent n'a pas désigné un administrateur de ses biens ou si ce dernier n'est pas connu, refuse ou néglige d'agir, ou en est empêché.

87. Tout intéressé, y compris le curateur public ou un créancier de l'absent, peut demander l'ouverture d'une tutelle à l'absent.

La tutelle est déférée par le tribunal sur avis du conseil de tutelle et les règles relatives à la tutelle au mineur s'y appliquent, compte tenu des adaptations nécessaires.

88. Le tribunal fixe, à la demande du tuteur ou d'un intéressé et suivant l'importance des biens, les sommes qu'il convient d'affecter aux charges du mariage, à l'entretien de la famille ou au paiement des obligations alimentaires de l'absent.

89. Le conjoint ou le tuteur de l'absent peut, après un an d'absence, demander au tribunal de déclarer que les droits patrimoniaux des époux sont susceptibles de liquidation.

Le tuteur doit obtenir l'autorisation du tribunal pour accepter le partage des acquêts du conjoint de l'absent ou y renoncer, ou autrement se prononcer sur les autres droits de l'absent.

90. La tutelle à l'absent se termine par son retour, par la désignation qu'il fait d'un administrateur de ses biens, par le jugement déclaratif de décès ou par le décès prouvé de l'absent.

91. En cas de force majeure, on peut aussi nommer, comme à l'absent, un tuteur à la personne empêchée de paraître à son domicile et qui ne peut désigner un administrateur de ses biens.

SECTION II

DU JUGEMENT DÉCLARATIF DE DÉCÈS

92. Lorsqu'il s'est écoulé sept ans depuis la disparition, le jugement déclaratif de décès peut être prononcé, à la demande de tout intéressé, y compris le curateur public.

Le jugement peut également être prononcé avant ce temps lorsque la mort d'une personne domiciliée au Québec ou qui est présumée y être décédée peut être tenue pour certaine, sans qu'il soit possible de dresser un constat de décès.

93. Le jugement déclaratif de décès énonce le nom et le sexe du défunt présumé et, s'ils sont connus, les lieu et date de sa naissance et de son mariage, le lieu de son dernier domicile, le nom de ses père et mère et de son conjoint, ainsi que les lieu, date et heure du décès.

Une copie du jugement est transmise, sans délai, au coroner en chef par le greffier du tribunal qui a rendu la décision.

94. La date du décès est fixée soit à l'expiration de sept ans à compter de la disparition, soit plus tôt si les présomptions tirées des circonstances permettent de tenir la mort d'une personne pour certaine.

Le lieu du décès est fixé, en l'absence d'autres preuves, là où la personne a été vue pour la dernière fois.

95. Le jugement déclaratif de décès produit les mêmes effets que le décès.

96. S'il est prouvé que la date du décès est antérieure à celle que fixe le jugement déclaratif de décès, la dissolution du régime matrimonial rétroagit à la date réelle du décès et la succession est ouverte à compter de cette date.

S'il est prouvé que la date du décès est postérieure à celle fixée par le jugement, la dissolution du régime matrimonial rétroagit à la date fixée par ce jugement, mais la succession n'est ouverte qu'à compter de la date réelle du décès.

Les rapports entre les héritiers apparents et véritables obéissent aux règles du livre Des obligations relatives à la restitution des prestations.

DU RETOUR

97. Les effets du jugement déclaratif de décès cessent au retour de la personne déclarée décédée, mais le mariage demeure dissous.

Cependant, s'il surgit des difficultés concernant la garde des enfants ou les aliments, elles sont réglées comme s'il y avait eu séparation de corps.

98. Celui qui revient doit demander au tribunal l'annulation du jugement déclaratif de décès et la rectification du registre de l'état civil. Il peut aussi, sous réserve des droits des tiers, demander au tribunal la radiation ou la rectification des mentions ou inscriptions faites à la suite du jugement déclaratif de décès, et que le retour rend sans effet, comme si elles avaient été faites sans droit.

Tout intéressé peut présenter la demande au tribunal aux frais de celui qui revient, à défaut pour ce dernier d'agir.

99. Celui qui revient reprend ses biens suivant les modalités prévues par les règles du livre Des obligations relatives à la restitution des prestations. Il rembourse les personnes qui étaient, de bonne foi, en possession de ses biens et qui ont acquitté ses obligations autrement qu'avec ses biens.

100. Tout paiement qui a été fait aux héritiers ou aux légataires particuliers de celui qui revient postérieurement à un jugement déclaratif de décès, mais avant la radiation ou la rectification des mentions ou inscriptions, est valable et libératoire.

101. L'héritier apparent qui apprend l'existence de la personne déclarée décédée conserve la possession des biens et en acquiert les fruits et les revenus, tant que celui qui revient ne demande pas de reprendre les biens.

SECTION IV

DE LA PREUVE DU DÉCÈS

102. La preuve du décès s'établit par l'acte de décès, hormis les cas où la loi autorise un autre mode de preuve.

CHAPITRE QUATRIÈME

DU REGISTRE ET DES ACTES DE L'ÉTAT CIVIL

SECTION I

DE L'OFFICIER DE L'ÉTAT CIVIL

103. Le directeur de l'état civil est le seul officier de l'état civil.

Il est chargé de dresser les actes de l'état civil et de les modifier, de tenir le registre de l'état civil, de le garder et d'en assurer la publicité.

SECTION II

DU REGISTRE DE L'ÉTAT CIVIL

104. Le registre de l'état civil est constitué de l'ensemble des actes de l'état civil et des actes juridiques qui les modifient.

105. Le registre de l'état civil est tenu en double exemplaire; l'un est constitué de tous les documents écrits, l'autre contient l'information sur support informatique.

S'il y a divergence entre les deux exemplaires du registre, l'écrit prévaut, mais dans tous les cas, l'un des exemplaires peut servir à reconstituer l'autre.

106. Une version du registre de l'état civil est aussi conservée dans un lieu différent de celui où sont gardés les exemplaires du registre.

SECTION III

DES ACTES DE L'ÉTAT CIVIL

§ 1.—*Dispositions générales*

107. Les seuls actes de l'état civil sont les actes de naissance, de mariage et de décès.

Ils ne contiennent que ce qui est exigé par la loi; ils sont authentiques.

108. Les actes de l'état civil sont dressés, sans délai, à partir des constats, des déclarations et des actes juridiques reçus par le directeur de l'état civil, relatifs aux naissances, mariages et décès qui surviennent au Québec ou qui concernent une personne qui y est domiciliée.

109. Le directeur de l'état civil dresse l'acte de l'état civil en signant la déclaration qu'il reçoit, ou en l'établissant lui-même conformément au jugement ou à un autre acte qu'il reçoit.

Il date la déclaration, y appose un numéro d'inscription et l'insère dans le registre de l'état civil; elle constitue, dès lors, l'acte de l'état civil.

110. Les constats et les déclarations énoncent la date où ils sont faits, les nom, qualité et domicile de leur auteur et ils portent sa signature.

§ 2.—*Des actes de naissance*

111. L'accoucheur dresse le constat de la naissance.

Le constat énonce les lieu, date et heure de la naissance, le sexe de l'enfant, de même que le nom et le domicile de la mère.

112. L'accoucheur remet un exemplaire du constat à ceux qui doivent déclarer la naissance; il transmet, sans délai, un autre exemplaire du constat au directeur de l'état civil, avec la déclaration de naissance de l'enfant, à moins que celle-ci ne puisse être transmise immédiatement.

113. La déclaration de naissance de l'enfant est faite au directeur de l'état civil, dans les trente jours, par les père et mère ou par l'un d'eux. Elle est faite devant un témoin qui la signe.

114. Seuls le père ou la mère peuvent déclarer la filiation de l'enfant à leur égard. Cependant, lorsque la conception ou la naissance survient pendant le mariage, l'un d'eux peut déclarer la filiation de l'enfant à l'égard de l'autre.

Aucune autre personne ne peut déclarer la filiation à l'égard d'un parent sans l'autorisation de ce dernier.

115. La déclaration de naissance énonce le nom attribué à l'enfant, son sexe, les lieu, date et heure de la naissance, le nom et le domicile des père et mère et du témoin, de même que le lien de parenté du déclarant avec l'enfant.

L'auteur de la déclaration joint à celle-ci un exemplaire du constat de naissance.

116. La personne qui recueille ou garde un nouveau-né, dont les père et mère sont inconnus ou empêchés d'agir, est tenue, dans les trente jours, de déclarer la naissance au directeur de l'état civil.

La déclaration mentionne le sexe de l'enfant et, s'ils sont connus, son nom et les lieu, date et heure de la naissance. L'auteur de la déclaration doit joindre à celle-ci une note faisant état des faits et des circonstances et y indiquer, s'ils lui sont connus, les noms des père et mère.

117. Lorsqu'ils sont inconnus, le directeur de l'état civil fixe les lieu, date et heure de la naissance sur la foi d'un rapport médical et suivant les présomptions tirées des circonstances.

§ 3.—*Des actes de mariage*

118. Celui qui célèbre un mariage le déclare au directeur de l'état civil dans les trente jours de la célébration.

119. La déclaration de mariage énonce les nom et domicile des époux, le lieu et la date de leur naissance et de leur mariage, ainsi que le nom de leur père et mère et des témoins.

Elle énonce aussi les nom, domicile et qualité du célébrant, et indique, s'il y a lieu, la société religieuse à laquelle il appartient.

120. La déclaration de mariage indique, s'il y a lieu, le fait d'une dispense de publication et, si l'un des époux est mineur, les autorisations ou consentements obtenus.

121. La déclaration est signée par le célébrant, les époux et les témoins.

§ 4.—*Des actes de décès*

122. Le médecin qui constate un décès en dresse le constat.

Il remet un exemplaire à celui qui est tenu de déclarer le décès et en transmet un autre, sans délai, au directeur de l'état civil, avec la déclaration de décès, à moins que celle-ci ne puisse être transmise immédiatement.

123. S'il est impossible de faire constater le décès par un médecin dans un délai raisonnable, mais que la mort est évidente, le constat de décès peut être dressé par deux agents de la paix, qui sont tenus aux mêmes obligations que le médecin.

124. Le constat énonce le nom et le sexe du défunt, ainsi que les lieu, date et heure du décès.

125. La déclaration de décès est faite, sans délai, au directeur de l'état civil, soit par le conjoint du défunt, soit par un proche parent ou un allié, soit, à défaut, par toute autre personne capable d'identifier le défunt. Elle est faite devant un témoin qui la signe.

126. La déclaration de décès énonce le nom et le sexe du défunt, le lieu et la date de sa naissance et de son mariage, le lieu de son dernier domicile, les lieu, date et heure du décès, le moment, le lieu et le mode de disposition du corps, ainsi que le nom de ses père et mère et, le cas échéant, de son conjoint.

L'auteur de la déclaration joint à celle-ci un exemplaire du constat de décès.

127. Lorsqu'elles sont inconnues, le directeur de l'état civil fixe la date et l'heure du décès sur la foi du rapport d'un coroner et suivant les présomptions tirées des circonstances.

Si le lieu du décès n'est pas connu, le lieu présumé est celui où le corps a été découvert.

128. Si l'identité du défunt est inconnue, le constat contient son signalement et décrit les circonstances de la découverte du corps.

SECTION IV

DE LA MODIFICATION DU REGISTRE DE L'ÉTAT CIVIL

§ 1.—*Disposition générale*

129. Le greffier du tribunal qui a rendu un jugement qui change le nom d'une personne ou modifie autrement l'état d'une personne ou une mention à l'un des actes de l'état civil, notifie ce jugement au directeur de l'état civil, dès qu'il est passé en force de chose jugée.

Le directeur de l'état civil fait alors les inscriptions nécessaires pour assurer la publicité du registre.

§ 2.—*De la confection des actes et des mentions*

130. Lorsqu'une naissance, un mariage ou un décès survenu au Québec n'est pas constaté ou déclaré, ou l'est incorrectement ou tardivement, le directeur de l'état civil procède à une enquête sommaire, dresse l'acte de l'état civil sur la foi de l'information qu'il obtient et l'insère dans le registre de l'état civil.

131. Lorsque la déclaration et le constat contiennent des mentions contradictoires, par ailleurs essentielles pour permettre d'établir l'état de la personne, l'acte de l'état civil ne peut être dressé qu'avec l'autorisation du tribunal, sur demande du directeur de l'état civil ou d'une personne intéressée.

132. Un nouvel acte de l'état civil est dressé, à la demande d'une personne intéressée, lorsqu'un jugement qui modifie une mention essentielle d'un acte de l'état civil, tel le nom ou la filiation, a été notifié au directeur de l'état civil ou que la décision d'autoriser un changement de nom ou de la mention du sexe a acquis un caractère définitif.

Pour compléter l'acte, le directeur peut requérir que la nouvelle déclaration qu'il établit soit signée par ceux qui auraient pu la signer eût-elle été la déclaration primitive.

Le nouvel acte se substitue à l'acte primitif; il en reprend toutes les énonciations et les mentions qui n'ont pas fait l'objet de modifications. De plus, une mention de la substitution est portée à l'acte primitif.

133. Lorsqu'un jugement déclaratif de décès lui est notifié, le directeur de l'état civil dresse l'acte de décès en y indiquant les mentions conformes au jugement.

134. Le directeur de l'état civil fait mention, sur l'acte de naissance, de l'acte de mariage; il fait aussi mention, sur les actes de naissance et de mariage, de l'acte de décès.

135. Le directeur de l'état civil doit, sur notification d'un jugement prononçant un divorce, porter une mention sur les actes de naissance et de mariage de chacune des personnes concernées.

Il doit également, sur notification d'un jugement prononçant la nullité de mariage ou annulant un jugement déclaratif de décès, annuler, selon le cas, l'acte de mariage ou de décès et faire les inscriptions nécessaires pour assurer la cohérence du registre.

136. Lorsque la mention qu'il porte à un acte résulte d'un jugement, le directeur de l'état civil inscrit sur l'acte, l'objet et la date du jugement, le tribunal qui l'a rendu et le numéro du dossier.

Dans les autres cas, il porte sur l'acte les mentions qui permettent de retrouver l'acte modificatif.

137. Le directeur de l'état civil, sur réception d'un acte de l'état civil fait hors du Québec, mais concernant une personne domiciliée au Québec, insère cet acte dans le registre comme s'il s'agissait d'un acte dressé au Québec.

Il insère également les actes juridiques faits hors du Québec modifiant ou remplaçant un acte qu'il détient; il fait alors les inscriptions nécessaires pour assurer la publicité du registre.

Malgré leur insertion au registre, les actes juridiques, y compris les actes de l'état civil, faits hors du Québec conservent leur caractère d'actes semi-authentiques, à moins que leur validité n'ait été reconnue par un tribunal du Québec. Le directeur doit mentionner ce fait lorsqu'il délivre des copies, certificats ou attestations qui concernent ces actes.

138. Lorsqu'il y a un doute sur la validité de l'acte de l'état civil ou de l'acte juridique fait hors du Québec, le directeur de l'état civil peut refuser d'agir, à moins que la validité du document ne soit reconnue par un tribunal du Québec.

139. Si l'acte de l'état civil dressé hors du Québec a été perdu, détruit ou s'il est impossible d'en obtenir une copie, le directeur de l'état civil ne peut dresser un acte de l'état civil ou porter une mention sur un acte qu'il détient déjà que s'il y est autorisé par le tribunal.

140. Les actes de l'état civil et les actes juridiques faits hors du Québec et rédigés dans une autre langue que le français ou l'anglais doivent être accompagnés d'une traduction vidimée au Québec.

§ 3.—*De la rectification et de la reconstitution des actes et du registre*

141. Hormis les cas prévus au présent chapitre, le tribunal peut seul ordonner la rectification d'un acte de l'état civil ou son insertion dans le registre.

Il peut aussi, sur demande d'un intéressé, réviser toute décision du directeur de l'état civil relative à un acte de l'état civil.

142. Le directeur de l'état civil corrige dans tous les actes les erreurs purement matérielles.

143. Sur la foi des renseignements qu'il obtient, le directeur de l'état civil reconstitue, conformément au Code de procédure civile, l'acte perdu ou détruit.

SECTION V

DE LA PUBLICITÉ DU REGISTRE DE L'ÉTAT CIVIL

144. La publicité du registre de l'état civil se fait par la délivrance de copies d'actes, de certificats ou d'attestations portant le vidimus du directeur de l'état civil et la date de la délivrance.

Les copies d'actes de l'état civil, les certificats et les attestations ainsi délivrés sont authentiques, sous réserve de l'article 137.

145. Est une copie d'un acte de l'état civil le document qui reproduit intégralement les énonciations de l'acte, telles qu'elles ont pu être modifiées.

146. Le certificat d'état civil énonce le nom de la personne, son sexe, ses lieu et date de naissance et, le cas échéant, le nom de son conjoint et les lieu et date du mariage ou du décès.

Le directeur de l'état civil peut également délivrer des certificats de naissance, de mariage ou de décès portant les seules mentions relatives à un fait certifié.

147. L'attestation porte sur la présence ou l'absence, dans le registre, d'un acte ou d'une mention dont la loi exige qu'elle soit portée sur l'acte.

148. Le directeur de l'état civil ne délivre la copie d'un acte qu'aux personnes qui y sont mentionnées ou à celles qui justifient de leur intérêt; il délivre les certificats à toute personne qui en fait la demande.

Il délivre les attestations à toute personne qui en fait la demande si la mention ou le fait qu'il atteste est de la nature de ceux qui apparaissent sur un certificat; autrement, il ne les délivre qu'aux seules personnes qui justifient de leur intérêt.

149. Lorsqu'un nouvel acte a été dressé, seules les personnes mentionnées à l'acte nouveau peuvent obtenir copie de l'acte primitif.

En cas d'adoption cependant, il n'est jamais délivré copie de l'acte primitif, à moins que, les autres conditions de la loi étant remplies, le tribunal ne l'autorise.

Dès lors qu'un acte est annulé, seules les personnes qui démontrent leur intérêt peuvent obtenir une copie de celui-ci.

150. Le registre de l'état civil ne peut être consulté sans l'autorisation du directeur de l'état civil.

Celui-ci, s'il permet la consultation, détermine alors les conditions nécessaires à la sauvegarde des renseignements inscrits.

SECTION VI

DES POUVOIRS RÉGLEMENTAIRES RELATIFS À LA TENUE ET À LA PUBLICITÉ DU REGISTRE DE L'ÉTAT CIVIL

151. Le ministre de la Justice peut désigner des personnes pour signer et assurer la publicité du registre sous l'autorité du directeur de l'état civil; le ministre donne avis de ces désignations à la *Gazette officielle du Québec*.

Les mentions additionnelles qui peuvent apparaître sur les constats et les déclarations, les droits de délivrance de copies d'actes, de certificats ou d'attestations et les droits exigibles pour la confection d'un acte ou la consultation du registre sont déterminés par le règlement d'application pris par le gouvernement.

152. Dans les communautés cries, inuit ou naskapies, l'agent local d'inscription ou un autre fonctionnaire nommé en vertu des lois relatives aux autochtones cris, inuit et naskapis peut, dans la mesure prévue au règlement d'application, être autorisé à exercer certaines fonctions du directeur de l'état civil.

TITRE QUATRIÈME

DE LA CAPACITÉ DES PERSONNES

CHAPITRE PREMIER

DE LA MAJORITÉ ET DE LA MINORITÉ

SECTION I

DE LA MAJORITÉ

153. L'âge de la majorité est fixé à dix-huit ans.

La personne, jusqu'alors mineure, devient capable d'exercer pleinement tous ses droits civils.

154. La capacité du majeur ne peut être limitée que par une disposition expresse de la loi ou par un jugement prononçant l'ouverture d'un régime de protection.

SECTION II

DE LA MINORITÉ

155. Le mineur exerce ses droits civils dans la seule mesure prévue par la loi.

156. Le mineur de quatorze ans et plus est réputé majeur pour tous les actes relatifs à son emploi, ou à l'exercice de son art ou de sa profession.

157. Le mineur peut, compte tenu de son âge et de son discernement, contracter seul pour satisfaire ses besoins ordinaires et usuels.

158. Hors les cas où il peut agir seul, le mineur est représenté par son tuteur pour l'exercice de ses droits civils.

À moins que la loi ou la nature de l'acte ne le permette pas, l'acte que le mineur peut faire seul peut aussi être fait valablement par son représentant.

159. Le mineur doit être représenté en justice par son tuteur; ses actions sont portées au nom de ce dernier.

Toutefois, le mineur peut, avec l'autorisation du tribunal, intenter seul une action relative à son état, à l'exercice de l'autorité parentale ou à un acte à l'égard duquel il peut agir seul; en ces cas, il peut agir seul en défense.

160. Le mineur peut invoquer seul, en défense, l'irrégularité provenant du défaut de représentation ou l'incapacité lui résultant de sa minorité.

161. L'acte fait seul par le mineur, lorsque la loi ne lui permet pas d'agir seul ou représenté, est nul de nullité absolue.

162. L'acte accompli par le tuteur sans l'autorisation du tribunal, alors que celle-ci est requise par la nature de l'acte, peut être annulé à la demande du mineur, sans qu'il soit nécessaire d'établir qu'il a subi un préjudice.

163. L'acte fait seul par le mineur ou fait par le tuteur sans l'autorisation du conseil de tutelle, alors que celle-ci est requise par la nature de l'acte, ne peut être annulé ou les obligations qui en découlent réduites, à la demande du mineur, que s'il en subit un préjudice.

164. Le mineur ne peut exercer l'action en nullité ou en réduction de ses obligations lorsque le préjudice qu'il subit résulte d'un événement casuel et imprévu.

Il ne peut non plus se soustraire à l'obligation extracontractuelle de réparer le préjudice causé à autrui par sa faute.

165. La simple déclaration faite par un mineur qu'il est majeur ne le prive pas de son action en nullité ou en réduction de ses obligations.

166. Le mineur devenu majeur peut confirmer l'acte fait seul en minorité, alors qu'il devait être représenté. Après la reddition du compte de tutelle, il peut également confirmer l'acte fait par son tuteur sans que toutes les formalités aient été observées.

SECTION III

DE L'ÉMANCIPATION

§ 1.—*De la simple émancipation*

167. Le tuteur peut, avec l'accord du conseil de tutelle, émanciper le mineur de seize ans et plus qui le lui demande, par le dépôt d'une déclaration en ce sens auprès du curateur public.

L'émancipation prend effet au moment du dépôt de cette déclaration.

168. Le tribunal peut aussi, après avoir pris l'avis du tuteur et, le cas échéant, du conseil de tutelle, émanciper le mineur.

Le mineur peut demander seul son émancipation.

169. Le tuteur doit rendre compte de son administration au mineur émancipé; il continue, néanmoins, de l'assister gratuitement.

170. L'émancipation ne met pas fin à la minorité et ne confère pas tous les droits résultant de la majorité, mais elle libère le mineur de l'obligation d'être représenté pour l'exercice de ses droits civils.

171. Le mineur émancipé peut établir son propre domicile; il cesse d'être sous l'autorité de ses père et mère.

172. Outre les actes que le mineur peut faire seul, le mineur émancipé peut faire tous les actes de simple administration; il peut ainsi, à titre de locataire, passer des baux d'une durée d'au plus trois ans ou donner des biens suivant ses facultés s'il n'entame pas notablement son capital.

173. Le mineur émancipé doit être assisté de son tuteur pour tous les actes excédant la simple administration, notamment pour accepter une donation avec charge ou pour renoncer à une succession.

L'acte accompli sans assistance ne peut être annulé ou les obligations qui en découlent réduites que si le mineur en subit un préjudice.

174. Les prêts ou les emprunts considérables, eu égard au patrimoine du mineur émancipé, et les actes d'aliénation d'un immeuble ou d'une entreprise doivent être autorisés par le tribunal, sur avis du tuteur. Autrement, l'acte ne peut être annulé ou les obligations qui en découlent réduites, à la demande du mineur, que s'il en subit un préjudice.

§ 2.—*De la pleine émancipation*

175. La pleine émancipation a lieu par le mariage.

Elle peut aussi, à la demande du mineur, être déclarée par le tribunal pour un motif sérieux; en ce cas, le titulaire de l'autorité parentale, le tuteur et toute personne qui a la garde du mineur doivent être appelés à donner leur avis ainsi que, s'il y a lieu, le conseil de tutelle.

176. La pleine émancipation rend le mineur capable, comme s'il était majeur, d'exercer ses droits civils.

CHAPITRE DEUXIÈME

DE LA TUTELLE AU MINEUR

SECTION I

DE LA CHARGE TUTÉLAIRE

177. La tutelle est établie dans l'intérêt du mineur; elle est destinée à assurer la protection de sa personne, l'administration de son patrimoine et, en général, l'exercice de ses droits civils.

178. La tutelle au mineur est légale ou dative.

La tutelle légale résulte de la loi; la tutelle dative est celle qui est déférée par les père et mère ou par le tribunal.

179. La tutelle est une charge personnelle, accessible à toute personne physique capable du plein exercice de ses droits civils et apte à exercer la charge.

180. Nul ne peut être contraint d'accepter une tutelle dative, sauf, à défaut d'une autre personne, le directeur de la protection de la jeunesse ou, pour une tutelle aux biens, le curateur public.

181. La tutelle ne passe pas aux héritiers du tuteur; ceux-ci sont seulement responsables de la gestion de leur auteur. S'ils sont majeurs, ils sont tenus de continuer l'administration de leur auteur jusqu'à la nomination d'un nouveau tuteur.

182. La tutelle exercée par le directeur de la protection de la jeunesse ou le curateur public est liée à sa fonction.

183. Les père et mère, le directeur de la protection de la jeunesse ou la personne qu'il recommande comme tuteur exercent la tutelle gratuitement.

Toutefois, les père et mère peuvent, pour l'administration des biens de leur enfant, recevoir une rémunération que fixe le tribunal, sur l'avis du conseil de tutelle, dès lors qu'il s'agit pour eux d'une occupation principale.

184. Le tuteur datif peut recevoir une rémunération que fixe le tribunal sur l'avis du conseil de tutelle, ou, encore, le père ou la mère qui le nomme ou, s'il y est autorisé, le liquidateur de leur succession. Il est tenu compte des charges de la tutelle et des revenus des biens à gérer.

185. Sauf division, la tutelle s'étend à la personne et aux biens du mineur.

186. Lorsque la tutelle s'étend à la personne du mineur et qu'elle est exercée par une personne autre que les père et mère, le tuteur agit comme titulaire de l'autorité parentale, à moins que le tribunal n'en décide autrement.

187. On ne peut nommer qu'un tuteur à la personne, mais on peut en nommer plusieurs aux biens.

188. Le tuteur aux biens est responsable de l'administration des biens du mineur; cependant, le tuteur à la personne représente le mineur en justice quant à ces biens.

Lorsque plusieurs tuteurs aux biens sont nommés, chacun d'eux est responsable de la gestion des biens qui lui ont été confiés.

189. Une personne morale peut agir comme tuteur aux biens si elle y est autorisée par la loi.

190. Chaque fois qu'un mineur a des intérêts à discuter en justice avec son tuteur, on lui nomme un tuteur *ad hoc*.

191. Le siège de la tutelle est au domicile du mineur.

Dans le cas où la tutelle est exercée par le directeur de la protection de la jeunesse ou par le curateur public, le siège de la tutelle est au lieu où il exerce ses fonctions.

SECTION II

DE LA TUTELLE LÉGALE

192. Outre les droits et devoirs liés à l'autorité parentale, les père et mère, s'ils sont majeurs ou émancipés, sont de plein droit tuteurs de leur enfant mineur, afin d'assurer sa représentation dans l'exercice de ses droits civils et d'administrer son patrimoine.

Ils le sont également de leur enfant conçu qui n'est pas encore né, et ils sont chargés d'agir pour lui dans tous les cas où son intérêt patrimonial l'exige.

193. Les père et mère exercent ensemble la tutelle, à moins que l'un d'eux ne soit décédé ou ne se trouve empêché de manifester sa volonté ou de le faire en temps utile.

194. L'un des parents peut donner à l'autre mandat de le représenter dans des actes relatifs à l'exercice de la tutelle.

Ce mandat est présumé à l'égard des tiers de bonne foi.

195. Lorsque la garde de l'enfant fait l'objet d'un jugement, la tutelle continue d'être exercée par les père et mère, à moins que le tribunal, pour des motifs graves, n'en décide autrement.

196. En cas de désaccord relativement à l'exercice de la tutelle entre les père et mère, l'un ou l'autre peut saisir le tribunal du différend.

Le tribunal statue dans l'intérêt du mineur, après avoir favorisé la conciliation des parties et avoir obtenu, au besoin, l'avis du conseil de tutelle.

197. La déchéance de l'autorité parentale entraîne la perte de la tutelle; le retrait de certains attributs de l'autorité ou de leur exercice n'entraîne la perte de la tutelle que si le tribunal en décide ainsi.

198. Le père ou la mère qui s'est vu retirer la tutelle, par suite de la déchéance de l'autorité parentale ou du retrait de l'exercice de certains attributs de cette autorité, peut, même après l'ouverture d'une tutelle dative, être rétabli dans sa charge lorsqu'il jouit de nouveau du plein exercice de l'autorité parentale.

199. Lorsque le tribunal prononce la déchéance de l'autorité parentale à l'égard des père et mère du mineur, sans procéder à la nomination d'un tuteur, le directeur de la protection de la jeunesse du lieu où réside l'enfant devient d'office tuteur légal, à moins que l'enfant n'ait déjà un tuteur autre que ses père et mère.

Le directeur de la protection de la jeunesse est aussi, jusqu'à l'ordonnance de placement, tuteur légal de l'enfant qu'il a fait déclarer admissible à l'adoption ou au sujet duquel un consentement général à l'adoption lui a été remis, excepté dans le cas où le tribunal a nommé un autre tuteur.

SECTION III

DE LA TUTELLE DATIVE

200. Le père ou la mère peut nommer un tuteur à son enfant mineur, par testament ou par une déclaration en ce sens transmise au curateur public.

201. Le droit de nommer le tuteur n'appartient qu'au dernier mourant des père et mère, s'il a conservé au jour de son décès la tutelle légale.

Lorsque les père et mère décèdent en même temps, en ayant chacun désigné comme tuteur une personne différente qui accepte la charge, le tribunal décide laquelle l'exercera.

202. À moins que la désignation ne soit contestée, le tuteur nommé par le père ou la mère entre en fonction au moment de son acceptation de la charge, après le décès du dernier mourant.

La personne est présumée avoir accepté la tutelle si elle n'a pas refusé la charge dans les trente jours, à compter du moment où elle a eu connaissance de sa nomination.

203. Le tuteur nommé par le père ou la mère doit, qu'il accepte ou refuse la charge, en aviser le liquidateur de la succession et le curateur public.

204. Lorsque la personne désignée par le parent refuse la tutelle, elle doit en aviser, sans délai, son remplaçant si le parent en a désigné un.

Elle peut, néanmoins, revenir sur son refus avant qu'un remplaçant n'accepte la charge ou que l'ouverture d'une tutelle ne soit demandée au tribunal.

205. La tutelle est déférée par le tribunal lorsqu'il y a lieu de nommer un tuteur ou de le remplacer, de nommer un tuteur *ad hoc* ou un tuteur aux biens, ou encore en cas de contestation du choix d'un tuteur nommé par les père et mère.

Elle est déférée sur avis du conseil de tutelle, à moins qu'elle ne soit demandée par le directeur de la protection de la jeunesse.

206. Le mineur, le père ou la mère et les proches parents et alliés du mineur, ou toute autre personne intéressée, y compris le curateur public, peuvent s'adresser au tribunal et proposer, le cas échéant, une personne qui soit apte à exercer la tutelle et prête à accepter la charge.

207. Le directeur de la protection de la jeunesse ou la personne qu'il recommande pour l'exercer peut aussi demander l'ouverture d'une tutelle à un enfant mineur orphelin qui n'est pas déjà pourvu d'un tuteur, à un enfant dont ni le père ni la mère n'assument, de fait, le soin, l'entretien ou l'éducation, ou à un enfant qui serait vraisemblablement en danger s'il retournait auprès de ses père et mère.

SECTION IV

DE L'ADMINISTRATION TUTÉLAIRE

208. Le tuteur agit à l'égard des biens du mineur à titre d'administrateur chargé de la simple administration.

209. Les père et mère ne sont pas tenus, dans l'administration des biens de leur enfant mineur, de faire l'inventaire des biens, de fournir une sûreté garantissant leur administration, de rendre un compte de gestion annuel, ou d'obtenir du conseil de tutelle ou du tribunal des avis ou autorisations, à moins que la valeur des biens ne soit supérieure à 25 000 $ ou que le tribunal ne l'ordonne, à la demande d'un intéressé.

210. Les biens donnés ou légués à un mineur, à la condition qu'ils soient administrés par un tiers, sont soustraits à l'administration du tuteur.

Si l'acte n'indique pas le régime d'administration de ces biens, la personne qui les administre a les droits et obligations d'un tuteur aux biens.

211. Le tuteur peut accepter seul une donation en faveur de son pupille. Toutefois, il ne peut accepter une donation avec charge sans obtenir l'autorisation du conseil de tutelle.

212. Le tuteur ne peut transiger ni poursuivre un appel sans l'autorisation du conseil de tutelle.

213. S'il s'agit de contracter un emprunt important eu égard au patrimoine du mineur, de grever un bien d'une sûreté, d'aliéner un bien important à caractère familial, un immeuble ou une entreprise, ou de provoquer le partage définitif des immeubles d'un mineur indivisaire, le tuteur doit être autorisé par le conseil de tutelle ou, si la valeur du bien ou de la sûreté excède 25 000 $, par le tribunal, qui sollicite l'avis du conseil de tutelle.

Le conseil de tutelle ou le tribunal ne permet de contracter l'emprunt, d'aliéner un bien à titre onéreux ou de le grever d'une sûreté, que dans les cas où cela est nécessaire pour l'éducation et l'entretien du mineur, pour payer ses dettes, pour maintenir le bien en bon état ou pour conserver sa valeur. L'autorisation indique alors le montant et les conditions de l'emprunt, les biens qui peuvent être aliénés ou grevés d'une sûreté, ainsi que les conditions dans lesquelles ils peuvent l'être.

214. Le tuteur ne peut, sans avoir obtenu l'évaluation d'un expert, aliéner un bien dont la valeur excède 25 000 $, sauf s'il s'agit de valeurs cotées et négociées à une bourse reconnue suivant les dispositions relatives aux placements présumés sûrs. Une copie de l'évaluation est jointe au compte de gestion annuel.

Constituent un seul et même acte les opérations juridiques connexes par leur nature, leur objet ou le moment de leur passation.

215. Le tuteur peut conclure seul une convention tendant au maintien de l'indivision, mais, en ce cas, le mineur devenu majeur peut y mettre fin dans l'année qui suit sa majorité, quelle que soit la durée de la convention.

La convention autorisée par le conseil de tutelle et par le tribunal lie le mineur devenu majeur.

216. Le greffier du tribunal donne, sans délai, avis au conseil de tutelle et au curateur public de tout jugement relatif aux intérêts patrimoniaux du mineur, ainsi que de toute transaction effectuée dans le cadre d'une action à laquelle le tuteur est partie en cette qualité.

217. Lorsque la valeur des biens excède 25 000 $, le liquidateur d'une succession dévolue ou léguée à un mineur et le donateur d'un bien si le donataire est mineur ou, dans tous les cas, toute personne qui paie une indemnité au bénéfice d'un mineur, doit déclarer le fait au curateur public et indiquer la valeur des biens.

218. Le tuteur prélève sur les biens qu'il administre les sommes nécessaires pour acquitter les charges de la tutelle, notamment pour l'exercice des droits civils du mineur et l'administration de son patrimoine; il effectue aussi un tel prélèvement si, pour assurer l'entretien ou l'éducation du mineur, il y a lieu de suppléer l'obligation alimentaire des père et mère.

219. Le tuteur à la personne convient avec le tuteur aux biens des sommes qui lui sont nécessaires, annuellement, pour acquitter les charges de la tutelle.

S'ils ne s'entendent pas sur ces sommes ou leur paiement, le conseil de tutelle ou, à défaut, le tribunal tranche.

220. Le mineur gère le produit de son travail et les allocations qui lui sont versées pour combler ses besoins ordinaires et usuels.

Lorsque les revenus du mineur sont considérables ou que les circonstances le justifient, le tribunal peut, après avoir obtenu l'avis du tuteur et, le cas échéant, du conseil de tutelle, fixer les sommes dont le mineur conserve la gestion. Il tient compte de l'âge et du discernement du mineur, des conditions générales de son entretien et de son éducation, ainsi que de ses obligations alimentaires et de celles de ses parents.

221. Le directeur de la protection de la jeunesse qui exerce la tutelle ou la personne qu'il recommande pour l'exercer, doivent, lorsque la loi prévoit que le tuteur doit, pour agir, obtenir l'avis ou l'autorisation du conseil de tutelle, être autorisés par le tribunal.

Cependant, lorsque la valeur des biens est supérieure à 25 000 $ ou, dans tous les cas lorsque le tribunal l'ordonne, la tutelle aux biens est déférée au curateur public. Celui-ci a, dès lors, les droits et les obligations du tuteur datif, sous réserve des dispositions de la loi.

SECTION V

DU CONSEIL DE TUTELLE

§ 1.—*Du rôle et de la constitution du conseil*

222. Le conseil de tutelle a pour rôle de surveiller la tutelle. Il est formé de trois personnes désignées par une assemblée de parents, d'alliés ou d'amis ou, si le tribunal le décide, d'une seule personne.

223. Le conseil de tutelle est constitué soit qu'il y ait tutelle dative, soit qu'il y ait tutelle légale, mais, en ce dernier cas, seulement si les père et mère sont tenus, dans l'administration des biens du mineur, de faire inventaire, de fournir une sûreté ou de rendre un compte annuel de gestion.

Il n'est pas constitué lorsque la tutelle est exercée par le directeur de la protection de la jeunesse ou une personne qu'il recommande comme tuteur, ou par le curateur public.

224. Toute personne intéressée peut provoquer la constitution du conseil de tutelle en demandant soit à un notaire, soit au tribunal du lieu où le mineur a son domicile ou sa résidence, de convoquer une assemblée de parents, d'alliés ou d'amis.

Le tribunal saisi d'une demande pour nommer ou remplacer un tuteur ou un conseil de tutelle le peut également, même d'office.

225. Le tuteur nommé par le père ou la mère du mineur ou les père et mère, le cas échéant, doivent provoquer la constitution du conseil de tutelle.

Les père et mère peuvent, à leur choix, convoquer une assemblée de parents, d'alliés ou d'amis, ou demander au tribunal de constituer un conseil de tutelle d'une seule personne et de la désigner.

226. Doivent être convoqués à l'assemblée de parents, d'alliés ou d'amis appelée à constituer un conseil de tutelle, les père et mère du mineur et, s'ils ont une résidence connue au Québec, ses autres ascendants ainsi que ses frères et soeurs majeurs.

Peuvent être convoqués à l'assemblée, pourvu qu'ils soient majeurs, les autres parents et alliés du mineur et ses amis.

Au moins cinq personnes doivent assister à cette assemblée et, autant que possible, les lignes maternelle et paternelle doivent être représentées.

227. Les personnes qui doivent être convoquées ont toujours le droit de se présenter à l'assemblée de constitution et d'y donner leur avis, même si on a omis de les convoquer.

228. L'assemblée désigne les trois membres du conseil et deux suppléants, en respectant, dans la mesure du possible, la représentation des lignes maternelle et paternelle.

Elle désigne également un secrétaire, membre ou non du conseil, chargé de rédiger et de conserver les procès-verbaux des délibérations; le cas échéant, elle fixe la rémunération du secrétaire.

Le tuteur ne peut être membre du conseil de tutelle.

229. Le conseil comble les vacances en choisissant un des suppléants déjà désignés appartenant à la ligne où s'est produite la vacance. À défaut de suppléant, il choisit un parent ou un allié de la même ligne ou, à défaut, un parent ou un allié de l'autre ligne ou un ami.

230. Le conseil de tutelle est tenu d'inviter le tuteur à toutes ses séances pour y prendre son avis; le mineur peut y être invité.

231. Le tribunal peut, sur demande ou d'office, décider que le conseil de tutelle sera formé d'une seule personne qu'il désigne, lorsque la constitution d'un conseil formé de trois personnes est inopportune, en raison de l'éloignement, de l'indifférence ou d'un empêchement majeur des membres de la famille, ou en raison de la situation personnelle ou familiale du mineur.

Il peut alors désigner une personne qui démontre un intérêt particulier pour le mineur ou, à défaut et s'il n'est pas déjà tuteur, le directeur de la protection de la jeunesse ou le curateur public.

Le tribunal peut dispenser celui qui présente la demande de procéder au préalable à la convocation d'une assemblée de parents, d'alliés ou d'amis, s'il lui est démontré que des efforts suffisants ont été faits pour réunir cette assemblée et qu'ils ont été vains.

232. À l'exception du directeur de la protection de la jeunesse et du curateur public, nul ne peut être contraint d'accepter une charge au conseil; celui qui a accepté une charge peut toujours en être relevé, pourvu que cela ne soit pas fait à contretemps.

La charge est personnelle et gratuite.

§ 2.—*Des droits et obligations du conseil*

233. Le conseil de tutelle donne les avis et prend les décisions dans tous les cas prévus par la loi.

En outre, lorsque les règles de l'administration du bien d'autrui prévoient que le bénéficiaire doit ou peut consentir à un acte, recevoir un avis ou être consulté, le conseil agit au nom du mineur bénéficiaire.

234. Le conseil, lorsqu'il est formé de trois personnes, se réunit au moins une fois l'an; il ne délibère valablement que si la majorité de ses membres est réunie ou si tous les membres peuvent s'exprimer à l'aide de moyens permettant à tous de communiquer immédiatement entre eux.

Les décisions sont prises, et les avis donnés, à la majorité des voix; les motifs de chacun doivent être exprimés.

235. Le conseil doit faire nommer un tuteur *ad hoc* chaque fois que le mineur a des intérêts à discuter en justice avec son tuteur.

236. Le conseil s'assure que le tuteur fait l'inventaire des biens du mineur et qu'il fournit et maintient une sûreté.

Il reçoit le compte annuel de gestion du tuteur et a le droit de consulter tous les documents et pièces à l'appui du compte, et de s'en faire remettre une copie.

237. Toute personne intéressée peut, pour un motif grave, demander au tribunal la révision, dans un délai de dix jours, d'une décision du conseil ou l'autorisation de provoquer la constitution d'un nouveau conseil.

238. Le tuteur peut provoquer la convocation du conseil ou, à défaut de pouvoir le faire, demander au tribunal l'autorisation d'agir seul.

239. Il est de la responsabilité du conseil d'assurer la conservation des archives et, à la fin de la tutelle, de les remettre au mineur ou à ses héritiers.

SECTION VI

DES MESURES DE SURVEILLANCE DE LA TUTELLE

§ 1.—*De l'inventaire*

240. Dans les soixante jours de l'ouverture de la tutelle, le tuteur doit faire l'inventaire des biens à administrer. Il doit faire de même à l'égard des biens échus au mineur après l'ouverture de la tutelle.

Une copie de l'inventaire est transmise au curateur public et au conseil de tutelle.

241. Le tuteur qui continue l'administration d'un autre tuteur, après la reddition de compte, est dispensé de faire l'inventaire des biens.

§ 2.—*De la sûreté*

242. Le tuteur est tenu, lorsque la valeur des biens à administrer excède 25 000 $, de souscrire une assurance ou de fournir une autre sûreté pour garantir l'exécution de ses obligations. La nature et l'objet de la sûreté, ainsi que le délai pour la fournir, sont déterminés par le conseil de tutelle.

Les frais de la sûreté sont à la charge de la tutelle.

243. Le tuteur doit, sans délai, justifier de la sûreté au conseil de tutelle et au curateur public.

Il doit, pendant la durée de sa charge, maintenir cette sûreté ou en offrir une autre de valeur suffisante, et la justifier annuellement.

244. La personne morale qui exerce la tutelle aux biens est dispensée de fournir une sûreté.

245. Lorsqu'il y a lieu de donner mainlevée d'une sûreté, le conseil de tutelle ou le mineur devenu majeur peut le faire et requérir, s'il y a lieu, aux frais de la tutelle, la radiation de l'inscription. Un avis de la radiation est donné au curateur public.

§ 3.—*Des rapports et comptes*

246. Le tuteur transmet au mineur de quatorze ans et plus, au conseil de tutelle et au curateur public, le compte annuel de sa gestion.

Le tuteur aux biens rend compte annuellement au tuteur à la personne.

247. À la fin de son administration, le tuteur rend un compte définitif au mineur devenu majeur; il doit aussi rendre compte au tuteur qui le remplace et au mineur de quatorze ans et plus ou, le cas échéant, au liquidateur de la succession du mineur. Il doit transmettre une copie du compte définitif au conseil de tutelle et au curateur public.

248. Tout accord entre le tuteur et le mineur devenu majeur portant sur l'administration ou sur le compte est nul, s'il n'est précédé de la reddition d'un compte détaillé et de la remise des pièces justificatives.

249. Le curateur public examine les comptes annuels de gestion du tuteur et le compte définitif. Il s'assure aussi du maintien de la sûreté.

Il a le droit d'exiger tout document et toute explication concernant ces comptes et il peut, lorsque la loi le prévoit, en requérir la vérification.

SECTION VII

DU REMPLACEMENT DU TUTEUR ET DE LA FIN DE LA TUTELLE

250. Le tuteur datif peut, pour un motif sérieux, demander au tribunal d'être relevé de sa charge, pourvu que sa demande ne soit pas faite à contretemps et qu'un avis en ait été donné au conseil de tutelle.

251. Le conseil de tutelle ou, en cas d'urgence, l'un de ses membres doit demander le remplacement du tuteur qui ne peut exercer sa charge ou ne respecte pas ses obligations. Le tuteur à la personne doit agir de même à l'égard d'un tuteur aux biens.

Tout intéressé, y compris le curateur public, peut aussi demander le remplacement du tuteur pour ces motifs.

252. Lorsque la tutelle est exercée par le directeur de la protection de la jeunesse, par une personne qu'il recommande comme tuteur ou par le curateur public, tout intéressé peut demander leur remplacement sans avoir à justifier d'un autre motif que l'intérêt du mineur.

253. Pendant l'instance, le tuteur continue à exercer sa charge, à moins que le tribunal n'en décide autrement et ne désigne un administrateur provisoire chargé de la simple administration des biens du mineur.

254. Le jugement qui met fin à la charge du tuteur doit énoncer les motifs du remplacement et désigner le nouveau tuteur.

255. La tutelle prend fin à la majorité, lors de la pleine émancipation ou au décès du mineur.

La charge du tuteur cesse à la fin de la tutelle, au remplacement du tuteur ou à son décès.

CHAPITRE TROISIÈME

DES RÉGIMES DE PROTECTION DU MAJEUR

SECTION I

DISPOSITIONS GÉNÉRALES

256. Les régimes de protection du majeur sont établis dans son intérêt; ils sont destinés à assurer la protection de sa personne, l'administration de son patrimoine et, en général, l'exercice de ses droits civils.

L'incapacité qui en résulte est établie en sa faveur seulement.

257. Toute décision relative à l'ouverture d'un régime de protection ou qui concerne le majeur protégé doit être prise dans son intérêt, le respect de ses droits et la sauvegarde de son autonomie.

Le majeur doit, dans la mesure du possible et sans délai, en être informé.

258. Il est nommé au majeur un curateur ou un tuteur pour le représenter, ou un conseiller pour l'assister, dans la mesure où il est inapte à prendre soin de lui-même ou à administrer ses biens, par suite, notamment, d'une maladie, d'une déficience ou d'un affaiblissement dû à l'âge qui altère ses facultés mentales ou son aptitude physique à exprimer sa volonté.

Il peut aussi être nommé un tuteur ou un conseiller au prodigue qui met en danger le bien-être de son conjoint ou de ses enfants mineurs.

259. Dans le choix d'un régime de protection, il est tenu compte du degré d'inaptitude de la personne à prendre soin d'elle-même ou à administrer ses biens.

260. Le curateur ou le tuteur au majeur protégé a la responsabilité de sa garde et de son entretien; il a également celle d'assurer le bien-être moral et matériel du majeur, en tenant compte de la condition de celui-ci, de ses besoins et de ses facultés, et des autres circonstances dans lesquelles il se trouve.

Il peut déléguer l'exercice de la garde et de l'entretien du majeur protégé, mais, dans la mesure du possible, il doit, de même que le délégué, maintenir une relation personnelle avec le majeur, obtenir son avis, le cas échéant, et le tenir informé des décisions prises à son sujet.

261. Le curateur public n'exerce la curatelle ou la tutelle au majeur protégé, que s'il est nommé par le tribunal pour exercer la charge; il peut aussi agir d'office si le majeur n'est plus pourvu d'un curateur ou d'un tuteur.

262. Le curateur public a la simple administration des biens du majeur protégé, même lorsqu'il agit comme curateur.

263. Le curateur public n'a pas la garde du majeur protégé auquel il est nommé tuteur ou curateur, à moins que le tribunal, si aucune autre personne ne peut l'exercer, ne la lui confie. Il est cependant chargé, dans tous les cas, d'assurer la protection du majeur.

La personne à qui la garde est confiée exerce, cependant, les pouvoirs du tuteur ou du curateur pour consentir aux soins requis par l'état de santé du majeur, à l'exception de ceux que le curateur public choisit de se réserver.

264. Le curateur public qui agit comme tuteur ou curateur d'un majeur protégé peut déléguer l'exercice de certaines fonctions de la tutelle ou de la curatelle à une personne qu'il désigne, après s'être assuré, si le majeur est soigné dans un établissement de santé ou de services sociaux, que la personne choisie n'est pas un salarié de cet établissement et n'y occupe aucune fonction. Il peut néanmoins, lorsque les circonstances le justifient, passer outre à cette restriction si le salarié de l'établissement est le conjoint ou un proche parent du majeur.

Il peut autoriser le délégué à consentir aux soins requis par l'état de santé du majeur, à l'exception de ceux qu'il choisit de se réserver.

265. Le délégué rend compte de l'exercice de la garde au curateur public, au moins une fois l'an. Ce dernier peut, en cas de conflit d'intérêts entre le délégué et le majeur protégé ou pour un autre motif sérieux, retirer la délégation.

266. Les règles relatives à la tutelle au mineur s'appliquent à la tutelle et à la curatelle au majeur, compte tenu des adaptations nécessaires.

Ainsi, s'ajoutent aux personnes qui doivent être convoquées au conseil de tutelle en application de l'article 226, le conjoint et les descendants du majeur au premier degré.

267. Lorsque le curateur public demande l'ouverture ou la révision d'un régime de protection et qu'il démontre que des efforts suffisants ont été faits pour réunir l'assemblée de parents, d'alliés ou d'amis et qu'ils ont été vains, le tribunal peut procéder sans que cette assemblée soit tenue.

SECTION II

DE L'OUVERTURE D'UN RÉGIME DE PROTECTION

268. L'ouverture d'un régime de protection est prononcée par le tribunal.

Celui-ci n'est pas lié par la demande et il peut fixer un régime différent de celui dont on demande l'ouverture.

269. Peuvent demander l'ouverture d'un régime de protection le majeur lui-même, son conjoint, ses proches parents et alliés, toute personne qui démontre pour le majeur un intérêt particulier ou tout autre intéressé, y compris le mandataire désigné par le majeur ou le curateur public.

270. Lorsqu'un majeur, qui reçoit des soins ou des services d'un établissement de santé ou de services sociaux, a besoin d'être assisté ou représenté dans l'exercice de ses droits civils en raison de son isolement, de la durée prévisible de son inaptitude, de la nature ou de l'état de ses affaires ou en raison du fait qu'aucun mandataire désigné par lui n'assure déjà une assistance ou une représentation adéquate, le directeur général de l'établissement en fait rapport au curateur public, transmet une copie de ce rapport au majeur et en informe un des proches de ce majeur.

Le rapport est constitué, entre autres, de l'évaluation médicale et psychosociale de celui qui a examiné le majeur ; il porte sur la nature et le degré d'inaptitude du majeur, l'étendue de ses besoins et les autres circonstances de sa condition, ainsi que sur l'opportunité d'ouvrir à son égard un régime de protection. Il mentionne également, s'ils sont connus, les noms des personnes qui ont qualité pour demander l'ouverture du régime de protection.

271. L'ouverture d'un régime de protection du majeur peut être demandée dans l'année précédant la majorité.

Le jugement ne prend effet qu'à la majorité.

272. En cours d'instance, le tribunal peut, même d'office, statuer sur la garde du majeur s'il est manifeste qu'il ne peut prendre soin de lui-même et que sa garde est nécessaire pour lui éviter un préjudice sérieux.

273. L'acte par lequel le majeur a déjà chargé une autre personne de l'administration de ses biens continue de produire ses effets malgré l'instance, à moins que, pour un motif sérieux, cet acte ne soit révoqué par le tribunal.

En l'absence d'un mandat donné par le majeur ou par le tribunal en vertu de l'article 444, on suit les règles de la gestion d'affaires, et le curateur public, ainsi que toute autre personne qui a qualité pour demander l'ouverture du régime, peut faire, en cas d'urgence et même avant l'instance si une demande d'ouverture est imminente, les actes nécessaires à la conservation du patrimoine.

274. Hors les cas du mandat ou de la gestion d'affaires, ou même avant l'instance si une demande d'ouverture d'un régime de protection est imminente, le tribunal peut, s'il y a lieu d'agir pour éviter un préjudice sérieux, désigner provisoirement le curateur public ou une autre personne, soit pour accomplir un acte déterminé, soit pour administrer les biens du majeur dans les limites de la simple administration du bien d'autrui.

275. Pendant l'instance et par la suite, si le régime de protection applicable est la tutelle, le logement du majeur protégé et les meubles dont il est garni doivent être conservés à sa disposition. Le pouvoir d'administrer ces biens ne permet que des conventions de jouissance précaire, lesquelles cessent d'avoir effet de plein droit dès le retour du majeur protégé.

S'il devient nécessaire ou s'il est de l'intérêt du majeur protégé qu'il soit disposé des meubles ou des droits relatifs au logement, l'acte doit être autorisé par le conseil de tutelle. Même en ce cas, il ne peut être disposé des souvenirs et autres objets à caractère personnel, à moins d'un motif impérieux; ils doivent, dans la mesure du possible, être gardés à la disposition du majeur par l'établissement de santé ou de services sociaux.

276. Le tribunal saisi de la demande d'ouverture d'un régime de protection prend en considération, outre l'avis des personnes susceptibles d'être appelées à former le conseil de tutelle, les preuves médicales et psychosociales, les volontés exprimées par le majeur dans un mandat qu'il a donné en prévision de son inaptitude mais qui n'a pas été homologué, ainsi que le degré d'autonomie de la personne pour laquelle on demande l'ouverture d'un régime.

Il doit donner au majeur l'occasion d'être entendu, personnellement ou par représentant si son état de santé le requiert, sur le bien-fondé de la demande et, le cas échéant, sur la nature du régime et sur la personne qui sera chargée de le représenter ou de l'assister.

277. Le jugement qui concerne un régime de protection est toujours susceptible de révision.

278. Le régime de protection est réévalué, à moins que le tribunal ne fixe un délai plus court, tous les trois ans s'il s'agit d'un cas de tutelle ou s'il y a eu nomination d'un conseiller, ou tous les cinq ans en cas de curatelle.

Le curateur, le tuteur ou le conseiller du majeur est tenu de veiller à ce que le majeur soit soumis à une évaluation médicale et psychosociale en temps voulu. Lorsque celui qui procède à l'évaluation constate que la situation du majeur a suffisamment changé pour justifier la fin du régime ou sa modification, il en fait rapport au majeur et à la personne qui a demandé l'évaluation et il en dépose une copie au greffe du tribunal.

279. Le directeur général de l'établissement de santé ou de services sociaux qui prodigue au majeur des soins ou des services doit, en cas de cessation de l'inaptitude justifiant le régime de protection, l'attester dans un rapport qu'il dépose au greffe du tribunal. Ce rapport est constitué, entre autres, de l'évaluation médicale et psychosociale.

280. Sur dépôt d'un rapport de révision d'un régime de protection, le greffier avise les personnes habilitées à intervenir dans la demande d'ouverture du régime. À défaut d'opposition dans les trente jours du dépôt, la mainlevée ou la modification du régime a lieu de plein droit. Un constat est dressé par le greffier et transmis, sans délai, au majeur lui-même et au curateur public.

SECTION III

DE LA CURATELLE AU MAJEUR

281. Le tribunal ouvre une curatelle s'il est établi que l'inaptitude du majeur à prendre soin de lui-même et à administrer ses biens est totale et permanente, et qu'il a besoin d'être représenté dans l'exercice de ses droits civils.

Il nomme alors un curateur.

282. Le curateur a la pleine administration des biens du majeur protégé, à cette exception qu'il est tenu, comme l'administrateur du bien d'autrui chargé de la simple administration, de ne faire que des placements présumés sûrs. Seules les règles de l'administration du bien d'autrui s'appliquent à son administration.

283. L'acte fait seul par le majeur en curatelle peut être annulé ou les obligations qui en découlent réduites, sans qu'il soit nécessaire d'établir un préjudice.

284. Les actes faits antérieurement à la curatelle peuvent être annulés ou les obligations qui en découlent réduites, sur la seule preuve que l'inaptitude était notoire ou connue du cocontractant à l'époque où les actes ont été passés.

SECTION IV

DE LA TUTELLE AU MAJEUR

285. Le tribunal ouvre une tutelle s'il est établi que l'inaptitude du majeur à prendre soin de lui-même ou à administrer ses biens est partielle ou temporaire, et qu'il a besoin d'être représenté dans l'exercice de ses droits civils.

Il nomme alors un tuteur à la personne et aux biens ou un tuteur soit à la personne, soit aux biens.

286. Le tuteur a la simple administration des biens du majeur incapable d'administrer ses biens. Il l'exerce de la même manière que le tuteur au mineur, sauf décision contraire du tribunal.

287. Les règles relatives à l'exercice des droits civils du mineur s'appliquent au majeur en tutelle, compte tenu des adaptations nécessaires.

288. À l'ouverture de la tutelle ou postérieurement, le tribunal peut déterminer le degré de capacité du majeur en tutelle, en prenant en considération l'évaluation médicale et psychosociale et, selon le cas, l'avis du conseil de tutelle ou des personnes susceptibles d'être appelées à en faire partie.

Il indique alors les actes que la personne en tutelle peut faire elle-même, seule ou avec l'assistance du tuteur, ou ceux qu'elle ne peut faire sans être représentée.

289. Le majeur en tutelle conserve la gestion du produit de son travail, à moins que le tribunal n'en décide autrement.

290. Les actes faits antérieurement à la tutelle peuvent être annulés ou les obligations qui en découlent réduites, sur la seule preuve que l'inaptitude était notoire ou connue du cocontractant à l'époque où les actes ont été passés.

SECTION V

DU CONSEILLER AU MAJEUR

291. Le tribunal nomme un conseiller au majeur si celui-ci, bien que généralement ou habituellement apte à prendre soin de lui-même et à administrer ses biens, a besoin, pour certains actes ou temporairement, d'être assisté ou conseillé dans l'administration de ses biens.

292. Le conseiller n'a pas l'administration des biens du majeur protégé. Il doit, cependant, intervenir aux actes pour lesquels il est tenu de lui prêter assistance.

293. À l'ouverture du régime ou postérieurement, le tribunal indique les actes pour lesquels l'assistance du conseiller est requise ou, à l'inverse, ceux pour lesquels elle ne l'est pas.

Si le tribunal ne donne aucune indication, le majeur protégé doit être assisté de son conseiller dans tous les actes qui excèdent la capacité du mineur simplement émancipé.

294. L'acte fait seul par le majeur, alors que l'intervention de son conseiller était requise, ne peut être annulé ou les obligations qui en découlent réduites que si le majeur en subit un préjudice.

SECTION VI

DE LA FIN DU RÉGIME DE PROTECTION

295. Le régime de protection cesse par l'effet d'un jugement de mainlevée ou par le décès du majeur protégé.

Il cesse aussi à l'expiration du délai prévu pour contester le rapport qui atteste la cessation de l'inaptitude.

296. Le majeur protégé peut toujours, après la mainlevée du régime et, le cas échéant, la reddition de compte du curateur ou du tuteur, confirmer un acte autrement nul.

297. La vacance de la charge de curateur, de tuteur ou de conseiller ne met pas fin au régime de protection.

Le conseil de tutelle doit, le cas échéant, provoquer la nomination d'un nouveau curateur ou tuteur; tout intéressé peut aussi provoquer cette nomination, de même que celle d'un nouveau conseiller.

TITRE CINQUIÈME

DES PERSONNES MORALES

CHAPITRE PREMIER

DE LA PERSONNALITÉ JURIDIQUE

SECTION I

DE LA CONSTITUTION ET DES ESPÈCES DE PERSONNES MORALES

298. Les personnes morales ont la personnalité juridique.

Elles sont de droit public ou de droit privé.

299. Les personnes morales sont constituées suivant les formes juridiques prévues par la loi, et parfois directement par la loi.

Elles existent à compter de l'entrée en vigueur de la loi ou au temps que celle-ci prévoit, si elles sont de droit public, ou si elles sont constituées directement par la loi ou par l'effet de celle-ci ; autrement, elles existent au temps prévu par les lois qui leur sont applicables.

300. Les personnes morales de droit public sont d'abord régies par les lois particulières qui les constituent et par celles qui leur sont applicables ; les personnes morales de droit privé sont d'abord régies par les lois applicables à leur espèce.

Les unes et les autres sont aussi régies par le présent code lorsqu'il y a lieu de compléter les dispositions de ces lois, notamment quant à leur statut de personne morale, leurs biens ou leurs rapports avec les autres personnes.

SECTION II

DES EFFETS DE LA PERSONNALITÉ JURIDIQUE

301. Les personnes morales ont la pleine jouissance des droits civils.

302. Les personnes morales sont titulaires d'un patrimoine qui peut, dans la seule mesure prévue par la loi, faire l'objet d'une division ou d'une affectation. Elles ont aussi des droits et obligations extrapatrimoniaux liés à leur nature.

303. Les personnes morales ont la capacité requise pour exercer tous leurs droits, et les dispositions du présent code relatives à l'exercice des droits civils par les personnes physiques leur sont applicables, compte tenu des adaptations nécessaires.

Elles n'ont d'autres incapacités que celles qui résultent de leur nature ou d'une disposition expresse de la loi.

304. Les personnes morales ne peuvent exercer ni la tutelle ni la curatelle à la personne.

Elles peuvent cependant, dans la mesure où elles sont autorisées par la loi à agir à ce titre, exercer la charge de tuteur ou de curateur aux biens, de liquidateur d'une succession, de séquestre, de fiduciaire ou d'administrateur d'une autre personne morale.

305. Les personnes morales ont un nom qui leur est donné au moment de leur constitution ; elles exercent leurs droits et exécutent leurs obligations sous ce nom.

Ce nom doit être conforme à la loi et inclure, lorsque la loi le requiert, une mention indiquant clairement la forme juridique qu'elles empruntent.

306. La personne morale peut exercer une activité ou s'identifier sous un nom autre que le sien. Elle doit déposer un avis en ce sens auprès de l'inspecteur général des institutions financières ou, si elle est un syndicat de copropriétaires, au bureau de la publicité des droits dans le ressort duquel est situé l'immeuble qui fait l'objet de la copropriété.

307. La personne morale a son domicile aux lieu et adresse de son siège.

308. La personne morale peut changer son nom ou son domicile en suivant la procédure établie par la loi.

309. Les personnes morales sont distinctes de leurs membres. Leurs actes n'engagent qu'elles-mêmes, sauf les exceptions prévues par la loi.

310. Le fonctionnement, l'administration du patrimoine et l'activité des personnes morales sont réglés par la loi, l'acte constitutif et les règlements; dans la mesure où la loi le permet, ils peuvent aussi être réglés par une convention unanime des membres.

En cas de divergence entre l'acte constitutif et les règlements, l'acte constitutif prévaut.

311. Les personnes morales agissent par leurs organes, tels le conseil d'administration et l'assemblée des membres.

312. La personne morale est représentée par ses dirigeants, qui l'obligent dans la mesure des pouvoirs que la loi, l'acte constitutif ou les règlements leur confèrent.

313. Les règlements de la personne morale établissent des rapports de nature contractuelle entre elle et ses membres.

314. L'existence d'une personne morale est perpétuelle, à moins que la loi ou l'acte constitutif n'en dispose autrement.

315. Les membres d'une personne morale sont tenus envers elle de ce qu'ils promettent d'y apporter, à moins que la loi n'en dispose autrement.

316. En cas de fraude à l'égard de la personne morale, le tribunal peut, à la demande de tout intéressé, tenir les fondateurs, les administrateurs, les autres dirigeants ou les membres de la personne morale qui ont participé à l'acte reproché ou en ont tiré un profit personnel responsables, dans la mesure qu'il indique, du préjudice subi par la personne morale.

317. La personnalité juridique d'une personne morale ne peut être invoquée à l'encontre d'une personne de bonne foi, dès lors qu'on invoque cette personnalité pour masquer la fraude, l'abus de droit ou une contravention à une règle intéressant l'ordre public.

318. Le tribunal peut, pour statuer sur l'action d'un tiers de bonne foi, décider qu'une personne ou un groupement qui n'a pas le statut de personne morale est tenu au même titre qu'une personne morale s'il a agi comme tel à l'égard de ce tiers.

319. La personne morale peut ratifier l'acte accompli pour elle avant sa constitution; elle est alors substituée à la personne qui a agi pour elle.

La ratification n'opère pas novation; la personne qui a agi a, dès lors, les mêmes droits et est soumise aux mêmes obligations qu'un mandataire à l'égard de la personne morale.

320. Celui qui agit pour une personne morale avant qu'elle ne soit constituée est tenu des obligations ainsi contractées, à moins que le contrat ne stipule autrement et ne mentionne la possibilité que la personne morale ne soit pas constituée ou n'assume pas les obligations ainsi souscrites.

SECTION III

DES OBLIGATIONS DES ADMINISTRATEURS ET DE LEURS INHABILITÉS

321. L'administrateur est considéré comme mandataire de la personne morale. Il doit, dans l'exercice de ses fonctions, respecter les obligations que la loi, l'acte constitutif et les règlements lui imposent et agir dans les limites des pouvoirs qui lui sont conférés.

322. L'administrateur doit agir avec prudence et diligence.

Il doit aussi agir avec honnêteté et loyauté dans l'intérêt de la personne morale.

323. L'administrateur ne peut confondre les biens de la personne morale avec les siens; il ne peut utiliser, à son profit ou au profit d'un tiers, les biens de la personne morale ou l'information qu'il obtient en raison de ses fonctions, à moins qu'il ne soit autorisé à le faire par les membres de la personne morale.

324. L'administrateur doit éviter de se placer dans une situation de conflit entre son intérêt personnel et ses obligations d'administrateur.

Il doit dénoncer à la personne morale tout intérêt qu'il a dans une entreprise ou une association susceptible de le placer en situation de conflit d'intérêts, ainsi que les droits qu'il peut faire valoir contre elle, en indiquant, le cas échéant, leur nature et leur valeur. Cette dénonciation d'intérêt est consignée au procès-verbal des délibérations du conseil d'administration ou à ce qui en tient lieu.

325. Tout administrateur peut, même dans l'exercice de ses fonctions, acquérir, directement ou indirectement, des droits dans les biens qu'il administre ou contracter avec la personne morale.

Il doit signaler aussitôt le fait à la personne morale, en indiquant la nature et la valeur des droits qu'il acquiert, et demander que le fait soit consigné au procès-verbal des délibérations du conseil d'administration ou à ce qui en tient lieu. Il doit, sauf nécessité, s'abstenir de délibérer et de voter sur la question. La présente règle ne s'applique pas, toutefois, aux questions qui concernent la rémunération de l'administrateur ou ses conditions de travail.

326. Lorsque l'administrateur de la personne morale omet de dénoncer correctement et sans délai une acquisition ou un contrat, le tribunal, à la demande de la personne morale ou d'un membre, peut, entre autres mesures, annuler l'acte ou ordonner à l'administrateur de rendre compte et de remettre à la personne morale le profit réalisé ou l'avantage reçu.

L'action doit être intentée dans l'année qui suit la connaissance de l'acquisition ou du contrat.

327. Sont inhabiles à être administrateurs les mineurs, les majeurs en tutelle ou en curatelle, les faillis et les personnes à qui le tribunal interdit l'exercice de cette fonction.

Cependant, les mineurs et les majeurs en tutelle peuvent être administrateurs d'une association constituée en personne morale qui n'a pas pour but de réaliser des bénéfices pécuniaires et dont l'objet les concerne.

328. Les actes des administrateurs ou des autres dirigeants ne peuvent être annulés pour le seul motif que ces derniers étaient inhabiles ou que leur désignation était irrégulière.

329. Le tribunal peut, à la demande de tout intéressé, interdire l'exercice de la fonction d'administrateur d'une personne morale à toute personne trouvée coupable d'un acte criminel comportant fraude ou malhonnêteté, dans une matière reliée aux personnes morales, ainsi qu'à toute personne qui, de façon répétée, enfreint les lois relatives aux personnes morales ou manque à ses obligations d'administrateur.

330. L'interdiction ne peut excéder cinq ans à compter du dernier acte reproché.

Le tribunal peut, à la demande de la personne concernée, lever l'interdiction aux conditions qu'il juge appropriées.

SECTION IV

DE L'ATTRIBUTION JUDICIAIRE DE LA PERSONNALITÉ

331. La personnalité juridique peut, rétroactivement, être conférée par le tribunal à une personne morale qui, avant qu'elle ne soit constituée, a présenté de façon publique, continue et non équivoque, toutes les apparences d'une personne morale et a agi comme telle tant à l'égard de ses membres que des tiers.

L'autorité qui, à l'origine, aurait dû en contrôler la constitution doit, au préalable, consentir à la demande.

332. Tout intéressé peut intervenir dans l'instance, ou se pourvoir contre le jugement qui, en fraude de ses droits, a attribué la personnalité.

333. Le jugement confère la personnalité juridique à compter de la date qu'il indique. Il ne modifie en rien les droits et obligations existant à cette date.

Une copie en est transmise sans délai, par le greffier du tribunal, à l'autorité qui a reçu ou délivré l'acte constitutif de la personne morale. Avis du jugement doit être publié par cette autorité à la *Gazette officielle du Québec.*

CHAPITRE DEUXIÈME

DES DISPOSITIONS APPLICABLES À CERTAINES PERSONNES MORALES

334. Les personnes morales qui empruntent une forme juridique régie par un autre titre de ce code sont soumises aux règles du présent chapitre ; il en est de même de toute autre personne morale, si la loi qui la constitue ou qui lui est applicable le prévoit ou si cette loi n'indique aucun autre régime de fonctionnement, de dissolution ou de liquidation.

Elles peuvent cependant, dans leurs règlements, déroger aux règles établies pour leur fonctionnement, à condition, toutefois, que les droits des membres soient préservés.

SECTION I

DU FONCTIONNEMENT DES PERSONNES MORALES

§ 1.—*De l'administration*

335. Le conseil d'administration gère les affaires de la personne morale et exerce tous les pouvoirs nécessaires à cette fin ; il peut créer des postes de direction et d'autres organes, et déléguer aux titulaires de ces postes et à ces organes l'exercice de certains de ces pouvoirs.

Il adopte et met en vigueur les règlements de gestion, sauf à les faire ratifier par les membres à l'assemblée qui suit.

336. Les décisions du conseil d'administration sont prises à la majorité des voix des administrateurs.

337. Tout administrateur est responsable, avec ses coadministrateurs, des décisions du conseil d'administration, à moins qu'il n'ait fait consigner sa dissidence au procès-verbal des délibérations ou à ce qui en tient lieu.

Toutefois, un administrateur absent à une réunion du conseil est présumé ne pas avoir approuvé les décisions prises lors de cette réunion.

338. Les administrateurs de la personne morale sont désignés par les membres.

Nul ne peut être désigné comme administrateur s'il n'y consent expressément.

339. La durée du mandat des administrateurs est d'un an; à l'expiration de ce temps, leur mandat se continue s'il n'est pas dénoncé.

340. Les administrateurs comblent les vacances au sein du conseil. Ces vacances ne les empêchent pas d'agir; si leur nombre est devenu inférieur au quorum, ceux qui restent peuvent valablement convoquer les membres.

341. Si, en cas d'empêchement ou par suite de l'opposition systématique de certains administrateurs, le conseil ne peut plus agir selon la règle de la majorité ou selon une autre proportion prévue, les autres peuvent agir seuls pour les actes conservatoires; ils peuvent aussi agir seuls pour des actes qui demandent célérité, s'ils y sont autorisés par le tribunal.

Lorsque la situation persiste et que l'administration s'en trouve sérieusement entravée, le tribunal peut, à la demande d'un intéressé, dispenser les administrateurs d'agir suivant la proportion prévue, diviser leurs fonctions, accorder une voix prépondérante à l'un d'eux ou rendre toute ordonnance qu'il estime appropriée suivant les circonstances.

342. Le conseil d'administration tient la liste des membres, ainsi que les livres et registres nécessaires au bon fonctionnement de la personne morale.

Ces documents sont la propriété de la personne morale et les membres y ont accès.

343. Le conseil d'administration peut désigner une personne pour tenir les livres et registres de la personne morale.

Cette personne peut délivrer des copies des documents dont elle est dépositaire; jusqu'à preuve du contraire, ces copies font preuve de leur contenu, sans qu'il soit nécessaire de prouver la signature qui y est apposée ni l'autorité de son auteur.

344. Les administrateurs peuvent, si tous sont d'accord, participer à une réunion du conseil d'administration à l'aide de moyens permettant à tous les participants de communiquer immédiatement entre eux.

§ 2.—*De l'assemblée des membres*

345. L'assemblée des membres est convoquée chaque année par le conseil d'administration, ou suivant ses directives, dans les six mois de la clôture de l'exercice financier.

La première assemblée est réunie dans les six mois qui suivent la constitution de la personne morale.

346. L'avis de convocation de l'assemblée annuelle indique la date, l'heure et le lieu où elle est tenue, ainsi que l'ordre du jour; il est envoyé à chacun des membres habiles à y assister, au moins dix jours, mais pas plus de quarante-cinq jours, avant l'assemblée.

Il n'est pas nécessaire de mentionner à l'ordre du jour de l'assemblée annuelle les questions qui y sont ordinairement traitées.

347. L'avis de convocation de l'assemblée annuelle est accompagné du bilan, de l'état des résultats de l'exercice écoulé et d'un état des dettes et créances.

348. L'assemblée des membres ne peut délibérer sur d'autres questions que celles figurant à l'ordre du jour, à moins que tous les membres qui devaient être convoqués ne soient présents et n'y consentent. Cependant, lors de l'assemblée annuelle, chacun peut soulever toute question d'intérêt pour la personne morale ou ses membres.

349. L'assemblée ne délibère valablement que si la majorité des voix qui peuvent s'exprimer sont présentes ou représentées.

350. Un membre peut se faire représenter à une assemblée s'il donne un mandat écrit à cet effet.

351. Les décisions de l'assemblée se prennent à la majorité des voix exprimées.

Le vote des membres se fait à main levée ou, sur demande, au scrutin secret.

352. S'ils représentent 10 p. 100 des voix, des membres peuvent requérir des administrateurs ou du secrétaire la convocation d'une assemblée annuelle ou extraordinaire en précisant, dans un avis écrit, les questions qui devront y être traitées.

À défaut par les administrateurs ou le secrétaire d'agir dans un délai de vingt et un jours à compter de la réception de l'avis, tout membre signataire de l'avis peut convoquer l'assemblée.

La personne morale est tenue de rembourser aux membres les frais utiles qu'ils ont pris en charge pour tenir l'assemblée, à moins que celle-ci n'en décide autrement.

§ 3.—*Des dispositions communes aux réunions d'administrateurs et aux assemblées de membres*

353. Les administrateurs ou les membres peuvent renoncer à l'avis de convocation à une réunion du conseil d'administration, à une assemblée des membres ou à une séance d'un autre organe.

Leur seule présence équivaut à une renonciation à l'avis de convocation, à moins qu'ils ne soient là pour contester la régularité de la convocation.

354. Les résolutions écrites, signées par toutes les personnes habiles à voter, ont la même valeur que si elles avaient été adoptées lors d'une réunion du conseil d'administration, d'une assemblée des membres ou d'une séance d'un autre organe.

Un exemplaire de ces résolutions est conservé avec les procès-verbaux des délibérations ou ce qui en tient lieu.

SECTION II

DE LA DISSOLUTION ET DE LA LIQUIDATION DES PERSONNES MORALES

355. La personne morale est dissoute par l'annulation de son acte constitutif ou pour toute autre cause prévue par l'acte constitutif ou par la loi.

Elle est aussi dissoute lorsque le tribunal constate l'avènement de la condition apposée à l'acte constitutif, l'accomplissement de l'objet pour lequel la personne morale a été constituée ou l'impossibilité d'accomplir cet objet ou encore l'existence d'une autre cause légitime.

356. La personne morale peut aussi être dissoute du consentement d'au moins les deux tiers des voix exprimées à une assemblée des membres convoquée expressément à cette fin.

L'avis de convocation doit être envoyé au moins trente jours, mais pas plus de quarante-cinq jours, avant la date de l'assemblée et non à contretemps.

357. La personnalité juridique de la personne morale subsiste aux fins de la liquidation.

358. Les administrateurs doivent déposer un avis de la dissolution auprès de l'inspecteur général des institutions financières ou, s'il s'agit d'un syndicat de copropriétaires, au bureau de la publicité des droits dans le ressort duquel est situé l'immeuble qui fait l'objet de la copropriété, et désigner, conformément aux règlements, un liquidateur qui doit procéder immédiatement à la liquidation.

À défaut de respecter ces obligations, les administrateurs peuvent être tenus responsables des actes de la personne morale, et tout intéressé peut s'adresser au tribunal pour que celui-ci désigne un liquidateur.

359. Un avis de la nomination du liquidateur, comme de toute révocation, est déposé au même lieu que l'avis de dissolution. La nomination et la révocation sont opposables aux tiers à compter du dépôt de l'avis.

360. Le liquidateur a la saisine des biens de la personne morale ; il agit à titre d'administrateur du bien d'autrui chargé de la pleine administration.

Il a le droit d'exiger des administrateurs et des membres de la personne morale tout document et toute explication concernant les droits et les obligations de la personne morale.

361. Le liquidateur procède au paiement des dettes, puis au remboursement des apports.

Il procède ensuite, sous réserve des dispositions de l'alinéa suivant, au partage de l'actif entre les membres, en proportion de leurs droits ou, autrement, en parts égales ; il suit, au besoin, les règles relatives au partage d'un bien indivis. S'il subsiste un reliquat, il est dévolu à l'État.

Si l'actif comprend des biens provenant des contributions de tiers, le liquidateur doit remettre ces biens à une autre personne morale ou à une fiducie partageant des objectifs semblables à la personne morale liquidée ; à défaut de pouvoir être ainsi employés, ces biens sont dévolus à l'État ou, s'ils sont de peu d'importance, partagés également entre les membres.

362. Le liquidateur conserve les livres et registres de la personne morale pendant les cinq années qui suivent la clôture de la liquidation; il les conserve pour une plus longue période si les livres et registres sont requis en preuve dans une instance.

Par la suite, il en dispose à son gré.

363. À moins que le liquidateur n'obtienne une prolongation du tribunal, le curateur public entreprend ou poursuit la liquidation qui n'est pas terminée dans les cinq ans qui suivent le dépôt de l'avis de dissolution.

Le curateur public a alors les mêmes droits et obligations qu'un liquidateur.

364. La liquidation de la personne morale est close par le dépôt de l'avis de clôture au même lieu que l'avis de dissolution. Le cas échéant, le dépôt de cet avis opère radiation de toute inscription concernant la personne morale.

LIVRE DEUXIÈME

DE LA FAMILLE

TITRE PREMIER

DU MARIAGE

CHAPITRE PREMIER

DU MARIAGE ET DE SA CÉLÉBRATION

365. Le mariage doit être contracté publiquement devant un célébrant compétent et en présence de deux témoins.

Il ne peut l'être qu'entre un homme et une femme qui expriment publiquement leur consentement libre et éclairé à cet égard.

366. Sont des célébrants compétents pour célébrer les mariages, les greffiers et greffiers-adjoints de la Cour supérieure désignés par le ministre de la Justice.

Le sont aussi les ministres du culte habilités à le faire par la société religieuse à laquelle ils appartiennent, pourvu qu'ils résident au Québec et que le ressort dans lequel ils exercent leur ministère soit situé en tout ou en partie au Québec, que l'existence, les rites et les cérémonies de leur confession aient un caractère permanent et qu'ils soient autorisés par le ministre.

Les ministres du culte qui, sans résider au Québec, y demeurent temporairement peuvent aussi être autorisés à y célébrer des mariages pour un temps qu'il appartient au ministre de fixer.

367. Aucun ministre du culte ne peut être contraint à célébrer un mariage contre lequel il existe quelque empêchement selon sa religion et la discipline de la société religieuse à laquelle il appartient.

368. On doit, avant de procéder à la célébration d'un mariage, faire une publication par voie d'affiche apposée, pendant vingt jours avant la date prévue pour la célébration, au lieu où doit être célébré le mariage.

Au moment de la publication ou de la demande de dispense, les époux doivent être informés de l'opportunité d'un examen médical prénuptial.

369. La publication de mariage énonce les nom et domicile de chacun des futurs époux, ainsi que la date et le lieu de leur naissance. L'exactitude de ces énonciations est attestée par un témoin majeur.

370. Le célébrant peut, pour un motif sérieux, accorder une dispense de publication.

371. Si le mariage n'est pas célébré dans les trois mois à compter de la vingtième journée de la publication, celle-ci doit être faite de nouveau.

372. Toute personne intéressée peut faire opposition à la célébration d'un mariage entre personnes inhabiles à le contracter.

Le mineur peut s'opposer seul à un mariage ; il peut aussi agir seul en défense.

373. Avant de procéder au mariage, le célébrant s'assure de l'identité, de l'âge et de l'état matrimonial des futurs époux.

Il ne peut célébrer le mariage que si :

1° Les futurs époux sont âgés d'au moins seize ans, en s'assurant, si les époux sont mineurs, que le titulaire de l'autorité parentale ou, le cas échéant, le tuteur consent à la célébration du mariage ;

2° Les formalités ont toutes été remplies et les dispenses accordées ;

3° Les futurs époux sont libres de tout lien matrimonial antérieur;

4° L'un n'est pas, par rapport à l'autre, un ascendant, un descendant, un frère ou une soeur.

374. Le célébrant fait lecture aux futurs époux, en présence des témoins, des dispositions des articles 392 à 396.

Il demande à chacun des futurs époux et reçoit d'eux personnellement la déclaration qu'ils veulent se prendre pour époux. Il les déclare alors unis par le mariage.

375. Le célébrant établit la déclaration de mariage et la transmet, dans les trente jours de la célébration, au directeur de l'état civil.

376. Le greffier ou son adjoint procède à la célébration du mariage selon les règles prescrites par le ministre de la Justice et perçoit des futurs époux, pour le compte du ministre des Finances, les droits fixés par règlement du gouvernement.

377. Les autorisations de célébrer les mariages données par le ministre de la Justice ou celles révoquées par lui sont portées à l'attention du directeur de l'état civil qui inscrit les mentions appropriées sur un registre.

En cas d'inhabilité ou de décès d'un ministre du culte autorisé par le ministre de la Justice à célébrer les mariages, la société religieuse à laquelle il appartenait en avise le directeur de l'état civil afin qu'il en radie l'autorisation.

CHAPITRE DEUXIÈME

DE LA PREUVE DU MARIAGE

378. Le mariage se prouve par l'acte de mariage, sauf les cas où la loi autorise un autre mode de preuve.

379. La possession d'état d'époux supplée aux défauts de forme de l'acte de mariage.

CHAPITRE TROISIÈME

DES NULLITÉS DE MARIAGE

380. Le mariage qui n'est pas célébré suivant les prescriptions du présent titre et suivant les conditions nécessaires à sa formation peut être frappé de nullité à la demande de toute personne intéressée, sauf au tribunal à juger suivant les circonstances.

L'action est irrecevable s'il s'est écoulé trois ans depuis la célébration, sauf si l'ordre public est en cause.

381. La nullité du mariage, pour quelque cause que ce soit, ne prive pas les enfants des avantages qui leur sont assurés par la loi ou par le contrat de mariage.

Elle laisse subsister les droits et les devoirs des pères et mères à l'égard de leurs enfants.

382. Le mariage qui a été frappé de nullité produit ses effets en faveur des époux qui étaient de bonne foi.

Il est procédé notamment à la liquidation de leurs droits patrimoniaux qui sont alors présumés avoir existé, à moins que les époux ne conviennent de reprendre chacun leurs biens.

383. Si les époux étaient de mauvaise foi, ils reprennent chacun leurs biens.

384. Si un seul des époux était de bonne foi, il peut, à son choix, reprendre ses biens ou demander la liquidation des droits patrimoniaux qui lui résultent du mariage.

385. Sous réserve de l'article 386, l'époux de bonne foi a droit aux donations qui lui ont été consenties en considération du mariage.

Toutefois, le tribunal peut, au moment où il prononce la nullité du mariage, les déclarer caduques ou les réduire, ou ordonner que le paiement des donations entre vifs soit différé pour un temps qu'il détermine, en tenant compte des circonstances dans lesquelles se trouvent les parties.

386. La nullité du mariage rend nulles les donations entre vifs consenties à l'époux de mauvaise foi en considération du mariage.

Elle rend également nulles les donations à cause de mort qu'un époux a consenties à l'autre en considération du mariage.

387. Un époux est présumé avoir contracté mariage de bonne foi, à moins que le tribunal, en prononçant la nullité, ne le déclare de mauvaise foi.

388. Le tribunal statue, comme en matière de séparation de corps, sur les mesures provisoires durant l'instance, sur la garde, l'entretien et l'éducation des enfants ; en prononçant la nullité, il statue sur le droit de l'époux de bonne foi à des aliments ou à une prestation compensatoire.

389. La nullité du mariage éteint le droit qu'avaient les époux de se réclamer des aliments, à moins que, sur demande, le tribunal, au moment où il prononce la nullité, n'ordonne à l'un des époux de verser des aliments à l'autre ou, s'il ne peut statuer équitablement sur la question en raison des circonstances, ne réserve le droit d'en réclamer.

Le droit de réclamer des aliments ne peut être réservé que pour une période d'au plus deux ans ; il est éteint de plein droit à l'expiration de cette période.

390. Lorsque le tribunal a accordé des aliments ou réservé le droit d'en réclamer, il peut toujours, postérieurement à l'annulation du mariage, déclarer éteint le droit à des aliments.

CHAPITRE QUATRIÈME

DES EFFETS DU MARIAGE

391. Les époux ne peuvent déroger aux dispositions du présent chapitre, quel que soit leur régime matrimonial.

SECTION I

DES DROITS ET DES DEVOIRS DES ÉPOUX

392. Les époux ont, en mariage, les mêmes droits et les mêmes obligations.

Ils se doivent mutuellement respect, fidélité, secours et assistance.

Ils sont tenus de faire vie commune.

393. Chacun des époux conserve, en mariage, son nom ; il exerce ses droits civils sous ce nom.

394. Ensemble, les époux assurent la direction morale et matérielle de la famille, exercent l'autorité parentale et assument les tâches qui en découlent.

395. Les époux choisissent de concert la résidence familiale.

En l'absence de choix exprès, la résidence familiale est présumée être celle où les membres de la famille habitent lorsqu'ils exercent leurs principales activités.

396. Les époux contribuent aux charges du mariage à proportion de leurs facultés respectives.

Chaque époux peut s'acquitter de sa contribution par son activité au foyer.

397. L'époux qui contracte pour les besoins courants de la famille engage aussi pour le tout son conjoint non séparé de corps.

Toutefois, le conjoint n'est pas obligé à la dette s'il avait préalablement porté à la connaissance du cocontractant sa volonté de n'être pas engagé.

398. Chacun des époux peut donner à l'autre mandat de le représenter dans des actes relatifs à la direction morale et matérielle de la famille.

Ce mandat est présumé lorsque l'un des époux est dans l'impossibilité de manifester sa volonté pour quelque cause que ce soit ou ne peut le faire en temps utile.

399. Un époux peut être autorisé par le tribunal à passer seul un acte pour lequel le consentement de son conjoint serait nécessaire, s'il ne peut l'obtenir pour quelque cause que ce soit ou si le refus n'est pas justifié par l'intérêt de la famille.

L'autorisation est spéciale et pour un temps déterminé ; elle peut être modifiée ou révoquée.

400. Si les époux ne parviennent pas à s'accorder sur l'exercice de leurs droits et l'accomplissement de leurs devoirs, les époux ou l'un d'eux peuvent saisir le tribunal qui statuera dans l'intérêt de la famille, après avoir favorisé la conciliation des parties.

SECTION II

DE LA RÉSIDENCE FAMILIALE

401. Un époux ne peut, sans le consentement de son conjoint, aliéner, hypothéquer ni transporter hors de la résidence familiale les meubles qui servent à l'usage du ménage.

Les meubles qui servent à l'usage du ménage ne comprennent que les meubles destinés à garnir la résidence familiale, ou encore à l'orner; sont compris dans les ornements, les tableaux et oeuvres d'art, mais non les collections.

402. Le conjoint qui n'a pas donné son consentement à un acte relatif à un meuble qui sert à l'usage du ménage peut, s'il n'a pas ratifié l'acte, en demander la nullité.

Toutefois, l'acte à titre onéreux ne peut être annulé si le cocontractant était de bonne foi.

403. L'époux locataire de la résidence familiale ne peut, sans le consentement écrit de son conjoint, sous-louer, céder son droit, ni mettre fin au bail lorsque le locateur a été avisé, par l'un ou l'autre des époux, du fait que le logement servait de résidence familiale.

Le conjoint qui n'a pas donné son consentement à l'acte peut, s'il ne l'a pas ratifié, en demander la nullité.

404. L'époux propriétaire d'un immeuble de moins de cinq logements qui sert, en tout ou en partie, de résidence familiale ne peut, sans le consentement écrit de son conjoint, l'aliéner, le grever d'un droit réel ni en louer la partie réservée à l'usage de la famille.

À moins qu'il n'ait ratifié l'acte, le conjoint qui n'y a pas donné son consentement peut en demander la nullité si une déclaration de résidence familiale a été préalablement inscrite contre l'immeuble.

405. L'époux propriétaire d'un immeuble de cinq logements ou plus qui sert, en tout ou en partie, de résidence familiale ne peut, sans le consentement écrit de son conjoint, l'aliéner ni en louer la partie réservée à l'usage de la famille.

Si une déclaration de résidence familiale a été préalablement inscrite contre l'immeuble, le conjoint qui n'a pas donné son consentement à l'acte d'aliénation peut exiger de l'acquéreur qu'il lui consente un bail des lieux déjà occupés à des fins d'habitation, aux conditions régissant le bail d'un logement; sous la même condition, celui qui n'a pas donné son consentement à l'acte de location peut, s'il ne l'a pas ratifié, en demander la nullité.

406. L'usufruitier, l'emphytéote et l'usager sont soumis aux règles des articles 404 et 405.

L'époux autrement titulaire de droits qui lui confèrent l'usage de la résidence familiale ne peut non plus en disposer sans le consentement de son conjoint.

407. La déclaration de résidence familiale est faite par les époux ou l'un d'eux.

Elle peut aussi résulter d'une déclaration à cet effet contenue dans un acte destiné à la publicité.

408. L'époux qui n'a pas consenti à l'acte pour lequel son consentement était requis peut, sans porter atteinte à ses autres droits, réclamer des dommages-intérêts de son conjoint ou de toute autre personne qui, par sa faute, lui a causé un préjudice.

409. En cas de séparation de corps, de divorce ou de nullité du mariage, le tribunal peut, à la demande de l'un des époux, attribuer au conjoint du locataire le bail de la résidence familiale.

L'attribution lie le locateur dès que le jugement lui est signifié et libère, pour l'avenir, le locataire originaire des droits et obligations résultant du bail.

410. En cas de séparation de corps, de dissolution ou de nullité du mariage, le tribunal peut attribuer, à l'un des époux ou au survivant, la propriété ou l'usage de meubles de son conjoint, qui servent à l'usage du ménage.

Il peut également attribuer à l'époux auquel il accorde la garde d'un enfant un droit d'usage de la résidence familiale.

L'usager est dispensé de fournir une sûreté et de dresser un inventaire des biens, à moins que le tribunal n'en décide autrement.

411. L'attribution du droit d'usage ou de propriété se fait, à défaut d'accord entre les parties, aux conditions que le tribunal détermine et notamment, s'il y a lieu, moyennant une soulte payable au comptant ou par versements.

Lorsque la soulte est payable par versements, le tribunal en fixe les modalités de garantie et de paiement.

412. L'attribution judiciaire d'un droit de propriété est assujettie aux dispositions relatives à la vente.

413. Le jugement qui attribue un droit d'usage ou de propriété équivaut à titre et en a tous les effets.

SECTION III

DU PATRIMOINE FAMILIAL

§ 1.—*De la constitution du patrimoine*

414. Le mariage emporte constitution d'un patrimoine familial formé de certains biens des époux sans égard à celui des deux qui détient un droit de propriété sur ces biens.

415. Le patrimoine familial est constitué des biens suivants dont l'un ou l'autre des époux est propriétaire : les résidences de la famille ou les droits qui en confèrent l'usage, les meubles qui les garnissent ou les ornent et qui servent à l'usage du ménage, les véhicules automobiles utilisés pour les déplacements de la famille et les droits accumulés durant le mariage au titre d'un régime de retraite.

Entrent également dans ce patrimoine, les gains inscrits, durant le mariage, au nom de chaque époux en application de la Loi sur le régime de rentes du Québec ou de programmes équivalents.

Sont toutefois exclus du patrimoine familial, si la dissolution du mariage résulte du décès, les gains visés au deuxième alinéa ainsi que les droits accumulés au titre d'un régime de retraite régi ou établi par une loi qui accorde au conjoint survivant le droit à des prestations de décès.

Sont également exclus du patrimoine familial, les biens échus à l'un des époux par succession ou donation avant ou pendant le mariage.

Pour l'application des règles sur le patrimoine familial, est un régime de retraite :

— le régime régi par la Loi sur les régimes complémentaires de retraite ou celui qui serait régi par cette loi si celle-ci s'appliquait au lieu où l'époux travaille,

— le régime de retraite régi par une loi semblable émanant d'une autorité législative autre que le Parlement du Québec,

– le régime établi par une loi émanant du Parlement du Québec ou d'une autre autorité législative,

– un régime d'épargne-retraite,

– tout autre instrument d'épargne-retraite, dont un contrat constitutif de rente, dans lequel ont été transférées des sommes provenant de l'un ou l'autre de ces régimes.

§ 2.—*Du partage du patrimoine*

416. En cas de séparation de corps, de dissolution ou de nullité du mariage, la valeur du patrimoine familial des époux, déduction faite des dettes contractées pour l'acquisition, l'amélioration, l'entretien ou la conservation des biens qui le constituent, est divisée à parts égales, entre les époux ou entre l'époux survivant et les héritiers, selon le cas.

Lorsque le partage a eu lieu à l'occasion de la séparation de corps, il n'y a pas de nouveau partage si, sans qu'il y ait eu reprise volontaire de la vie commune, il y a ultérieurement dissolution ou nullité du mariage; en cas de nouveau partage, la date de reprise de la vie commune remplace celle du mariage pour l'application des règles de la présente section.

417. La valeur nette du patrimoine familial est établie selon la valeur des biens qui constituent le patrimoine et des dettes contractées pour l'acquisition, l'amélioration, l'entretien ou la conservation des biens qui le constituent à la date du décès de l'époux ou à la date d'introduction de l'instance en vertu de laquelle il est statué sur la séparation de corps, le divorce ou la nullité du mariage, selon le cas; les biens sont évalués à leur valeur marchande.

Le tribunal peut, toutefois, à la demande de l'un ou l'autre des époux ou de leurs ayants cause, décider que la valeur nette du patrimoine familial sera établie selon la valeur de ces biens et de ces dettes à la date où les époux ont cessé de faire vie commune.

418. Une fois établie la valeur nette du patrimoine familial, on en déduit la valeur nette, au moment du mariage, du bien que l'un des époux possédait alors et qui fait partie de ce patrimoine; on en déduit de même celle de l'apport, fait par l'un des époux pendant le mariage, pour l'acquisition ou l'amélioration d'un bien de ce patrimoine, lorsque cet apport a été fait à même les biens échus par succession ou donation, ou leur remploi.

On déduit également de cette valeur, dans le premier cas, la plus-value acquise, pendant le mariage, par le bien, dans la même proportion que celle qui existait, au moment du mariage, entre la valeur nette et la valeur brute du bien et, dans le second cas, la plus-value acquise, depuis l'apport, dans la même proportion que celle qui existait, au moment de l'apport, entre la valeur de l'apport et la valeur brute du bien.

Le remploi, pendant le mariage, d'un bien du patrimoine familial possédé lors du mariage donne lieu aux mêmes déductions, compte tenu des adaptations nécessaires.

419. L'exécution du partage du patrimoine familial a lieu en numéraire ou par dation en paiement.

Si l'exécution du partage a lieu par dation en paiement, les époux peuvent convenir de transférer la propriété d'autres biens que ceux du patrimoine familial.

420. Outre qu'il peut, lors du partage, attribuer certains biens à l'un des époux, le tribunal peut aussi, si cela est nécessaire pour éviter un préjudice, ordonner que l'époux débiteur exécute son obligation par versements échelonnés sur une période qui ne dépasse pas dix ans.

Il peut, également, ordonner toute autre mesure qu'il estime appropriée pour assurer la bonne exécution du jugement et, notamment, ordonner qu'une sûreté soit conférée à l'une des parties pour garantir l'exécution des obligations de l'époux débiteur.

421. Lorsqu'un bien qui faisait partie du patrimoine familial a été aliéné ou diverti dans l'année précédant le décès de l'un des époux ou l'introduction de l'instance en séparation de corps, divorce ou annulation de mariage et que ce bien n'a pas été remplacé, le tribunal peut ordonner qu'un paiement compensatoire soit fait à l'époux à qui aurait profité l'inclusion de ce bien dans le patrimoine familial.

Il en est de même lorsque le bien a été aliéné plus d'un an avant le décès de l'un des époux ou l'introduction de l'instance et que cette aliénation a été faite dans le but de diminuer la part de l'époux à qui aurait profité l'inclusion de ce bien dans le patrimoine familial.

422. Le tribunal peut, sur demande, déroger au principe du partage égal et, quant aux gains inscrits en vertu de la Loi sur le régime de rentes du Québec ou de programmes équivalents, décider qu'il n'y aura aucun partage de ces gains, lorsqu'il en résulterait une injustice compte tenu, notamment, de la brève durée du mariage, de la dilapidation de certains biens par l'un des époux ou encore de la mauvaise foi de l'un d'eux.

423. Les époux ne peuvent renoncer, par leur contrat de mariage ou autrement, à leurs droits dans le patrimoine familial.

Toutefois, un époux peut, à compter du décès de son conjoint ou du jugement de divorce, de séparation de corps ou de nullité de mariage, y renoncer, en tout ou en partie, par acte notarié en minute ; il peut aussi y renoncer, par une déclaration judiciaire dont il est donné acte, dans le cadre d'une instance en divorce, en séparation de corps ou en nullité de mariage.

La renonciation doit être inscrite au registre des droits personnels et réels mobiliers. À défaut d'inscription dans un délai d'un an à compter du jour de l'ouverture du droit au partage, l'époux renonçant est réputé avoir accepté.

424. La renonciation de l'un des époux, par acte notarié, au partage du patrimoine familial peut être annulée pour cause de lésion ou pour toute autre cause de nullité des contrats.

425. Le partage des gains inscrits au nom de chaque époux en application de la Loi sur le régime de rentes du Québec ou de programmes équivalents est exécuté par l'organisme chargé d'administrer le régime ou le programme, conformément à cette loi ou à la loi applicable à ce programme, sauf si cette dernière ne prévoit aucune règle de partage.

426. Le partage des droits accumulés par l'un des époux au titre d'un régime de retraite régi ou établi par une loi est effectué conformément, s'il en existe, aux règles d'évaluation et de dévolution édictées par cette loi.

Toutefois, le partage de ces droits ne peut en aucun cas avoir pour effet de priver le titulaire original de ces droits de plus de la moitié de la valeur totale des droits qu'il a accumulés avant ou pendant le mariage, ni de conférer au bénéficiaire du droit au partage plus de droits qu'en possède, en vertu de son régime, le titulaire original de ces droits.

Entre les époux ou pour leur bénéfice, et nonobstant toute disposition contraire, ces droits, ainsi que ceux accumulés au titre d'un autre régime de retraite, sont cessibles et saisissables pour le partage du patrimoine familial.

SECTION IV

DE LA PRESTATION COMPENSATOIRE

427. Au moment où il prononce la séparation de corps, le divorce ou la nullité du mariage, le tribunal peut ordonner à l'un des époux de verser à l'autre, en compensation de l'apport de ce dernier, en biens ou en services, à l'enrichissement du patrimoine de son conjoint, une prestation payable au comptant ou par versements, en tenant compte, notamment, des avantages que procurent le régime matrimonial et le contrat de mariage. Il en est de même en cas de décès; il est alors, en outre, tenu compte des avantages que procure au conjoint survivant la succession.

Lorsque le droit à la prestation compensatoire est fondé sur la collaboration régulière de l'époux à une entreprise, que cette entreprise ait trait à un bien ou à un service et qu'elle soit ou non à caractère commercial, la demande peut en être faite dès la fin de la collaboration si celle-ci est causée par l'aliénation, la dissolution ou la liquidation volontaire ou forcée de l'entreprise.

428. L'époux collaborateur peut prouver son apport à l'enrichissement du patrimoine de son conjoint par tous moyens.

429. Lorsqu'il y a lieu au paiement d'une prestation compensatoire, le tribunal en fixe la valeur, à défaut d'accord entre les parties. Celui-ci peut également déterminer, le cas échéant, les modalités du paiement et ordonner que la prestation soit payée au comptant ou par versements ou qu'elle soit payée par l'attribution de droits dans certains biens.

Si le tribunal attribue à l'un des époux ou au conjoint survivant un droit sur la résidence familiale, sur les meubles qui servent à l'usage du ménage ou des droits accumulés au titre d'un régime de retraite, les dispositions des sections II et III sont applicables.

430. L'un des époux peut, pendant le mariage, convenir avec son conjoint d'acquitter en partie la prestation compensatoire. Le paiement reçu doit être déduit lorsqu'il y a lieu de fixer la valeur de la prestation compensatoire.

CHAPITRE CINQUIÈME

DES RÉGIMES MATRIMONIAUX

SECTION I

DISPOSITIONS GÉNÉRALES

§ 1.—*Du choix du régime matrimonial*

431. Il est permis de faire, par contrat de mariage, toutes sortes de stipulations, sous réserve des dispositions impératives de la loi et de l'ordre public.

432. Les époux qui, avant la célébration du mariage, n'ont pas fixé leur régime matrimonial par contrat de mariage sont soumis au régime de la société d'acquêts.

433. Le régime matrimonial, qu'il soit légal ou conventionnel, prend effet du jour de la célébration du mariage.

La modification du régime effectuée pendant le mariage prend effet du jour de l'acte la constatant.

On ne peut stipuler que le régime matrimonial ou sa modification prendra effet à une autre date.

434. Le mineur autorisé à se marier peut, avant la célébration du mariage, consentir toutes les conventions matrimoniales permises dans un contrat de mariage, pourvu qu'il soit autorisé à cet effet par le tribunal.

Le titulaire de l'autorité parentale ou, le cas échéant, le tuteur doivent être appelés à donner leur avis.

Le mineur peut demander seul l'autorisation.

435. Les conventions non autorisées par le tribunal ne peuvent être attaquées que par le mineur ou les personnes qui devaient être appelées à donner leur avis; elles ne peuvent plus l'être lorsqu'il s'est écoulé une année depuis la célébration du mariage.

436. Le majeur en tutelle ou pourvu d'un conseiller ne peut passer de conventions matrimoniales sans l'assistance de son tuteur ou de son conseiller; le tuteur doit être autorisé à cet effet par le tribunal sur l'avis du conseil de tutelle.

Les conventions passées en violation du présent article ne peuvent être attaquées que par le majeur lui-même, son tuteur ou son conseiller, selon le cas ; elles ne peuvent plus l'être lorsqu'il s'est écoulé une année depuis la célébration du mariage ou depuis le jour de l'acte modifiant les conventions matrimoniales.

437. Les futurs époux peuvent modifier leurs conventions matrimoniales, avant la célébration du mariage, en présence et avec le consentement de tous ceux qui ont été parties au contrat de mariage, pourvu que ces modifications soient elles-mêmes faites par contrat de mariage.

438. Les époux peuvent, pendant le mariage, modifier leur régime matrimonial, ainsi que toute stipulation de leur contrat de mariage, pourvu que ces modifications soient elles-mêmes faites par contrat de mariage.

Les donations portées au contrat de mariage, y compris celles qui sont faites à cause de mort, peuvent être modifiées, même si elles sont stipulées irrévocables, pourvu que soit obtenu le consentement de tous les intéressés.

Les créanciers, s'ils en subissent préjudice, peuvent, dans le délai d'un an à compter du jour où ils ont eu connaissance des modifications apportées au contrat de mariage, les faire déclarer inopposables à leur égard.

439. Les enfants à naître sont représentés par les époux pour la modification ou la suppression, avant ou pendant le mariage, des donations faites en leur faveur par contrat de mariage.

440. Les contrats de mariage doivent être faits par acte notarié en minute, à peine de nullité absolue.

441. Le notaire qui reçoit le contrat de mariage modifiant un contrat antérieur doit, sans délai, en donner avis au dépositaire de la minute du contrat de mariage original et au dépositaire de la minute de tout contrat modifiant le régime matrimonial. Le dépositaire est tenu de faire mention du changement sur la minute et sur toute copie qu'il en délivre, en indiquant la date du contrat, le nom du notaire et le numéro de sa minute.

442. Un avis de tout contrat de mariage doit être inscrit au registre des droits personnels et réels mobiliers sur la réquisition du notaire instrumentant.

§ 2.—De l'exercice des droits et pouvoirs résultant du régime matrimonial

443. Chacun des époux peut donner à l'autre mandat de le représenter dans l'exercice des droits et pouvoirs que le régime matrimonial lui attribue.

444. Le tribunal peut confier à l'un des époux le mandat d'administrer les biens de son conjoint ou les biens dont celui-ci a l'administration en vertu du régime matrimonial, lorsque le conjoint ne peut manifester sa volonté ou ne peut le faire en temps utile.

Il fixe les modalités et les conditions d'exercice des pouvoirs conférés.

445. Le tribunal peut prononcer le retrait du mandat judiciaire dès qu'il est établi qu'il n'est plus nécessaire.

Ce mandat cesse de plein droit dès que le conjoint est pourvu d'un tuteur ou d'un curateur.

446. L'époux qui a eu l'administration des biens de son conjoint est comptable même des fruits et revenus qui ont été consommés avant qu'il n'ait été en demeure de rendre compte.

447. Si l'un des époux a outrepassé les pouvoirs que lui attribue le régime matrimonial, l'autre, à moins qu'il n'ait ratifié l'acte, peut en demander la nullité.

Toutefois, en matière de meubles, chaque époux est réputé, à l'égard des tiers de bonne foi, avoir le pouvoir de passer seul les actes à titre onéreux pour lesquels le consentement du conjoint serait nécessaire.

SECTION II

DE LA SOCIÉTÉ D'ACQUÊTS

§ 1.—De ce qui compose la société d'acquêts

448. Les biens que chacun des époux possède au début du régime ou qu'il acquiert par la suite constituent des acquêts ou des propres selon les règles prévues ci-après.

449. Les acquêts de chaque époux comprennent tous les biens non déclarés propres par la loi et notamment:

1° Le produit de son travail au cours du régime;

2° Les fruits et revenus échus ou perçus au cours du régime, provenant de tous ses biens, propres ou acquêts.

450. Sont propres à chacun des époux:

1° Les biens dont il a la propriété ou la possession au début du régime;

2° Les biens qui lui échoient au cours du régime, par succession ou donation et, si le testateur ou le donateur l'a stipulé, les fruits et revenus qui en proviennent;

3° Les biens qu'il acquiert en remplacement d'un propre de même que les indemnités d'assurance qui s'y rattachent;

4° Les droits ou avantages qui lui échoient à titre de titulaire subrogé ou à titre de bénéficiaire déterminé d'un contrat ou d'un régime de retraite, d'une autre rente ou d'une assurance de personnes;

5° Ses vêtements et ses papiers personnels, ses alliances, ses décorations et ses diplômes;

6° Les instruments de travail nécessaires à sa profession, sauf récompense s'il y a lieu.

451. Est également propre, à charge de récompense, le bien acquis avec des propres et des acquêts, si la valeur des propres employés est supérieure à la moitié du coût total d'acquisition de ce bien. Autrement, il est acquêt à charge de récompense.

La même règle s'applique à l'assurance sur la vie, de même qu'aux pensions de retraite et autres rentes. Le coût total est déterminé par l'ensemble des primes ou sommes versées, sauf dans le cas de l'assurance temporaire où il est déterminé par la dernière prime.

452. Lorsque, au cours du régime, un époux, déjà propriétaire en propre d'une partie indivise d'un bien, en acquiert une autre partie, celle-ci lui est également propre, sauf récompense s'il y a lieu.

Toutefois, si la valeur des acquêts employés pour cette acquisition est égale ou supérieure à la moitié de la valeur totale du bien dont l'époux est devenu propriétaire, ce bien devient acquêt à charge de récompense.

453. Le droit d'un époux à une pension alimentaire, à une pension d'invalidité ou à quelque autre avantage de même nature, lui reste propre, mais sont acquêts tous les avantages pécuniaires qui en proviennent et qui sont échus ou perçus au cours du régime ou qui sont payables, à son décès, à ses héritiers et ayants cause.

Aucune récompense n'est due en raison des sommes ou primes payées avec les acquêts ou les propres pour acquérir ces pensions ou autres avantages.

454. Sont également propres à l'époux le droit de réclamer des dommages-intérêts et l'indemnité reçue en réparation d'un préjudice moral ou corporel.

La même règle s'applique au droit et à l'indemnité découlant d'un contrat d'assurance ou de tout autre régime d'indemnisation, mais aucune récompense n'est due en raison des primes ou sommes payées avec les acquêts.

455. Le bien acquis à titre d'accessoire ou d'annexe d'un bien propre ainsi que les constructions, ouvrages ou plantations faits sur un immeuble propre restent propres, sauf récompense s'il y a lieu.

Cependant, si c'est avec les acquêts qu'a été acquis l'accessoire ou l'annexe, ou qu'ont été faits les constructions, ouvrages ou plantations et que leur valeur est égale ou supérieure à celle du bien propre, le tout devient acquêt à charge de récompense.

456. Les valeurs mobilières acquises par suite de la déclaration de dividendes sur des valeurs propres à l'un des époux lui restent propres, sauf récompense.

Les valeurs mobilières acquises par suite de l'exercice d'un droit de souscription ou de préemption ou autre droit semblable que confèrent des valeurs propres à l'un des époux lui restent également propres, sauf récompense s'il y a lieu.

Les primes de rachat ou de remboursement anticipé de valeurs mobilières propres à l'un des époux lui restent propres sans récompense.

457. Sont propres, à charge de récompense, les revenus provenant de l'exploitation d'une entreprise propre à l'un des époux, s'ils sont investis dans l'entreprise.

Toutefois, aucune récompense n'est due si l'investissement était nécessaire pour maintenir les revenus de cette entreprise.

458. Les droits de propriété intellectuelle et industrielle sont propres, mais sont acquêts tous les fruits et revenus qui en proviennent et qui sont perçus ou échus au cours du régime.

459. Tout bien est présumé acquêt, tant entre les époux qu'à l'égard des tiers, à moins qu'il ne soit établi qu'il est un propre.

460. Le bien qu'un époux ne peut prouver lui être exclusivement propre ou acquêt est présumé appartenir aux deux indivisément, à chacun pour moitié.

§ 2.—*De l'administration des biens et de la responsabilité des dettes*

461. Chaque époux a l'administration, la jouissance et la libre disposition de ses biens propres et de ses acquêts.

462. Un époux ne peut cependant, sans le consentement de son conjoint, disposer de ses acquêts entre vifs à titre gratuit, si ce n'est de biens de peu de valeur ou de cadeaux d'usage.

Toutefois, il peut être autorisé par le tribunal à passer seul un tel acte, si le consentement ne peut être obtenu pour quelque cause que ce soit ou si le refus n'est pas justifié par l'intérêt de la famille.

463. La restriction au droit de disposer ne limite pas le droit d'un époux de désigner un tiers comme bénéficiaire ou titulaire subrogé d'une assurance de personnes, d'une pension de retraite ou autre rente, sous réserve de l'application des règles relatives au patrimoine familial.

Aucune récompense n'est due en raison des sommes ou primes payées avec les acquêts si la désignation est en faveur du conjoint ou des enfants de l'époux ou du conjoint.

464. Chacun des époux est tenu, tant sur ses biens propres que sur ses acquêts, des dettes nées de son chef avant ou pendant le mariage.

Il n'est pas tenu, pendant la durée du régime, des dettes nées du chef de son conjoint, sous réserve des dispositions des articles 397 et 398.

§ 3.—*De la dissolution et de la liquidation du régime*

465. Le régime de la société d'acquêts se dissout:

1° Par le décès de l'un des époux;

2° Par le changement conventionnel de régime pendant le mariage;

3° Par le jugement qui prononce le divorce, la séparation de corps ou la séparation de biens;

4° Par l'absence de l'un des époux dans les cas prévus par la loi;

5° Par la nullité du mariage si celui-ci produit néanmoins des effets.

Les effets de la dissolution se produisent immédiatement, sauf dans les cas des 3° et 5°, où ils remontent, entre les époux, au jour de la demande.

466. Dans tous les cas de dissolution du régime, le tribunal peut, à la demande de l'un ou l'autre des époux ou de leurs ayants cause, décider que, dans les rapports mutuels des conjoints, les effets de la dissolution remonteront à la date où ils ont cessé de faire vie commune.

467. Après la dissolution du régime, chaque époux conserve ses biens propres.

Il a la faculté d'accepter le partage des acquêts de son conjoint ou d'y renoncer, nonobstant toute convention contraire.

468. L'acceptation peut être expresse ou tacite.

L'époux qui s'est immiscé dans la gestion des acquêts de son conjoint postérieurement à la dissolution du régime ne peut recevoir la part des acquêts de son conjoint qui lui revient que si ce dernier a lui-même accepté le partage des acquêts de celui qui s'est immiscé.

Les actes de simple administration n'emportent point immixtion.

469. La renonciation doit être faite par acte notarié en minute ou par une déclaration judiciaire dont il est donné acte.

La renonciation doit être inscrite au registre des droits personnels et réels mobiliers; à défaut d'inscription dans un délai d'un an à compter du jour de la dissolution, l'époux est réputé avoir accepté.

470. Si l'époux renonce, la part à laquelle il aurait eu droit dans les acquêts de son conjoint reste acquise à ce dernier.

Toutefois, les créanciers de l'époux qui renonce au préjudice de leurs droits peuvent demander au tribunal de déclarer que la renonciation leur est inopposable et accepter la part des acquêts du conjoint de leur débiteur au lieu et place de ce dernier.

Dans ce cas, leur acceptation n'a d'effet qu'en leur faveur et à concurrence seulement de leurs créances; elle ne vaut pas au profit de l'époux renonçant.

471. Un époux est privé de sa part dans les acquêts de son conjoint s'il a diverti ou recelé des acquêts, s'il a dilapidé ses acquêts ou s'il les a administrés de mauvaise foi.

472. L'acceptation ou la renonciation est irrévocable. Toutefois, la renonciation peut être annulée pour cause de lésion ou pour toute autre cause de nullité des contrats.

473. Lorsque le régime est dissous par décès et que le conjoint survivant a accepté le partage des acquêts de l'époux décédé, les héritiers de l'époux décédé ont la faculté d'accepter le partage des acquêts du conjoint survivant ou d'y renoncer et, à l'exception des attributions préférentielles dont seul peut bénéficier le conjoint survivant, les dispositions sur la dissolution et la liquidation du régime leur sont applicables.

Si, parmi les héritiers, l'un accepte et les autres renoncent, celui qui accepte ne peut prendre que la portion d'acquêts qu'il aurait eue si tous avaient accepté.

La renonciation du conjoint survivant est opposable aux créanciers de l'époux décédé.

474. Lorsqu'un époux décède alors qu'il était encore en droit de renoncer, ses héritiers ont, à compter du décès, un nouveau délai d'un an pour faire inscrire leur renonciation.

475. Sur acceptation du partage des acquêts du conjoint, on forme d'abord deux masses des biens de ce dernier, l'une constituée des propres, l'autre des acquêts.

On dresse ensuite un compte des récompenses dues par la masse des propres à la masse des acquêts de ce conjoint et réciproquement.

La récompense est égale à l'enrichissement dont une masse a bénéficié au détriment de l'autre.

476. Les biens susceptibles de récompense s'estiment d'après leur état au jour de la dissolution du régime et d'après leur valeur au temps de la liquidation.

L'enrichissement est évalué au jour de la dissolution du régime ; toutefois, lorsque le bien acquis ou amélioré a été aliéné au cours du régime, l'enrichissement est évalué au jour de l'aliénation.

477. Aucune récompense n'est due en raison des impenses nécessaires ou utiles à l'entretien ou à la conservation des biens.

478. Les dettes contractées au profit des propres et non acquittées donnent lieu à récompense comme si elles avaient déjà été payées avec les acquêts.

479. Le paiement, avec les acquêts, d'une amende imposée en vertu de la loi donne lieu à récompense.

480. Si le compte accuse un solde en faveur de la masse des acquêts, l'époux titulaire du patrimoine en fait rapport à cette masse partageable, soit en moins prenant, soit en valeur, soit avec des propres.

S'il accuse un solde en faveur de la masse des propres, l'époux prélève parmi ses acquêts des biens jusqu'à concurrence de la somme due.

481. Le règlement des récompenses effectué, on établit la valeur nette de la masse des acquêts et cette valeur est partagée, par moitié, entre les époux. L'époux titulaire du patrimoine peut payer à son conjoint la part qui lui revient en numéraire ou par dation en paiement.

482. Si la dissolution du régime résulte du décès ou de l'absence de l'époux titulaire du patrimoine, son conjoint peut exiger qu'on lui donne en paiement, moyennant, s'il y a lieu, une soulte payable au comptant ou par versements, la résidence familiale et les meubles qui servent à l'usage du ménage ou tout autre bien à caractère familial pour autant qu'ils fussent des acquêts ou des biens faisant partie du patrimoine familial.

À défaut d'accord sur le paiement de la soulte, le tribunal en fixe les modalités de garantie et de paiement.

483. Si les parties ne s'entendent pas sur l'estimation des biens, celle-ci est faite par des experts que désignent les parties ou, à défaut, le tribunal.

484. La dissolution du régime ne peut préjudicier, avant le partage, aux droits des créanciers antérieurs sur l'intégralité du patrimoine de leur débiteur.

Après le partage, les créanciers antérieurs peuvent uniquement poursuivre le paiement de leur créance contre l'époux débiteur, à moins qu'il n'ait pas été tenu compte de cette créance lors du partage. En ce cas, ils peuvent, après avoir discuté les biens de leur débiteur, poursuivre le conjoint. Chaque époux conserve alors un recours contre son conjoint pour les sommes auxquelles il aurait eu droit si la créance avait été payée avant le partage.

Le conjoint de l'époux débiteur ne peut, en aucun cas, être appelé à payer une somme supérieure à la part des acquêts qu'il a reçue de son conjoint.

SECTION III

DE LA SÉPARATION DE BIENS

§ 1.—*De la séparation conventionnelle de biens*

485. Le régime de séparation conventionnelle de biens s'établit par la simple déclaration faite à cet effet dans le contrat de mariage.

486. En régime de séparation de biens, chaque époux a l'administration, la jouissance et la libre disposition de tous ses biens.

487. Le bien sur lequel aucun des époux ne peut justifier de son droit exclusif de propriété est présumé appartenir aux deux indivisément, à chacun pour moitié.

§ 2.—*De la séparation judiciaire de biens*

488. La séparation de biens peut être poursuivie par l'un ou l'autre des époux lorsque l'application des règles du régime matrimonial se révèle contraire à ses intérêts ou à ceux de la famille.

489. La séparation de biens prononcée en justice emporte dissolution du régime matrimonial et place les époux dans la situation de ceux qui sont conventionnellement séparés de biens.

Entre les époux, les effets de la séparation remontent au jour de la demande, à moins que le tribunal ne les fasse remonter à la date où les époux ont cessé de faire vie commune.

490. Les créanciers des époux ne peuvent demander la séparation de biens, mais ils peuvent intervenir dans l'instance.

Ils peuvent aussi se pourvoir contre la séparation de biens prononcée ou exécutée en fraude de leurs droits.

491. La dissolution du régime matrimonial opérée par la séparation de biens ne donne pas ouverture aux droits de survie, sauf stipulation contraire dans le contrat de mariage.

SECTION IV

DES RÉGIMES COMMUNAUTAIRES

492. Lorsque les époux optent pour un régime matrimonial communautaire et qu'il est nécessaire de suppléer aux dispositions de la convention, on doit se référer aux règles de la société d'acquêts, compte tenu des adaptations nécessaires.

Les époux mariés sous l'ancien régime de communauté légale peuvent invoquer les règles de dissolution et de liquidation du régime de la société d'acquêts lorsqu'elles ne sont pas incompatibles avec les règles de leur régime matrimonial.

CHAPITRE SIXIÈME

DE LA SÉPARATION DE CORPS

SECTION I

DES CAUSES DE LA SÉPARATION DE CORPS

493. La séparation de corps est prononcée lorsque la volonté de vie commune est gravement atteinte.

494. Il en est ainsi notamment:

1° Lorsque les époux ou l'un d'eux rapportent la preuve d'un ensemble de faits rendant difficilement tolérable le maintien de la vie commune;

2° Lorsqu'au moment de la demande, les époux vivent séparés l'un de l'autre;

3° Lorsque l'un des époux a manqué gravement à une obligation du mariage, sans toutefois que cet époux puisse invoquer son propre manquement.

495. Les époux qui soumettent à l'approbation du tribunal un projet d'accord qui règle les conséquences de leur séparation de corps peuvent la demander sans avoir à en faire connaître la cause.

Le tribunal prononce alors la séparation, s'il considère que le consentement des époux est réel et que l'accord préserve suffisamment les intérêts de chacun d'eux et des enfants.

SECTION II

DE L'INSTANCE EN SÉPARATION DE CORPS

§ 1.—*Disposition générale*

496. À tout moment de l'instance en séparation de corps, il entre dans la mission du tribunal de conseiller les époux, de favoriser leur conciliation et de veiller aux intérêts des enfants et au respect de leurs droits.

§ 2.—*De la demande et de la preuve*

497. La demande en séparation de corps peut être présentée par les époux ou l'un d'eux.

498. La preuve que le maintien de la vie commune est difficilement tolérable peut résulter du témoignage d'une partie, mais le tribunal peut exiger une preuve additionnelle.

§ 3.—*Des mesures provisoires*

499. La demande en séparation de corps délie les époux de l'obligation de faire vie commune.

500. Le tribunal peut ordonner à l'un des époux de quitter la résidence familiale pendant l'instance.

Il peut aussi autoriser l'un d'eux à conserver provisoirement des biens meubles qui jusque-là servaient à l'usage commun.

501. Le tribunal peut statuer sur la garde et l'éducation des enfants.

Il fixe la contribution de chacun des époux à leur entretien pendant l'instance.

502. Le tribunal peut ordonner à l'un des époux de verser à l'autre une pension alimentaire et une provision pour les frais de l'instance.

503. Les mesures provisoires sont sujettes à révision lorsqu'un fait nouveau le justifie.

§ 4.—*Des ajournements et de la réconciliation*

504. Le tribunal peut ajourner l'instruction de la demande en séparation de corps, s'il croit que l'ajournement peut favoriser la réconciliation des époux ou éviter un préjudice sérieux à l'un des conjoints ou à l'un de leurs enfants.

Il peut aussi le faire s'il estime que les époux peuvent régler à l'amiable les conséquences de leur séparation de corps et conclure, à ce sujet, des accords que le tribunal pourra prendre en considération.

505. La réconciliation des époux survenue depuis la demande met fin à l'instance.

Chacun des époux peut néanmoins présenter une nouvelle demande pour cause survenue depuis la réconciliation et alors faire usage des anciennes causes pour appuyer sa demande.

506. La seule reprise de la cohabitation pendant moins de quatre-vingt-dix jours ne fait pas présumer la réconciliation.

SECTION III

DES EFFETS DE LA SÉPARATION DE CORPS ENTRE LES ÉPOUX

507. La séparation de corps délie les époux de l'obligation de faire vie commune; elle ne rompt pas le lien du mariage.

508. La séparation de corps emporte séparation de biens, s'il y a lieu.

Entre les époux, les effets de la séparation de biens remontent au jour de la demande en séparation de corps, à moins que le tribunal ne les fasse remonter à la date où les époux ont cessé de faire vie commune.

509. La séparation de corps ne donne pas immédiatement ouverture aux droits de survie, sauf stipulation contraire dans le contrat de mariage.

510. La séparation de corps ne rend pas caduques les donations consenties aux époux en considération du mariage.

Toutefois, le tribunal peut, au moment où il prononce la séparation, les déclarer caduques ou les réduire, ou ordonner que le paiement des donations entre vifs soit différé pour un temps qu'il détermine, en tenant compte des circonstances dans lesquelles se trouvent les parties.

511. Au moment où il prononce la séparation de corps ou postérieurement, le tribunal peut ordonner à l'un des époux de verser des aliments à l'autre.

512. Dans les décisions relatives aux effets de la séparation de corps à l'égard des époux, le tribunal tient compte des circonstances dans lesquelles ils se trouvent; il prend en considération, entre autres, leurs besoins et leurs facultés, les accords qu'ils ont conclus entre eux, leur âge et leur état de santé, leurs obligations familiales, leurs possibilités d'emploi, leur situation patrimoniale existante et prévisible, en évaluant tant leur capital que leurs revenus et, s'il y a lieu, le temps nécessaire au créancier pour acquérir une autonomie suffisante.

SECTION IV

DES EFFETS DE LA SÉPARATION DE CORPS À L'ÉGARD DES ENFANTS

513. La séparation de corps ne prive pas les enfants des avantages qui leur sont assurés par la loi ou par le contrat de mariage.

Elle laisse subsister les droits et les devoirs des père et mère à l'égard de leurs enfants.

514. Au moment où il prononce la séparation de corps ou postérieurement, le tribunal statue sur la garde, l'entretien et l'éducation des enfants, dans l'intérêt de ceux-ci et le respect de leurs droits, en tenant compte, s'il y a lieu, des accords conclus entre les époux.

SECTION V

DE LA FIN DE LA SÉPARATION DE CORPS

515. La reprise volontaire de la vie commune met fin à la séparation de corps.

La séparation de biens subsiste, sauf si les époux choisissent, par contrat de mariage, un régime matrimonial différent.

CHAPITRE SEPTIÈME

DE LA DISSOLUTION DU MARIAGE

SECTION I

DISPOSITIONS GÉNÉRALES

516. Le mariage se dissout par le décès de l'un des conjoints ou par le divorce.

517. Le divorce est prononcé conformément à la loi canadienne sur le divorce. Les règles relatives à l'instance en séparation de corps édictées par le présent code et les règles du Code de procédure civile s'appliquent à ces demandes dans la mesure où elles sont compatibles avec la loi canadienne.

SECTION II

DES EFFETS DU DIVORCE

518. Le divorce emporte la dissolution du régime matrimonial.

Les effets de la dissolution du régime remontent, entre les époux, au jour de la demande, à moins que le tribunal ne les fasse remonter à la date où les époux ont cessé de faire vie commune.

519. Le divorce rend caduques les donations à cause de mort qu'un époux a consenties à l'autre en considération du mariage.

520. Le divorce ne rend pas caduques les autres donations à cause de mort ni les donations entre vifs consenties aux époux en considération du mariage.

Toutefois, le tribunal peut, au moment où il prononce le divorce, les déclarer caduques ou les réduire, ou ordonner que le paiement des donations entre vifs soit différé pour un temps qu'il détermine.

521. À l'égard des enfants, le divorce produit les mêmes effets que la séparation de corps.

TITRE DEUXIÈME

DE LA FILIATION

DISPOSITION GÉNÉRALE

522. Tous les enfants dont la filiation est établie ont les mêmes droits et les mêmes obligations, quelles que soient les circonstances de leur naissance.

CHAPITRE PREMIER

DE LA FILIATION PAR LE SANG

SECTION I

DES PREUVES DE LA FILIATION

§ 1.—*Du titre et de la possession d'état*

523. La filiation tant paternelle que maternelle se prouve par l'acte de naissance, quelles que soient les circonstances de la naissance de l'enfant.

À défaut de ce titre, la possession constante d'état suffit.

524. La possession constante d'état s'établit par une réunion suffisante de faits qui indiquent les rapports de filiation entre l'enfant et les personnes dont on le dit issu.

§ 2.—*De la présomption de paternité*

525. L'enfant né pendant le mariage ou dans les trois cents jours après sa dissolution ou son annulation est présumé avoir pour père le mari de sa mère.

Cette présomption de paternité du mari est écartée lorsque l'enfant naît plus de trois cents jours après le jugement prononçant la séparation de corps, sauf s'il y a eu reprise volontaire de la vie commune avant la naissance.

Lorsque l'enfant est né dans les trois cents jours de la dissolution ou de l'annulation du mariage, mais après le remariage de sa mère, le mari de celle-ci, lors de la naissance, est présumé être le père de l'enfant.

§ 3.—*De la reconnaissance volontaire*

526. Si la maternité ou la paternité ne peut être déterminée par application des articles qui précèdent, la filiation de l'enfant peut aussi être établie par reconnaissance volontaire.

527. La reconnaissance de maternité résulte de la déclaration faite par une femme qu'elle est la mère de l'enfant.

La reconnaissance de paternité résulte de la déclaration faite par un homme qu'il est le père de l'enfant.

528. La seule reconnaissance de maternité ou de paternité ne lie que son auteur.

529. On ne peut contredire par la seule reconnaissance de maternité ou de paternité une filiation déjà établie et non infirmée en justice.

SECTION II

DES ACTIONS RELATIVES À LA FILIATION

530. Nul ne peut réclamer une filiation contraire à celle que lui donnent son acte de naissance et la possession d'état conforme à ce titre.

Nul ne peut contester l'état de celui qui a une possession d'état conforme à son acte de naissance.

531. Toute personne intéressée, y compris le père ou la mère, peut contester par tous moyens la filiation de celui qui n'a pas une possession d'état conforme à son acte de naissance.

Toutefois, le père présumé ne peut contester la filiation et désavouer l'enfant que dans un délai d'un an à compter du jour où la présomption de paternité prend effet, à moins qu'il n'ait pas eu connaissance de la naissance, auquel cas le délai commence à courir du jour de cette connaissance. La mère peut contester la paternité du père présumé dans l'année qui suit la naissance de l'enfant.

532. L'enfant dont la filiation n'est pas établie par un titre et une possession d'état conforme peut réclamer sa filiation en justice. Pareillement, les père et mère peuvent réclamer la paternité ou la maternité d'un enfant dont la filiation n'est pas établie à leur égard par un titre et une possession d'état conforme.

Si l'enfant a déjà une autre filiation établie soit par un titre, soit par la possession d'état, soit par l'effet de la présomption de paternité, l'action en réclamation d'état ne peut être exercée qu'à la condition d'être jointe à une action en contestation de l'état ainsi établi.

Les recours en désaveu ou en contestation d'état sont dirigés contre l'enfant et, selon le cas, contre la mère ou le père présumé.

533. La preuve de la filiation pourra se faire par tous moyens. Toutefois, les témoignages ne sont admissibles que s'il y a commencement de preuve, ou lorsque les présomptions ou indices résultant de faits déjà clairement établis sont assez graves pour en déterminer l'admission.

534. Le commencement de preuve résulte des titres de famille, des registres et papiers domestiques, ainsi que de tous autres écrits publics ou privés émanés d'une partie engagée dans la contestation ou qui y aurait intérêt si elle était vivante.

535. Tous les moyens de preuve sont admissibles pour s'opposer à une action relative à la filiation.

De même, sont recevables tous les moyens de preuve propres à établir que le mari n'est pas le père de l'enfant.

536. Toutes les fois qu'elles ne sont pas enfermées par la loi dans des délais plus courts, les actions relatives à la filiation se prescrivent par trente ans, à compter du jour où l'enfant a été privé de l'état qui est réclamé ou a commencé à jouir de l'état qui lui est contesté.

Les héritiers de l'enfant décédé sans avoir réclamé son état, mais alors qu'il était encore dans les délais utiles pour le faire, peuvent agir dans les trois ans de son décès.

537. Le décès du père présumé ou de la mère avant l'expiration du délai prévu pour le désaveu ou la contestation d'état n'éteint pas le droit d'action.

Toutefois, ce droit doit être exercé par les héritiers dans l'année qui suit le décès.

SECTION III

DE LA PROCRÉATION MÉDICALEMENT ASSISTÉE

538. La contribution au projet parental d'autrui par un apport de forces génétiques à la procréation médicalement assistée ne permet de fonder aucun lien de filiation entre l'auteur de la contribution et l'enfant issu de cette procréation.

539. Nul ne peut contester la filiation de l'enfant pour une raison tenant au caractère médicalement assisté de sa procréation et l'enfant n'est pas recevable à réclamer un autre état.

Cependant, le mari de la mère peut désavouer l'enfant ou contester la reconnaissance s'il n'a pas consenti à la procréation médicalement assistée ou s'il prouve que l'enfant n'est pas issu de celle-ci.

540. Celui qui, après avoir consenti à la procréation médicalement assistée, ne reconnaît pas l'enfant qui en est issu, engage sa responsabilité envers cet enfant et la mère de ce dernier.

541. Les conventions de procréation ou de gestation pour le compte d'autrui sont nulles de nullité absolue.

542. Les renseignements nominatifs relatifs à la procréation médicalement assistée d'un enfant sont confidentiels.

Toutefois, lorsqu'un préjudice grave risque d'être causé à la santé d'une personne ainsi procréée ou de ses descendants si elle est privée des renseignements qu'elle requiert, le tribunal peut permettre leur transmission, confidentiellement, aux autorités médicales concernées. L'un des descendants de cette personne peut également se prévaloir de ce droit si le fait d'être privé des renseignements qu'il requiert risque de causer un préjudice grave à sa santé ou à celle de l'un de ses proches.

CHAPITRE DEUXIÈME

DE L'ADOPTION

SECTION I

DES CONDITIONS DE L'ADOPTION

§ 1.—*Dispositions générales*

543. L'adoption ne peut avoir lieu que dans l'intérêt de l'enfant et aux conditions prévues par la loi.

Elle ne peut avoir lieu pour confirmer une filiation déjà établie par le sang.

544. L'enfant mineur ne peut être adopté que si ses père et mère ou tuteur ont consenti à l'adoption ou s'il a été déclaré judiciairement admissible à l'adoption.

545. Une personne majeure ne peut être adoptée que par ceux qui, alors qu'elle était mineure, remplissaient auprès d'elle le rôle de parent.

Toutefois, le tribunal peut, dans l'intérêt de l'adopté, passer outre à cette exigence.

546. Toute personne majeure peut, seule ou conjointement avec une autre personne, adopter un enfant.

547. L'adoptant doit avoir au moins dix-huit ans de plus que l'adopté, sauf si ce dernier est l'enfant de son conjoint.

Toutefois, le tribunal peut, dans l'intérêt de l'adopté, passer outre à cette exigence.

548. Les consentements prévus au présent chapitre doivent être donnés par écrit devant deux témoins.

Il en est de même de leur rétractation.

§ 2.—*Du consentement de l'adopté*

549. L'adoption ne peut avoir lieu qu'avec le consentement de l'enfant, s'il est âgé de dix ans et plus, à moins que ce dernier ne soit dans l'impossibilité de manifester sa volonté.

Toutefois, lorsque l'enfant de moins de quatorze ans refuse son consentement, le tribunal peut différer son jugement pour la période de temps qu'il indique ou, nonobstant le refus, prononcer l'adoption.

550. Le refus de l'enfant âgé de quatorze ans et plus fait obstacle à l'adoption.

§ 3.—*Du consentement des parents ou du tuteur*

551. Lorsque l'adoption a lieu du consentement des parents, les deux doivent y consentir si la filiation de l'enfant est établie à l'égard de l'un et de l'autre.

Si la filiation de l'enfant n'est établie qu'à l'égard de l'un d'eux, le consentement de ce dernier suffit.

552. Si l'un des deux parents est décédé ou dans l'impossibilité de manifester sa volonté, ou s'il est déchu de l'autorité parentale, le consentement de l'autre suffit.

553. Si les deux parents sont décédés, dans l'impossibilité de manifester leur volonté ou déchus de l'autorité parentale, l'adoption de l'enfant est subordonnée au consentement du tuteur, si l'enfant en est pourvu.

554. Le parent mineur peut consentir lui-même, sans autorisation, à l'adoption de son enfant.

555. Le consentement à l'adoption peut être général ou spécial. Le consentement spécial ne peut être donné qu'en faveur d'un ascendant de l'enfant, d'un parent en ligne collatérale jusqu'au troisième degré ou du conjoint de cet ascendant ou parent; il peut également être donné en faveur du conjoint ou du concubin du père ou de la mère, si, étant concubins, ces derniers cohabitent depuis au moins trois ans.

556. Le consentement à l'adoption entraîne de plein droit, jusqu'à l'ordonnance de placement, délégation de l'autorité parentale à la personne à qui l'enfant est remis.

557. Celui qui a donné son consentement à l'adoption peut le rétracter dans les trente jours suivant la date à laquelle il a été donné.

L'enfant doit alors être rendu sans formalité ni délai à l'auteur de la rétractation.

558. Celui qui n'a pas rétracté son consentement dans les trente jours peut, à tout moment avant l'ordonnance de placement, s'adresser au tribunal en vue d'obtenir la restitution de l'enfant.

§ 4.—*De la déclaration d'admissibilité à l'adoption*

559. Peut être judiciairement déclaré admissible à l'adoption:

1° L'enfant de plus de trois mois dont ni la filiation paternelle ni la filiation maternelle ne sont établies;

2° L'enfant dont ni les père et mère ni le tuteur n'ont assumé de fait le soin, l'entretien ou l'éducation depuis au moins six mois;

3° L'enfant dont les père et mère sont déchus de l'autorité parentale, s'il n'est pas pourvu d'un tuteur;

4° L'enfant orphelin de père et de mère, s'il n'est pas pourvu d'un tuteur.

560. La demande en déclaration d'admissibilité à l'adoption ne peut être présentée que par un ascendant de l'enfant, un parent en ligne collatérale jusqu'au troisième degré, le conjoint de cet ascendant ou parent, par l'enfant lui-même s'il est âgé de quatorze ans et plus ou par un directeur de la protection de la jeunesse.

561. L'enfant ne peut être déclaré admissible à l'adoption que s'il est improbable que son père, sa mère ou son tuteur en reprenne la garde et en assume le soin, l'entretien ou l'éducation. Cette improbabilité est présumée.

562. Lorsqu'il déclare l'enfant admissible à l'adoption, le tribunal désigne la personne qui exercera l'autorité parentale à son égard.

§ 5.—*Des conditions particulières à l'adoption d'un enfant domicilié hors du Québec*

563. Toute personne domiciliée au Québec qui veut adopter un enfant domicilié hors du Québec doit préalablement faire l'objet d'une évaluation psychosociale effectuée dans les conditions prévues par la Loi sur la protection de la jeunesse.

564. Les démarches en vue de l'adoption sont effectuées soit par l'adoptant, dans les conditions prévues par la Loi sur la protection de la jeunesse, soit, à la demande de l'adoptant, par le ministre de la Santé et des Services sociaux ou par un organisme agréé en vertu de la même loi.

565. L'adoption d'un enfant domicilié hors du Québec doit être prononcée judiciairement soit à l'étranger, soit au Québec. Le jugement prononcé au Québec est précédé d'une ordonnance de placement. Le jugement prononcé à l'étranger doit faire l'objet d'une reconnaissance judiciaire au Québec.

SECTION II

DE L'ORDONNANCE DE PLACEMENT ET DU JUGEMENT D'ADOPTION

566. Le placement d'un mineur ne peut avoir lieu que sur ordonnance du tribunal et son adoption ne peut être prononcée que s'il a vécu au moins six mois avec l'adoptant depuis l'ordonnance.

Ce délai peut toutefois être réduit d'une période n'excédant pas trois mois, en prenant notamment en considération le temps pendant lequel le mineur aurait déjà vécu avec l'adoptant antérieurement à l'ordonnance.

567. Une ordonnance de placement ne peut être prononcée s'il ne s'est pas écoulé trente jours depuis qu'un consentement à l'adoption a été donné.

568. Avant de prononcer l'ordonnance de placement, le tribunal s'assure que les conditions de l'adoption ont été remplies et, notamment, que les consentements requis ont été valablement donnés.

Le tribunal vérifie en outre, lorsque le placement d'un enfant domicilié hors du Québec est fait en vertu d'un accord conclu en application de la Loi sur la protection de la jeunesse, si la procédure suivie est conforme à l'accord.

Le placement peut, pour des motifs sérieux et si l'intérêt de l'enfant le commande, être ordonné bien que l'adoptant ne se soit pas conformé aux dispositions des articles 563 et 564. Cependant, la requête doit être accompagnée d'une évaluation psychosociale effectuée par le directeur de la protection de la jeunesse.

569. L'ordonnance de placement confère l'exercice de l'autorité parentale à l'adoptant; elle permet à l'enfant, pendant la durée du placement, d'exercer ses droits civils sous les nom et prénoms choisis par l'adoptant, lesquels sont constatés dans l'ordonnance.

Elle fait obstacle à toute restitution de l'enfant à ses parents ou à son tuteur, ainsi qu'à l'établissement d'un lien de filiation entre l'enfant et ses parents par le sang.

570. Les effets de cette ordonnance cessent s'il est mis fin au placement ou si le tribunal refuse de prononcer l'adoption.

571. Si l'adoptant ne présente pas sa demande d'adoption dans un délai raisonnable à compter de la fin de la période minimale de placement, l'ordonnance de placement peut être révoquée, à la demande de l'enfant lui-même s'il est âgé de quatorze ans et plus ou de tout intéressé.

572. Lorsque les effets de l'ordonnance de placement cessent sans qu'il y ait eu adoption, le tribunal désigne, même d'office, la personne qui exercera l'autorité parentale à l'égard de l'enfant; le directeur de la protection de la jeunesse qui exerçait la tutelle antérieurement à l'ordonnance de placement, l'exerce à nouveau.

573. Le tribunal prononce l'adoption sur la demande que lui en font les adoptants, à moins qu'un rapport n'indique que l'enfant ne s'est pas adapté à sa famille adoptive. En ce cas ou chaque fois que l'intérêt de l'enfant le commande, le tribunal peut requérir toute autre preuve qu'il estime nécessaire.

574. Le tribunal appelé à reconnaître un jugement d'adoption rendu hors du Québec s'assure que les règles concernant le consentement à l'adoption et à l'admissibilité à l'adoption de l'enfant ont été respectées.

Le tribunal vérifie en outre, lorsque le jugement d'adoption a été rendu hors du Québec en vertu d'un accord conclu en application de la Loi sur la protection de la jeunesse, si la procédure suivie est conforme à l'accord.

La reconnaissance peut, pour des motifs sérieux et si l'intérêt de l'enfant le commande, être accordée bien que l'adoptant ne se soit pas conformé aux dispositions des articles 563 et 564. Cependant, la requête doit être accompagnée d'une évaluation psychosociale.

575. Si l'un des adoptants décède après l'ordonnance de placement, le tribunal peut prononcer l'adoption même à l'égard de l'adoptant décédé.

Il peut aussi reconnaître un jugement d'adoption rendu hors du Québec malgré le décès de l'adoptant.

576. Le tribunal attribue à l'adopté les nom et prénoms choisis par l'adoptant, à moins qu'il ne décide, à la demande de l'adoptant ou de l'adopté, de lui laisser ses nom et prénoms d'origine.

SECTION III

DES EFFETS DE L'ADOPTION

577. L'adoption confère à l'adopté une filiation qui se substitue à sa filiation d'origine.

L'adopté cesse d'appartenir à sa famille d'origine, sous réserve des empêchements de mariage.

578. L'adoption fait naître les mêmes droits et obligations que la filiation par le sang.

Toutefois, le tribunal peut, suivant les circonstances, permettre un mariage en ligne collatérale entre l'adopté et un membre de sa famille d'adoption.

579. Lorsque l'adoption est prononcée, les effets de la filiation précédente prennent fin; le tuteur, s'il en existe, perd ses droits et est libéré de ses devoirs à l'endroit de l'adopté, sauf l'obligation de rendre compte.

Cependant, l'adoption, par une personne, de l'enfant de son conjoint ou concubin ne rompt pas le lien de filiation établi entre ce conjoint ou concubin et son enfant.

580. L'adoption prononcée en faveur d'adoptants dont l'un est décédé après l'ordonnance de placement produit ses effets à compter de l'ordonnance.

581. La reconnaissance d'un jugement d'adoption produit les mêmes effets qu'un jugement d'adoption rendu au Québec à compter du prononcé du jugement d'adoption rendu hors du Québec.

SECTION IV

DU CARACTÈRE CONFIDENTIEL DES DOSSIERS D'ADOPTION

582. Les dossiers judiciaires et administratifs ayant trait à l'adoption d'un enfant sont confidentiels et aucun des renseignements qu'ils contiennent ne peut être révélé, si ce n'est pour se conformer à la loi.

Toutefois, le tribunal peut permettre la consultation d'un dossier d'adoption à des fins d'étude, d'enseignement, de recherche ou d'enquête publique, pourvu que soit respecté l'anonymat de l'enfant, des parents et de l'adoptant.

583. L'adopté majeur ou l'adopté mineur de quatorze ans et plus a le droit d'obtenir les renseignements lui permettant de retrouver ses parents, si ces derniers y ont préalablement consenti. Il en va de même des parents d'un enfant adopté, si ce dernier, devenu majeur, y a préalablement consenti.

L'adopté mineur de moins de quatorze ans a également le droit d'obtenir les renseignements lui permettant de retrouver ses parents, si ces derniers, ainsi que ses parents adoptifs, y ont préalablement consenti.

Ces consentements ne doivent faire l'objet d'aucune sollicitation; un adopté mineur ne peut cependant être informé de la demande de renseignements de son parent.

584. Lorsqu'un préjudice grave risque d'être causé à la santé de l'adopté, majeur ou mineur, ou de l'un de ses proches parents s'il est privé des renseignements qu'il requiert, le tribunal peut permettre que l'adopté obtienne ces renseignements.

L'un des proches parents de l'adopté peut également se prévaloir de ce droit si le fait d'être privé des renseignements qu'il requiert risque de causer un préjudice grave à sa santé ou à celle de l'un de ses proches.

TITRE TROISIÈME

DE L'OBLIGATION ALIMENTAIRE

585. Les époux de même que les parents en ligne directe se doivent des aliments.

586. Le recours alimentaire de l'enfant mineur peut être exercé par le titulaire de l'autorité parentale, par son tuteur ou par toute autre personne qui en a la garde, selon les circonstances.

Le tribunal peut déclarer les aliments payables à la personne qui a la garde de l'enfant.

587. Les aliments sont accordés en tenant compte des besoins et des facultés des parties, des circonstances dans lesquelles elles se trouvent et, s'il y a lieu, du temps nécessaire au créancier pour acquérir une autonomie suffisante.

588. Le tribunal peut accorder au créancier d'aliments une pension provisoire pour la durée de l'instance.

Il peut, également, accorder au créancier d'aliments une provision pour les frais de l'instance.

589. Les aliments sont payables sous forme de pension; le tribunal peut exceptionnellement remplacer ou compléter cette pension alimentaire par une somme forfaitaire payable au comptant ou par versements.

590. Afin de maintenir la valeur monétaire réelle de la créance qui résulte du jugement accordant des aliments, ceux-ci, s'ils sont payables sous forme de pension, sont indexés de plein droit, au 1er janvier de chaque année, suivant l'indice annuel des rentes établi conformément à l'article 119 de la Loi sur le régime de rentes du Québec.

Toutefois, lorsque l'application de cet indice entraîne une disproportion sérieuse entre les besoins du créancier et les facultés du débiteur, le tribunal peut, dans l'exercice de sa compétence, soit fixer un autre indice d'indexation, soit ordonner que la créance ne soit pas indexée.

591. Le tribunal peut, s'il l'estime nécessaire, ordonner au débiteur de fournir, au-delà de l'hypothèque légale, une sûreté suffisante pour le paiement des aliments ou ordonner la constitution d'une fiducie destinée à garantir ce paiement.

592. Le débiteur qui offre de recevoir chez lui son créancier alimentaire peut, si les circonstances s'y prêtent, être dispensé du paiement des aliments ou d'une partie de ceux-ci.

593. Le créancier peut exercer son recours contre un de ses débiteurs alimentaires ou contre plusieurs simultanément.

Le tribunal fixe le montant de la pension que doit payer chacun des débiteurs poursuivis ou mis en cause.

594. Le jugement qui accorde des aliments, que ceux-ci soient indexés ou non, est sujet à révision chaque fois que les circonstances le justifient.

Toutefois, s'il ordonne le paiement d'une somme forfaitaire, il ne peut être révisé que s'il n'a pas été exécuté.

595. On peut réclamer des aliments pour des besoins existants avant la demande, sans pouvoir néanmoins les exiger au-delà de l'année écoulée.

Le créancier doit prouver qu'il s'est trouvé en fait dans l'impossibilité d'agir plus tôt, à moins qu'il n'ait mis le débiteur en demeure dans l'année écoulée, auquel cas les aliments sont accordés à compter de la demeure.

596. Le débiteur de qui on réclame des arrérages peut opposer un changement dans sa condition ou celle de son créancier survenu depuis le jugement et être libéré de tout ou partie de leur paiement.

Cependant, lorsque les arrérages sont dus depuis plus de six mois, le débiteur ne peut être libéré de leur paiement que s'il démontre qu'il lui a été impossible d'exercer ses recours pour obtenir une révision du jugement fixant la pension alimentaire.

TITRE QUATRIÈME

DE L'AUTORITÉ PARENTALE

597. L'enfant, à tout âge, doit respect à ses père et mère.

598. L'enfant reste sous l'autorité de ses père et mère jusqu'à sa majorité ou son émancipation.

599. Les père et mère ont, à l'égard de leur enfant, le droit et le devoir de garde, de surveillance et d'éducation.

Ils doivent nourrir et entretenir leur enfant.

600. Les père et mère exercent ensemble l'autorité parentale.

Si l'un d'eux décède, est déchu de l'autorité parentale ou n'est pas en mesure de manifester sa volonté, l'autorité est exercée par l'autre.

601. Le titulaire de l'autorité parentale peut déléguer la garde, la surveillance ou l'éducation de l'enfant.

602. Le mineur non émancipé ne peut, sans le consentement du titulaire de l'autorité parentale, quitter son domicile.

603. À l'égard des tiers de bonne foi, le père ou la mère qui accomplit seul un acte d'autorité à l'égard de l'enfant est présumé agir avec l'accord de l'autre.

604. En cas de difficultés relatives à l'exercice de l'autorité parentale, le titulaire de l'autorité parentale peut saisir le tribunal qui statuera dans l'intérêt de l'enfant après avoir favorisé la conciliation des parties.

605. Que la garde de l'enfant ait été confiée à l'un des parents ou à une tierce personne, quelles qu'en soient les raisons, les père et mère conservent le droit de surveiller son entretien et son éducation et sont tenus d'y contribuer à proportion de leurs facultés.

606. La déchéance de l'autorité parentale peut être prononcée par le tribunal, à la demande de tout intéressé, à l'égard des père et mère, de l'un d'eux ou du tiers à qui elle aurait été attribuée, si des motifs graves et l'intérêt de l'enfant justifient une telle mesure.

Si la situation ne requiert pas l'application d'une telle mesure, mais requiert néanmoins une intervention, le tribunal peut plutôt prononcer le retrait d'un attribut de l'autorité parentale ou de son exercice. Il peut aussi être saisi directement d'une demande de retrait.

607. Le tribunal peut, au moment où il prononce la déchéance, le retrait d'un attribut de l'autorité parentale ou de son exercice, désigner la personne qui exercera l'autorité parentale ou l'un de ses attributs; il peut aussi prendre, le cas échéant, l'avis du conseil de tutelle avant de procéder à cette désignation ou, si l'intérêt de l'enfant l'exige, à la nomination d'un tuteur.

608. La déchéance s'étend à tous les enfants mineurs déjà nés au moment du jugement, à moins que le tribunal n'en décide autrement.

609. La déchéance emporte pour l'enfant dispense de l'obligation alimentaire, à moins que le tribunal n'en décide autrement. Cette dispense peut néanmoins, si les circonstances le justifient, être levée après la majorité.

610. Le père ou la mère qui a fait l'objet d'une déchéance ou du retrait de l'un des attributs de l'autorité parentale peut obtenir, en justifiant de circonstances nouvelles, que lui soit restituée l'autorité dont il avait été privé, sous réserve des dispositions relatives à l'adoption.

611. Les père et mère ne peuvent sans motifs graves faire obstacle aux relations personnelles de l'enfant avec ses grands-parents.

À défaut d'accord entre les parties, les modalités de ces relations sont réglées par le tribunal.

612. Les décisions qui concernent les enfants peuvent être révisées à tout moment par le tribunal, si les circonstances le justifient.

LIVRE TROISIÈME

DES SUCCESSIONS

TITRE PREMIER

DE L'OUVERTURE DES SUCCESSIONS ET DES QUALITÉS REQUISES POUR SUCCÉDER

CHAPITRE PREMIER

DE L'OUVERTURE DES SUCCESSIONS

613. La succession d'une personne s'ouvre par son décès, au lieu de son dernier domicile.

Elle est dévolue suivant les prescriptions de la loi, à moins que le défunt n'ait, par des dispositions testamentaires, réglé autrement la dévolution de ses biens. La donation à cause de mort est, à cet égard, une disposition testamentaire.

614. La loi ne considère ni l'origine ni la nature des biens pour en régler la succession; tous ensemble, ils ne forment qu'un seul patrimoine.

615. Lorsqu'une personne décède en laissant des biens situés hors du Québec ou des créances contre des personnes qui n'y résident pas, on peut, suivant les règles prévues au Code de procédure civile, obtenir des lettres de vérification.

616. Les personnes qui décèdent sans qu'il soit possible d'établir laquelle a survécu à l'autre sont réputées décédées au même instant, si au moins l'une d'entre elles est appelée à la succession de l'autre.

La succession de chacune d'elles est alors dévolue aux personnes qui auraient été appelées à la recueillir à leur défaut.

CHAPITRE DEUXIÈME

DES QUALITÉS REQUISES POUR SUCCÉDER

617. Peuvent succéder les personnes physiques qui existent au moment de l'ouverture de la succession, y compris l'absent présumé vivant à cette époque et l'enfant conçu, mais non encore né, s'il naît vivant et viable.

Peuvent également succéder, en cas de substitution ou de fiducie, les personnes qui ont les qualités requises lorsque la disposition produit effet à leur égard.

618. L'État peut recevoir par testament; les personnes morales le peuvent aussi, dans la limite des biens qu'elles peuvent posséder.

Le fiduciaire peut recevoir le legs destiné à la fiducie ou celui qui sert à la poursuite du but de la fiducie.

619. Est héritier depuis l'ouverture de la succession, pour autant qu'il l'accepte, le successible à qui est dévolue la succession *ab intestat* et celui qui reçoit, par testament, un legs universel ou à titre universel.

620. Est de plein droit indigne de succéder:

1° Celui qui est déclaré coupable d'avoir attenté à la vie du défunt;

2° Celui qui est déchu de l'autorité parentale sur son enfant, avec dispense pour celui-ci de l'obligation alimentaire, à l'égard de la succession de cet enfant.

621. Peut être déclaré indigne de succéder:

1° Celui qui a exercé des sévices sur le défunt ou a eu autrement envers lui un comportement hautement répréhensible;

2° Celui qui a recelé, altéré ou détruit de mauvaise foi le testament du défunt;

3° Celui qui a gêné le testateur dans la rédaction, la modification ou la révocation de son testament.

622. L'héritier n'est pas indigne de succéder et ne peut être déclaré tel si le défunt, connaissant la cause d'indignité, l'a néanmoins avantagé ou n'a pas modifié la libéralité, alors qu'il aurait pu le faire.

623. Tout successible peut, dans l'année qui suit l'ouverture de la succession ou la connaissance d'une cause d'indignité, demander au tribunal de déclarer l'indignité d'un héritier lorsque celui-ci n'est pas indigne de plein droit.

624. L'époux de bonne foi succède à son conjoint si la nullité du mariage est prononcée après le décès.

TITRE DEUXIÈME

DE LA TRANSMISSION DE LA SUCCESSION

CHAPITRE PREMIER

DE LA SAISINE

625. Les héritiers sont, par le décès du défunt ou par l'événement qui donne effet à un legs, saisis du patrimoine du défunt, sous réserve des dispositions relatives à la liquidation successorale.

Ils ne sont pas, sauf les exceptions prévues au présent livre, tenus des obligations du défunt au-delà de la valeur des biens qu'ils recueillent et ils conservent le droit de réclamer de la succession le paiement de leurs créances.

Ils sont saisis des droits d'action du défunt contre l'auteur de toute violation d'un droit de la personnalité ou contre ses représentants.

CHAPITRE DEUXIÈME

DE LA PÉTITION D'HÉRÉDITÉ ET DE SES EFFETS SUR LA TRANSMISSION DE LA SUCCESSION

626. Le successible peut toujours faire reconnaître sa qualité d'héritier, dans les dix ans qui suivent soit l'ouverture de la succession à laquelle il prétend avoir droit, soit le jour où son droit s'est ouvert.

627. La reconnaissance de la qualité d'héritier au successible oblige l'héritier apparent à la restitution de ce qu'il a reçu sans droit de la succession, suivant les règles du livre Des obligations relatives à la restitution des prestations.

628. L'indigne qui a reçu un bien de la succession est réputé héritier apparent de mauvaise foi.

629. Les obligations du défunt acquittées par les héritiers apparents, autrement qu'avec des biens provenant de la succession, sont remboursées par les héritiers véritables.

CHAPITRE TROISIÈME

DU DROIT D'OPTION

SECTION I

DE LA DÉLIBÉRATION ET DE L'OPTION

630. Tout successible a le droit d'accepter la succession ou d'y renoncer.

L'option est indivisible. Toutefois, le successible qui cumule plus d'une vocation successorale a, pour chacune d'elles, un droit d'option distinct.

631. Nul ne peut exercer d'option sur une succession non ouverte ni faire aucune stipulation sur une pareille succession, même avec le consentement de celui dont la succession est en cause.

632. Le successible a six mois, à compter du jour où son droit s'est ouvert, pour délibérer et exercer son option. Ce délai est prolongé de plein droit d'autant de jours qu'il est nécessaire pour qu'il dispose d'un délai de soixante jours à compter de la clôture de l'inventaire.

Pendant la période de délibération, il ne peut être condamné à titre d'héritier, à moins qu'il n'ait déjà accepté la succession.

633. Le successible qui connaît sa qualité et ne renonce pas dans le délai de délibération est présumé avoir accepté, sauf prolongation du délai par le tribunal. Celui qui ignorait sa qualité peut être contraint d'opter dans le délai fixé par le tribunal.

Le successible qui n'opte pas dans le délai imparti par le tribunal est présumé avoir renoncé.

634. Si le successible renonce dans le délai de délibération fixé à l'article 632, les frais légitimement faits jusqu'à cette époque sont à la charge de la succession.

635. Si le successible décède avant d'avoir exercé son option, ses héritiers délibèrent et exercent cette option, dans le délai qui leur est imparti pour délibérer et opter à l'égard de la succession de leur auteur.

Chacun des héritiers du successible exerce séparément son option; la part de l'héritier qui renonce accroît aux cohéritiers.

636. Une personne peut faire annuler son option pour les causes et dans les délais prévus pour invoquer la nullité des contrats.

SECTION II

DE L'ACCEPTATION

637. L'acceptation est expresse ou tacite. Elle peut aussi résulter de la loi.

L'acceptation est expresse quand le successible prend formellement le titre ou la qualité d'héritier; elle est tacite quand le successible fait un acte qui suppose nécessairement son intention d'accepter.

638. La succession dévolue au mineur, au majeur protégé ou à l'absent est réputée acceptée, sauf renonciation, dans les délais de délibération et d'option:

1° Par le représentant du successible avec l'autorisation du conseil de tutelle, s'il s'agit du mineur non émancipé, du majeur en tutelle ou en curatelle, ou de l'absent;

2° Par le successible lui-même, assisté de son tuteur ou de son conseiller, selon qu'il s'agit du mineur émancipé ou du majeur qui a besoin d'assistance.

Le mineur, le majeur protégé ou l'absent ne peut jamais être tenu au paiement des dettes de la succession au-delà de la valeur des biens qu'il recueille.

639. Le fait pour le successible de dispenser le liquidateur de faire inventaire ou celui de confondre, après le décès, les biens de la succession avec ses biens personnels emporte acceptation de la succession.

640. La succession est présumée acceptée lorsque le successible, sachant que le liquidateur refuse ou néglige de faire inventaire, néglige lui-même de procéder à l'inventaire ou de demander au tribunal soit de remplacer le liquidateur, soit de lui enjoindre de le faire dans les soixante jours qui suivent l'expiration du délai de délibération de six mois.

641. La cession, à titre gratuit ou onéreux, qu'une personne fait de ses droits dans la succession emporte acceptation.

Il en est ainsi de la renonciation au profit d'un ou de plusieurs cohéritiers, même si elle est à titre gratuit, ou de la renonciation à titre onéreux, encore qu'elle soit au profit de tous les cohéritiers indistinctement.

642. Les actes purement conservatoires, de surveillance et d'administration provisoire n'emportent pas, à eux seuls, acceptation de la succession.

Il en est ainsi de l'acte rendu nécessaire par des circonstances exceptionnelles et accompli par le successible dans l'intérêt de la succession.

643. La répartition des vêtements, papiers personnels, décorations et diplômes du défunt, ainsi que des souvenirs de famille, n'emporte pas, à elle seule, acceptation de la succession si elle est faite avec l'accord de tous les successibles.

L'acceptation, par un successible, de la transmission en sa faveur d'un emplacement destiné à recevoir un corps ou des cendres n'emporte pas, non plus, acceptation de la succession.

644. S'il existe dans la succession des biens susceptibles de dépérissement, le successible peut, avant la désignation du liquidateur, les vendre de gré à gré ou, s'il ne peut trouver preneur en temps utile, les donner à des organismes de bienfaisance ou encore les distribuer entre les successibles, sans qu'on puisse en inférer une acceptation de sa part.

Il peut aussi aliéner les biens qui, sans être susceptibles de dépérissement, sont dispendieux à conserver ou susceptibles de se déprécier rapidement. Il agit alors comme administrateur du bien d'autrui.

645. L'acceptation confirme la transmission qui s'est opérée de plein droit au moment du décès.

SECTION III

DE LA RENONCIATION

646. La renonciation est expresse. Elle peut aussi résulter de la loi.

La renonciation expresse se fait par acte notarié en minute ou par une déclaration judiciaire dont il est donné acte.

647. Celui qui renonce est réputé n'avoir jamais été successible.

648. Le successible peut renoncer à la succession, pourvu qu'il n'ait pas fait d'acte qui emporte acceptation ou qu'il n'existe pas contre lui de jugement passé en force de chose jugée qui le condamne à titre d'héritier.

649. Le successible qui a renoncé à la succession conserve, dans les dix ans depuis le jour où son droit s'est ouvert, la faculté d'accepter la succession qui n'a pas été acceptée par un autre.

L'acceptation se fait par acte notarié en minute ou par une déclaration judiciaire dont il est donné acte.

L'héritier prend la succession dans l'état où elle se trouve alors et sous réserve des droits acquis par des tiers sur les biens de la succession.

650. Le successible qui a ignoré sa qualité ou ne l'a pas fait connaître durant dix ans, à compter du jour où son droit s'est ouvert, est réputé avoir renoncé à la succession.

651. Le successible qui, de mauvaise foi, a diverti ou recelé un bien de la succession ou omis de le comprendre dans l'inventaire est réputé avoir renoncé à la succession, malgré toute acceptation antérieure.

652. Les créanciers de celui qui renonce au préjudice de leurs droits peuvent, dans l'année, demander au tribunal de déclarer que la renonciation leur est inopposable et accepter la succession au lieu et place de leur débiteur.

L'acceptation n'a d'effet qu'en leur faveur et à concurrence seulement du montant de leur créance. Elle ne vaut pas au profit de celui qui a renoncé.

TITRE TROISIÈME

DE LA DÉVOLUTION LÉGALE DES SUCCESSIONS

CHAPITRE PREMIER

DE LA VOCATION SUCCESSORALE

653. À moins de dispositions testamentaires autres, la succession est dévolue au conjoint survivant et aux parents du défunt, dans l'ordre et suivant les règles du présent titre. À défaut d'héritier, elle échoit à l'État.

654. La vocation successorale du conjoint survivant n'est pas subordonnée à la renonciation à ses droits et avantages matrimoniaux.

CHAPITRE DEUXIÈME

DE LA PARENTÉ

655. La parenté est fondée sur les liens du sang ou de l'adoption.

656. Le degré de parenté est déterminé par le nombre de générations, chacune formant un degré. La suite des degrés forme la ligne directe ou collatérale.

657. La ligne directe est la suite des degrés entre personnes qui descendent l'une de l'autre. On compte alors autant de degrés qu'il y a de générations entre le successible et le défunt.

658. La ligne directe descendante est celle qui lie la personne avec ses descendants; la ligne directe ascendante est celle qui lie la personne avec ses auteurs.

659. La ligne collatérale est la suite des degrés entre personnes qui ne descendent pas l'une de l'autre, mais d'un auteur commun.

En ligne collatérale, on compte autant de degrés qu'il y a de générations entre le successible et l'auteur commun, puis entre ce dernier et le défunt.

CHAPITRE TROISIÈME

DE LA REPRÉSENTATION

660. La représentation est une faveur accordée par la loi, en vertu de laquelle un parent est appelé à recueillir une succession qu'aurait recueillie son ascendant, parent moins éloigné du défunt, qui, étant indigne, prédécédé ou décédé au même instant que lui, ne peut la recueillir lui-même.

661. La représentation a lieu à l'infini dans la ligne directe descendante.

Elle est admise soit que les enfants du défunt concourent avec les descendants d'un enfant représenté, soit que, tous les enfants du défunt étant décédés ou indignes, leurs descendants se trouvent, entre eux, en degrés égaux ou inégaux.

662. La représentation n'a pas lieu en faveur des ascendants; le plus proche dans chaque ligne exclut les plus éloignés.

663. En ligne collatérale, la représentation a lieu, entre collatéraux privilégiés, en faveur des descendants au premier degré des frères et soeurs du défunt, qu'ils concourent ou non avec ces derniers; entre collatéraux ordinaires, elle a lieu en faveur des autres descendants des frères et soeurs du défunt à d'autres degrés, qu'ils se trouvent, entre eux, en degrés égaux ou inégaux.

664. On ne représente pas celui qui a renoncé à la succession, mais on peut représenter celui à la succession duquel on a renoncé.

665. Dans tous les cas où la représentation est admise, le partage s'opère par souche.

Si une même souche a plusieurs branches, la subdivision se fait aussi par souche dans chaque branche, et les membres de la même branche partagent entre eux par tête.

CHAPITRE QUATRIÈME

DE L'ORDRE DE DÉVOLUTION DE LA SUCCESSION

SECTION I

DE LA DÉVOLUTION AU CONJOINT SURVIVANT ET AUX DESCENDANTS

666. Si le défunt laisse un conjoint et des descendants, la succession leur est dévolue.

Le conjoint recueille un tiers de la succession et les descendants les deux autres tiers.

667. À défaut de conjoint, la succession est dévolue pour le tout aux descendants.

668. Si les descendants qui succèdent sont tous au même degré et appelés de leur chef, ils partagent par égales portions et par tête.

S'il y a représentation, ils partagent par souche.

669. Sauf s'il y a représentation, le descendant qui se trouve au degré le plus proche recueille la part attribuée aux descendants, à l'exclusion de tous les autres.

SECTION II

DE LA DÉVOLUTION AU CONJOINT SURVIVANT ET AUX ASCENDANTS OU COLLATÉRAUX PRIVILÉGIÉS

670. Sont des ascendants privilégiés, les père et mère du défunt.

Sont des collatéraux privilégiés, les frères et soeurs du défunt, ainsi que leurs descendants au premier degré.

671. À défaut de descendants, d'ascendants et de collatéraux privilégiés, la succession est dévolue pour le tout au conjoint survivant.

672. À défaut de descendants, la succession est dévolue au conjoint survivant pour deux tiers et aux ascendants privilégiés pour l'autre tiers.

673. À défaut de descendants et d'ascendants privilégiés, la succession est dévolue au conjoint survivant pour deux tiers et aux collatéraux privilégiés pour l'autre tiers.

674. À défaut de descendants et de conjoint survivant, la succession est partagée également entre les ascendants privilégiés et les collatéraux privilégiés.

À défaut d'ascendants privilégiés, les collatéraux privilégiés succèdent pour la totalité, et inversement.

675. Lorsque les ascendants privilégiés succèdent, ils partagent par égales portions; si l'un d'eux seulement succède, il recueille la part qui aurait été dévolue à l'autre.

676. Lorsque les collatéraux privilégiés qui succèdent sont des parents germains du défunt, ils partagent par égales portions ou par souche, le cas échéant.

Au cas contraire, la part qui leur revient est divisée également entre les lignes paternelle et maternelle du défunt; les germains prennent part dans les deux lignes et les utérins ou consanguins dans leur ligne seulement.

S'il n'y a de collatéraux privilégiés que dans une ligne, ils succèdent pour le tout, à l'exclusion de tous les autres ascendants et collatéraux ordinaires de l'autre ligne.

SECTION III

DE LA DÉVOLUTION AUX ASCENDANTS ET COLLATÉRAUX ORDINAIRES

677. Les ascendants et collatéraux ordinaires ne sont appelés à la succession qu'à défaut de conjoint, de descendants et d'ascendants ou collatéraux privilégiés du défunt.

678. Si parmi les collatéraux ordinaires se trouvent des descendants des collatéraux privilégiés, ils recueillent la moitié de la succession; l'autre moitié est dévolue aux ascendants et aux autres collatéraux.

À défaut de descendants de collatéraux privilégiés, la totalité de la succession est dévolue aux ascendants et aux autres collatéraux, et inversement.

679. Le partage de la succession dévolue aux ascendants et aux autres collatéraux ordinaires du défunt s'opère également entre les lignes paternelle et maternelle.

Dans chaque ligne, les personnes qui succèdent partagent par tête.

680. Dans chaque ligne, l'ascendant qui se trouve au deuxième degré recueille la part attribuée à sa ligne, à l'exclusion de tous les autres ascendants ou collatéraux ordinaires.

À défaut d'ascendant au deuxième degré dans une ligne, la part attribuée à cette ligne est dévolue aux collatéraux ordinaires qui descendent de cet ascendant et qui se trouvent au degré le plus proche.

681. À défaut, dans une ligne, de collatéraux ordinaires qui descendent des ascendants au deuxième degré, la part attribuée à cette ligne est dévolue aux ascendants qui se trouvent au troisième degré ou, à leur défaut, aux plus proches collatéraux ordinaires qui descendent de cet ascendant, et ainsi de suite, jusqu'à épuisement des parents au degré successible.

682. À défaut de parents au degré successible dans une ligne, les parents de l'autre ligne succèdent pour le tout.

683. Les parents au-delà du huitième degré ne succèdent pas.

CHAPITRE CINQUIÈME

DE LA SURVIE DE L'OBLIGATION ALIMENTAIRE

684. Tout créancier d'aliments peut, dans les six mois qui suivent le décès, réclamer de la succession une contribution financière à titre d'aliments.

Ce droit existe encore que le créancier soit héritier ou légataire particulier ou que le droit aux aliments n'ait pas été exercé avant la date du décès, mais il n'existe pas au profit de celui qui est indigne de succéder au défunt.

685. La contribution est attribuée sous forme d'une somme forfaitaire payable au comptant ou par versements.

À l'exception de celle qui est attribuée à l'ex-conjoint du défunt qui percevait effectivement une pension alimentaire au moment du décès, la contribution attribuée aux créanciers d'aliments est fixée en accord avec le liquidateur de la succession agissant avec le consentement des héritiers et des légataires particuliers ou, à défaut d'entente, par le tribunal.

686. Pour fixer la contribution, il est tenu compte des besoins et facultés du créancier, des circonstances dans lesquelles il se trouve et du temps qui lui est nécessaire pour acquérir une autonomie suffisante ou, si le créancier percevait effectivement des aliments du défunt à l'époque du décès, du montant des versements qui avait été fixé par le tribunal pour le paiement de la pension alimentaire ou de la somme forfaitaire accordée à titre d'aliments.

Il est tenu compte également de l'actif de la succession, des avantages que celle-ci procure au créancier, des besoins et facultés des héritiers et des légataires particuliers, ainsi que, le cas échéant, du droit aux aliments que d'autres personnes peuvent faire valoir.

687. Lorsque la contribution est réclamée par le conjoint ou un descendant, la valeur des libéralités faites par le défunt par acte entre vifs dans les trois ans précédant le décès et celles ayant pour terme le décès sont considérées comme faisant partie de la succession pour fixer la contribution.

688. La contribution attribuée au conjoint ou à un descendant ne peut excéder la différence entre la moitié de la part à laquelle il aurait pu prétendre si toute la succession, y compris la valeur des libéralités, avait été dévolue suivant la loi et ce qu'il reçoit de la succession.

Celle qui est attribuée à l'ex-conjoint est égale à douze mois d'aliments, celle attribuée à un autre créancier d'aliments est égale à six mois d'aliments; toutefois, dans l'un et l'autre cas, elle ne peut, même si le créancier percevait effectivement des aliments du défunt à l'époque de la succession, excéder le moindre de la valeur de douze ou six mois d'aliments ou 10 p. 100 de la valeur de la succession, y compris, le cas échéant, la valeur des libéralités.

689. Lorsque l'actif de la succession est insuffisant pour payer entièrement les contributions dues au conjoint ou à un descendant, en raison des libéralités faites par acte entre vifs dans les trois ans précédant le décès ou de celles ayant pour terme le décès, le tribunal peut ordonner la réduction de ces libéralités.

Toutefois, les libéralités auxquelles le conjoint ou le descendant a consenti ne peuvent être réduites et celles qu'il a reçues doivent être imputées sur sa créance.

690. Est présumée être une libéralité toute aliénation, sûreté ou charge consentie par le défunt pour une prestation dont la valeur est nettement inférieure à celle du bien au moment où elle a été faite.

691. Sont assimilés à des libéralités les avantages découlant d'un régime de retraite visé à l'article 415 ou d'un contrat d'assurance de personne, lorsque ces avantages auraient fait partie de la succession ou auraient été versés au créancier n'eût été la désignation d'un titulaire subrogé ou d'un bénéficiaire, par le défunt, dans les trois ans précédant le décès. Malgré toute disposition contraire, les droits que confèrent les avantages découlant de ces régimes ou contrats sont cessibles et saisissables pour le paiement d'une créance alimentaire payable en vertu du présent chapitre.

692. À moins qu'ils n'aient été manifestement exagérés eu égard aux facultés du défunt, les frais d'entretien ou d'éducation et les cadeaux d'usage ne sont pas considérés comme des libéralités.

693. La réduction des libéralités se fait contre un ou plusieurs des bénéficiaires simultanément.

Au besoin, le tribunal fixe la part que doit payer chacun des bénéficiaires poursuivis ou mis en cause.

694. Le paiement de la réduction se fait, à défaut d'accord entre les parties, aux conditions que le tribunal détermine et suivant les modalités de garantie et de paiement qu'il fixe.

Elle ne peut être ordonnée en nature, mais le débiteur peut toujours se libérer par la remise du bien.

695. Les biens s'évaluent suivant leur état à l'époque de la libéralité et leur valeur à l'ouverture de la succession; si un bien a été aliéné, on considère sa valeur à l'époque de l'aliénation ou, en cas de remploi, la valeur du bien substitué au jour de l'ouverture de la succession.

Les libéralités en usufruit, en droit d'usage, en rente ou en revenus d'une fiducie sont comptées pour leur valeur en capital au jour de l'ouverture de la succession.

CHAPITRE SIXIÈME

DES DROITS DE L'ÉTAT

696. Lorsque le défunt ne laisse ni conjoint ni parents au degré successible, ou que tous les successibles ont renoncé à la succession ou qu'aucun successible n'est connu ou ne la réclame, l'État recueille, de plein droit, les biens de la succession qui sont situés au Québec.

Est sans effet la disposition testamentaire qui, sans régler la dévolution des biens, vient faire échec à ce droit.

697. L'État n'est pas un héritier; il est néanmoins saisi, comme un héritier, des biens du défunt, dès que tous les successibles connus ont renoncé à la succession ou six mois après le décès, lorsque aucun successible n'est connu ou ne réclame la succession.

Il n'est pas tenu des obligations du défunt au-delà de la valeur des biens qu'il recueille.

698. La saisine de l'État à l'égard d'une succession qui lui est échue est exercée par le curateur public, jusqu'à ce qu'il se soit écoulé dix ans depuis l'ouverture.

Tant qu'ils demeurent confiés à l'administration du curateur public, les biens de la succession ne sont pas confondus avec les biens de l'État.

699. Sous réserve des lois relatives à la curatelle publique et sans autre formalité, le curateur public agit comme liquidateur de la succession. Il est tenu de faire inventaire et de donner avis de la saisine de l'État à la *Gazette officielle du Québec*; il doit également faire publier l'avis dans un journal distribué dans la localité où était établi le domicile du défunt.

700. À la fin de la liquidation, le curateur public rend compte au ministre des Finances.

Il donne et publie un avis de la fin de la liquidation, de la même manière que s'il s'agissait d'un avis de la saisine de l'État; il indique, à l'avis, le reliquat de la succession et le délai pendant lequel tout successible peut faire valoir ses droits d'héritier.

701. Après la reddition de compte, le curateur public est chargé de la pleine administration des biens de la succession; il le demeure jusqu'à ce qu'un héritier se présente pour réclamer la succession ou qu'il se soit écoulé dix ans depuis son ouverture, ou encore, si une action en pétition d'hérédité a été signifiée au curateur public pendant ce délai, jusqu'à ce que jugement soit rendu sur cette action.

Lorsque cette administration prend fin et qu'il reste des biens de la succession, le curateur public en assume alors la gestion pour le compte de l'État.

702. L'héritier qui réclame la succession la reprend dans l'état où elle se trouve, sauf son droit de réclamer des dommages-intérêts si les formalités de la loi n'ont pas été suivies.

TITRE QUATRIÈME

DES TESTAMENTS

CHAPITRE PREMIER

DE LA NATURE DU TESTAMENT

703. Toute personne ayant la capacité requise peut, par testament, régler autrement que ne le fait la loi la dévolution, à sa mort, de tout ou partie de ses biens.

704. Le testament est un acte juridique unilatéral, révocable, établi dans l'une des formes prévues par la loi, par lequel le testateur dispose, par libéralité, de tout ou partie de ses biens, pour n'avoir effet qu'à son décès.

Il ne peut être fait conjointement par deux ou plusieurs personnes.

705. Le testament peut ne contenir que des dispositions relatives à la liquidation successorale, à la révocation de dispositions testamentaires antérieures ou à l'exclusion d'un héritier.

706. Personne ne peut, même par contrat de mariage, si ce n'est dans les limites prévues par l'article 1841, abdiquer sa faculté de tester, de disposer à cause de mort ou de révoquer les dispositions testamentaires qu'il a faites.

CHAPITRE DEUXIÈME

DE LA CAPACITÉ REQUISE POUR TESTER

707. La capacité du testateur se considère au temps de son testament.

708. Le mineur ne peut tester d'aucune partie de ses biens si ce n'est de biens de peu de valeur.

709. Le testament fait par un majeur après sa mise en tutelle peut être confirmé par le tribunal si la nature de ses dispositions et les circonstances qui entourent sa confection le permettent.

710. Le majeur en curatelle ne peut tester. Le majeur pourvu d'un conseiller peut tester sans être assisté.

711. Les tuteurs, curateurs ou conseillers ne peuvent tester pour ceux qu'ils représentent ou assistent, ni seuls ni conjointement avec ces derniers.

CHAPITRE TROISIÈME

DES FORMES DU TESTAMENT

SECTION I

DISPOSITIONS GÉNÉRALES

712. On ne peut tester que par testament notarié, olographe ou devant témoins.

713. Les formalités auxquelles les divers testaments sont assujettis doivent être observées, à peine de nullité.

Néanmoins, le testament fait sous une forme donnée et qui ne satisfait pas aux exigences de cette forme vaut comme testament fait sous une autre forme, s'il en respecte les conditions de validité.

714. Le testament olographe ou devant témoins qui ne satisfait pas pleinement aux conditions requises par sa forme vaut néanmoins s'il y satisfait pour l'essentiel et s'il contient de façon certaine et non équivoque les dernières volontés du défunt.

715. Nul ne peut soumettre la validité de son testament à des formalités que la loi ne prévoit pas.

SECTION II

DU TESTAMENT NOTARIÉ

716. Le testament notarié est reçu en minute par un notaire, assisté d'un témoin ou, en certains cas, de deux témoins.

Il doit porter mention de la date et du lieu où il est reçu.

717. Le testament notarié est lu par le notaire au testateur seul ou, au choix du testateur, en présence d'un témoin. Une fois la lecture faite, le testateur doit déclarer en présence du témoin que l'acte lu contient l'expression de ses dernières volontés.

Le testament est ensuite signé par le testateur et le ou les témoins, ainsi que par le notaire ; tous signent en présence les uns des autres.

718. Les formalités du testament notarié sont présumées avoir été accomplies, même s'il n'en est pas fait mention expresse, sous réserve des lois relatives au notariat.

Cependant, en cas de formalités spéciales à certains testaments, mention doit être faite dans l'acte de la cause de leur accomplissement.

719. Le testament notarié de celui qui ne peut signer contient la déclaration du testateur faisant état de ce fait. Cette déclaration est également lue par le notaire au testateur, en présence de deux témoins, et elle supplée à l'absence de signature du testateur.

720. Le testament notarié de l'aveugle est lu par le notaire au testateur en présence de deux témoins.

Dans le testament, le notaire déclare qu'il en a fait la lecture en présence des témoins ; cette déclaration est également lue.

721. Le testament notarié du sourd ou du sourd-muet est lu par le testateur lui-même en présence du notaire seul ou, à son choix, du notaire et d'un témoin. La lecture est faite à haute voix si le testateur est sourd seulement.

Dans le testament, le testateur déclare qu'il l'a lu en présence du notaire et, le cas échéant, du témoin.

Si le testateur est sourd-muet, cette déclaration lui est lue par le notaire en présence du témoin; s'il est sourd, elle est lue par lui-même à haute voix, en présence du notaire et du témoin.

722. La personne qui, ne pouvant s'exprimer de vive voix, désire faire un testament notarié, instruit le notaire de ses volontés par écrit.

723. Le testament notarié ne peut être reçu par un notaire conjoint, parent ou allié du testateur, ni en ligne directe, ni en ligne collatérale jusqu'au troisième degré inclusivement.

724. Le notaire qui reçoit un testament peut y être désigné comme liquidateur, à la condition de remplir gratuitement cette charge.

725. Le témoin appelé à assister au testament notarié doit y être nommé et désigné.

Tout majeur peut assister comme témoin au testament notarié, à l'exception des employés du notaire instrumentant qui ne sont pas notaires.

SECTION III

DU TESTAMENT OLOGRAPHE

726. Le testament olographe doit être entièrement écrit par le testateur et signé par lui, autrement que par un moyen technique.

Il n'est assujetti à aucune autre forme.

SECTION IV

DU TESTAMENT DEVANT TÉMOINS

727. Le testament devant témoins est écrit par le testateur ou par un tiers.

En présence de deux témoins majeurs, le testateur déclare ensuite que l'écrit qu'il présente, et dont il n'a pas à divulguer le contenu, est son testament; il le signe à la fin ou, s'il l'a signé précédemment, reconnaît sa signature; il peut aussi le faire signer par un tiers pour lui, en sa présence et suivant ses instructions.

Les témoins signent aussitôt le testament en présence du testateur.

728. Lorsque le testament est écrit par un tiers ou par un moyen technique, le testateur et les témoins doivent parapher ou signer chaque page de l'acte qui ne porte pas leur signature.

L'absence de paraphe ou de signature à chaque page n'empêche pas le testament notarié, qui ne peut valoir comme tel, de valoir comme testament devant témoins si les autres formalités sont accomplies.

729. La personne qui ne peut lire ne peut faire un testament devant témoins, à moins que la lecture n'en soit faite au testateur par l'un des témoins en présence de l'autre.

En présence des mêmes témoins, le testateur déclare que l'écrit lu est son testament et le signe à la fin ou le fait signer par un tiers pour lui, en sa présence et suivant ses instructions.

Les témoins signent aussitôt le testament en présence du testateur.

730. La personne qui ne peut parler, mais peut écrire, peut faire un testament devant témoins, à la condition d'écrire elle-même, autrement que par un moyen technique mais en présence des témoins, que l'écrit qu'elle présente est son testament.

CHAPITRE QUATRIÈME

DES DISPOSITIONS TESTAMENTAIRES ET DES LÉGATAIRES

SECTION I

DES DIVERSES ESPÈCES DE LEGS

731. Les legs sont de trois espèces: universel, à titre universel ou à titre particulier.

732. Le legs universel est celui qui donne à une ou plusieurs personnes vocation à recueillir la totalité de la succession.

733. Le legs à titre universel est celui qui donne à une ou plusieurs personnes vocation à recueillir:

1° La propriété d'une quote-part de la succession;

2° Un démembrement du droit de propriété sur la totalité ou sur une quote-part de la succession;

3° La propriété ou un démembrement de ce droit sur la totalité ou sur une quote-part de l'universalité des immeubles ou des meubles, des biens propres, communs ou acquêts, ou des biens corporels ou incorporels.

734. Tout legs qui n'est ni universel ni à titre universel est à titre particulier.

735. L'exception de biens particuliers, quels qu'en soient le nombre et la valeur, n'enlève pas son caractère au legs universel ou à titre universel.

736. Les biens que le testateur laisse sans en avoir disposé, ou à l'égard desquels les dispositions sont privées d'effet, demeurent dans sa succession *ab intestat* et sont dévolus suivant les règles relatives à la dévolution légale des successions.

737. Les dispositions testamentaires faites sous le nom d'institution d'héritier, de don ou de legs, ou sous toute autre dénomination propre à manifester la volonté du testateur, produisent leurs effets suivant les règles établies au présent livre pour les legs universels, à titre universel ou à titre particulier.

Ces règles, de même que le sens attribué à certains termes, cèdent devant l'expression suffisante, par le testateur, d'une volonté différente.

SECTION II

DES LÉGATAIRES

738. Le légataire universel ou à titre universel est héritier dès l'ouverture de la succession, pour autant qu'il accepte le legs.

739. Le légataire particulier qui accepte le legs n'est pas un héritier, mais il est néanmoins saisi, comme un héritier, des biens légués, par le décès du défunt ou par l'événement qui donne effet à son legs.

Il n'est pas tenu des obligations du défunt sur ces biens, à moins que les autres biens de la succession ne suffisent pas à payer les dettes; en ce cas, il n'est tenu qu'à concurrence de la valeur des biens qu'il recueille.

740. Le légataire particulier doit, pour recevoir son legs, avoir les mêmes qualités que celles requises pour succéder.

Il peut être indigne de recevoir, comme on peut l'être pour succéder; il peut, comme un successible, demander au tribunal de déclarer l'indignité d'un héritier ou d'un colégataire particulier.

741. Le légataire particulier a le droit, comme un successible, de délibérer et d'exercer son option à l'égard du legs qui lui est fait, avec les mêmes effets et suivant les mêmes règles.

742. Les dispositions relatives à la pétition d'hérédité et à ses effets sur la transmission de la succession sont également applicables au légataire particulier, compte tenu des adaptations nécessaires.

Pour le reste, le légataire particulier est assujetti aux dispositions du présent livre qui concernent les légataires.

SECTION III

DE L'EFFET DES LEGS

743. Les fruits et revenus du bien légué profitent au légataire, à compter de l'ouverture de la succession ou du moment où la disposition produit effet à son égard.

744. Le bien légué est délivré avec ses accessoires, dans l'état où il se trouve au décès du testateur.

Il en est de même, s'il s'agit d'un legs de valeurs mobilières, des droits qui leur sont attachés et n'ont pas encore été exercés.

745. En cas de legs d'un immeuble, l'immeuble accessoire ou annexe qui a été acquis par le testateur depuis la signature du testament est présumé compris dans le legs s'il compose un tout avec l'immeuble légué.

746. Le legs d'une entreprise est présumé inclure les exploitations acquises ou créées depuis la signature du testament et qui composent, au décès, une unité économique avec l'entreprise léguée.

747. Lorsque le paiement du legs est soumis à un terme, le légataire a, néanmoins, un droit acquis dès le décès du testateur et transmissible à ses propres héritiers ou légataires particuliers.

Son droit au legs fait sous condition est également transmissible, sauf si la condition a un caractère purement personnel.

748. Le legs au créancier n'est pas présumé fait en compensation de sa créance.

749. La représentation a lieu, dans les successions testamentaires, de la même manière et en faveur des mêmes personnes que dans les successions *ab intestat*, lorsque le legs est fait à tous les descendants ou collatéraux du testateur qui auraient été appelés à sa succession s'il était décédé *ab intestat*, à moins qu'elle ne soit exclue par le testateur, expressément ou par l'effet des dispositions du testament.

Cependant, il n'y a pas de représentation en matière de legs particulier, sauf disposition contraire du testateur.

SECTION IV

DE LA CADUCITÉ ET DE LA NULLITÉ DES LEGS

750. Le legs est caduc, sauf s'il y a lieu à représentation, lorsque le légataire n'a pas survécu au testateur.

Il est aussi caduc lorsque le légataire le refuse, est indigne de le recevoir, ou encore lorsqu'il décède avant l'accomplissement de la condition suspensive dont le legs est assorti si la condition a un caractère purement personnel.

751. Le legs est également caduc si le bien légué a totalement péri du vivant du testateur ou avant l'ouverture du legs fait sous une condition suspensive.

Si la perte du bien survient au décès du testateur, à l'ouverture du legs ou postérieurement, l'indemnité d'assurance est substituée au bien qui a péri.

752. Lorsqu'un legs chargé d'un autre legs devient caduc pour une cause qui se rattache au légataire, le legs imposé comme charge devient lui-même caduc, à moins que l'héritier ou le légataire qui recueille ce qui faisait l'objet du legs atteint de caducité ne soit en mesure d'exécuter la charge.

753. Le legs fait au liquidateur en guise de rémunération est caduc si le liquidateur n'accepte pas la charge.

Il en est de même du legs rémunératoire en faveur de la personne que le testateur nomme tuteur à un enfant mineur ou qu'il a désignée pour agir à titre d'administrateur du bien d'autrui.

754. Le legs rémunératoire est résolu lorsque le liquidateur, le tuteur ou autre administrateur du bien d'autrui désigné par le testateur cesse d'occuper sa charge; dans ce cas, il a droit à une rémunération proportionnelle à la valeur du legs et au temps pendant lequel il a occupé la charge.

755. Il y a accroissement au profit des légataires particuliers lorsque le bien leur est légué conjointement et qu'il y a caducité à l'égard de l'un d'eux.

756. Le legs particulier est présumé fait conjointement lorsqu'il est fait par une seule et même disposition, et que le testateur n'a pas assigné la part de chacun des colégataires dans le bien légué ou qu'il leur a assigné des quotes-parts égales.

Il est encore présumé fait conjointement lorsque tout le bien a été légué par le même acte à plusieurs personnes séparément.

757. La condition impossible ou contraire à l'ordre public est réputée non écrite.

Ainsi est réputée non écrite la disposition limitant, dans le cas de remariage, les droits du conjoint survivant.

758. La clause pénale ayant pour but d'empêcher l'héritier ou le légataire particulier de contester la validité de tout ou partie du testament est réputée non écrite.

Est aussi réputée non écrite l'exhérédation prenant la forme d'une clause pénale visant le même but.

759. Le legs fait au notaire qui reçoit le testament ou celui fait au conjoint du notaire ou à l'un de ses parents au premier degré est sans effet; les autres dispositions du testament subsistent.

760. Le legs fait au témoin, même en surnombre, est sans effet, mais laisse subsister les autres dispositions du testament.

Il en est de même, pour la partie qui excède sa rémunération, du legs fait en faveur du liquidateur ou d'un autre administrateur du bien d'autrui désigné au testament, s'il agit comme témoin.

761. Le legs fait au propriétaire, à l'administrateur ou au salarié d'un établissement de santé ou de services sociaux qui n'est ni le conjoint ni un proche parent du testateur, est sans effet s'il a été fait à l'époque où le testateur y était soigné ou y recevait des services.

Le legs fait au membre de la famille d'accueil à l'époque où le testateur y demeurait est également sans effet.

762. Le legs du bien d'autrui est sans effet, sauf s'il apparaît que l'intention du testateur était d'obliger l'héritier à procurer le bien légué au légataire particulier.

CHAPITRE CINQUIÈME

DE LA RÉVOCATION DU TESTAMENT OU D'UN LEGS

763. La révocation du testament ou d'un legs est expresse ou tacite.

764. Le legs fait au conjoint antérieurement au divorce est révoqué, à moins que le testateur n'ait, par des dispositions testamentaires, manifesté l'intention d'avantager le conjoint malgré cette éventualité.

La révocation du legs emporte celle de la désignation du conjoint comme liquidateur de la succession.

Les mêmes règles s'appliquent en cas de nullité du mariage prononcée du vivant des époux.

765. La révocation expresse est faite par un testament postérieur portant explicitement déclaration du changement de volonté.

La révocation qui ne vise pas spécialement l'acte révoqué ne cesse pas d'être expresse.

766. Le testament qui en révoque un autre peut être fait dans une forme différente de celle du testament révoqué.

767. La destruction, la lacération ou la rature du testament olographe ou fait devant témoins emporte révocation s'il est établi qu'elle a été faite délibérément par le testateur ou sur son ordre. De même, la rature d'une de leurs dispositions emporte révocation du legs qui y est fait.

La destruction ou la perte du testament connue du testateur, alors qu'il était en mesure de le remplacer, emporte aussi révocation.

768. La révocation tacite résulte pareillement de toute disposition testamentaire nouvelle, dans la mesure où elle est incompatible avec une disposition antérieure.

Cette révocation conserve tout son effet, quoique la disposition nouvelle devienne caduque.

769. L'aliénation du bien légué, même forcée ou faite sous une condition résolutoire ou par un échange, emporte aussi révocation pour tout ce qui a été aliéné, sauf disposition contraire.

La révocation subsiste, encore que le bien aliéné se retrouve dans le patrimoine du testateur, sauf preuve d'une intention contraire.

L'aliénation forcée du bien légué, si elle est annulée, n'emporte pas révocation.

770. La révocation d'une révocation antérieure, expresse ou tacite, n'a pas pour effet de faire revivre la disposition primitive, à moins que le testateur n'ait manifesté une intention contraire ou que cette intention ne résulte des circonstances.

771. Si, en raison de circonstances imprévisibles lors de l'acceptation du legs, l'exécution d'une charge devient impossible ou trop onéreuse pour l'héritier ou le légataire particulier, le tribunal peut, après avoir entendu les intéressés, la révoquer ou la modifier, compte tenu de la valeur du legs, de l'intention du testateur et des circonstances.

CHAPITRE SIXIÈME

DE LA PREUVE ET DE LA VÉRIFICATION DES TESTAMENTS

772. Le testament olographe ou devant témoins est vérifié, à la demande de tout intéressé, en la manière prescrite au Code de procédure civile.

Les héritiers et successibles connus doivent être appelés à la vérification du testament, sauf dispense du tribunal.

773. Celui qui a reconnu un testament ne peut plus en contester la validité; il peut toutefois en demander la vérification.

En cas de contestation d'un testament déjà vérifié, il appartient à celui qui se prévaut du testament d'en prouver l'origine et la régularité.

774. Le testament qui n'est pas produit ne peut être vérifié; il doit être reconstitué à la suite d'une action à laquelle les héritiers, les autres successibles et les légataires particuliers ont été appelés, et la preuve de son contenu, de son origine et de sa régularité doit être concluante et non équivoque.

775. La preuve testimoniale d'un testament qui ne peut être produit est admise, que le testament ait été perdu ou détruit ou qu'il se trouve en la possession d'un tiers, sans collusion de celui qui veut s'en prévaloir.

TITRE CINQUIÈME

DE LA LIQUIDATION DE LA SUCCESSION

CHAPITRE PREMIER

DE L'OBJET DE LA LIQUIDATION ET DE LA SÉPARATION DES PATRIMOINES

776. La liquidation de la succession *ab intestat* ou testamentaire consiste à identifier et à appeler les successibles, à déterminer le contenu de la succession, à recouvrer les créances, à payer les dettes de la succession, qu'il s'agisse des dettes du défunt, des charges de la succession ou des dettes alimentaires, à payer les legs particuliers, à rendre compte et à faire la délivrance des biens.

777. Le liquidateur exerce, à compter de l'ouverture de la succession et pendant le temps nécessaire à la liquidation, la saisine des héritiers et des légataires particuliers.

Il peut même revendiquer les biens contre ces héritiers et légataires.

778. Le testateur peut modifier la saisine du liquidateur, ses pouvoirs et obligations, et pourvoir de toute autre manière à la liquidation de sa succession ou à l'exécution de son testament. Toutefois, la clause qui a pour effet de restreindre les pouvoirs ou les obligations du liquidateur, de manière à empêcher un acte nécessaire à la liquidation ou à le dispenser de faire inventaire, est réputée non écrite.

779. Les héritiers peuvent, d'un commun accord, liquider la succession sans suivre les règles prescrites pour la liquidation, lorsque la succession est manifestement solvable. Ils sont, en conséquence de cette décision, tenus au paiement des dettes de la succession sur leur patrimoine propre, au-delà même de la valeur des biens qu'ils recueillent.

780. Le patrimoine du défunt et celui de l'héritier sont séparés de plein droit, tant que la succession n'a pas été liquidée.

Cette séparation a effet à l'égard tant des créanciers de la succession que des créanciers de l'héritier ou du légataire particulier.

781. Les biens de la succession sont employés au paiement des créanciers de la succession et au paiement des légataires particuliers, de préférence à tout créancier de l'héritier.

782. Les biens de l'héritier ne sont employés au paiement des dettes de la succession que dans le seul cas où l'héritier est tenu au paiement de ces dettes au-delà de la valeur des biens qu'il recueille et qu'il y a insuffisance des biens de la succession.

Le paiement des créanciers de la succession ne vient, alors, qu'après le paiement des créanciers de chaque héritier dont la créance est née avant l'ouverture de la succession. Toutefois, les créanciers de l'héritier dont la créance est née après l'ouverture de la succession sont payés concurremment avec les créanciers impayés de la succession.

CHAPITRE DEUXIÈME

DU LIQUIDATEUR DE LA SUCCESSION

SECTION I

DE LA DÉSIGNATION ET DE LA CHARGE DU LIQUIDATEUR

783. Toute personne pleinement capable de l'exercice de ses droits civils peut exercer la charge de liquidateur.

La personne morale autorisée par la loi à administrer le bien d'autrui peut exercer la charge de liquidateur.

784. Nul n'est tenu d'accepter la charge de liquidateur d'une succession, à moins qu'il ne soit le seul héritier.

785. La charge de liquidateur incombe de plein droit aux héritiers, à moins d'une disposition testamentaire contraire; les héritiers peuvent désigner, à la majorité, le liquidateur et pourvoir au mode de son remplacement.

786. Le testateur peut désigner un ou plusieurs liquidateurs; il peut aussi pourvoir au mode de leur remplacement.

La personne désignée par le testateur pour liquider la succession ou exécuter son testament a la qualité de liquidateur, qu'elle ait été désignée comme administrateur de succession, exécuteur testamentaire ou autrement.

787. Les personnes qui exercent ensemble la charge de liquidateur doivent agir de concert, à moins qu'elles n'en soient dispensées par le testament ou, à défaut de disposition testamentaire, par les héritiers.

En cas d'empêchement d'un des liquidateurs, les autres peuvent agir seuls pour les actes conservatoires et ceux qui demandent célérité.

788. Le tribunal peut, à la demande d'un intéressé, désigner ou remplacer un liquidateur, à défaut d'entente entre les héritiers ou en cas d'impossibilité de pourvoir à la nomination ou au remplacement du liquidateur.

789. Le liquidateur a droit au remboursement des dépenses faites dans l'accomplissement de sa charge.

Il a droit à une rémunération s'il n'est pas un héritier; s'il l'est, il peut être rémunéré, à la condition que le testament y pourvoie ou que les héritiers en conviennent.

Si la rémunération n'a pas été fixée par le testateur, elle l'est par les héritiers ou, en cas de désaccord entre les intéressés, par le tribunal.

790. Le liquidateur n'est pas tenu de souscrire une assurance ou de fournir une autre sûreté garantissant l'exécution de ses obligations, à moins que le testateur ou la majorité des héritiers ne l'exige, ou que le tribunal ne l'ordonne à la demande d'un intéressé qui établit la nécessité d'une telle mesure.

Si, étant requis de fournir une sûreté, le liquidateur omet ou refuse de le faire, il est déchu de sa charge, à moins que le tribunal ne le relève de son défaut.

791. Tout intéressé peut demander au tribunal le remplacement du liquidateur qui est dans l'impossibilité d'exercer sa charge, néglige ses devoirs ou ne respecte pas ses obligations.

Le liquidateur continue à exercer sa charge pendant l'instance, à moins que le tribunal ne décide de désigner un liquidateur provisoire.

792. Tout intéressé peut, si le liquidateur n'est pas désigné, tarde à accepter ou à refuser la charge, ou doit être remplacé, s'adresser au tribunal pour faire apposer les scellés, faire inventaire, nommer provisoirement un liquidateur ou rendre toute autre ordonnance propre à assurer la conservation de ses droits. Ces mesures profitent à tous les intéressés, mais ne créent entre eux aucune préférence.

Les frais d'inventaire et de scellés sont à la charge de la succession.

793. Les actes faits par la personne qui, de bonne foi, se croyait liquidateur de la succession sont valables et opposables à tous.

SECTION II

DE L'INVENTAIRE DES BIENS

794. Le liquidateur est tenu de faire inventaire, en la manière prévue au titre De l'administration du bien d'autrui.

795. La clôture de l'inventaire est publiée au registre des droits personnels et réels mobiliers au moyen de l'inscription d'un avis qui identifie le défunt et qui indique le lieu où l'inventaire peut être consulté par les intéressés.

Cet avis est aussi publié dans un journal distribué dans la localité de la dernière adresse connue du défunt.

796. Le liquidateur informe les héritiers, les successibles qui n'ont pas encore opté et les légataires particuliers, de même que les créanciers connus, de l'inscription de l'avis de clôture et du lieu où l'inventaire peut être consulté. Si cela peut être fait aisément, il leur transmet une copie de l'inventaire.

797. Les créanciers de la succession, les héritiers, les successibles et les légataires particuliers peuvent contester l'inventaire ou l'une de ses inscriptions; ils peuvent aussi convenir de la révision de l'inventaire ou demander qu'il soit procédé à un nouvel inventaire.

798. Lorsqu'un inventaire a déjà été fait par un héritier ou un autre intéressé, le liquidateur doit le vérifier; il doit aussi s'assurer qu'un avis de clôture a été inscrit et que ceux qui devaient être informés l'ont été.

799. Le liquidateur ne peut être dispensé de faire inventaire que si tous les héritiers et les successibles y consentent.

Les héritiers, et les successibles devenus de ce fait héritiers, sont alors tenus au paiement des dettes de la succession au-delà de la valeur des biens qu'ils recueillent.

800. Les héritiers qui, sachant que le liquidateur refuse ou néglige de faire inventaire, négligent eux-mêmes, dans les soixante jours qui suivent l'expiration du délai de délibération de six mois, soit de procéder à l'inventaire, soit de demander au tribunal de remplacer le liquidateur ou de lui enjoindre de procéder à l'inventaire, sont tenus au paiement des dettes de la succession au-delà de la valeur des biens qu'ils recueillent.

801. Les héritiers qui, avant l'inventaire, confondent les biens de la succession avec leurs biens personnels, sauf si ces biens étaient déjà confondus avant le décès, notamment en cas de cohabitation, sont, de même, tenus au paiement des dettes de la succession au-delà de la valeur des biens qu'ils recueillent.

Si cette confusion survient après l'inventaire, mais avant la fin de la liquidation, ils sont tenus personnellement des dettes jusqu'à concurrence de la valeur des biens confondus.

SECTION III

DES FONCTIONS DU LIQUIDATEUR

802. Le liquidateur agit à l'égard des biens de la succession à titre d'administrateur du bien d'autrui chargé de la simple administration.

803. Le liquidateur doit rechercher si le défunt avait fait un testament.

Le cas échéant, il fait vérifier le testament et prend toutes les mesures nécessaires à son exécution.

804. Le liquidateur administre la succession. Il poursuit la réalisation des biens de la succession, dans la mesure nécessaire au paiement des dettes et des legs particuliers.

Il peut, en conséquence, aliéner seul le bien meuble susceptible de dépérir, de se déprécier rapidement ou dispendieux à conserver. Il peut aussi, avec le consentement des héritiers ou, à défaut, avec l'autorisation du tribunal, aliéner les autres biens de la succession.

805. Le liquidateur qui a une action à exercer contre la succession en donne avis au curateur public. Ce dernier agit d'office comme liquidateur *ad hoc*, à moins que les héritiers ou le tribunal ne désignent une autre personne.

806. Si la liquidation se prolonge au-delà d'une année, le liquidateur doit, à la fin de la première année et, par la suite, au moins une fois l'an, rendre un compte annuel de gestion aux héritiers, créanciers et légataires particuliers restés impayés.

807. Lorsque la succession est manifestement solvable, le liquidateur peut, après s'être assuré que tous les créanciers et légataires particuliers peuvent être payés, verser des acomptes aux créanciers d'aliments et aux héritiers et légataires particuliers de sommes d'argent. Ces acomptes s'imputent sur la part de ceux qui en bénéficient.

CHAPITRE TROISIÈME

DU PAIEMENT DES DETTES ET DES LEGS PARTICULIERS

SECTION I

DES PAIEMENTS FAITS PAR LE LIQUIDATEUR

808. Si les biens de la succession sont suffisants pour payer tous les créanciers et légataires particuliers et pourvu qu'une provision soit faite pour payer les créances qui font l'objet d'une instance, le liquidateur paie les créanciers et les légataires particuliers connus, au fur et à mesure qu'ils se présentent.

Il paie les comptes usuels d'entreprises de services publics et il rembourse les dettes qui demeurent payables à terme, au fur et à mesure de leur exigibilité ou suivant les modalités convenues.

809. Le liquidateur paie, comme toute autre dette de la succession, la prestation compensatoire du conjoint survivant et toute autre créance résultant de la liquidation des droits patrimoniaux des époux, suivant ce que conviennent entre eux les héritiers, les légataires particuliers et le conjoint ou, s'ils ne s'entendent pas, suivant ce que détermine le tribunal.

810. Lorsque la solvabilité de la succession n'est pas manifeste, le liquidateur ne peut payer les dettes de cette dernière ni les legs particuliers, avant l'expiration d'un délai de soixante jours à compter de l'inscription de l'avis de clôture de l'inventaire ou depuis la dispense d'inventaire.

Il peut toutefois, si les circonstances l'exigent, payer avant l'expiration de ce délai les comptes usuels d'entreprises de services publics et les dettes dont le paiement revêt un caractère d'urgence.

811. Si les biens de la succession sont insuffisants, le liquidateur ne peut payer aucune dette ou legs particulier avant d'en avoir dressé un état complet, donné avis aux intéressés et fait homologuer par le tribunal une proposition de paiement dans laquelle, s'il y a lieu, une provision est prévue pour acquitter un jugement éventuel.

812. En cas d'insuffisance des biens de la succession et conformément à sa proposition de paiement, le liquidateur paie d'abord les créanciers prioritaires ou hypothécaires, suivant leur rang; il paie ensuite les autres créanciers, sauf pour leur créance alimentaire et, s'il ne peut les rembourser entièrement, il les paie en proportion de leur créance.

Si, ces créanciers étant payés, il reste des biens, le liquidateur paie les créanciers d'aliments, en proportion de leur créance s'il ne peut les payer entièrement; il paie ensuite les légataires particuliers.

813. Le liquidateur peut aliéner un bien légué à titre particulier ou réduire les legs particuliers si les autres biens sont insuffisants pour payer toutes les dettes.

L'aliénation ou la réduction se fait dans l'ordre et suivant les proportions dont les légataires conviennent. À défaut d'accord, le liquidateur réduit d'abord les legs qui n'ont aucune préférence en vertu du testament et qui ne portent pas sur un bien individualisé, en proportion de leur valeur; en cas d'insuffisance, il aliène l'objet des legs de biens individualisés, puis l'objet des legs qui ont la préférence, ou réduit ces legs proportionnellement à leur valeur.

Les légataires peuvent toujours convenir d'un autre mode de règlement ou se libérer en faisant remise de leur legs ou de sa valeur.

814. Si les biens de la succession sont insuffisants pour payer tous les légataires particuliers, le liquidateur, suivant sa proposition de paiement, paie d'abord ceux qui ont la préférence aux termes du testament, puis les légataires d'un bien individualisé; les autres légataires subissent ensuite la réduction proportionnelle de leur legs et le partage du solde des biens se fait entre eux en proportion de la valeur de chaque legs.

SECTION II

DES RECOURS DES CRÉANCIERS ET LÉGATAIRES PARTICULIERS

815. Les créanciers et légataires particuliers connus qui ont été omis dans les paiements faits par le liquidateur ont, outre leur recours en responsabilité contre ce dernier, un recours contre les héritiers qui ont reçu des acomptes et contre les légataires particuliers payés à leur détriment.

Subsidiairement, les créanciers ont aussi un recours contre les autres créanciers en proportion de leurs créances, compte tenu des causes de préférence.

816. Les créanciers et légataires particuliers qui, demeurés inconnus, ne se présentent qu'après les paiements régulièrement effectués, n'ont de recours contre les héritiers qui ont reçus des acomptes et contre les légataires particuliers payés à leur détriment, que s'ils justifient d'un motif sérieux pour n'avoir pu se présenter en temps utile.

En tout état de cause, ils n'ont aucun recours s'ils se présentent après l'expiration d'un délai de trois ans depuis la décharge du liquidateur, ni aucune préférence par rapport aux créanciers personnels des héritiers ou légataires.

817. En cas d'insuffisance de la provision prévue dans une proposition de paiement, le créancier a, pour le paiement de sa part de créance restée impayée, un recours contre les héritiers qui ont reçu des acomptes et les légataires particuliers jusqu'à concurrence de ce qu'ils ont reçu et, subsidiairement, contre les autres créanciers en proportion de leur créance, compte tenu des causes de préférence.

818. Le créancier hypothécaire dont la créance demeure impayée conserve, outre son recours personnel, ses droits hypothécaires contre celui qui a reçu le bien grevé d'hypothèque.

CHAPITRE QUATRIÈME

DE LA FIN DE LA LIQUIDATION

SECTION I

DU COMPTE DU LIQUIDATEUR

819. La liquidation est achevée lorsque les créanciers et légataires particuliers connus ont été payés ou que le paiement de leurs créances et legs est autrement réglé, ou pris en charge par des héritiers ou des légataires particuliers. Elle l'est aussi lorsque l'actif est épuisé.

Elle prend fin par la décharge du liquidateur.

820. Le compte définitif du liquidateur a pour objet de déterminer l'actif net ou le déficit de la succession.

Il indique les dettes et legs restés impayés, ceux garantis par une sûreté ou pris en charge par des héritiers ou légataires particuliers, et ceux dont le paiement est autrement réglé, et il précise pour chacun le mode de paiement. Il établit, le cas échéant, les provisions nécessaires pour exécuter les jugements éventuels.

Le liquidateur doit, si le testament ou la majorité des héritiers le requiert, joindre à son compte une proposition de partage.

821. Le liquidateur peut, en tout temps et de l'agrément de tous les héritiers, rendre compte à l'amiable. Les frais de la reddition de compte sont à la charge de la succession.

Si le compte ne peut être rendu à l'amiable, la reddition de compte a lieu en justice.

822. Après l'acceptation du compte définitif, le liquidateur est déchargé de son administration et fait délivrance des biens aux héritiers.

La clôture du compte est publiée au registre des droits personnels et réels mobiliers au moyen de l'inscription d'un avis qui identifie le défunt et indique le lieu où le compte peut être consulté.

SECTION II

DE L'OBLIGATION DES HÉRITIERS ET LÉGATAIRES PARTICULIERS APRÈS LA LIQUIDATION

823. L'héritier venant seul à la succession est tenu, jusqu'à concurrence de la valeur des biens qu'il recueille, de toutes les dettes restées impayées par le liquidateur. Les créanciers et légataires particuliers qui ne se présentent qu'après les paiements régulièrement effectués n'ont, toutefois, aucune préférence par rapport aux créanciers personnels de l'héritier.

Lorsque la succession est dévolue à plusieurs héritiers, chacun d'eux n'est tenu de ces dettes qu'en proportion de la part qu'il reçoit en qualité d'héritier, sous réserve des règles relatives aux dettes indivisibles.

824. Le légataire à titre universel de l'usufruit est, envers les créanciers, seul tenu des dettes restées impayées par le liquidateur, même du capital, en proportion de ce qu'il reçoit, et aussi des hypothèques grevant tout bien qu'il a reçu.

Entre lui et le nu-propriétaire, la contribution aux dettes s'établit d'après les règles prescrites au livre Des biens.

825. Le légataire à titre universel de l'usufruit de la totalité de la succession est, sans recours contre le nu-propriétaire, tenu au paiement des rentes ou pensions établies par le testateur.

826. Les héritiers sont tenus, comme pour le paiement des dettes, au paiement des legs particuliers restés impayés par le liquidateur, mais ils ne sont jamais tenus au-delà de la valeur des biens qu'ils recueillent.

Toutefois, si un legs est imposé en particulier à un héritier, le recours du légataire particulier ne s'étend pas aux autres.

827. Les légataires particuliers ne sont tenus au paiement des dettes et des legs restés impayés par le liquidateur qu'en cas d'insuffisance des biens échus aux héritiers.

Lorsqu'un legs particulier est fait conjointement à plusieurs légataires, chacun d'eux n'est tenu des dettes et des legs qu'en proportion de sa part dans le bien légué, sous réserve des règles relatives aux dettes indivisibles.

828. Lorsqu'un legs particulier comprend une universalité d'actif et de passif, le légataire est seul tenu au paiement des dettes qui se rattachent à cette universalité, sous réserve du recours subsidiaire des créanciers contre les héritiers et les autres légataires particuliers en cas d'insuffisance des biens de l'universalité.

829. L'héritier ou le légataire particulier, qui a payé une portion des dettes et des legs supérieure à sa part, a un recours contre ses cohéritiers ou colégataires pour le remboursement de ce qui excédait sa part. Il ne peut, toutefois, l'exercer que pour la part que chacun d'eux aurait dû personnellement supporter, même s'il est subrogé dans les droits de celui qui a été payé.

830. En cas d'insolvabilité d'un cohéritier ou d'un colégataire, sa part dans le paiement des dettes ou dans la réduction des legs est répartie entre ses cohéritiers ou colégataires en proportion de leur part respective, à moins que l'un des cohéritiers ou colégataires n'accepte d'en supporter la totalité.

831. L'usufruit constitué sur un bien légué est supporté sans recours par le légataire de la nue-propriété.

De même, la servitude est supportée sans recours par le légataire du bien grevé.

832. Lorsque les recours des créanciers ou légataires particuliers impayés sont exercés avant le partage, il doit être tenu compte, dans la composition des lots, des recours des héritiers ou légataires contre leurs cohéritiers ou colégataires pour ce qu'ils ont payé en excédent de leur part.

Lorsque les recours des créanciers ou légataires impayés sont exercés après le partage, ceux des héritiers ou légataires qui ont payé plus que leur part ont lieu, le cas échéant, suivant les règles applicables à la garantie des copartageants, sauf stipulation contraire dans l'acte de partage.

833. Le testateur peut changer, entre ses héritiers et légataires particuliers, le mode et les proportions d'après lesquels la loi les rend responsables du paiement des dettes et leur impose la réduction des legs.

Ces modifications sont inopposables aux créanciers; elles n'ont d'effet qu'entre les héritiers et légataires particuliers.

834. L'héritier qui a assumé le paiement des dettes de la succession au-delà des biens qu'il recueille ou celui qui y est tenu peut être contraint sur ses biens personnels pour sa part des dettes restées impayées.

835. L'héritier qui a assumé le paiement des dettes de la succession ou celui qui y est tenu en vertu des règles du présent titre peut, s'il était de bonne foi, demander au tribunal de réduire son obligation ou de limiter sa responsabilité à la valeur des biens qu'il a recueillis; il le peut, entre autres, s'il découvre des faits nouveaux ou s'il se présente un créancier dont il ne pouvait connaître l'existence au moment où il s'est obligé, lorsque de tels événements ont pour effet de modifier substantiellement l'étendue de son obligation.

TITRE SIXIÈME

DU PARTAGE DE LA SUCCESSION

CHAPITRE PREMIER

DU DROIT AU PARTAGE

836. Le partage ne peut avoir lieu ni être exigé avant la fin de la liquidation.

837. Le testateur peut, pour une cause sérieuse et légitime, ordonner que le partage soit totalement ou partiellement différé pendant un temps limité. Il peut aussi ordonner que le partage soit différé si, pour parfaire l'exécution de ses volontés, les pouvoirs et obligations du liquidateur doivent continuer à s'exercer à un autre titre.

838. Si tous les héritiers sont d'accord, le partage se fait suivant la proposition jointe au compte définitif du liquidateur ou de la manière qu'ils jugent la meilleure.

En cas de désaccord entre les héritiers, il ne peut avoir lieu que dans les conditions fixées au chapitre deuxième et dans les formes requises par le Code de procédure civile.

839. Malgré une demande de partage, l'indivision peut être maintenue à l'égard d'une entreprise à caractère familial dont l'exploitation était assurée par le défunt, ou à l'égard des parts sociales, actions ou autres valeurs mobilières liées à l'entreprise dans le cas où le défunt en était le principal associé ou actionnaire.

840. L'indivision peut aussi être maintenue à l'égard de la résidence familiale ou des meubles qui servent à l'usage du ménage, même dans le cas où un droit de propriété, d'usufruit ou d'usage est attribué au conjoint survivant.

841. Le maintien de l'indivision peut être demandé au tribunal par tout héritier qui, avant le décès, participait activement à l'exploitation de l'entreprise ou demeurait dans la résidence familiale.

842. Lorsqu'il statue sur une demande visant à maintenir l'indivision, le tribunal prend en considération les dispositions testamentaires et les intérêts en présence, ainsi que les moyens de subsistance que la famille et les héritiers retirent des biens indivis; en tout état de cause, les conventions entre associés ou actionnaires auxquelles le défunt était partie sont respectées.

843. À la demande d'un héritier, le tribunal peut, afin d'éviter une perte, surseoir au partage immédiat de tout ou partie des biens et maintenir l'indivision à leur égard.

844. Le maintien de l'indivision a lieu aux conditions fixées par le tribunal; il ne peut, cependant, être accordé pour une durée supérieure à cinq ans, sauf l'accord de tous les intéressés.

Il peut être renouvelé jusqu'au décès du conjoint ou jusqu'à la majorité du plus jeune enfant du défunt.

845. Le tribunal peut ordonner le partage lorsque les causes ayant justifié le maintien de l'indivision ont cessé, ou que l'indivision est devenue intolérable ou présente de grands risques pour les héritiers.

846. Si la demande de maintien de l'indivision ne vise qu'un bien en particulier ou un ensemble de biens, rien n'empêche de procéder au partage du résidu des biens de la succession. Par ailleurs, les héritiers peuvent toujours satisfaire celui qui s'oppose au maintien de l'indivision en lui payant eux-mêmes sa part ou en lui attribuant, après évaluation, certains autres biens de la succession.

847. Celui qui n'a droit qu'à la jouissance d'une part des biens indivis ne peut participer qu'à un partage provisionnel.

848. Tout héritier peut écarter du partage une personne qui n'est pas un héritier et à laquelle un autre héritier aurait cédé son droit à la succession, moyennant le remboursement de la valeur de ce droit à l'époque du retrait et des frais acquittés lors de la cession.

CHAPITRE DEUXIÈME

DES MODALITÉS DU PARTAGE

SECTION I

DE LA COMPOSITION DES LOTS

849. Le partage peut comprendre tous les biens indivis ou une partie seulement de ces biens.

Le partage d'un immeuble est réputé effectué, même s'il laisse subsister des parties communes impartageables ou destinées à rester dans l'indivision.

850. Si les parts sont égales, on compose autant de lots qu'il y a d'héritiers ou de souches copartageantes.

Si les parts sont inégales, on compose autant de lots qu'il est nécessaire pour permettre le tirage au sort.

851. Dans la composition des lots, il doit être tenu compte des dispositions testamentaires, notamment de celles mettant à la charge de certains héritiers le paiement de dettes ou de legs, ainsi que des recours qu'ont entre eux les héritiers pour ce qu'ils ont payé en excédent de leur part; il doit être aussi tenu compte des droits du conjoint survivant, des demandes d'attribution par voie de préférence, des oppositions et, le cas échéant, des provisions de fonds pour exécuter les jugements éventuels.

Peuvent aussi être prises en considération, entre autres, les incidences fiscales de l'attribution, les intentions manifestées par certains héritiers de prendre en charge certaines dettes ou la commodité du mode d'attribution.

852. Dans la composition des lots, on évite de morceler les immeubles et de diviser les entreprises.

Dans la mesure où le morcellement des immeubles et la division des entreprises peuvent être évités, chaque lot doit, autant que possible, être composé de meubles ou d'immeubles et de droits ou de créances de valeur équivalente.

L'inégalité de valeur des lots se compense par une soulte.

853. Les indivisaires qui procèdent à un partage amiable composent les lots à leur gré et décident, d'un commun accord, de leur attribution ou de leur tirage au sort.

S'ils estiment nécessaire de procéder à la vente des biens à partager ou de certains d'entre eux, ils fixent également, d'un commun accord, les modalités de la vente.

854. À défaut d'accord entre les indivisaires quant à la composition des lots, ceux-ci sont faits par un expert désigné par le tribunal; si le désaccord porte sur leur attribution, les lots sont tirés au sort.

Avant de procéder au tirage, chaque indivisaire est admis à proposer sa réclamation contre leur formation.

SECTION II

DES ATTRIBUTIONS PRÉFÉRENTIELLES ET DES CONTESTATIONS

855. Chaque héritier reçoit en nature sa part des biens de la succession; il peut demander qu'on lui attribue, par voie de préférence, un bien ou un lot.

856. Le conjoint survivant peut, par préférence à tout autre héritier, exiger que l'on place dans son lot la résidence familiale ou les droits qui lui en confèrent l'usage et les meubles qui servent à l'usage du ménage.

Si la valeur des biens excède la part due au conjoint, celui-ci les conserve à charge de soulte.

857. Sous réserve des droits du conjoint survivant, lorsque plusieurs héritiers demandent qu'on leur attribue, par voie de préférence, l'immeuble qui servait de résidence au défunt, celui qui y résidait a la préférence.

858. Malgré l'opposition ou la demande d'attribution par voie de préférence formée par un autre copartageant, l'entreprise ou les parts sociales, actions ou autres valeurs mobilières liées à celle-ci sont attribuées, par préférence, à l'héritier qui participait activement à l'exploitation de l'entreprise au temps du décès.

859. Si plusieurs héritiers font valoir le même droit de préférence ou qu'il y ait un différend sur une demande d'attribution, la contestation est tranchée par le sort ou, s'il s'agit d'attribuer la résidence, l'entreprise ou les valeurs mobilières liées à celle-ci, par le tribunal. En ce cas, il est tenu compte, entre autres, des intérêts en présence, des motifs de préférence ou du degré de participation de chacun à l'exploitation de l'entreprise ou à l'entretien de la résidence.

860. Lorsque la contestation entre les copartageants porte sur la détermination ou le paiement d'une soulte, le tribunal la détermine et peut, au besoin, fixer les modalités de garantie et de paiement appropriées aux circonstances.

861. Les biens s'estiment d'après leur état et leur valeur au moment du partage.

862. Si certains biens ne peuvent être commodément partagés ou attribués, les intéressés peuvent décider de procéder à leur vente.

863. En cas de désaccord entre les intéressés, le tribunal peut, le cas échéant, désigner des experts pour évaluer les biens, ordonner la vente des biens qui ne peuvent être commodément partagés ou attribués et en fixer les modalités, ou encore ordonner de surseoir au partage pour le temps qu'il indique.

864. Les créanciers de la succession et d'un héritier peuvent, pour éviter que le partage ne soit fait en fraude de leurs droits, assister au partage et y intervenir à leurs frais.

SECTION III

DE LA REMISE DES TITRES

865. Après le partage, les titres communs à tout ou partie de l'héritage sont remis à la personne choisie par les héritiers pour en être dépositaire, à charge d'en aider les copartageants, sur demande. En cas de désaccord sur ce choix, il est tranché par le sort.

866. Tout héritier qui en fait la demande peut obtenir, au temps du partage et à frais communs, une copie des titres qui concernent les biens dans lesquels il conserve des droits.

CHAPITRE TROISIÈME

DES RAPPORTS

SECTION I

DU RAPPORT DES DONS ET DES LEGS

867. En vue du partage, chaque héritier n'est tenu de rapporter à la masse que ce qu'il a reçu du défunt, par donation ou testament, à charge expresse de rapport.

Le successible qui renonce à la succession ne doit pas le rapport.

868. Le représentant est tenu de rapporter, outre ce à quoi il est lui-même tenu, ce que le représenté aurait eu à rapporter.

Le rapport est dû même si le représentant a renoncé à la succession du représenté.

869. Le rapport ne se fait qu'à la succession du donateur ou du testateur.

Il n'est dû que par le cohéritier à son cohéritier ; il n'est dû ni aux légataires particuliers ni aux créanciers de la succession.

870. Le rapport se fait en moins prenant.

Est sans effet la disposition imposant à l'héritier le rapport en nature. Toutefois, celui-ci a la faculté de faire le rapport en nature s'il est encore propriétaire du bien et s'il ne l'a pas grevé d'usufruit, de servitude, d'hypothèque ou d'un autre droit réel.

871. Chacun des cohéritiers à qui le rapport en moins prenant est dû prélève sur la masse de la succession des biens de valeur égale au montant du rapport.

Les prélèvements se font, autant que possible, en biens de même nature et qualité que ceux dont le rapport est dû.

Si les prélèvements ne peuvent se faire ainsi, l'héritier rapportant peut verser la valeur en numéraire du bien reçu ou laisser chacun des cohéritiers prélever d'autres biens de valeur équivalente dans la masse.

872. Le rapport en moins prenant peut aussi se faire en imputant au lot de l'héritier la valeur en numéraire du bien reçu.

873. Sauf disposition contraire de la donation ou du testament, l'évaluation du bien donné qui est rapporté en moins prenant se fait au moment du partage, si le bien se trouve encore entre les mains de l'héritier, ou à la date de l'aliénation, si le bien a été aliéné avant le partage.

Le bien légué et celui qui est resté dans la succession s'évaluent d'après leur état et leur valeur au moment du partage.

874. La valeur du bien rapporté, en moins prenant ou en nature, doit être diminuée de la plus-value acquise par le bien du fait des impenses ou de l'initiative personnelle du rapportant.

Elle est aussi diminuée du montant des impenses nécessaires.

Réciproquement, la valeur est augmentée de la moins-value résultant du fait du rapportant.

875. L'héritier a le droit de retenir le bien qui doit être rapporté en nature jusqu'au remboursement des sommes qui lui sont dues.

876. L'héritier est tenu au rapport si la perte du bien résulte de son fait ; il n'y est pas tenu si la perte résulte d'une force majeure.

Dans l'un ou l'autre cas, si une indemnité lui est versée à raison de la perte du bien, il doit la rapporter.

877. Les copartageants peuvent convenir que soit rapporté en nature un bien grevé d'une hypothèque ou d'un autre droit réel ; le rapport se fait alors sans nuire au titulaire de ce droit. L'obligation qui en résulte est mise à la charge du rapportant dans le partage de la succession.

878. Les fruits et revenus du bien donné ou légué, si ce bien est rapporté en nature, ou les intérêts de la somme sujette à rapport sont aussi rapportables, à compter de l'ouverture de la succession.

SECTION II

DU RAPPORT DES DETTES

879. L'héritier venant au partage doit faire rapport à la masse des dettes qu'il a envers le défunt ; il doit aussi faire rapport des sommes dont il est débiteur envers ses copartageants du fait de l'indivision.

Ces dettes sont rapportables même si elles ne sont pas échues au moment du partage ; elles ne le sont pas si le défunt a stipulé remise de la dette pour prendre effet à l'ouverture de la succession.

880. Si le montant en capital et intérêts de la dette à rapporter excède la valeur de la part héréditaire de l'héritier tenu au rapport, celui-ci reste débiteur de l'excédent et doit en faire le paiement selon les modalités afférentes à la dette.

881. Si l'héritier tenu au rapport a lui-même une créance à faire valoir, encore qu'elle ne soit pas exigible au moment du partage, il y a compensation et il n'est tenu de rapporter que le solde dont il reste débiteur.

La compensation s'opère aussi si la créance excède la dette et l'héritier reste créancier de l'excédent.

882. Le rapport a lieu en moins prenant.

Le prélèvement effectué par les cohéritiers ou l'imputation de la somme au lot de l'héritier est opposable aux créanciers personnels de l'héritier tenu au rapport.

883. Doit être rapportée la valeur de la dette en capital et intérêts au moment du partage.

La dette rapportable porte intérêt à compter du décès si elle est antérieure au décès, et à compter du jour où elle est née si elle a pris naissance postérieurement au décès.

CHAPITRE QUATRIÈME

DES EFFETS DU PARTAGE

SECTION I

DE L'EFFET DÉCLARATIF DU PARTAGE

884. Le partage est déclaratif de propriété.

Chaque copartageant est réputé avoir succédé, seul et immédiatement, à tous les biens compris dans son lot ou qui lui sont échus par un acte de partage total ou partiel; il est censé avoir eu la propriété de ces biens à compter du décès et n'avoir jamais été propriétaire des autres biens de la succession.

885. Tout acte qui a pour objet de faire cesser l'indivision entre les copartageants vaut partage, lors même qu'il est qualifié de vente, d'échange, de transaction ou autrement.

886. Sous réserve des dispositions relatives à l'administration des biens indivis et des rapports juridiques entre un héritier et ses ayants cause, les actes accomplis par un indivisaire, de même que les droits réels qu'il a consentis sur les biens qui ne lui sont pas attribués, sont inopposables aux autres indivisaires qui n'y consentent pas.

887. Les actes valablement faits pendant l'indivision résultant du décès conservent leur effet, quel que soit, au partage, l'héritier qui reçoit les biens.

Chaque héritier est alors réputé avoir fait l'acte qui concerne les biens qui lui sont échus.

888. L'effet déclaratif s'applique pareillement aux créances contre des tiers, à la cession de ces créances faite pendant l'indivision par un cohéritier et à la saisie-arrêt de ces créances pratiquée par les créanciers d'un cohéritier.

L'attribution des créances est assujettie, quant à son opposabilité aux débiteurs, aux règles du livre Des obligations relatives à la cession de créance.

SECTION II

DE LA GARANTIE DES COPARTAGEANTS

889. Les copartageants sont respectivement garants, les uns envers les autres, des seuls troubles et évictions qui procèdent d'une cause antérieure au partage.

Néanmoins, chaque copartageant demeure toujours garant de l'éviction causée par son fait personnel.

890. L'insolvabilité du débiteur d'une créance échue à l'un des copartageants donne lieu à la garantie, de la même manière que l'éviction, si l'insolvabilité est antérieure au partage.

891. La garantie n'a pas lieu si l'éviction se trouve exceptée par une stipulation de l'acte de partage; elle cesse si c'est par sa faute que le copartageant est évincé.

892. Chacun des copartageants est personnellement obligé, en proportion de sa part, d'indemniser son copartageant de la perte que lui a causée l'éviction.

La perte est évaluée au jour du partage.

893. Si l'un des copartageants se trouve insolvable, l'indemnité à laquelle il est tenu doit être répartie proportionnellement entre le garanti et tous les copartageants solvables.

894. L'action en garantie se prescrit par trois ans depuis l'éviction ou la découverte du trouble, ou depuis le partage si elle a pour cause l'insolvabilité d'un débiteur de la succession.

CHAPITRE CINQUIÈME

DE LA NULLITÉ DU PARTAGE

895. Le partage, même partiel, peut être annulé pour les mêmes causes que les contrats.

Toutefois, plutôt que d'annuler, on peut procéder à un partage supplémentaire ou rectificatif, dans tous les cas où cela peut être fait avec avantage pour les copartageants.

896. La simple omission d'un bien indivis ne donne pas ouverture à l'action en nullité, mais seulement à un supplément à l'acte de partage.

897. Pour décider s'il y a eu lésion, c'est la valeur des biens au moment du partage qu'il faut considérer.

898. Le défendeur à une demande en nullité de partage peut, dans tous les cas, en arrêter le cours et empêcher un nouveau partage, en offrant et en fournissant au demandeur le supplément de sa part dans la succession en numéraire ou en nature.

LIVRE QUATRIÈME

DES BIENS

TITRE PREMIER

DE LA DISTINCTION DES BIENS ET DE LEUR APPROPRIATION

CHAPITRE PREMIER

DE LA DISTINCTION DES BIENS

899. Les biens, tant corporels qu'incorporels, se divisent en immeubles et en meubles.

900. Sont immeubles les fonds de terre, les constructions et ouvrages à caractère permanent qui s'y trouvent et tout ce qui en fait partie intégrante.

Le sont aussi les végétaux et les minéraux, tant qu'ils ne sont pas séparés ou extraits du fonds. Toutefois, les fruits et les autres produits du sol peuvent être considérés comme des meubles dans les actes de disposition dont ils sont l'objet.

901. Font partie intégrante d'un immeuble les meubles qui sont incorporés à l'immeuble, perdent leur individualité et assurent l'utilité de l'immeuble.

902. Les parties intégrantes d'un immeuble qui sont temporairement détachées de l'immeuble, conservent leur caractère immobilier, si ces parties sont destinées à y être replacées.

903. Les meubles qui sont, à demeure, matériellement attachés ou réunis à l'immeuble, sans perdre leur individualité et sans y être incorporés, sont immeubles tant qu'ils y restent.

904. Les droits réels qui portent sur des immeubles, les actions qui tendent à les faire valoir et celles qui visent à obtenir la possession d'un immeuble sont immeubles.

905. Sont meubles les choses qui peuvent se transporter, soit qu'elles se meuvent elles-mêmes, soit qu'il faille une force étrangère pour les déplacer.

906. Sont réputées meubles corporels les ondes ou l'énergie maîtrisées par l'être humain et mises à son service, quel que soit le caractère mobilier ou immobilier de leur source.

907. Tous les autres biens que la loi ne qualifie pas sont meubles.

CHAPITRE DEUXIÈME

DES BIENS DANS LEURS RAPPORTS AVEC CE QU'ILS PRODUISENT

908. Les biens peuvent, suivant leurs rapports entre eux, se diviser en capitaux et en fruits et revenus.

909. Sont du capital les biens dont on tire des fruits et revenus, les biens affectés au service ou à l'exploitation d'une entreprise, les actions ou les parts sociales d'une personne morale ou d'une société, le remploi des fruits et revenus, le prix de la disposition d'un capital ou son remploi, ainsi que les indemnités d'expropriation ou d'assurance qui tiennent lieu du capital.

Le capital comprend aussi les droits de propriété intellectuelle et industrielle, sauf les sommes qui en proviennent sans qu'il y ait eu aliénation de ces droits, les obligations et autres titres d'emprunt payables en argent, de même que les droits dont l'exercice tend à accroître le capital, tels les droits de souscription des valeurs mobilières d'une personne morale, d'une société en commandite ou d'une fiducie.

910. Les fruits et revenus sont ce que le bien produit sans que sa substance soit entamée ou ce qui provient de l'utilisation d'un capital. Ils comprennent aussi les droits dont l'exercice tend à accroître les fruits et revenus du bien.

Sont classés parmi les fruits ce qui est produit spontanément par le bien, ce qui est produit par la culture ou l'exploitation d'un fonds, de même que le produit ou le croît des animaux.

Sont classées parmi les revenus les sommes d'argent que le bien rapporte, tels les loyers, les intérêts, les dividendes, sauf s'ils représentent la distribution d'un capital d'une personne morale; le sont aussi les sommes reçues en raison de la résiliation ou du renouvellement d'un bail ou d'un paiement par anticipation, ou les sommes attribuées ou perçues dans des circonstances analogues.

CHAPITRE TROISIÈME

DES BIENS DANS LEURS RAPPORTS AVEC CEUX QUI Y ONT DES DROITS OU QUI LES POSSÈDENT

911. On peut, à l'égard d'un bien, être titulaire, seul ou avec d'autres, d'un droit de propriété ou d'un autre droit réel, ou encore être possesseur du bien.

On peut aussi être détenteur ou administrateur du bien d'autrui, ou être fiduciaire d'un bien affecté à une fin particulière.

912. Le titulaire d'un droit de propriété ou d'un autre droit réel a le droit d'agir en justice pour faire reconnaître ce droit.

913. Certaines choses ne sont pas susceptibles d'appropriation; leur usage, commun à tous, est régi par des lois d'intérêt général et, à certains égards, par le présent code.

L'air et l'eau qui ne sont pas destinés à l'utilité publique sont toutefois susceptibles d'appropriation s'ils sont recueillis et mis en récipient.

914. Certaines autres choses qui, parce que sans maître, ne sont pas l'objet d'un droit peuvent néanmoins être appropriées par occupation, si celui qui les prend le fait avec l'intention de s'en rendre propriétaire.

915. Les biens appartiennent aux personnes ou à l'État, ou font, en certains cas, l'objet d'une affectation.

916. Les biens s'acquièrent par contrat, par succession, par occupation, par prescription, par accession ou par tout autre mode prévu par la loi.

Cependant, nul ne peut s'approprier par occupation, prescription ou accession les biens de l'État, sauf ceux que ce dernier a acquis par succession, vacance ou confiscation, tant qu'ils n'ont pas été confondus avec ses autres biens. Nul ne peut non plus s'approprier les biens des personnes morales de droit public qui sont affectés à l'utilité publique.

917. Les biens confisqués en vertu de la loi sont, dès leur confiscation, la propriété de l'État ou, en certains cas, de la personne morale de droit public qui a légalement le pouvoir de les confisquer.

918. Les parties du territoire qui ne sont pas la propriété de personnes physiques ou morales, ou qui ne sont pas transférées à un patrimoine fiduciaire, appartiennent à l'État et font partie de son domaine. Les titres originaires de l'État sur ces biens sont présumés.

919. Le lit des lacs et des cours d'eau navigables et flottables est, jusqu'à la ligne des hautes eaux, la propriété de l'État.

Il en est de même du lit des lacs et cours d'eau non navigables ni flottables bordant les terrains aliénés par l'État après le 9 février 1918; avant cette date, la propriété du fonds riverain emportait, dès l'aliénation, la propriété du lit des cours d'eau non navigables ni flottables.

Dans tous les cas, la loi ou l'acte de concession peuvent disposer autrement.

920. Toute personne peut circuler sur les cours d'eau et les lacs, à la condition de pouvoir y accéder légalement, de ne pas porter atteinte aux droits des propriétaires riverains, de ne pas prendre pied sur les berges et de respecter les conditions d'utilisation de l'eau.

CHAPITRE QUATRIÈME

DE CERTAINS RAPPORTS DE FAIT CONCERNANT LES BIENS

SECTION I

DE LA POSSESSION

§ 1.—De la nature de la possession

921. La possession est l'exercice de fait, par soi-même ou par l'intermédiaire d'une autre personne qui détient le bien, d'un droit réel dont on se veut titulaire.

Cette volonté est présumée. Si elle fait défaut, il y a détention.

922. Pour produire des effets, la possession doit être paisible, continue, publique et non équivoque.

923. Celui qui a commencé à détenir pour le compte d'autrui ou avec reconnaissance d'un domaine supérieur est toujours présumé détenir en la même qualité, sauf s'il y a preuve d'interversion de titre résultant de faits non équivoques.

924. Les actes de pure faculté ou de simple tolérance ne peuvent fonder la possession.

925. Le possesseur actuel est présumé avoir une possession continue depuis le jour de son entrée en possession; il peut joindre sa possession et celle de ses auteurs.

La possession demeure continue même si l'exercice en est empêché ou interrompu temporairement.

926. La possession entachée de quelque vice ne commence à produire des effets qu'à compter du moment où le vice a cessé.

Les ayants cause, à quelque titre que ce soit, ne souffrent pas des vices dans la possession de leur auteur.

927. Le voleur, le receleur et le fraudeur ne peuvent invoquer les effets de la possession, mais leurs ayants cause, à quelque titre que ce soit, le peuvent s'ils ignoraient le vice.

§ 2.—*Des effets de la possession*

928. Le possesseur est présumé titulaire du droit réel qu'il exerce. C'est à celui qui conteste cette qualité à prouver son droit et, le cas échéant, l'absence de titre, ou encore les vices de la possession ou du titre du possesseur.

929. Le possesseur dont la possession a été continue pendant plus d'une année a, contre celui qui trouble sa possession ou qui l'a dépossédé, un droit d'action pour faire cesser le trouble ou être remis en possession.

930. La possession rend le possesseur titulaire du droit réel qu'il exerce s'il se conforme aux règles de la prescription.

931. Le possesseur de bonne foi est dispensé de rendre compte des fruits et revenus du bien ; il supporte les frais qu'il a engagés pour les produire.

Le possesseur de mauvaise foi doit, après avoir compensé les frais, remettre les fruits et revenus, à compter du jour où sa mauvaise foi a commencé.

932. Le possesseur est de bonne foi si, au début de sa possession, il est justifié de se croire titulaire du droit réel qu'il exerce. Sa bonne foi cesse du jour où l'absence de titre ou les vices de sa possession ou de son titre lui sont dénoncés par une procédure civile.

933. Le possesseur peut être remboursé ou indemnisé pour les constructions, ouvrages et plantations qu'il a faits, suivant les règles prévues au chapitre de l'accession.

SECTION II

DE L'ACQUISITION DES BIENS VACANTS

§ 1.—*Des biens sans maître*

934. Sont sans maître les biens qui n'ont pas de propriétaire, tels les animaux sauvages en liberté, ceux qui, capturés, ont recouvré leur liberté, la faune aquatique, ainsi que les biens qui ont été abandonnés par leur propriétaire.

Sont réputés abandonnés les meubles de peu de valeur ou très détériorés qui sont laissés en des lieux publics, y compris sur la voie publique ou dans des véhicules qui servent au transport du public.

935. Les meubles sans maître appartiennent à la personne qui se les approprie par occupation.

Les meubles abandonnés que personne ne s'approprie appartiennent aux municipalités qui les recueillent sur leur territoire ou à l'État.

936. Les immeubles sans maître appartiennent à l'État. Toute personne peut néanmoins les acquérir, par accession naturelle ou prescription, à moins que l'État ne possède ces immeubles ou ne s'en soit déclaré propriétaire par un avis du curateur public inscrit au registre foncier.

937. Les biens sans maître que l'État s'approprie sont administrés par le curateur public; celui-ci en dispose conformément à la loi.

938. Le trésor appartient à celui qui le trouve dans son fonds; s'il est découvert dans le fonds d'autrui, il appartient pour moitié au propriétaire du fonds et pour l'autre moitié à celui qui l'a découvert, à moins que l'inventeur n'ait agi pour le compte du propriétaire.

§ 2.—*Des meubles perdus ou oubliés*

939. Les meubles qui sont perdus ou oubliés entre les mains d'un tiers ou en un lieu public continuent d'appartenir à leur propriétaire.

Ces biens ne peuvent s'acquérir par occupation, mais ils peuvent, de même que le prix qui leur est subrogé, être prescrits par celui qui les détient.

940. Celui qui trouve un bien doit tenter d'en retrouver le propriétaire; le cas échéant, il doit lui remettre le bien.

941. Pour prescrire soit le bien, soit le prix qui lui est subrogé, celui qui trouve un bien perdu doit déclarer le fait à un agent de la paix, à la municipalité sur le territoire de laquelle il a été trouvé ou à la personne qui a la garde du lieu où il a été trouvé.

Il peut alors, à son choix, garder le bien, en disposer comme un détenteur ou le remettre à la personne à laquelle il a fait la déclaration pour que celle-ci le détienne.

942. Le détenteur du bien trouvé, y compris l'État ou une municipalité, peut vendre le bien s'il n'est pas réclamé dans les soixante jours.

La vente du bien se fait aux enchères et elle a lieu à l'expiration d'un délai d'au moins dix jours après la publication, dans un journal distribué dans la localité où le bien est trouvé, d'un avis de vente mentionnant la nature du bien et indiquant le lieu, le jour et l'heure de la vente.

Cependant, le détenteur peut disposer sans délai du bien susceptible de dépérissement. Il peut aussi, à défaut d'enchérisseur, vendre le bien de gré à gré, le donner à un organisme de bienfaisance ou, s'il est impossible d'en disposer ainsi, le détruire.

943. L'État ou la municipalité peut vendre aux enchères, comme le détenteur du bien trouvé, les biens meubles qu'il détient, sans autres délais que ceux requis pour la publication, lorsque:

1° Le propriétaire du bien le réclame, mais néglige ou refuse de rembourser au détenteur les frais d'administration dans les soixante jours de sa réclamation;

2° Plusieurs personnes réclament le bien à titre de propriétaire, mais aucune d'entre elles ne prouve indubitablement son titre ou n'agit en justice pour le faire établir dans le délai d'au moins soixante jours qui lui est imparti;

3° Le bien déposé au greffe d'un tribunal n'est pas réclamé par son propriétaire, soit dans les soixante jours de l'avis qui lui est donné de venir le prendre, soit dans les six mois qui suivent le jugement final ou le désistement d'instance si aucun avis n'a pu lui être donné.

944. Lorsqu'un bien, confié pour être gardé, travaillé ou transformé, n'est pas réclamé dans les quatre-vingt-dix jours de la fin du travail ou de la période convenue, il est considéré comme oublié et son détenteur peut en disposer après avoir donné un avis de la même durée à celui qui lui a confié le bien.

945. Le détenteur du bien confié mais oublié dispose du bien en le vendant soit aux enchères comme s'il s'agissait d'un bien trouvé, soit de gré à gré. Il peut aussi donner à un organisme de bienfaisance le bien qui ne peut être vendu et, s'il ne peut être donné, il en dispose à son gré.

946. Le propriétaire d'un bien perdu ou oublié peut, tant que son droit de propriété n'est pas prescrit, le revendiquer en offrant de payer les frais d'administration du bien et, le cas échéant, la valeur du travail effectué. Le détenteur du bien a le droit de le retenir jusqu'au paiement.

Si le bien a été aliéné, le droit du propriétaire ne s'exerce, malgré l'article 1714, que sur ce qui reste du prix de la vente, déduction faite des frais d'administration et d'aliénation du bien et de la valeur du travail effectué.

TITRE DEUXIÈME

DE LA PROPRIÉTÉ

CHAPITRE PREMIER

DE LA NATURE ET DE L'ÉTENDUE DU DROIT DE PROPRIÉTÉ

947. La propriété est le droit d'user, de jouir et de disposer librement et complètement d'un bien, sous réserve des limites et des conditions d'exercice fixées par la loi.

Elle est susceptible de modalités et de démembrements.

948. La propriété d'un bien donne droit à ce qu'il produit et à ce qui s'y unit, de façon naturelle ou artificielle, dès l'union. Ce droit se nomme droit d'accession.

949. Les fruits et revenus du bien appartiennent au propriétaire, qui supporte les frais qu'il a engagés pour les produire.

950. Le propriétaire du bien assume les risques de perte.

951. La propriété du sol emporte celle du dessus et du dessous.

Le propriétaire peut faire, au-dessus et au-dessous, toutes les constructions, ouvrages et plantations qu'il juge à propos; il est tenu de respecter, entre autres, les droits publics sur les mines, sur les nappes d'eau et sur les rivières souterraines.

952. Le propriétaire ne peut être contraint de céder sa propriété, si ce n'est par voie d'expropriation faite suivant la loi pour une cause d'utilité publique et moyennant une juste et préalable indemnité.

953. Le propriétaire d'un bien a le droit de le revendiquer contre le possesseur ou celui qui le détient sans droit; il peut s'opposer à tout empiétement ou à tout usage que la loi ou lui-même n'a pas autorisé.

CHAPITRE DEUXIÈME

DE L'ACCESSION

SECTION I

DE L'ACCESSION IMMOBILIÈRE

954. L'accession à un immeuble d'un bien meuble ou immeuble peut être volontaire ou indépendante de toute volonté. Dans le premier cas, l'accession est artificielle; dans le second, elle est naturelle.

§ 1.—*De l'accession artificielle*

955. Les constructions, ouvrages ou plantations sur un immeuble sont présumés avoir été faits par le propriétaire, à ses frais, et lui appartenir.

956. Le propriétaire de l'immeuble devient propriétaire par accession des constructions, ouvrages ou plantations qu'il a faits avec des matériaux qui ne lui appartiennent pas, mais il est tenu de payer la valeur, au moment de l'incorporation, des matériaux utilisés.

Celui qui était propriétaire des matériaux n'a pas le droit de les enlever ni ne peut être contraint de les reprendre.

957. Le propriétaire de l'immeuble acquiert par accession la propriété des constructions, ouvrages ou plantations faits sur son immeuble par un possesseur, que les impenses soient nécessaires, utiles ou d'agrément.

958. Le propriétaire doit rembourser au possesseur les impenses nécessaires, même si les constructions, ouvrages ou plantations n'existent plus.

Cependant, si le possesseur est de mauvaise foi, il y a lieu, déduction faite des frais engagés pour les produire, à la compensation des fruits et revenus perçus.

959. Le propriétaire doit rembourser les impenses utiles faites par le possesseur de bonne foi si les constructions, ouvrages ou plantations existent encore; il peut aussi, à son choix, lui verser une indemnité égale à la plus-value.

Il peut, aux mêmes conditions, rembourser les impenses utiles faites par le possesseur de mauvaise foi; il peut alors opérer la compensation pour les fruits et revenus que le possesseur lui doit.

Il peut aussi contraindre le possesseur de mauvaise foi à enlever ces constructions, ouvrages ou plantations et à remettre les lieux dans leur état antérieur; si la remise en l'état est impossible, le propriétaire peut les conserver sans indemnité ou contraindre le possesseur à les enlever.

960. Le propriétaire peut contraindre le possesseur à acquérir l'immeuble et à lui en payer la valeur, si les impenses utiles sont coûteuses et représentent une proportion considérable de cette valeur.

961. Le possesseur de bonne foi qui a fait des impenses pour son propre agrément peut, au choix du propriétaire, enlever, en évitant d'endommager les lieux, les constructions, ouvrages ou plantations faits, s'ils peuvent l'être avantageusement, ou encore les abandonner.

Dans ce dernier cas, le propriétaire est tenu de rembourser au possesseur le moindre du coût ou de la plus-value accordée à l'immeuble.

962. Le propriétaire peut contraindre le possesseur de mauvaise foi à enlever les constructions, ouvrages ou plantations qu'il a faits pour son agrément et à remettre les lieux dans leur état antérieur; si la remise en l'état est impossible, il peut les conserver sans indemnité ou contraindre le possesseur à les enlever.

963. Le possesseur de bonne foi a le droit de retenir l'immeuble jusqu'à ce qu'il ait obtenu le remboursement des impenses nécessaires ou utiles.

Le possesseur de mauvaise foi n'a ce droit qu'à l'égard des impenses nécessaires qu'il a faites.

964. Les impenses faites par un détenteur sont traitées suivant les règles établies pour celles qui sont faites par un possesseur de mauvaise foi.

Le détenteur ne peut, toutefois, être contraint d'acquérir le bien.

§ 2.—*De l'accession naturelle*

965. L'alluvion profite au propriétaire riverain.

Les alluvions sont les atterrissements et les accroissements qui se forment successivement et imperceptiblement aux fonds riverains d'un cours d'eau.

966. Les relais que forme l'eau courante qui se retire insensiblement de l'une des rives en se portant sur l'autre profitent au propriétaire de la rive découverte, sans que le propriétaire riverain du côté opposé ne puisse rien réclamer pour le terrain perdu.

Ce droit n'a pas lieu à l'égard des relais de la mer qui font partie du domaine de l'État.

967. Si un cours d'eau enlève, par une force subite, une partie considérable et reconnaissable d'un fonds riverain et la porte vers un fonds inférieur ou sur la rive opposée, le propriétaire de la partie enlevée peut la réclamer.

Il est tenu, à peine de déchéance, de le faire dans l'année à compter de la prise de possession par le propriétaire du fonds auquel la partie a été réunie.

968. Les îles qui se forment dans le lit d'un cours d'eau appartiennent au propriétaire du lit.

969. Si un cours d'eau, en formant un bras nouveau, coupe un fonds riverain et en fait une île, le propriétaire du fonds riverain conserve la propriété de l'île ainsi formée.

970. Si un cours d'eau abandonne son lit pour s'en former un nouveau, l'ancien est attribué aux propriétaires des fonds nouvellement occupés, dans la proportion du terrain qui leur a été enlevé.

SECTION II

DE L'ACCESSION MOBILIÈRE

971. Lorsque des meubles appartenant à plusieurs propriétaires ont été mélangés ou unis de telle sorte qu'il n'est plus possible de les séparer sans détérioration ou sans un travail et des frais excessifs, le nouveau bien appartient à celui des propriétaires qui a contribué davantage à sa constitution, par la valeur du bien initial ou par son travail.

972. La personne, qui a travaillé ou transformé une matière qui ne lui appartenait pas, acquiert la propriété du nouveau bien si la valeur du travail ou de la transformation est supérieure à celle de la matière employée.

973. Le propriétaire du nouveau bien doit payer la valeur de la matière ou de la main-d'oeuvre à celui qui l'a fournie.

S'il est impossible de déterminer qui a contribué davantage à la constitution du nouveau bien, les intéressés en sont copropriétaires indivis.

974. Celui qui est tenu de restituer le nouveau bien peut le retenir jusqu'au paiement de l'indemnité qui lui est due par le propriétaire du nouveau bien.

975. Dans les circonstances qui ne sont pas prévues, le droit d'accession en matière mobilière est entièrement subordonné aux principes de l'équité.

CHAPITRE TROISIÈME

DES RÈGLES PARTICULIÈRES À LA PROPRIÉTÉ IMMOBILIÈRE

SECTION I

DISPOSITION GÉNÉRALE

976. Les voisins doivent accepter les inconvénients normaux du voisinage qui n'excèdent pas les limites de la tolérance qu'ils se doivent, suivant la nature ou la situation de leurs fonds, ou suivant les usages locaux.

SECTION II

DES LIMITES DU FONDS ET DU BORNAGE

977. Les limites d'un fonds sont déterminées par les titres, les plans cadastraux et la démarcation du terrain et, au besoin, par tous autres indices ou documents utiles.

978. Tout propriétaire peut obliger son voisin au bornage de leurs propriétés contiguës pour établir les bornes, rétablir des bornes déplacées ou disparues, reconnaître d'anciennes bornes ou rectifier la ligne séparative de leurs fonds.

Il doit au préalable, en l'absence d'accord entre eux, mettre le voisin en demeure de consentir au bornage et de convenir avec lui du choix d'un arpenteur-géomètre pour procéder aux opérations requises, suivant les règles prévues au Code de procédure civile.

Le procès-verbal de bornage doit être inscrit au registre foncier.

SECTION III

DES EAUX

979. Les fonds inférieurs sont assujettis, envers ceux qui sont plus élevés, à recevoir les eaux qui en découlent naturellement.

Le propriétaire du fonds inférieur ne peut élever aucun ouvrage qui empêche cet écoulement. Celui du fonds supérieur ne peut aggraver la situation du fonds inférieur; il n'est pas présumé le faire s'il effectue des travaux pour conduire plus commodément les eaux à leur pente naturelle ou si, son fonds étant voué à l'agriculture, il exécute des travaux de drainage.

980. Le propriétaire qui a une source dans son fonds peut en user et en disposer.

Il peut, pour ses besoins, user de l'eau des lacs et étangs qui sont entièrement sur son fonds, mais en ayant soin d'en conserver la qualité.

981. Le propriétaire riverain peut, pour ses besoins, se servir d'un lac, de la source tête d'un cours d'eau ou de tout autre cours d'eau qui borde ou traverse son fonds. À la sortie du fonds, il doit rendre ces eaux à leur cours ordinaire, sans modification importante de la qualité et de la quantité de l'eau.

Il ne peut, par son usage, empêcher l'exercice des mêmes droits par les autres personnes qui utilisent ces eaux.

982. À moins que cela ne soit contraire à l'intérêt général, celui qui a droit à l'usage d'une source, d'un lac, d'une nappe d'eau ou d'une rivière souterraine, ou d'une eau courante, peut, de façon à éviter la pollution ou l'épuisement de l'eau, exiger la destruction ou la modification de tout ouvrage qui pollue ou épuise l'eau.

983. Les toits doivent être établis de manière que les eaux, les neiges et les glaces tombent sur le fonds du propriétaire.

SECTION IV

DES ARBRES

984. Les fruits qui tombent d'un arbre sur un fonds voisin appartiennent au propriétaire de l'arbre.

985. Le propriétaire peut, si des branches ou des racines venant du fonds voisin s'avancent sur son fonds et nuisent sérieusement à son usage, demander à son voisin de les couper; en cas de refus, il peut le contraindre à les couper.

Il peut aussi, si un arbre du fonds voisin menace de tomber sur son fonds, contraindre son voisin à abattre l'arbre ou à le redresser.

986. Le propriétaire d'un fonds exploité à des fins agricoles peut contraindre son voisin à faire abattre, le long de la ligne séparative, sur une largeur qui ne peut excéder cinq mètres, les arbres qui nuisent sérieusement à son exploitation, sauf ceux qui sont dans les vergers et les érablières ou qui sont conservés pour l'embellissement de la propriété.

SECTION V

DE L'ACCÈS AU FONDS D'AUTRUI ET DE SA PROTECTION

987. Tout propriétaire doit, après avoir reçu un avis, verbal ou écrit, permettre à son voisin l'accès à son fonds si cela est nécessaire pour faire ou entretenir une construction, un ouvrage ou une plantation sur le fonds voisin.

988. Le propriétaire qui doit permettre l'accès à son fonds a droit à la réparation du préjudice qu'il subit de ce seul fait et à la remise de son fonds en l'état.

989. Lorsque, par l'effet d'une force naturelle ou majeure, des biens sont entraînés sur le fonds d'autrui ou s'y transportent, le propriétaire de ce fonds doit en permettre la recherche et l'enlèvement, à moins qu'il ne procède lui-même immédiatement à la recherche et ne remette les biens.

Ces biens, objets ou animaux, continuent d'appartenir à leur propriétaire, sauf s'il en abandonne la recherche; dans ce cas, le propriétaire du fonds les acquiert, à moins qu'il ne contraigne le propriétaire de ces biens à les enlever et à remettre son fonds dans son état antérieur.

990. Le propriétaire du fonds doit exécuter les travaux de réparation ou de démolition qui s'imposent afin d'éviter la chute d'une construction ou d'un ouvrage qui est sur son fonds et qui menace de tomber sur le fonds voisin, y compris sur la voie publique.

991. Le propriétaire du fonds ne doit pas, s'il fait des constructions, ouvrages ou plantations sur son fonds, ébranler le fonds voisin ni compromettre la solidité des constructions, ouvrages ou plantations qui s'y trouvent.

992. Le propriétaire de bonne foi qui a bâti au-delà des limites de son fonds sur une parcelle de terrain qui appartient à autrui doit, au choix du propriétaire du fonds sur lequel il a empiété, soit acquérir cette parcelle en lui en payant la valeur, soit lui verser une indemnité pour la perte temporaire de l'usage de cette parcelle.

Si l'empiétement est considérable, cause un préjudice sérieux ou est fait de mauvaise foi, le propriétaire du fonds qui le subit peut contraindre le constructeur soit à acquérir son immeuble et à lui en payer la valeur, soit à enlever les constructions et à remettre les lieux en l'état.

SECTION VI

DES VUES

993. On ne peut avoir sur le fonds voisin de vues droites à moins d'un mètre cinquante de la ligne séparative.

Cette règle ne s'applique pas lorsqu'il s'agit de vues sur la voie publique ou sur un parc public, ou lorsqu'il s'agit de portes pleines ou à verre translucide.

994. La distance d'un mètre cinquante se mesure depuis le parement extérieur du mur où l'ouverture est faite et perpendiculairement à celui-ci jusqu'à la ligne séparative. S'il y a une fenêtre en saillie, cette distance se mesure depuis la ligne extérieure.

995. Des jours translucides et dormants peuvent être pratiqués dans mur qui n'est pas mitoyen, même si celui-ci est à moins d'un mètre cinquante de la ligne séparative.

996. Le copropriétaire d'un mur mitoyen ne peut y pratiquer d'ouverture sans l'accord de l'autre.

SECTION VII

DU DROIT DE PASSAGE

997. Le propriétaire dont le fonds est enclavé soit qu'il n'ait aucune issue sur la voie publique, soit que l'issue soit insuffisante, difficile ou impraticable, peut, si on refuse de lui accorder une servitude ou un autre mode d'accès, exiger de l'un de ses voisins qu'il lui fournisse le passage nécessaire à l'utilisation et à l'exploitation de son fonds.

Il paie alors une indemnité proportionnelle au préjudice qu'il peut causer.

998. Le droit de passage s'exerce contre le voisin à qui le passage peut être le plus naturellement réclamé, compte tenu de l'état des lieux, de l'avantage du fonds enclavé et des inconvénients que le passage occasionne au fonds qui le subit.

999. Si l'enclave résulte de la division du fonds par suite d'un partage, d'un testament ou d'un contrat, le passage ne peut être demandé qu'au copartageant, à l'héritier ou au contractant, et non au propriétaire du fonds à qui le passage aurait été le plus naturellement réclamé. Le passage est alors fourni sans indemnité.

1000. Le bénéficiaire du droit de passage doit faire et entretenir tous les ouvrages nécessaires pour que son droit s'exerce dans les conditions les moins dommageables pour le fonds qui le subit.

1001. Le droit de passage prend fin lorsqu'il cesse d'être nécessaire à l'utilisation et à l'exploitation du fonds. Il n'y a pas lieu à remboursement de l'indemnité ; si elle était payable par annuités ou par versements, ceux-ci cessent d'être dus pour l'avenir.

SECTION VIII

DES CLÔTURES ET DES OUVRAGES MITOYENS

1002. Tout propriétaire peut clore son terrain à ses frais, l'entourer de murs, de fossés, de haies ou de toute autre clôture.

Il peut également obliger son voisin à faire sur la ligne séparative, pour moitié ou à frais communs, un ouvrage de clôture servant à séparer leurs fonds et qui tienne compte de la situation et de l'usage des lieux.

1003. Toute clôture qui se trouve sur la ligne séparative est présumée mitoyenne. De même, le mur auquel sont appuyés, de chaque côté, des bâtiments est présumé mitoyen jusqu'à l'héberge.

1004. Tout propriétaire peut acquérir la mitoyenneté d'un mur privatif joignant directement la ligne séparative en remboursant au propriétaire du mur la moitié du coût de la portion rendue mitoyenne et, le cas échéant, la moitié de la valeur du sol utilisé. Le coût du mur est estimé à la date de l'acquisition de sa mitoyenneté compte tenu de l'état dans lequel il se trouve.

1005. Chaque propriétaire peut bâtir contre un mur mitoyen et y placer des poutres et des solives. Il doit obtenir l'accord de l'autre propriétaire sur la façon de le faire.

En cas de désaccord, il peut demander au tribunal de déterminer les moyens nécessaires pour que le nouvel ouvrage nuise le moins possible aux droits de l'autre propriétaire.

1006. L'entretien, la réparation et la reconstruction du mur mitoyen sont à la charge des propriétaires, proportionnellement aux droits de chacun.

Le propriétaire qui n'utilise pas le mur mitoyen peut abandonner son droit et ainsi se libérer de son obligation de contribuer aux charges, en produisant un avis en ce sens au bureau de la publicité des droits et en transmettant sans délai une copie de cet avis aux autres propriétaires. Cet avis emporte renonciation à faire usage du mur.

1007. Le copropriétaire d'un mur mitoyen a le droit de le faire exhausser à ses frais, après s'être assuré, au moyen d'une expertise, que le mur est en état de supporter l'exhaussement; il doit payer à l'autre, à titre d'indemnité, un sixième du coût de l'exhaussement.

Si le mur n'est pas en état de supporter l'exhaussement, il doit le reconstruire en entier, à ses frais, et l'excédent d'épaisseur doit se prendre de son côté.

1008. La partie du mur exhaussé appartient à celui qui l'a faite et il en supporte les frais d'entretien, de réparation et de reconstruction.

Le voisin qui n'a pas contribué à l'exhaussement peut cependant en acquérir la mitoyenneté en payant la moitié du coût d'exhaussement ou de reconstruction et, le cas échéant, la moitié de la valeur du sol fourni pour l'excédent d'épaisseur. Il doit, en outre, rembourser l'indemnité reçue.

TITRE TROISIÈME

DES MODALITÉS DE LA PROPRIÉTÉ

CHAPITRE PREMIER

DISPOSITIONS GÉNÉRALES

1009. Les principales modalités de la propriété sont la copropriété et la propriété superficiaire.

1010. La copropriété est la propriété que plusieurs personnes ont ensemble et concurremment sur un même bien, chacune d'elles étant investie, privativement, d'une quote-part du droit.

Elle est dite par indivision lorsque le droit de propriété ne s'accompagne pas d'une division matérielle du bien.

Elle est dite divise lorsque le droit de propriété se répartit entre les copropriétaires par fractions comprenant chacune une partie privative, matériellement divisée, et une quote-part des parties communes.

1011. La propriété superficiaire est celle des constructions, ouvrages ou plantations situés sur l'immeuble appartenant à une autre personne, le tréfoncier.

CHAPITRE DEUXIÈME

DE LA COPROPRIÉTÉ PAR INDIVISION

SECTION I

DE L'ÉTABLISSEMENT DE L'INDIVISION

1012. L'indivision peut résulter d'un contrat, d'une succession, d'un jugement ou de la loi.

1013. Les indivisaires peuvent, par écrit, convenir de reporter le partage du bien à l'expiration de la durée prévue de l'indivision.

Cette convention ne doit pas excéder trente ans, mais elle peut être renouvelée. La convention qui excède trente ans est réduite à cette durée.

1014. L'indivision conventionnelle portant sur un immeuble doit être publiée pour être opposable aux tiers. La publication porte notamment sur la durée prévue de l'indivision, sur l'identification des parts des indivisaires et, le cas échéant, sur les droits de préemption accordés ou sur l'attribution d'un droit d'usage ou de jouissance exclusive d'une partie du bien indivis.

SECTION II

DES DROITS ET OBLIGATIONS DES INDIVISAIRES

1015. Les parts des indivisaires sont présumées égales.

Chacun des indivisaires a, relativement à sa part, les droits et les obligations d'un propriétaire exclusif. Il peut ainsi l'aliéner ou l'hypothéquer, et ses créanciers peuvent la saisir.

1016. Chaque indivisaire peut se servir du bien indivis, à la condition de ne porter atteinte ni à sa destination ni aux droits des autres indivisaires.

Celui qui a l'usage et la jouissance exclusive du bien est redevable d'une indemnité.

1017. Le droit d'accession profite à tous les indivisaires en proportion de leur part dans l'indivision; néanmoins, lorsqu'un indivisaire bénéficie d'un droit d'usage ou de jouissance exclusive sur une partie du bien indivis, le titulaire de ce droit a aussi l'usage ou la jouissance exclusive de ce qui s'unit ou s'incorpore à cette partie.

1018. Les fruits et revenus du bien indivis accroissent à l'indivision, à défaut de partage provisionnel ou de tout autre accord visant leur distribution périodique; ils accroissent encore à l'indivision s'ils ne sont pas réclamés dans les trois ans de leur date d'échéance.

1019. Les indivisaires sont tenus, à proportion de leur part, des frais d'administration et des autres charges communes qui se rapportent au bien indivis.

1020. Chaque indivisaire a droit au remboursement des impenses nécessaires qu'il a faites pour conserver le bien indivis. Pour les autres impenses autorisées, il a droit, au moment du partage, à une indemnité égale à la plus-value donnée au bien.

Inversement, l'indivisaire répond des pertes qui diminuent, par son fait, la valeur du bien indivis.

1021. Le partage qui a lieu avant le moment fixé par la convention d'indivision n'est pas opposable au créancier qui détient une hypothèque sur une part indivise du bien, à moins qu'il n'ait consenti au partage ou que son débiteur ne conserve un droit de propriété sur quelque partie du bien.

1022. Tout indivisaire peut, dans les soixante jours où il apprend qu'une personne étrangère à l'indivision a acquis, à titre onéreux, la part d'un indivisaire, l'écarter de l'indivision en lui remboursant le prix de la cession et les frais qu'elle a acquittés. Ce droit doit être exercé dans l'année qui suit l'acquisition de la part.

Le droit de retrait ne peut être exercé lorsque les indivisaires ont, dans la convention d'indivision, stipulé des droits de préemption et que, portant sur un immeuble, ces droits ont été publiés.

1023. L'indivisaire qui a fait inscrire son adresse au bureau de la publicité des droits peut, dans les soixante jours de la notification qui lui est faite de l'intention d'un créancier de faire vendre la part d'un indivisaire ou de la prendre en paiement d'une obligation, être subrogé dans les droits du créancier en lui payant la dette de l'indivisaire et les frais.

Il ne peut opposer, s'il n'a pas fait inscrire son adresse, son droit de retrait à un créancier ou aux ayants cause de celui-ci.

1024. Si plusieurs indivisaires exercent leur droit de retrait ou de subrogation sur la part d'un indivisaire, ils la partagent proportionnellement à leur droit dans l'indivision.

SECTION III

DE L'ADMINISTRATION DU BIEN INDIVIS

1025. Les indivisaires administrent le bien en commun.

1026. Les décisions relatives à l'administration du bien sont prises à la majorité des indivisaires, en nombre et en parts.

Les décisions visant à aliéner le bien indivis, à le partager, à le grever d'un droit réel, à en changer la destination ou à y apporter des modifications substantielles sont prises à l'unanimité.

1027. L'administration d'un bien indivis peut être confiée à un gérant choisi, ou non, parmi les indivisaires et nommé par eux.

Le tribunal peut, à la demande d'un indivisaire, désigner le gérant et fixer les conditions de sa charge lorsque le choix de la personne à nommer ne reçoit pas l'assentiment de la majorité, en nombre et en parts, des indivisaires, ou en cas d'impossibilité de pourvoir à la nomination ou au remplacement du gérant.

1028. L'indivisaire qui administre le bien indivis à la connaissance des autres indivisaires et sans opposition de leur part est présumé avoir été nommé gérant.

1029. Le gérant agit seul à l'égard du bien indivis, à titre d'administrateur du bien d'autrui chargé de la simple administration.

SECTION IV

DE LA FIN DE L'INDIVISION ET DU PARTAGE

1030. Nul n'est tenu de demeurer dans l'indivision. Le partage peut toujours être provoqué, à moins qu'il n'ait été reporté par une convention, par une disposition testamentaire, par un jugement ou par l'effet de la loi, ou qu'il n'ait été rendu impossible du fait de l'affectation du bien à un but durable.

1031. Malgré toute convention contraire, les trois quarts des indivisaires, représentant 90 p. 100 des parts, peuvent mettre fin à la copropriété indivise d'un immeuble principalement à usage d'habitation pour en établir la copropriété divise.

Les indivisaires peuvent satisfaire ceux qui s'opposent à l'établissement d'une copropriété divise et qui refusent de signer la déclaration de copropriété en leur attribuant leur part en numéraire ; la part de chaque indivisaire est alors augmentée en proportion de son paiement.

1032. À la demande d'un indivisaire, le tribunal peut, afin d'éviter une perte, surseoir au partage immédiat de tout ou partie du bien et maintenir l'indivision pour une durée d'au plus deux ans.

Cette décision peut être révisée si les causes qui ont justifié le maintien de l'indivision ont cessé ou si l'indivision est devenue intolérable ou présente de grands risques pour les indivisaires.

1033. Les indivisaires peuvent toujours satisfaire celui qui s'oppose au maintien de l'indivision en lui attribuant sa part, selon sa préférence, soit en nature, pourvu qu'elle soit aisément détachable du reste du bien indivis, soit en numéraire.

Si la part est attribuée en nature, les indivisaires peuvent accorder celle qui est la moins nuisible à l'exercice de leurs droits.

Si la part est attribuée en numéraire, la part de chaque indivisaire est alors augmentée en proportion de son paiement.

1034. Si les indivisaires ne s'entendent pas sur la part à attribuer à l'un d'eux, en nature ou en numéraire, une expertise ou une évaluation est faite par une personne désignée par tous les indivisaires ou, s'ils ne s'accordent pas entre eux, par le tribunal.

1035. Les créanciers dont la créance résulte de l'administration sont payés par prélèvement sur l'actif, avant le partage.

Les créanciers, même hypothécaires, d'un indivisaire ne peuvent demander le partage si ce n'est par action oblique, dans le cas où l'indivisaire pourrait lui-même le demander.

1036. Il peut être mis fin à l'indivision en cas de perte ou d'expropriation d'une partie importante du bien indivis si la majorité des indivisaires en nombre et en parts en décide ainsi.

1037. L'indivision cesse par le partage du bien ou par son aliénation.

Si on procède au partage, les dispositions relatives au partage des successions s'appliquent, compte tenu des adaptations nécessaires.

Néanmoins, l'acte de partage qui met fin à une indivision autre que successorale est attributif du droit de propriété.

CHAPITRE TROISIÈME

DE LA COPROPRIÉTÉ DIVISE D'UN IMMEUBLE

SECTION I

DE L'ÉTABLISSEMENT DE LA COPROPRIÉTÉ DIVISE

1038. La copropriété divise d'un immeuble est établie par la publication d'une déclaration en vertu de laquelle la propriété de l'immeuble est divisée en fractions, appartenant à une ou plusieurs personnes.

1039. La collectivité des copropriétaires constitue, dès la publication de la déclaration de copropriété, une personne morale qui a pour objet la conservation de l'immeuble, l'entretien et l'administration des parties communes, la sauvegarde des droits afférents à l'immeuble ou à la copropriété, ainsi que toutes les opérations d'intérêt commun.

Elle prend le nom de syndicat.

1040. La copropriété divise peut être établie sur un immeuble bâti par l'emphytéote ou sur un immeuble qui fait l'objet d'une propriété superficiaire si la durée non écoulée des droits, au moment de la publication de la déclaration, est supérieure à cinquante ans.

En ces cas, chaque copropriétaire est tenu à l'égard du propriétaire de l'immeuble faisant l'objet de l'emphytéose ou de la propriété superficiaire, d'une manière divise et en proportion de la valeur relative de sa fraction, des obligations divisibles de l'emphytéote ou du superficiaire, selon le cas ; le syndicat est tenu des obligations indivisibles.

SECTION II

DES FRACTIONS DE COPROPRIÉTÉ

1041. La valeur relative de chaque fraction de la copropriété divise est établie par rapport à la valeur de l'ensemble des fractions, en fonction de la nature, de la destination, des dimensions et de la situation de la partie privative de chaque fraction, mais sans tenir compte de son utilisation.

Elle est déterminée dans la déclaration.

1042. Sont dites privatives les parties des bâtiments et des terrains qui sont la propriété d'un copropriétaire déterminé et dont il a l'usage exclusif.

1043. Sont dites communes les parties des bâtiments et des terrains qui sont la propriété de tous les copropriétaires et qui servent à leur usage commun.

Cependant, certaines de ces parties peuvent ne servir qu'à l'usage de certains copropriétaires ou d'un seul. Les règles relatives aux parties communes s'appliquent à ces parties communes à usage restreint.

1044. Sont présumées parties communes le sol, les cours, balcons, parcs et jardins, les voies d'accès, les escaliers et ascenseurs, les passages et corridors, les locaux des services communs, de stationnement et d'entreposage, les caves, le gros oeuvre des bâtiments, les équipements et les appareils communs, tels les systèmes centraux de chauffage et de climatisation et les canalisations, y compris celles qui traversent les parties privatives.

1045. Les cloisons ou les murs non compris dans le gros oeuvre du bâtiment et qui séparent une partie privative d'une partie commune ou d'une autre partie privative sont présumés mitoyens.

1046. Chaque copropriétaire a sur les parties communes un droit de propriété indivis. Sa quote-part dans les parties communes est égale à la valeur relative de sa fraction.

1047. Chaque fraction constitue une entité distincte et peut faire l'objet d'une aliénation totale ou partielle; elle comprend, dans chaque cas, la quote-part des parties communes afférente à la fraction, ainsi que le droit d'usage des parties communes à usage restreint, le cas échéant.

1048. La quote-part des parties communes d'une fraction ne peut faire l'objet, séparément de la partie privative de cette fraction, ni d'une aliénation ni d'une action en partage.

1049. L'aliénation d'une partie divise d'une partie privative est sans effet et ne peut être publiée si la déclaration de copropriété et le plan cadastral n'ont pas été préalablement modifiés pour créer une nouvelle fraction, la décrire, lui attribuer un numéro cadastral distinct et déterminer sa valeur relative, ou pour faire état des modifications apportées aux limites des parties privatives contiguës.

1050. Chaque fraction forme une entité distincte aux fins d'évaluation et d'imposition foncière.

Le syndicat doit être mis en cause en cas de contestation en justice de l'évaluation d'une fraction par un copropriétaire.

1051. Malgré les articles 2650 et 2662, l'hypothèque, les sûretés additionnelles qui s'y greffent ou les priorités existantes sur l'ensemble de l'immeuble détenu en copropriété, lors de l'inscription de la déclaration de copropriété, se divisent entre les fractions suivant la valeur relative de chacune d'elles ou suivant toute autre proportion prévue.

SECTION III

DE LA DÉCLARATION DE COPROPRIÉTÉ

§ 1.—*Du contenu de la déclaration*

1052. La déclaration de copropriété comprend l'acte constitutif de copropriété, le règlement de l'immeuble et l'état descriptif des fractions.

1053. L'acte constitutif de copropriété définit la destination de l'immeuble, des parties privatives et des parties communes.

Il détermine également la valeur relative de chaque fraction et indique la méthode suivie pour l'établir, la quote-part des charges et le nombre de voix attachées à chaque fraction et prévoit toute autre convention relative à l'immeuble ou à ses parties privatives ou communes. Il précise aussi les pouvoirs et devoirs respectifs du conseil d'administration du syndicat et de l'assemblée des copropriétaires.

1054. Le règlement de l'immeuble contient les règles relatives à la jouissance, à l'usage et à l'entretien des parties privatives et communes, ainsi que celles relatives au fonctionnement et à l'administration de la copropriété.

Le règlement porte également sur la procédure de cotisation et de recouvrement des contributions aux charges communes.

1055. L'état descriptif contient la désignation cadastrale des parties privatives et des parties communes de l'immeuble.

Il contient aussi une description des droits réels grevant l'immeuble ou existant en sa faveur, sauf les hypothèques et les sûretés additionnelles qui s'y greffent.

1056. La déclaration de copropriété ne peut imposer aucune restriction aux droits des copropriétaires, sauf celles qui sont justifiées par la destination de l'immeuble, ses caractères ou sa situation.

1057. Le règlement de l'immeuble est opposable au locataire ou à l'occupant d'une partie privative, dès qu'un exemplaire du règlement ou des modifications qui lui sont apportées lui est remis par le copropriétaire ou, à défaut, par le syndicat.

1058. A moins que l'acte constitutif de copropriété ne le prévoie expressément, une fraction ne peut être détenue par plusieurs personnes ayant chacune un droit de jouissance, périodique et successif, de la fraction et elle ne peut non plus être aliénée dans ce but.

Le cas échéant, l'acte doit indiquer le nombre de fractions qui peuvent être ainsi détenues, les périodes d'occupation, le nombre maximum de personnes qui peuvent détenir ces fractions, ainsi que les droits et les obligations de ces occupants.

§ 2.—De l'inscription de la déclaration

1059. La déclaration de copropriété doit être notariée et en minute ; il en est de même des modifications qui sont apportées à l'acte constitutif de copropriété et à l'état descriptif des fractions.

La déclaration doit être signée par tous les propriétaires de l'immeuble, par l'emphytéote ou le superficiaire, le cas échéant, ainsi que par les créanciers qui détiennent une hypothèque sur l'immeuble ; les modifications sont signées par le syndicat.

1060. La déclaration, ainsi que les modifications apportées à l'acte constitutif de copropriété et à l'état descriptif des fractions, sont présentées au bureau de la publicité des droits. La déclaration est inscrite au registre foncier, sous les numéros d'immatriculation des parties communes et des parties privatives ; les modifications ne sont inscrites que sous le numéro d'immatriculation des parties communes, à moins qu'elles ne touchent directement une partie privative. Quant aux modifications apportées au règlement de l'immeuble, il suffit qu'elles soient déposées auprès du syndicat.

Le cas échéant, l'emphytéote ou le superficiaire doit donner avis de l'inscription au propriétaire de l'immeuble faisant l'objet d'une emphytéose ou sur lequel a été créée une propriété superficiaire.

1061. L'inscription d'un acte qui concerne une partie privative vaut pour la quote-part des parties communes qui y est afférente, sans qu'il y ait lieu de faire une inscription sous le numéro d'immatriculation des parties communes.

1062. La déclaration de copropriété lie les copropriétaires, leurs ayants cause et les personnes qui l'ont signée et produit ses effets envers eux, à compter de son inscription.

SECTION IV

DES DROITS ET OBLIGATIONS DES COPROPRIÉTAIRES

1063. Chaque copropriétaire dispose de sa fraction; il use et jouit librement de sa partie privative et des parties communes, à la condition de respecter le règlement de l'immeuble et de ne porter atteinte ni aux droits des autres copropriétaires ni à la destination de l'immeuble.

1064. Chacun des copropriétaires contribue, en proportion de la valeur relative de sa fraction, aux charges résultant de la copropriété et de l'exploitation de l'immeuble, ainsi qu'au fonds de prévoyance constitué en application de l'article 1071. Toutefois, les copropriétaires qui utilisent les parties communes à usage restreint contribuent seuls aux charges qui en résultent.

1065. Le copropriétaire qui loue sa partie privative doit le notifier au syndicat et indiquer le nom du locataire.

1066. Aucun copropriétaire ne peut faire obstacle à l'exécution, même à l'intérieur de sa partie privative, des travaux nécessaires à la conservation de l'immeuble décidés par le syndicat ou des travaux urgents.

Lorsque la partie privative est louée, le syndicat donne au locataire, le cas échéant, les avis prévus par les articles 1922 et 1931 relatifs aux améliorations et aux travaux.

1067. Le copropriétaire qui subit un préjudice par suite de l'exécution des travaux, en raison d'une diminution définitive de la valeur de sa fraction, d'un trouble de jouissance grave, même temporaire, ou de dégradations, a le droit d'obtenir une indemnité qui est à la charge du syndicat si les travaux ont été faits à la demande de celui-ci; autrement l'indemnité est à la charge des copropriétaires qui ont fait les travaux.

1068. Tout copropriétaire peut, dans les cinq ans du jour de l'inscription de la déclaration de copropriété, demander au tribunal la révision, pour l'avenir, de la valeur relative des fractions et de la répartition des charges communes.

Le droit à la révision ne peut être exercé que s'il existe, entre la valeur relative accordée à une fraction ou la part des charges communes qui y est afférente et la valeur relative ou la part qui aurait dû être établie, suivant les critères prévus à la déclaration de copropriété, un écart de plus d'un dixième soit en faveur d'un autre copropriétaire, soit au préjudice du copropriétaire qui fait la demande.

1069. Celui qui achète une fraction de copropriété divise peut demander au syndicat des copropriétaires un état des charges communes dues par le copropriétaire vendeur ; il ne peut être tenu au paiement de ces charges s'il n'a pas obtenu l'état dans les dix jours de la demande.

L'état fourni est ajusté selon le dernier budget annuel des copropriétaires.

SECTION V

DES DROITS ET OBLIGATIONS DU SYNDICAT

1070. Le syndicat tient à la disposition des copropriétaires un registre contenant le nom et l'adresse de chaque copropriétaire et de chaque locataire, les procès-verbaux des assemblées des copropriétaires et du conseil d'administration, ainsi que les états financiers.

Il tient aussi à leur disposition la déclaration de copropriété, les copies de contrats auxquels il est partie, une copie du plan cadastral, les plans et devis de l'immeuble bâti, le cas échéant, et tous autres documents relatifs à l'immeuble et au syndicat.

1071. Le syndicat constitue, en fonction du coût estimatif des réparations majeures et du coût de remplacement des parties communes, un fonds de prévoyance, liquide et disponible à court terme, affecté uniquement à ces réparations et remplacements. Ce fonds est la propriété du syndicat.

1072. Annuellement, le conseil d'administration fixe, après consultation de l'assemblée des copropriétaires, la contribution de ceux-ci aux charges communes, après avoir déterminé les sommes nécessaires pour faire face aux charges découlant de la copropriété et de l'exploitation de l'immeuble et les sommes à verser au fonds de prévoyance.

La contribution des copropriétaires au fonds de prévoyance est d'au moins 5 p. 100 de leur contribution aux charges communes. Il peut être tenu compte, pour l'établir, des droits respectifs des copropriétaires sur les parties communes à usage restreint.

Le syndicat avise, sans délai, chaque copropriétaire du montant de ses contributions et de la date où elles sont exigibles.

1073. Le syndicat a un intérêt assurable dans tout l'immeuble, y compris les parties privatives. Il doit souscrire des assurances contre les risques usuels, tels le vol et l'incendie, couvrant la totalité de l'immeuble, à l'exclusion des améliorations apportées par un copropriétaire à sa partie. Le montant de l'assurance souscrite correspond à la valeur à neuf de l'immeuble.

Il doit aussi souscrire une assurance couvrant sa responsabilité envers les tiers.

1074. La violation d'une des conditions du contrat d'assurance par un copropriétaire n'est pas opposable au syndicat.

1075. L'indemnité due au syndicat à la suite d'une perte importante est, malgré l'article 2494, versée au fiduciaire nommé dans l'acte constitutif de copropriété ou, à défaut, désigné par le syndicat.

Elle doit être utilisée pour la réparation ou la reconstruction de l'immeuble, sauf si le syndicat décide de mettre fin à la copropriété; en ce cas, le fiduciaire, après avoir déterminé la part de l'indemnité de chacun des copropriétaires en fonction de la valeur relative de sa fraction, paie, sur cette part, les créanciers prioritaires et hypothécaires suivant les règles de l'article 2497. Il remet, pour chacun des copropriétaires, le solde de l'indemnité au liquidateur du syndicat avec son rapport.

1076. Le syndicat peut, s'il y est autorisé, acquérir ou aliéner des fractions, des parties communes ou d'autres droits réels.

L'acquisition qu'il fait d'une fraction n'enlève pas son caractère à la partie privative. Cependant, en assemblée générale, il ne dispose d'aucune voix pour ces parties et le total des voix qui peuvent être exprimées est réduit d'autant.

1077. Le syndicat est responsable des dommages causés aux copropriétaires ou aux tiers par le vice de conception ou de construction ou le défaut d'entretien des parties communes, sans préjudice de toute action récursoire.

1078. Le jugement qui condamne le syndicat à payer une somme d'argent est exécutoire contre lui et contre chacune des personnes qui étaient copropriétaires au moment où la cause d'action a pris naissance, proportionnellement à la valeur relative de sa fraction.

Ce jugement ne peut être exécuté sur le fonds de prévoyance, sauf pour une dette née de la réparation de l'immeuble ou du remplacement des parties communes.

1079. Le syndicat peut, après avoir avisé le locateur et le locataire, demander la résiliation du bail d'une partie privative lorsque l'inexécution d'une obligation par le locataire cause un préjudice sérieux à un copropriétaire ou à un autre occupant de l'immeuble.

1080. Lorsque le refus du copropriétaire de se conformer à la déclaration de copropriété cause un préjudice sérieux et irréparable au syndicat ou à l'un des copropriétaires, l'un ou l'autre peut demander au tribunal de lui enjoindre de s'y conformer.

Si le copropriétaire transgresse l'injonction ou refuse d'y obéir, le tribunal peut, outre les autres peines qu'il peut imposer, ordonner la vente de la fraction conformément aux dispositions du Code de procédure civile relatives à la vente du bien d'autrui.

1081. Le syndicat peut intenter toute action fondée sur un vice caché, un vice de conception ou de construction de l'immeuble ou un vice du sol. Dans le cas où les vices concernent les parties privatives, le syndicat ne peut agir sans avoir obtenu l'autorisation des copropriétaires de ces parties.

Le défaut de diligence que peut opposer le défendeur à l'action fondée sur un vice caché s'apprécie, à l'égard du syndicat ou d'un copropriétaire, à compter du jour de l'élection d'un nouveau conseil d'administration, après la perte de contrôle du promoteur sur le syndicat.

1082. Le syndicat a le droit, dans les six mois à compter de la notification qui lui est faite par le propriétaire de l'immeuble faisant l'objet d'une emphytéose ou d'une propriété superficiaire de son intention de céder à titre onéreux ses droits dans l'immeuble, de les acquérir, dans ce seul délai, par préférence à tout autre acquéreur éventuel. Si la cession projetée ne lui est pas notifiée, le syndicat peut, dans les six mois à compter du moment où il apprend qu'un tiers a acquis les droits du propriétaire, acquérir les droits de ce tiers en lui remboursant le prix de la cession et les frais qu'il a acquittés.

1083. Le syndicat peut adhérer à une association de syndicats de copropriétés constituée pour la création, l'administration et l'entretien de services communs à plusieurs immeubles détenus en copropriété ou pour la poursuite d'intérêts communs.

SECTION VI

DU CONSEIL D'ADMINISTRATION DU SYNDICAT

1084. La composition du conseil d'administration du syndicat, le mode de nomination, de remplacement ou de rémunération des administrateurs, ainsi que les autres conditions de leur charge, sont fixés par le règlement de l'immeuble.

En cas de silence du règlement ou d'impossibilité de procéder en la manière prévue, le tribunal peut, à la demande d'un copropriétaire, nommer ou remplacer un administrateur et fixer les conditions de sa charge.

1085. L'administration courante du syndicat peut être confiée à un gérant choisi, ou non, parmi les copropriétaires.

Le gérant agit à titre d'administrateur du bien d'autrui chargé de la simple administration.

1086. Le syndicat peut remplacer l'administrateur ou le gérant qui, étant copropriétaire, néglige de payer sa contribution aux charges communes ou au fonds de prévoyance.

SECTION VII

DE L'ASSEMBLÉE DES COPROPRIÉTAIRES

1087. L'avis de convocation de l'assemblée annuelle des copropriétaires doit être accompagné, en plus du bilan, de l'état des résultats de l'exercice écoulé, de l'état des dettes et créances, du budget prévisionnel, de tout projet de modification à la déclaration de copropriété et d'une note sur les modalités essentielles de tout contrat proposé et de tous travaux projetés.

1088. Tout copropriétaire peut, dans les cinq jours de la réception de l'avis de convocation, faire inscrire toute question à l'ordre du jour.

Avant la tenue de l'assemblée, le conseil d'administration avise par écrit les copropriétaires des questions nouvellement inscrites.

1089. Le quorum, à l'assemblée, est constitué par les copropriétaires détenant la majorité des voix.

Si le quorum n'est pas atteint, l'assemblée est alors ajournée à une autre date, dont avis est donné à tous les copropriétaires ; les trois quarts des membres présents ou représentés à la nouvelle assemblée y constituent le quorum.

L'assemblée où il n'y a plus quorum doit être ajournée si un copropriétaire le réclame.

1090. Chaque copropriétaire dispose, à l'assemblée, d'un nombre de voix proportionnel à la valeur relative de sa fraction. Les indivisaires d'une fraction exercent leurs droits dans la proportion de leur quote-part indivise.

1091. Lorsqu'un copropriétaire dispose, dans une copropriété comptant moins de cinq fractions, d'un nombre de voix supérieur à la moitié de l'ensemble des voix des copropriétaires, le nombre de voix dont il dispose, à une assemblée, est réduit à la somme des voix des autres copropriétaires présents ou représentés à cette assemblée.

1092. Le promoteur d'une copropriété comptant cinq fractions ou plus ne peut disposer, outre les voix attachées à la fraction qui lui sert de résidence, de plus de 60 p. 100 de l'ensemble des voix des copropriétaires à l'expiration de la deuxième et de la troisième année de la date d'inscription de la déclaration de copropriété.

Ce nombre est réduit à 25 p. 100 par la suite.

1093. Est considéré comme promoteur celui qui, au moment de l'inscription de la déclaration de copropriété, est propriétaire d'au moins la moitié de l'ensemble des fractions ou ses ayants cause, sauf celui qui acquiert de bonne foi et dans l'intention de l'habiter une fraction pour un prix égal à sa valeur marchande.

1094. Le copropriétaire qui, depuis plus de trois mois, n'a pas acquitté sa quote-part des charges communes ou sa contribution au fonds de prévoyance, est privé de son droit de vote.

1095. La cession des droits de vote d'un copropriétaire doit être dénoncée au syndicat pour lui être opposable.

1096. Les décisions du syndicat sont prises à la majorité des voix des copropriétaires présents ou représentés à l'assemblée, y compris celles visant à corriger une erreur matérielle dans la déclaration de copropriété.

1097. Sont prises à la majorité des copropriétaires, représentant les trois quarts des voix de tous les copropriétaires, les décisions qui concernent:

1° Les actes d'acquisition ou d'aliénation immobilière par le syndicat;

2° Les travaux de transformation, d'agrandissement ou d'amélioration des parties communes, ainsi que la répartition du coût de ces travaux;

3° La construction de bâtiments pour créer de nouvelles fractions;

4° La modification de l'acte constitutif de copropriété ou de l'état descriptif des fractions.

1098. Sont prises à la majorité des trois quarts des copropriétaires, représentant 90 p. 100 des voix de tous les copropriétaires, les décisions:

1° Qui changent la destination de l'immeuble;

2° Qui autorisent l'aliénation des parties communes dont la conservation est nécessaire au maintien de la destination de l'immeuble;

3° Qui modifient la déclaration de copropriété pour permettre la détention d'une fraction par plusieurs personnes ayant un droit de jouissance périodique et successif.

1099. Lorsque le nombre de voix dont dispose un copropriétaire ou un promoteur est réduit, en application de la présente section, le total des voix des copropriétaires est réduit d'autant pour le vote des décisions exigeant la majorité en nombre et en voix.

1100. Les copropriétaires de parties privatives contiguës peuvent modifier les limites de leur partie privative sans l'accord de l'assemblée, à la condition d'obtenir le consentement de leur créancier hypothécaire et du syndicat. La modification ne peut augmenter ou diminuer la valeur relative de l'ensemble des parties privatives modifiées ou l'ensemble des droits de vote qui y sont attachés.

Le syndicat modifie la déclaration de copropriété et le plan cadastral aux frais de ces copropriétaires; l'acte de modification doit être accompagné des consentements des créanciers, des copropriétaires et du syndicat.

1101. Est réputée non écrite toute stipulation de la déclaration de copropriété qui modifie le nombre de voix requis pour prendre une décision prévue par le présent chapitre.

Comp.
1026

1102. Est sans effet toute décision du syndicat qui, à l'encontre de la déclaration de copropriété, impose au copropriétaire une modification à la valeur relative de sa fraction, à la destination de sa partie privative ou à l'usage qu'il peut en faire.

1103. Tout copropriétaire peut demander au tribunal d'annuler une décision de l'assemblée si elle est partiale, si elle a été prise dans l'intention de nuire aux copropriétaires ou au mépris de leurs droits, ou encore si une erreur s'est produite dans le calcul des voix.

L'action doit, sous peine de déchéance, être intentée dans les soixante jours de l'assemblée.

Le tribunal peut, si l'action est futile ou vexatoire, condamner le demandeur à des dommages-intérêts.

SECTION VIII

DE LA PERTE DE CONTRÔLE DU PROMOTEUR SUR LE SYNDICAT

1104. Dans les quatre-vingt-dix jours à compter de celui où le promoteur d'une copropriété ne détient plus la majorité des voix à l'assemblée des copropriétaires, le conseil d'administration doit convoquer une assemblée extraordinaire des copropriétaires pour l'élection d'un nouveau conseil d'administration.

Si l'assemblée n'est pas convoquée dans les quatre-vingt-dix jours, tout copropriétaire peut le faire.

1105. Le conseil d'administration, lors de cette assemblée, rend compte de son administration.

Il produit des états financiers, lesquels doivent être accompagnés de commentaires d'un comptable sur la situation financière du syndicat. Le comptable doit, dans son rapport aux copropriétaires, indiquer toute irrégularité qu'il constate.

Les états financiers doivent être vérifiés sur demande des copropriétaires représentant 40 p. 100 des voix de tous les copropriétaires. Cette demande peut être faite en tout temps, même avant l'assemblée.

1106. Le comptable a accès, à tout moment, aux livres, comptes et pièces justificatives qui concernent la copropriété.

Il peut exiger du promoteur ou d'un administrateur les informations et explications qu'il estime nécessaires à l'accomplissement de ses fonctions.

1107. Le nouveau conseil d'administration peut, dans les soixante jours de l'élection, mettre fin sans pénalité au contrat conclu par le syndicat pour l'entretien de l'immeuble ou pour d'autres services, antérieurement à cette élection, lorsque la durée du contrat excède un an.

SECTION IX

DE LA FIN DE LA COPROPRIÉTÉ

1108. Il peut être mis fin à la copropriété par décision des trois quarts des copropriétaires représentant 90 p. 100 des voix de tous les copropriétaires.

La décision de mettre fin à la copropriété doit être consignée dans un écrit que signent le syndicat et les personnes détenant des hypothèques sur tout ou partie de l'immeuble. Cette décision est inscrite au registre foncier, sous les numéros d'immatriculation des parties communes et des parties privatives.

1109. Le syndicat est liquidé suivant les règles du livre premier applicables aux personnes morales.

À cette fin, le liquidateur est saisi, en plus des biens du syndicat, de l'immeuble et de tous les droits et obligations des copropriétaires dans l'immeuble.

CHAPITRE QUATRIÈME

DE LA PROPRIÉTÉ SUPERFICIAIRE

SECTION I

DE L'ÉTABLISSEMENT DE LA PROPRIÉTÉ SUPERFICIAIRE

1110. La propriété superficiaire résulte de la division de l'objet du droit de propriété portant sur un immeuble, de la cession du droit d'accession ou de la renonciation au bénéfice de l'accession.

1111. Le droit du propriétaire superficiaire à l'usage du tréfonds est réglé par la convention. À défaut, le tréfonds est grevé des servitudes nécessaires à l'exercice de ce droit; elles s'éteignent lorsqu'il prend fin.

1112. Le superficiaire et le tréfoncier supportent les charges grevant ce qui fait l'objet de leurs droits de propriété respectifs.

1113. La propriété superficiaire peut être perpétuelle, mais un terme peut être fixé par la convention qui établit la modalité superficiaire.

SECTION II

DE LA FIN DE LA PROPRIÉTÉ SUPERFICIAIRE

1114. La propriété superficiaire prend fin :

1° Par la réunion des qualités de tréfoncier et de superficiaire dans une même personne, sous réserve toutefois des droits des tiers ;

2° Par l'avènement d'une condition résolutoire ;

3° Par l'arrivée du terme.

1115. La perte totale des constructions, ouvrages ou plantations ne met fin à la propriété superficiaire que si celle-ci résulte de la division de l'objet du droit de propriété.

L'expropriation des constructions, ouvrages ou plantations ou celle du tréfonds ne met pas fin à la propriété superficiaire.

1116. À l'expiration de la propriété superficiaire, le tréfoncier acquiert par accession la propriété des constructions, ouvrages ou plantations en en payant la valeur au superficiaire.

Cependant, si la valeur est égale ou supérieure à celle du tréfonds, le superficiaire a le droit d'acquérir la propriété du tréfonds en en payant la valeur au tréfoncier, à moins qu'il ne préfère, à ses frais, enlever les constructions, ouvrages et plantations qu'il a faits et remettre le tréfonds dans son état antérieur.

1117. À défaut par le superficiaire d'exercer son droit d'acquérir la propriété du tréfonds, dans les quatre-vingt-dix jours suivant la fin de la propriété superficiaire, le tréfoncier conserve la propriété des constructions, ouvrages et plantations.

1118. Le tréfoncier et le superficiaire qui ne s'entendent pas sur le prix et les autres conditions d'acquisition du tréfonds ou des constructions, ouvrages ou plantations, peuvent demander au tribunal de fixer le prix et les conditions d'acquisition. Le jugement vaut titre et en a tous les effets.

Ils peuvent aussi, en cas de désaccord sur les conditions d'enlèvement de ces constructions, ouvrages ou plantations, demander au tribunal de les déterminer.

TITRE QUATRIÈME

DES DÉMEMBREMENTS DU DROIT DE PROPRIÉTÉ

DISPOSITION GÉNÉRALE

1119. L'usufruit, l'usage, la servitude et l'emphytéose sont des démembrements du droit de propriété et constituent des droits réels.

CHAPITRE PREMIER

DE L'USUFRUIT

SECTION I

DE LA NATURE DE L'USUFRUIT

1120. L'usufruit est le droit d'user et de jouir, pendant un certain temps, d'un bien dont un autre a la propriété, comme le propriétaire lui-même, mais à charge d'en conserver la substance.

1121. L'usufruit s'établit par contrat, par testament ou par la loi; il peut aussi être établi par jugement dans les cas prévus par la loi. : 921, 930, 2910 ; 429 (≠ 410, 413) FM

1122. L'usufruit peut être établi pour un seul ou plusieurs usufruitiers, conjointement ou successivement.

Les usufruitiers doivent exister lors de l'ouverture de l'usufruit en leur faveur.

1123. La durée de l'usufruit ne peut excéder cent ans, même si l'acte qui l'accorde prévoit une durée plus longue ou constitue un usufruit successif.

L'usufruit accordé sans terme est viager ou, si l'usufruitier est une personne morale, trentenaire.

SECTION II

DES DROITS DE L'USUFRUITIER

§ 1.—*De l'étendue de l'usufruit*

1124. L'usufruitier a l'usage et la jouissance du bien sur lequel porte l'usufruit; il prend le bien dans l'état où il le trouve.

L'usufruit porte sur tous les accessoires, de même que sur tout ce qui s'unit ou s'incorpore naturellement à l'immeuble par voie d'accession.

1125. L'usufruitier peut exiger du nu-propriétaire la cessation de tout acte qui l'empêche d'exercer pleinement son droit.

L'aliénation que le nu-propriétaire fait de son droit ne porte pas atteinte au droit de l'usufruitier.

1126. L'usufruitier fait siens les fruits et revenus que produit le bien.

1127. L'usufruitier peut disposer, comme s'il était propriétaire, des biens compris dans l'usufruit dont on ne peut faire usage sans les consommer, à charge d'en rendre de semblables en pareille quantité et qualité à la fin de l'usufruit.

S'il ne peut en rendre de semblables, il doit en payer la valeur en numéraire.

1128. L'usufruitier peut disposer, comme un administrateur prudent et diligent, du bien qui, sans être consomptible, se détériore rapidement par l'usage.

Il doit, en ce cas, rendre à la fin de l'usufruit la valeur de ce bien au moment où il en a disposé.

1129. L'usufruitier perçoit les fruits attachés au bien au début de l'usufruit. Il n'a aucun droit sur ceux qui, lors de la cessation de l'usufruit, sont encore attachés au bien.

Une indemnité est due par le nu-propriétaire ou par l'usufruitier, selon le cas, à celui qui a fait les travaux ou les dépenses nécessaires à la production de ces fruits.

1130. Les revenus se comptent, entre l'usufruitier et le nu-propriétaire, jour par jour. Ils appartiennent à l'usufruitier du jour où son droit commence jusqu'à celui où il prend fin, quel que soit le moment où ils sont exigibles ou versés, sauf les dividendes qui n'appartiennent à l'usufruitier que s'ils sont déclarés pendant l'usufruit.

1131. Les gains exceptionnels qui découlent de la propriété du bien sur lequel porte l'usufruit, telles les primes attribuées à l'occasion du rachat d'une valeur mobilière, sont versés à l'usufruitier, qui en doit compte au nu-propriétaire à la fin de l'usufruit.

1132. Si la créance sur laquelle porte l'usufruit vient à échéance au cours de l'usufruit, le prix en est payé à l'usufruitier, qui en donne quittance.

L'usufruitier en doit compte au nu-propriétaire à la fin de l'usufruit.

1133. Le droit d'augmenter le capital sujet à l'usufruit, comme celui de souscription à des valeurs mobilières, appartient au nu-propriétaire, mais le droit de l'usufruitier s'étend à cette augmentation.

Si le nu-propriétaire choisit d'aliéner son droit, le produit de l'aliénation est remis à l'usufruitier qui en est comptable à la fin de l'usufruit.

1134. Le droit de vote attaché à une action ou à une autre valeur mobilière, à une part indivise, à une fraction de copropriété ou à tout autre bien appartient à l'usufruitier.

Toutefois, appartient au nu-propriétaire le vote qui a pour effet de modifier la substance du bien principal, comme le capital social ou le bien détenu en copropriété, ou de changer la destination de ce bien ou de mettre fin à la personne morale, à l'entreprise ou au groupement concerné.

La répartition de l'exercice des droits de vote n'est pas opposable aux tiers ; elle ne se discute qu'entre l'usufruitier et le nu-propriétaire.

1135. L'usufruitier peut céder son droit ou louer un bien compris dans l'usufruit.

1136. Le créancier de l'usufruitier peut faire saisir et vendre les droits de celui-ci, sous réserve des droits du nu-propriétaire.

Le créancier du nu-propriétaire peut également faire saisir et vendre les droits de celui-ci, sous réserve des droits de l'usufruitier.

§ 2.—*Des impenses*

1137. Les impenses nécessaires faites par l'usufruitier sont traitées, par rapport au nu-propriétaire, comme celles faites par un possesseur de bonne foi.

1138. Les impenses utiles faites par l'usufruitier sont, à la fin de l'usufruit, conservées par le nu-propriétaire sans indemnité, à moins que l'usufruitier ne choisisse de les enlever et de remettre le bien en l'état. Le nu-propriétaire ne peut cependant contraindre l'usufruitier à les enlever.

§ 3.—*Des arbres et des minéraux*

1139. L'usufruitier ne peut abattre les arbres qui croissent sur le fonds soumis à l'usufruit, sauf pour les réparations, l'entretien et l'exploitation du fonds. Il peut, cependant, disposer de ceux qui sont renversés ou qui meurent naturellement.

Il remplace ceux qui sont détruits en suivant l'usage des lieux ou la coutume des propriétaires. Il remplace aussi les arbres des vergers et érablières, à moins qu'en grande partie ils n'aient été détruits.

1140. L'usufruitier peut commencer une exploitation agricole ou sylvicole si le fonds soumis à l'usufruit s'y prête.

L'usufruitier qui commence une exploitation ou la continue doit veiller à ne pas épuiser le sol ni enrayer la reproduction de la forêt. S'il s'agit d'une exploitation sylvicole, il doit en outre, avant le début de son exploitation, faire approuver le plan d'exploitation par le nu-propriétaire. À défaut d'obtenir cette approbation, l'usufruitier peut faire approuver le plan par le tribunal.

1141. L'usufruitier ne peut extraire les minéraux compris dans le fonds soumis à l'usufruit, sauf pour les réparations et l'entretien de ce fonds.

Si, toutefois, l'extraction de ces minéraux constituait, avant l'ouverture de l'usufruit, une source de revenus pour le propriétaire, l'usufruitier peut en continuer l'extraction de la même manière qu'elle a été commencée.

SECTION III

DES OBLIGATIONS DE L'USUFRUITIER

§ 1.—*De l'inventaire et des sûretés*

1142. L'usufruitier fait l'inventaire des biens soumis à son droit, comme s'il était administrateur du bien d'autrui, à moins que celui qui a constitué l'usufruit n'ait lui-même fait l'inventaire ou n'ait dispensé l'usufruitier de le faire. La dispense ne peut être accordée si l'usufruit est successif.

L'usufruitier fait l'inventaire à ses frais et en fournit une copie au nu-propriétaire.

1143. L'usufruitier ne peut contraindre celui qui constitue l'usufruit ou le nu-propriétaire à lui délivrer le bien, tant qu'il n'a pas fait un inventaire.

1144. Sauf le cas du vendeur ou du donateur sous réserve d'usufruit, l'usufruitier doit, dans les soixante jours de l'ouverture de l'usufruit, souscrire une assurance ou fournir au nu-propriétaire une autre sûreté garantissant l'exécution de ses obligations. Il doit fournir une sûreté additionnelle si ses obligations viennent à augmenter pendant la durée de l'usufruit.

Il est dispensé de ces obligations s'il ne peut les exécuter ou si celui qui constitue l'usufruit le prévoit.

1145. À défaut par l'usufruitier de fournir une sûreté dans le délai prévu, le nu-propriétaire peut obtenir la mise sous séquestre des biens.

Le séquestre place, comme un administrateur du bien d'autrui chargé de la simple administration, les sommes comprises dans l'usufruit et celles qui proviennent de la vente des biens susceptibles de dépérissement. Il place, de même, les sommes provenant du paiement des créances soumises à l'usufruit.

1146. Le retard injustifié de l'usufruitier à faire un inventaire des biens ou à fournir une sûreté le prive de son droit aux fruits et revenus, à compter de l'ouverture de l'usufruit jusqu'à l'exécution de son obligation.

1147. L'usufruitier peut demander au tribunal que des meubles sous séquestre, nécessaires à son usage, lui soient laissés, à la seule charge de les rendre à la fin de l'usufruit.

§ 2.—*Des assurances et des réparations*

1148. L'usufruitier est tenu d'assurer le bien contre les risques usuels, tels le vol et l'incendie, et de payer pendant la durée de l'usufruit les primes de cette assurance. Il est néanmoins dispensé de cette obligation si la prime d'assurance est trop élevée par rapport aux risques.

1149. En cas de perte, l'indemnité est versée à l'usufruitier qui en donne quittance à l'assureur.

L'usufruitier est tenu d'employer l'indemnité à la réparation du bien, sauf en cas de perte totale, où il peut jouir de l'indemnité.

1150. L'usufruitier ou le nu-propriétaire peuvent contracter, pour leur compte, une assurance garantissant leur droit.

L'indemnité leur appartient respectivement.

1151. L'entretien du bien est à la charge de l'usufruitier. Il n'est pas tenu de faire les réparations majeures, à moins qu'elles ne résultent de son fait, notamment du défaut d'effectuer les réparations d'entretien depuis l'ouverture de l'usufruit.

1152. Les réparations majeures sont celles qui portent sur une partie importante du bien et nécessitent une dépense exceptionnelle, comme celles relatives aux poutres et aux murs portants, au remplacement des couvertures, aux murs de soutènement, aux systèmes de chauffage, d'électricité ou de plomberie ou aux systèmes électroniques et, à l'égard d'un meuble, aux pièces motrices ou à l'enveloppe du bien.

1153. L'usufruitier doit aviser le nu-propriétaire de la nécessité de réparations majeures.

Le nu-propriétaire n'est pas tenu de les faire. S'il y procède, l'usufruitier supporte les inconvénients qui en résultent. Dans le cas contraire, l'usufruitier peut y procéder et s'en faire rembourser le coût à la fin de l'usufruit.

§ 3.—*Des autres charges*

1154. L'usufruitier est tenu, en proportion de la durée de l'usufruit, des charges ordinaires grevant le bien soumis à son droit et des autres charges normalement payées avec les revenus.

Il est pareillement tenu des charges extraordinaires, lorsqu'elles sont payables par versements périodiques échelonnés sur plusieurs années.

1155. L'usufruitier à titre particulier peut, s'il est forcé de payer une dette de la succession pour conserver l'objet de son droit, en exiger le remboursement du débiteur immédiatement ou l'exiger du nu-propriétaire à la fin de l'usufruit.

1156. L'usufruitier à titre universel et le nu-propriétaire sont tenus au paiement des dettes de la succession en proportion de leur part dans la succession.

Le nu-propriétaire est tenu du capital et l'usufruitier des intérêts.

1157. L'usufruitier à titre universel peut payer les dettes de la succession ; le nu-propriétaire lui en doit compte à la fin de l'usufruit.

Si l'usufruitier choisit de ne pas les payer, le nu-propriétaire peut faire vendre, jusqu'à concurrence du montant des dettes, les biens soumis à l'usufruit ou les payer lui-même ; en ce cas, l'usufruitier lui verse, pendant la durée de l'usufruit, des intérêts sur la somme payée.

1158. L'usufruitier est tenu aux dépens de toute demande en justice se rapportant à son droit d'usufruit.

Si l'action concerne à la fois les droits du nu-propriétaire et ceux de l'usufruitier, les règles relatives au paiement des dettes de la succession entre l'usufruitier à titre universel et le nu-propriétaire s'appliquent, à moins que le jugement ne mette fin à l'usufruit. En ce cas, les frais sont partagés également entre l'usufruitier et le nu-propriétaire.

1159. L'usufruitier doit prévenir le nu-propriétaire de toute usurpation commise par un tiers sur le bien ou de toute autre atteinte aux droits du nu-propriétaire, faute de quoi il est responsable de tous les dommages qui peuvent en résulter, comme il le serait de dégradations commises par lui-même.

1160. Ni le nu-propriétaire ni l'usufruitier ne sont tenus de remplacer ce qui est tombé de vétusté.

L'usufruitier dispensé d'assurer le bien n'est pas tenu de remplacer ou de payer la valeur du bien qui périt par force majeure.

1161. Si l'usufruit porte sur un troupeau qui périt entièrement par force majeure, l'usufruitier dispensé d'assurer le bien est tenu de rendre compte au nu-propriétaire des cuirs ou de leur valeur.

Si le troupeau ne périt pas entièrement, l'usufruitier est tenu de remplacer, à concurrence du croît, les animaux qui ont péri.

SECTION IV

DE L'EXTINCTION DE L'USUFRUIT

1162. L'usufruit s'éteint :

1° Par l'arrivée du terme ;

2° Par le décès de l'usufruitier ou par la dissolution de la personne morale;

3° Par la réunion des qualités d'usufruitier et de nu-propriétaire dans la même personne, sous réserve des droits des tiers;

4° Par la déchéance du droit, son abandon ou sa conversion en rente;

5° Par le non-usage pendant dix ans.

1163. L'usufruit prend fin également par la perte totale du bien sur lequel il est établi, sauf si le bien est assuré par l'usufruitier.

En cas de perte partielle du bien, l'usufruit subsiste sur le reste.

1164. L'usufruit ne prend pas fin par l'expropriation du bien sur lequel il est établi. L'indemnité est remise à l'usufruitier, à charge d'en rendre compte à la fin de l'usufruit.

1165. L'usufruit accordé jusqu'à ce qu'un tiers ait atteint un âge déterminé dure jusqu'à cette date, encore que le tiers soit décédé avant l'âge fixé.

1166. L'usufruit créé au bénéfice de plusieurs usufruitiers successifs prend fin avec le décès du dernier usufruitier ou avec la dissolution de la dernière personne morale.

S'il est conjoint, l'extinction de l'usufruit à l'égard de l'un des usufruitiers profite au nu-propriétaire.

1167. À la fin de l'usufruit, l'usufruitier rend au nu-propriétaire, dans l'état où il se trouve, le bien sur lequel porte son usufruit.

Il répond de la perte survenue par sa faute ou ne résultant pas de l'usage normal du bien.

1168. L'usufruitier qui abuse de sa jouissance, qui commet des dégradations sur le bien ou le laisse dépérir ou qui, de toute autre façon, met en danger les droits du nu-propriétaire, peut être déchu de son droit.

Le tribunal peut, suivant la gravité des circonstances, prononcer l'extinction absolue de l'usufruit, avec indemnité payable immédiatement ou par versements au nu-propriétaire, ou sans indemnité. Il peut aussi prononcer la déchéance des droits de l'usufruitier en faveur d'un usufruitier conjoint ou successif, ou encore imposer des conditions pour la continuation de l'usufruit.

Les créanciers de l'usufruitier peuvent intervenir à la demande pour la conservation de leurs droits ; ils peuvent offrir la réparation des dégradations commises et des garanties pour l'avenir.

1169. Un usufruitier peut abandonner tout ou partie de son droit.

En cas d'abandon partiel et à défaut d'entente, le tribunal fixe les nouvelles obligations de l'usufruitier en tenant compte, notamment, de l'étendue du droit, de sa durée, ainsi que des fruits et revenus qui en sont tirés.

1170. L'abandon total est opposable au nu-propriétaire à compter du jour de sa signification ; l'abandon partiel est opposable à compter de la demande en justice ou de l'entente entre les parties.

1171. L'usufruitier qui éprouve des difficultés sérieuses à remplir ses obligations a le droit d'exiger du nu-propriétaire ou de l'usufruitier conjoint ou successif la conversion de son droit en rente.

À défaut d'entente, le tribunal, s'il constate le droit de l'usufruitier, fixe la rente en tenant compte, notamment, de l'étendue du droit, de sa durée, ainsi que des fruits et revenus qui en sont tirés.

CHAPITRE DEUXIÈME

DE L'USAGE

1172. L'usage est le droit de se servir temporairement du bien d'autrui et d'en percevoir les fruits et revenus, jusqu'à concurrence des besoins de l'usager et des personnes qui habitent avec lui ou sont à sa charge.

1173. Le droit d'usage est incessible et insaisissable, à moins que la convention ou l'acte qui constitue le droit d'usage ne prévoie le contraire.

Si la convention ou l'acte est muet sur la cessibilité ou la saisissabilité du droit, le tribunal peut, dans l'intérêt de l'usager et après avoir constaté que le propriétaire ne subit aucun préjudice, autoriser la cession ou la saisie du droit.

1174. L'usager dont le droit porte sur une partie seulement d'un bien peut utiliser les installations destinées à l'usage commun.

1175. L'usager qui retire tous les fruits et revenus du bien ou qui l'utilise en totalité est tenu pour le tout aux frais qu'il a engagés pour les produire, aux réparations d'entretien et au paiement des charges, de la même manière que l'usufruitier.

S'il ne prend qu'une partie des fruits et revenus ou s'il n'utilise qu'une partie du bien, il contribue en proportion de ce dont il fait usage.

1176. Les dispositions relatives à l'usufruit sont, pour le reste, applicables au droit d'usage, compte tenu des adaptations nécessaires.

Toutefois, les règles relatives à la conversion de l'usufruit en rente ne s'appliquent pas au droit d'usage, sauf si ce droit est cessible et saisissable.

CHAPITRE TROISIÈME

DES SERVITUDES

SECTION I

DE LA NATURE DES SERVITUDES

1177. La servitude est une charge imposée sur un immeuble, le fonds servant, en faveur d'un autre immeuble, le fonds dominant, et qui appartient à un propriétaire différent.

Cette charge oblige le propriétaire du fonds servant à supporter, de la part du propriétaire du fonds dominant, certains actes d'usage ou à s'abstenir lui-même d'exercer certains droits inhérents à la propriété.

La servitude s'étend à tout ce qui est nécessaire à son exercice.

1178. Une obligation de faire peut être rattachée à une servitude et imposée au propriétaire du fonds servant. Cette obligation est un accessoire de la servitude et ne peut être stipulée que pour le service ou l'exploitation de l'immeuble.

1179. Les servitudes sont continues ou discontinues.

La servitude continue est celle dont l'exercice ne requiert pas le fait actuel de son titulaire, comme la servitude de vue ou de non-construction.

La servitude discontinue est celle dont l'exercice requiert le fait actuel de son titulaire, comme la servitude de passage à pied ou en voiture.

1180. Les servitudes sont apparentes ou non apparentes.

La servitude est apparente lorsqu'elle se manifeste par un signe extérieur ; autrement elle est non apparente.

1181. La servitude s'établit par contrat, par testament, par destination du propriétaire ou par l'effet de la loi.

Elle ne peut s'établir sans titre et la possession, même immémoriale, ne suffit pas à cet effet.

1182. Les mutations de propriété du fonds servant ou dominant ne portent pas atteinte à la servitude. Celle-ci suit les immeubles en quelques mains qu'ils passent, sous réserve des dispositions relatives à la publicité des droits.

1183. La servitude par destination du propriétaire est constatée par un écrit du propriétaire du fonds qui, prévoyant le morcellement éventuel de son fonds, établit immédiatement la nature, l'étendue et la situation de la servitude sur une partie du fonds en faveur d'autres parties.

SECTION II

DE L'EXERCICE DE LA SERVITUDE

1184. Le propriétaire du fonds dominant peut, à ses frais, prendre les mesures ou faire tous les ouvrages nécessaires pour user de la servitude et pour la conserver, à moins d'une stipulation contraire de l'acte constitutif de la servitude.

À la fin de la servitude, il doit, à la demande du propriétaire du fonds servant, remettre les lieux dans leur état antérieur.

1185. Le propriétaire du fonds servant, chargé par le titre de faire les ouvrages nécessaires pour l'usage et la conservation de la servitude, peut s'affranchir de cette charge en abandonnant au propriétaire du fonds dominant soit la totalité du fonds servant, soit une portion du fonds suffisante pour l'exercice de la servitude.

1186. Le propriétaire du fonds dominant ne peut faire de changements qui aggravent la situation du fonds servant.

Le propriétaire du fonds servant ne peut rien faire qui tende à diminuer l'exercice de la servitude ou à le rendre moins commode; toutefois, s'il a un intérêt pour le faire, il peut déplacer, à ses frais, l'assiette de la servitude dans un autre endroit où son exercice est aussi commode pour le propriétaire du fonds dominant.

1187. Si le fonds dominant vient à être divisé, la servitude reste due pour chaque portion, mais la condition du fonds servant ne doit pas en être aggravée.

Ainsi, dans le cas d'un droit de passage, tous les propriétaires des lots provenant de la division du fonds dominant doivent l'exercer par le même endroit.

1188. Si le fonds servant vient à être divisé, cette division ne porte pas atteinte aux droits du propriétaire du fonds dominant.

1189. Sauf en cas d'enclave, la servitude de passage peut être rachetée lorsque son utilité pour le fonds dominant est hors de proportion avec l'inconvénient ou la dépréciation qu'elle entraîne pour le fonds servant.

À défaut d'entente, le tribunal, s'il accorde le droit au rachat, fixe le prix en tenant compte, notamment, de l'ancienneté de la servitude et du changement de valeur que la servitude entraîne, tant au profit du fonds servant qu'au détriment du fonds dominant.

1190. Les parties peuvent, par écrit, exclure la faculté de racheter une servitude pour une période n'excédant pas trente ans.

SECTION III

DE L'EXTINCTION DES SERVITUDES

1191. La servitude s'éteint:

1° Par la réunion dans une même personne de la qualité de propriétaire des fonds servant et dominant;

2° Par la renonciation expresse du propriétaire du fonds dominant;

3° Par l'arrivée du terme pour lequel elle a été constituée;

4° Par le rachat;

5° Par le non-usage pendant dix ans.

1192. La prescription commence à courir, pour les servitudes discontinues, du jour où le propriétaire du fonds dominant cesse d'exercer la servitude et, pour les servitudes continues, du jour où il est fait un acte contraire à leur exercice.

1193. Le mode d'exercice de la servitude se prescrit comme la servitude elle-même et de la même manière.

1194. La prescription court même lorsque le fonds dominant ou le fonds servant subit un changement de nature à rendre impossible l'exercice de la servitude.

CHAPITRE QUATRIÈME

DE L'EMPHYTÉOSE

SECTION I

DE LA NATURE DE L'EMPHYTÉOSE

1195. L'emphytéose est le droit qui permet à une personne, pendant un certain temps, d'utiliser pleinement un immeuble appartenant à autrui et d'en tirer tous ses avantages, à la condition de ne pas en compromettre l'existence et à charge d'y faire des constructions, ouvrages ou plantations qui augmentent sa valeur d'une façon durable.

L'emphytéose s'établit par contrat ou par testament.

1196. L'emphytéose qui porte à la fois sur un terrain et un immeuble déjà bâti peut faire l'objet d'une déclaration de coemphytéose, dont les règles sont les mêmes que celles prévues pour la déclaration de copropriété. Elle est en outre assujettie, compte tenu des adaptations nécessaires, aux règles de la copropriété établie sur un immeuble bâti par un emphytéote.

1197. L'emphytéose doit avoir une durée, stipulée dans l'acte constitutif, d'au moins dix ans et d'au plus cent ans. Si elle excède cent ans, elle est réduite à cette durée.

1198. L'emphytéose portant sur un terrain sur lequel est bâti l'immeuble détenu en copropriété, ainsi que celle qui porte à la fois sur un terrain et sur un immeuble déjà bâti, peuvent être renouvelées, sans que l'emphytéote soit obligé d'y faire de nouvelles constructions ou plantations ou de nouveaux ouvrages, autres que des impenses utiles.

1199. Le créancier de l'emphytéote peut faire saisir et vendre les droits de celui-ci, sous réserve des droits du propriétaire de l'immeuble.

Le créancier du propriétaire peut également faire saisir et vendre les droits de celui-ci, sous réserve des droits de l'emphytéote.

SECTION II
DES DROITS ET OBLIGATIONS DE L'EMPHYTÉOTE ET DU PROPRIÉTAIRE

1200. L'emphytéote a, à l'égard de l'immeuble, tous les droits attachés à la qualité de propriétaire, sous réserve des limitations du présent chapitre et de l'acte constitutif d'emphytéose.

L'acte constitutif peut limiter l'exercice des droits des parties, notamment pour accorder au propriétaire des droits ou des garanties qui protègent la valeur de l'immeuble, assurent sa conservation, son rendement ou son utilité ou pour autrement préserver les droits du propriétaire ou de l'emphytéote, ou régler l'exécution des obligations prévues dans l'acte constitutif.

1201. L'emphytéote fait dresser à ses frais, en y appelant le propriétaire, un état des immeubles soumis à son droit, à moins que le propriétaire ne l'en ait dispensé.

1202. La perte partielle de l'immeuble est à la charge de l'emphytéote; il demeure alors tenu au paiement intégral du prix stipulé dans l'acte constitutif.

1203. L'emphytéote est tenu aux réparations, même majeures, qui se rapportent à l'immeuble ou aux constructions, ouvrages ou plantations qu'il a faits en exécution de son obligation.

1204. Si l'emphytéote commet des dégradations sur l'immeuble ou le laisse dépérir ou, de toute autre façon, met en danger les droits du propriétaire, il peut être déchu de son droit.

Le tribunal peut, suivant la gravité des circonstances, résilier l'emphytéose, avec indemnité payable immédiatement ou par versements au propriétaire, ou sans indemnité, ou encore obliger l'emphytéote à fournir d'autres sûretés ou lui imposer toutes autres obligations ou conditions.

Les créanciers de l'emphytéote peuvent intervenir à la demande pour la conservation de leurs droits; ils peuvent offrir la réparation des dégradations et des garanties pour l'avenir.

1205. L'emphytéote acquitte les charges foncières dont l'immeuble est grevé.

1206. Le propriétaire est tenu, à l'égard de l'emphytéote, aux mêmes obligations que le vendeur.

1207. Si un prix, payable globalement ou par versements, est fixé dans l'acte constitutif et que l'emphytéote laisse s'écouler trois années sans le payer, le propriétaire a le droit, après un avis d'au moins quatre-vingt-dix jours, de demander la résiliation de l'acte.

Ce droit ne peut être exercé lorsqu'une copropriété divise est établie sur un immeuble bâti par l'emphytéote. Il en est de même lorsque l'immeuble fait l'objet d'une déclaration de coemphytéose.

SECTION III

DE LA FIN DE L'EMPHYTÉOSE

1208. L'emphytéose prend fin:

1° Par l'arrivée du terme fixé dans l'acte constitutif;

2° Par la perte ou l'expropriation totales de l'immeuble;

3° Par la résiliation de l'acte constitutif;

4° Par la réunion des qualités de propriétaire et d'emphytéote dans une même personne;

5° Par le non-usage pendant dix ans;

6° Par l'abandon.

1209. À la fin de l'emphytéose, le propriétaire reprend l'immeuble libre de tous droits et charges consentis par l'emphytéote, sauf si la fin de l'emphytéose résulte d'une résiliation amiable ou de la réunion des qualités de propriétaire et d'emphytéote dans une même personne.

1210. À la fin de l'emphytéose, l'emphytéote doit remettre l'immeuble en bon état avec les constructions, ouvrages ou plantations prévus à l'acte constitutif, à moins qu'ils n'aient péri par force majeure.

Ce qu'il a ajouté à l'immeuble sans y être tenu est traité comme les impenses faites par un possesseur de bonne foi.

1211. À moins que l'emphytéote n'ait renoncé à son droit, l'emphytéose peut aussi prendre fin par l'abandon, qui ne peut avoir lieu que si l'emphytéote a satisfait pour le passé à toutes ses obligations et laisse l'immeuble libre de toutes charges.

TITRE CINQUIÈME

DES RESTRICTIONS À LA LIBRE DISPOSITION DE CERTAINS BIENS

CHAPITRE PREMIER

DES STIPULATIONS D'INALIÉNABILITÉ

1212. La restriction à l'exercice du droit de disposer d'un bien ne peut être stipulée que par donation ou testament.

La stipulation d'inaliénabilité est faite par écrit à l'occasion du transfert, à une personne ou à une fiducie, de la propriété d'un bien ou d'un démembrement du droit de propriété sur un bien.

Cette stipulation n'est valide que si elle est temporaire et justifiée par un intérêt sérieux et légitime. Néanmoins, dans le cas d'une substitution ou d'une fiducie, elle peut valoir pour leur durée.

1213. Celui dont le bien est inaliénable peut être autorisé par le tribunal à disposer du bien si l'intérêt qui avait justifié la stipulation d'inaliénabilité a disparu ou s'il advient qu'un intérêt plus important l'exige.

Le tribunal peut, lorsqu'il autorise l'aliénation du bien, fixer toutes les conditions qu'il juge nécessaires pour sauvegarder les intérêts de celui qui a stipulé l'inaliénabilité, ceux de ses ayants cause ou ceux de la personne au bénéfice de laquelle elle a été stipulée.

1214. La stipulation d'inaliénabilité n'est opposable aux tiers que si elle est publiée au registre approprié.

1215. La stipulation d'inaliénabilité d'un bien entraîne l'insaisissabilité de celui-ci pour toute dette contractée, avant ou pendant la période d'inaliénabilité, par la personne qui reçoit le bien, sous réserve notamment des dispositions du Code de procédure civile.

1216. La clause tendant à empêcher celui dont le bien est inaliénable de contester la validité de la stipulation d'inaliénabilité ou de demander l'autorisation de l'aliéner est réputée non écrite.

L'est également la clause pénale au même effet.

1217. La nullité de l'aliénation faite malgré une stipulation d'inaliénabilité et sans autorisation du tribunal, ne peut être invoquée que par celui qui a stipulé l'inaliénabilité et ses ayants cause ou par celui au bénéfice duquel elle a été stipulée.

CHAPITRE DEUXIÈME

DE LA SUBSTITUTION

SECTION I

DE LA NATURE ET DE L'ÉTENDUE DE LA SUBSTITUTION

1218. Il y a substitution lorsqu'une personne reçoit des biens par libéralité, avec l'obligation de les rendre après un certain temps à un tiers.

La substitution s'établit par donation ou par testament; elle doit être constatée par écrit et publiée au bureau de la publicité des droits.

1219. La personne qui a l'obligation de rendre se nomme le grevé; celle qui a droit de recueillir postérieurement se nomme l'appelé.

L'appelé qui recueille, avec l'obligation de rendre, devient à son tour grevé par rapport à l'appelé subséquent.

1220. La défense de tester des biens, faite au donataire ou légataire sans autre indication, emporte substitution en faveur de ses héritiers *ab intestat* quant aux biens donnés ou légués qui restent à son décès.

1221. Aucune substitution ne peut s'étendre à plus de deux ordres successifs de personnes, outre celui du grevé initial; autrement, elle est sans effet pour les ordres subséquents.

Les accroissements qui ont lieu entre cogrevés au décès de l'un d'eux, lorsqu'il est stipulé que sa part passe aux grevés survivants, ne sont pas considérés comme étant faits à un ordre subséquent.

1222. Compte tenu des adaptations nécessaires, les règles des successions, notamment celles relatives au droit d'opter ou aux dispositions testamentaires, s'appliquent à la substitution à compter de l'ouverture, qu'elle soit établie par donation ou par testament.

SECTION II

DE LA SUBSTITUTION AVANT L'OUVERTURE

§ 1.—*Des droits et obligations du grevé*

1223. Avant l'ouverture, le grevé est propriétaire des biens substitués; ces biens forment, au sein de son patrimoine personnel, un patrimoine distinct destiné à l'appelé.

1224. Le grevé doit, de la même manière qu'un administrateur du bien d'autrui, faire, à ses frais, l'inventaire des biens dans les deux mois de la donation ou de l'acceptation du legs, en y convoquant l'appelé.

1225. Dans l'exercice de ses droits et dans l'exécution de ses obligations, le grevé doit agir avec prudence et diligence eu égard aux droits de l'appelé.

1226. Le grevé doit faire les actes nécessaires à l'entretien et à la conservation des biens.

Il paie les charges et les dettes qui deviennent exigibles avant l'ouverture, quelle que soit leur nature; il perçoit les créances, en donne quittance et exerce en justice les actions qui se rapportent aux biens substitués.

1227. Le grevé doit assurer les biens contre les risques usuels, tels le vol et l'incendie. Il est, néanmoins, dispensé de cette obligation si la prime d'assurance est trop élevée par rapport aux risques.

L'indemnité d'assurance devient un bien substitué.

1228. Le grevé est soumis aux règles de l'usufruit quant à son droit de commencer ou de continuer sur un fonds substitué une exploitation agricole, sylvicole ou minière.

1229. Le grevé peut aliéner à titre onéreux les biens substitués ou les louer. Il peut aussi les grever d'une hypothèque si cela s'impose pour l'entretien et la conservation du bien ou pour faire un placement au nom de la substitution.

Les droits de l'acquéreur, du créancier ou du locataire ne sont pas affectés par les droits de l'appelé à l'ouverture de la substitution.

1230. Le grevé est tenu de faire remploi, au nom de la substitution, du prix de toute aliénation de biens substitués et des capitaux qui lui sont versés avant l'ouverture ou qu'il a reçus du disposant, conformément aux dispositions relatives aux placements présumés sûrs.

1231. Le grevé doit, à chaque anniversaire de la date de l'inventaire des biens, informer l'appelé de toute modification à la masse des biens ; il doit l'informer aussi du remploi qu'il a fait du prix des biens aliénés.

1232. Le grevé peut, si l'acte constitutif de la substitution le prévoit, disposer gratuitement des biens substitués ou ne pas faire remploi du prix de leur aliénation ; il ne peut en tester sans que l'acte le permette expressément.

La substitution n'a alors d'effet qu'à l'égard des biens dont le grevé n'a pas disposé.

1233. Les créanciers qui détiennent une priorité ou une hypothèque sur les biens substitués peuvent exercer, sur ces biens, les droits et recours que la loi leur confère.

Les autres créanciers peuvent faire saisir et vendre ces biens en justice après discussion du patrimoine personnel du grevé. L'appelé peut faire opposition à la saisie et demander que la saisie et la vente soient limitées aux droits conférés au grevé par la substitution. À défaut d'opposition, la vente est valide ; l'adjudicataire a un titre définitif et le recours de l'appelé ne peut être exercé que contre le grevé.

1234. Le grevé peut, avant l'ouverture, renoncer à ses droits au profit de l'appelé et lui rendre par anticipation les biens substitués.

Cette renonciation ne peut nuire aux droits de ses créanciers non plus qu'aux droits de l'appelé éventuel.

§ 2.—*Des droits de l'appelé*

1235. Avant l'ouverture, l'appelé a un droit éventuel aux biens substitués ; il peut en disposer ou y renoncer et faire tous les actes conservatoires utiles à la protection de son droit.

1236. L'appelé peut, si le grevé refuse ou néglige de faire l'inventaire des biens dans le délai requis, y procéder aux frais du grevé. Il convoque alors le grevé et les autres intéressés.

1237. Le grevé doit, si l'acte constitutif de la substitution le lui enjoint ou si le tribunal l'ordonne à la demande de l'appelé ou d'un intéressé qui établit la nécessité d'une telle mesure, souscrire une assurance ou fournir une autre sûreté garantissant l'exécution de ses obligations.

Il doit, de même, fournir une sûreté additionnelle si ses obligations viennent à augmenter avant l'ouverture.

1238. Si le grevé n'exécute pas ses obligations ou agit de façon à mettre en péril les droits de l'appelé, le tribunal peut, suivant la gravité des circonstances, priver le grevé des fruits et revenus, l'obliger à rétablir le capital, prononcer la déchéance de ses droits en faveur de l'appelé ou nommer un séquestre choisi de préférence parmi les appelés.

1239. Les droits de l'appelé qui n'est pas conçu sont exercés par la personne désignée par le disposant pour agir comme curateur à la substitution et qui accepte cette charge ou, en l'absence de désignation ou d'acceptation, par celle que nomme le tribunal, à la demande du grevé ou de tout intéressé.

Le curateur public peut être désigné pour agir.

SECTION III

DE L'OUVERTURE DE LA SUBSTITUTION

1240. À moins qu'une époque antérieure n'ait été fixée par le disposant, l'ouverture de la substitution a lieu au décès du grevé.

Si le grevé est une personne morale, l'ouverture de la substitution ne peut avoir lieu plus de trente ans après la donation ou l'ouverture de la succession, ou du jour de l'ouverture de son droit.

1241. Lorsqu'il est stipulé que la part d'un grevé passe, à son décès, aux grevés du même ordre qui lui survivent, l'ouverture de la substitution n'a lieu qu'au décès du dernier grevé.

Toutefois, l'ouverture ainsi différée ne peut nuire aux droits de l'appelé qui aurait reçu au décès d'un grevé, en l'absence d'une telle stipulation; le droit de recevoir lui est acquis, mais il ne peut être exercé avant l'ouverture.

1242. L'appelé doit avoir les qualités requises pour recevoir par donation ou par testament à l'ouverture de la substitution.

S'il y a plusieurs appelés du même ordre, il suffit que l'un d'eux ait les qualités requises pour recevoir à l'ouverture de son droit afin que soit préservé le droit de tous les autres appelés à recevoir, s'ils acceptent la substitution par la suite.

SECTION IV

DE LA SUBSTITUTION APRÈS L'OUVERTURE

1243. L'appelé, s'il accepte la substitution, reçoit les biens directement du disposant. Il est, par l'ouverture, saisi de la propriété des biens.

1244. Le grevé doit, à l'ouverture, rendre compte à l'appelé et lui remettre les biens substitués.

Si le bien substitué ne se trouve plus en nature, il rend ce qui a été acquis en remploi ou, à défaut, la valeur du bien au moment de l'aliénation.

1245. Le grevé rend les biens substitués dans l'état où ils se trouvent lors de l'ouverture.

Il répond de la perte survenue par sa faute ou ne résultant pas d'un usage normal.

1246. Lorsque la substitution ne porte que sur le résidu des biens donnés ou légués, le grevé ne rend que les biens qui restent, ainsi que le solde du prix de ceux qui ont été aliénés.

1247. Le grevé a le droit d'être remboursé, avec les intérêts courus depuis l'ouverture, des dettes en capital qu'il a payées sans en avoir été chargé et des dépenses généralement débitées au capital qu'il a faites en raison de la substitution.

Il a aussi le droit d'être remboursé, en proportion de la durée de son droit, des dépenses généralement débitées au revenu et dont l'objet excède cette durée.

1248. Le grevé a le droit d'être remboursé des impenses utiles qu'il a faites, suivant les règles applicables au possesseur de bonne foi.

1249. L'ouverture de la substitution fait revivre les créances et les dettes qui existaient entre le grevé et le disposant; elle met fin à la confusion, dans la personne du grevé, des qualités de créancier et de débiteur, sauf pour les intérêts courus jusqu'à l'ouverture.

1250. Le grevé peut retenir les biens substitués jusqu'au paiement de ce qui lui est dû.

1251. Les héritiers du grevé sont tenus d'exécuter les obligations que les dispositions de la présente section imposent au grevé et ils exercent les droits qu'elles lui confèrent.

Ils sont tenus de continuer ce qui est la suite nécessaire des actes du grevé ou ce qui ne peut être différé sans risque de perte.

SECTION V

DE LA CADUCITÉ ET DE LA RÉVOCATION DE LA SUBSTITUTION

1252. La caducité d'une substitution testamentaire à l'égard d'un grevé se produit sans qu'il y ait lieu à représentation; elle profite à ses cogrevés ou, à défaut, à l'appelé.

La caducité à l'égard d'un appelé profite à ses coappelés, s'il en existe; sinon, elle profite au grevé.

1253. Le donateur peut révoquer la substitution quant à l'appelé jusqu'à l'ouverture, tant qu'il n'y a pas eu acceptation par l'appelé ou pour lui. Cependant, à l'égard du donateur, l'appelé est réputé avoir accepté lorsqu'il est l'enfant du grevé ou lorsque l'un des coappelés a accepté la substitution.

1254. La révocation de la substitution quant au grevé profite au cogrevé s'il en existe, sinon à l'appelé. La révocation quant à l'appelé profite au coappelé s'il en existe, sinon au grevé.

1255. Le disposant peut se réserver la faculté de déterminer la part des appelés ou conférer cette faculté au grevé.

L'exercice de cette faculté par le donateur ne constitue pas une révocation de la substitution, même si cela a pour effet d'exclure complètement un appelé du bénéfice de la substitution.

TITRE SIXIÈME

DE CERTAINS PATRIMOINES D'AFFECTATION

CHAPITRE PREMIER

DE LA FONDATION

1256. La fondation résulte d'un acte par lequel une personne affecte, d'une façon irrévocable, tout ou partie de ses biens à une fin d'utilité sociale ayant un caractère durable.

La fondation ne peut avoir pour objet essentiel la réalisation d'un bénéfice ni l'exploitation d'une entreprise.

1257. Les biens de la fondation constituent soit un patrimoine autonome et distinct de celui du disposant et de toute autre personne, soit le patrimoine d'une personne morale.

Dans le premier cas, la fondation est régie par les dispositions du présent titre relatives à la fiducie d'utilité sociale, sous réserve des dispositions de la loi; dans le second cas, elle est régie par les lois applicables aux personnes morales de son espèce.

1258. La fondation créée par fiducie est établie par donation ou par testament, suivant les règles gouvernant ces actes.

1259. À moins d'une stipulation contraire dans l'acte constitutif de la fondation, les biens qui forment le patrimoine initial de la fondation créée par fiducie, ou les biens qui leur sont subrogés ou adjoints, doivent être conservés et permettre d'atteindre la fin poursuivie soit par la distribution des seuls revenus qui en proviennent, soit par un usage qui ne modifie pas sensiblement la consistance du patrimoine.

CHAPITRE DEUXIÈME

DE LA FIDUCIE

SECTION I

DE LA NATURE DE LA FIDUCIE

1260. La fiducie résulte d'un acte par lequel une personne, le constituant, transfère de son patrimoine à un autre patrimoine qu'il constitue, des biens qu'il affecte à une fin particulière et qu'un fiduciaire s'oblige, par le fait de son acceptation, à détenir et à administrer.

1261. Le patrimoine fiduciaire, formé des biens transférés en fiducie, constitue un patrimoine d'affectation autonome et distinct de celui du constituant, du fiduciaire ou du bénéficiaire, sur lequel aucun d'entre eux n'a de droit réel.

1262. La fiducie est établie par contrat, à titre onéreux ou gratuit, par testament ou, dans certains cas, par la loi. Elle peut aussi, lorsque la loi l'autorise, être établie par jugement.

1263. Si la fiducie à titre onéreux établie par contrat a pour objet de garantir l'exécution d'une obligation, le fiduciaire doit, en cas de défaut du constituant, suivre les règles prévues au livre Des priorités et des hypothèques pour l'exercice des droits hypothécaires.

1264. La fiducie est constituée dès l'acceptation du fiduciaire ou, s'ils sont plusieurs, de l'un d'eux.

Lorsque la fiducie est établie par testament, les effets de l'acceptation rétroagissent au jour du décès.

1265. L'acceptation de la fiducie dessaisit le constituant des biens, charge le fiduciaire de veiller à leur affectation et à l'administration du patrimoine fiduciaire et suffit pour rendre certain le droit du bénéficiaire.

SECTION II

DES DIVERSES ESPÈCES DE FIDUCIE ET DE LEUR DURÉE

1266. Les fiducies sont constituées à des fins personnelles, ou à des fins d'utilité privée ou sociale.

Elles peuvent, dans la mesure où une mention indique qu'il s'agit d'une fiducie, être identifiées sous le nom du disposant, du fiduciaire ou du bénéficiaire ou, si elles sont constituées à des fins d'utilité privée ou sociale, sous un nom qui désigne leur objet.

1267. La fiducie personnelle est constituée à titre gratuit, dans le but de procurer un avantage à une personne déterminée ou qui peut l'être.

1268. La fiducie d'utilité privée est celle qui a pour objet l'érection, l'entretien ou la conservation d'un bien corporel, ou l'utilisation d'un bien affecté à un usage déterminé, soit à l'avantage indirect d'une personne ou à sa mémoire, soit dans un autre but de nature privée.

1269. Est aussi d'utilité privée la fiducie constituée à titre onéreux dans le but, notamment, de permettre la réalisation d'un profit au moyen de placements ou d'investissements, de pourvoir à une retraite ou de procurer un autre avantage au constituant ou aux personnes qu'il désigne, aux membres d'une société ou d'une association, à des salariés ou à des porteurs de titre.

1270. La fiducie d'utilité sociale est celle qui est constituée dans un but d'intérêt général, notamment à caractère culturel, éducatif, philanthropique, religieux ou scientifique.

Elle n'a pas pour objet essentiel de réaliser un bénéfice ni d'exploiter une entreprise.

1271. La fiducie personnelle constituée au bénéfice de plusieurs personnes successivement ne peut comprendre plus de deux ordres de bénéficiaires des fruits et revenus, outre celui du bénéficiaire du capital; elle est sans effet à l'égard des ordres subséquents qui y seraient visés.

Les accroissements, entre les cobénéficiaires des fruits et revenus d'un même ordre, ont lieu de la même façon qu'entre cogrevés du même ordre en matière de substitution.

1272. Le droit du bénéficiaire du premier ordre s'ouvre au plus tard à l'expiration des cent ans qui suivent la constitution de la fiducie, même si un terme plus long a été stipulé. Celui des bénéficiaires des ordres subséquents peut s'ouvrir postérieurement, mais au profit des seuls bénéficiaires qui ont la qualité requise pour recevoir à l'expiration des cent ans qui suivent la constitution de la fiducie.

Les personnes morales ne peuvent jamais être bénéficiaires pour une période excédant cent ans, même si un terme plus long a été stipulé.

1273. La fiducie d'utilité privée ou sociale peut être perpétuelle.

SECTION III

DE L'ADMINISTRATION DE LA FIDUCIE

§ 1.—*De la désignation et de la charge du fiduciaire*

1274. La personne physique pleinement capable de l'exercice de ses droits civils peut être fiduciaire, de même que la personne morale autorisée par la loi.

1275. Le constituant ou le bénéficiaire peut être fiduciaire, mais il doit agir conjointement avec un fiduciaire qui n'est ni constituant ni bénéficiaire.

1276. Le constituant peut désigner un ou plusieurs fiduciaires ou pourvoir au mode de leur désignation ou de leur remplacement.

1277. Le tribunal peut, à la demande d'un intéressé et après un avis donné aux personnes qu'il indique, désigner un fiduciaire lorsque le constituant a omis de le désigner ou qu'il est impossible de pourvoir à la désignation ou au remplacement d'un fiduciaire.

Il peut, lorsque les conditions de l'administration l'exigent, désigner un ou plusieurs autres fiduciaires.

1278. Le fiduciaire a la maîtrise et l'administration exclusive du patrimoine fiduciaire et les titres relatifs aux biens qui le composent sont établis à son nom; il exerce tous les droits afférents au patrimoine et peut prendre toute mesure propre à en assurer l'affectation.

Il agit à titre d'administrateur du bien d'autrui chargé de la pleine administration.

§ 2.—*Du bénéficiaire et de ses droits*

1279. Le bénéficiaire d'une fiducie constituée à titre gratuit doit avoir les qualités requises pour recevoir par donation ou par testament à l'ouverture de son droit.

S'il y a plusieurs bénéficiaires du même ordre, il suffit que l'un d'eux ait ces qualités pour préserver le droit des autres bénéficiaires, s'ils s'en prévalent.

1280. Le bénéficiaire d'une fiducie doit, pour recevoir, remplir les conditions requises par l'acte constitutif.

1281. Le constituant peut se réserver le droit de recevoir les fruits et revenus ou, éventuellement, le capital d'une fiducie, même constituée à titre gratuit, ou de participer aux avantages qu'elle procure.

1282. Le constituant peut se réserver ou conférer au fiduciaire ou à un tiers la faculté d'élire les bénéficiaires ou de déterminer leur part.

En cas de fiducie d'utilité sociale, la faculté du fiduciaire d'élire les bénéficiaires et de déterminer leur part se présume. En cas de fiducie personnelle ou d'utilité privée, la faculté d'élire ne peut être exercée par le fiduciaire ou le tiers que si la catégorie de personnes parmi lesquelles ils doivent choisir le bénéficiaire est clairement déterminée dans l'acte constitutif.

1283. Celui qui a la faculté d'élire les bénéficiaires ou de déterminer leur part l'exerce comme il l'entend; il peut modifier ou révoquer sa décision pour les besoins de la fiducie.

Celui qui exerce la faculté ne peut le faire à son propre avantage.

1284. Pendant la durée de la fiducie, le bénéficiaire a le droit d'exiger, suivant l'acte constitutif, soit la prestation d'un avantage qui lui est accordé, soit le paiement des fruits et revenus et du capital ou de l'un d'eux seulement.

1285. Le bénéficiaire d'une fiducie constituée à titre gratuit est présumé avoir accepté le droit qui lui est accordé et il peut en disposer.

Il peut aussi y renoncer à tout moment; il doit alors le faire par acte notarié en minute s'il est bénéficiaire d'une fiducie personnelle ou d'utilité privée.

1286. Si le bénéficiaire renonce à son droit ou que ce dernier devient sans effet, son droit passe, en proportion des parts de chacun, aux cobénéficiaires des fruits et revenus ou du capital, selon que lui-même est bénéficiaire des fruits et revenus ou du capital.

S'il est seul bénéficiaire des fruits et revenus dans son ordre, son droit passe, en proportion des parts de chacun, aux bénéficiaires des fruits et revenus du second ordre ou, à défaut, aux bénéficiaires du capital.

§ 3.—*Des mesures de surveillance et de contrôle*

1287. L'administration de la fiducie est soumise à la surveillance du constituant ou de ses héritiers, s'il est décédé, et du bénéficiaire, même éventuel.

En outre, dans les cas prévus par la loi, l'administration des fiducies d'utilité privée ou sociale est soumise, suivant leur objet et leur fin, à la surveillance des personnes et organismes désignés par la loi.

1288. Dès la constitution de la fiducie d'utilité privée ou sociale soumise à la surveillance d'une personne ou d'un organisme désigné par la loi, le fiduciaire doit déposer auprès de la personne ou de l'organisme une déclaration indiquant, notamment, la nature et l'objet de la fiducie, sa durée, ainsi que les nom et adresse du fiduciaire.

Il doit, à la demande de la personne ou de l'organisme, permettre l'examen des dossiers de la fiducie et fournir tout compte, rapport ou information qui lui est demandé.

1289. Les droits du bénéficiaire d'une fiducie personnelle sont exercés, s'il n'est pas encore conçu, par la personne qui, ayant été désignée par le constituant pour agir comme curateur, accepte cette charge ou, à défaut, par celle que nomme le tribunal à la demande du fiduciaire ou de tout intéressé. Le curateur public peut être désigné pour agir.

En cas de fiducie d'utilité privée dont aucune personne, même déterminable ou éventuelle, ne peut être bénéficiaire, les droits que le présent paragraphe accorde au bénéficiaire peuvent être exercés par le curateur public.

1290. Le constituant, le bénéficiaire ou un autre intéressé peut, malgré toute stipulation contraire, agir contre le fiduciaire pour le contraindre à exécuter ses obligations ou à faire un acte nécessaire à la fiducie, pour lui enjoindre de s'abstenir de tout acte dommageable à la fiducie ou pour obtenir sa destitution.

Il peut aussi attaquer les actes faits par le fiduciaire en fraude du patrimoine fiduciaire ou des droits du bénéficiaire.

1291. Le tribunal peut autoriser le constituant, le bénéficiaire ou un autre intéressé à agir en justice à la place du fiduciaire, lorsque celui-ci, sans motif suffisant, refuse d'agir, néglige de le faire ou en est empêché.

1292. Le fiduciaire, le constituant et le bénéficiaire sont, s'ils y participent, solidairement responsables des actes exécutés en fraude des droits des créanciers du constituant ou du patrimoine fiduciaire.

SECTION IV

DES MODIFICATIONS À LA FIDUCIE ET AU PATRIMOINE

1293. Toute personne peut augmenter le patrimoine fiduciaire en lui transférant des biens par contrat ou par testament et en suivant, pour ces augmentations, les règles propres à la constitution d'une fiducie. Elle n'acquiert pas, de ce fait, les droits d'un constituant.

Les biens transférés se confondent dans le patrimoine fiduciaire et sont administrés conformément aux dispositions de l'acte constitutif.

1294. Lorsqu'une fiducie a cessé de répondre à la volonté première du constituant, notamment par suite de circonstances inconnues de lui ou imprévisibles qui rendent impossible ou trop onéreuse la poursuite du but de la fiducie, le tribunal peut, à la demande d'un intéressé, mettre fin à la fiducie ; il peut aussi, dans le cas d'une fiducie d'utilité sociale, lui substituer un but qui se rapproche le plus possible du but original.

Si la fiducie répond toujours à la volonté du constituant, mais que de nouvelles mesures permettraient de mieux respecter sa volonté ou favoriseraient l'accomplissement de la fiducie, le tribunal peut modifier les dispositions de l'acte constitutif.

1295. Il doit être donné avis de la demande au constituant et au fiduciaire et, le cas échéant, au bénéficiaire, au liquidateur de la succession du constituant ou aux héritiers et à toute autre personne ou organisme désigné par la loi, si la fiducie est soumise à leur surveillance.

SECTION V

DE LA FIN DE LA FIDUCIE

1296. La fiducie prend fin par la renonciation ou la caducité du droit de tous les bénéficiaires, tant du capital que des fruits et revenus.

Elle prend fin aussi par l'arrivée du terme ou l'avènement de la condition, par le fait que le but de la fiducie a été atteint ou par l'impossibilité, constatée par le tribunal, de l'atteindre.

1297. Le fiduciaire doit, au terme de la fiducie, remettre les biens à ceux qui y ont droit.

À défaut de bénéficiaire, les biens qui restent au terme de la fiducie sont dévolus au constituant ou à ses héritiers.

1298. Les biens de la fiducie d'utilité sociale qui prend fin par suite de l'impossibilité de l'accomplir sont dévolus à une fiducie, à une personne morale ou à tout autre groupement de personnes ayant une vocation se rapprochant le plus possible de celle de la fiducie. La désignation en est faite par le tribunal, sur la recommandation du fiduciaire. Le tribunal prend aussi l'avis de la personne ou de l'organisme désigné par la loi, si la fiducie était soumise à leur surveillance.

TITRE SEPTIÈME

DE L'ADMINISTRATION DU BIEN D'AUTRUI

CHAPITRE PREMIER

DISPOSITIONS GÉNÉRALES

1299. Toute personne qui est chargée d'administrer un bien ou un patrimoine qui n'est pas le sien assume la charge d'administrateur du bien d'autrui. Les règles du présent titre s'appliquent à une administration, à moins qu'il ne résulte de la loi, de l'acte constitutif ou des circonstances qu'un autre régime d'administration ne soit applicable.

1300. À moins que l'administration ne soit gratuite en vertu de la loi, de l'acte ou des circonstances, l'administrateur a droit à la rémunération fixée par l'acte, les usages ou la loi, ou encore à celle établie d'après la valeur des services.

Celui qui agit sans droit ou sans y être autorisé n'a droit à aucune rémunération.

CHAPITRE DEUXIÈME

DES FORMES DE L'ADMINISTRATION

SECTION I

DE LA SIMPLE ADMINISTRATION DU BIEN D'AUTRUI

1301. Celui qui est chargé de la "simple administration" doit faire tous les actes nécessaires à la conservation du bien ou ceux qui sont utiles pour maintenir l'usage auquel le bien est normalement destiné.

1302. L'administrateur chargé de la simple administration est tenu de percevoir les fruits et revenus du bien qu'il administre et d'exercer les droits qui lui sont attachés.

Il perçoit les créances qui sont soumises à son administration et en donne valablement quittance; il exerce les droits attachés aux valeurs mobilières qu'il administre, tels les droits de vote, de conversion ou de rachat.

1303. L'administrateur doit continuer l'utilisation ou l'exploitation du bien qui produit des fruits et revenus, sans en changer la destination, à moins d'y être autorisé par le bénéficiaire ou, en cas d'empêchement, par le tribunal.

1304. L'administrateur est tenu de placer les sommes d'argent qu'il administre, conformément aux règles du présent titre relatives aux placements présumés sûrs.

Il peut modifier les placements faits avant son entrée en fonctions ou ceux qu'il a faits.

1305. L'administrateur peut, avec l'autorisation du bénéficiaire ou, si celui-ci est empêché, avec celle du tribunal, aliéner le bien à titre onéreux ou le grever d'une hypothèque, lorsque cela est nécessaire pour payer les dettes, maintenir l'usage auquel le bien est normalement destiné ou en conserver la valeur.

Il peut, toutefois, aliéner seul un bien susceptible de se déprécier rapidement ou de dépérir.

SECTION II

DE LA PLEINE ADMINISTRATION DU BIEN D'AUTRUI

1306. Celui qui est chargé de la pleine administration doit conserver et faire fructifier le bien, accroître le patrimoine ou en réaliser l'affectation, lorsque l'intérêt du bénéficiaire ou la poursuite du but de la fiducie l'exigent.

1307. L'administrateur peut, pour exécuter ses obligations, aliéner le bien à titre onéreux, le grever d'un droit réel ou en changer la destination et faire tout autre acte nécessaire ou utile, y compris toutes espèces de placements.

CHAPITRE TROISIÈME

DES RÈGLES DE L'ADMINISTRATION

SECTION I

DES OBLIGATIONS DE L'ADMINISTRATEUR ENVERS LE BÉNÉFICIAIRE

1308. L'administrateur du bien d'autrui doit, dans l'exercice de ses fonctions, respecter les obligations que la loi et l'acte constitutif lui imposent; il doit agir dans les limites des pouvoirs qui lui sont conférés.

Il ne répond pas de la perte du bien qui résulte d'une force majeure, de la vétusté du bien, de son dépérissement ou de l'usage normal et autorisé du bien.

1309. L'administrateur doit agir avec prudence et diligence.

Il doit aussi agir avec honnêteté et loyauté, dans le meilleur intérêt du bénéficiaire ou de la fin poursuivie.

1310. L'administrateur ne peut exercer ses pouvoirs dans son propre intérêt ni dans celui d'un tiers; il ne peut non plus se placer dans une situation de conflit entre son intérêt personnel et ses obligations d'administrateur.

S'il est lui-même bénéficiaire, il doit exercer ses pouvoirs dans l'intérêt commun, en considérant son intérêt au même titre que celui des autres bénéficiaires.

1311. L'administrateur doit, sans délai, dénoncer au bénéficiaire tout intérêt qu'il a dans une entreprise et qui est susceptible de le placer en situation de conflit d'intérêts, ainsi que les droits qu'il peut faire valoir contre lui ou dans les biens administrés, en indiquant, le cas échéant, la nature et la valeur de ces droits. Il n'est pas tenu de dénoncer l'intérêt ou les droits qui résultent de l'acte ayant donné lieu à l'administration.

Sont dénoncés à la personne ou à l'organisme désigné par la loi, l'intérêt ou les droits portant sur les biens d'une fiducie soumise à leur surveillance.

1312. L'administrateur ne peut, pendant son administration, se porter partie à un contrat qui touche les biens administrés, ni acquérir autrement que par succession des droits sur ces biens ou contre le bénéficiaire.

Il peut, néanmoins, y être expressément autorisé par le bénéficiaire ou, en cas d'empêchement ou à défaut d'un bénéficiaire déterminé, par le tribunal.

1313. L'administrateur ne doit pas confondre les biens administrés avec ses propres biens.

1314. L'administrateur ne peut utiliser à son profit le bien qu'il administre ou l'information qu'il obtient en raison même de son administration, à moins que le bénéficiaire n'ait consenti à un tel usage ou qu'il ne résulte de la loi ou de l'acte constitutif de l'administration.

1315. À moins qu'il ne soit de la nature de son administration de pouvoir le faire, l'administrateur ne peut disposer à titre gratuit des biens qui lui sont confiés; il le peut, néanmoins, s'il s'agit de biens de peu de valeur et que la disposition est faite dans l'intérêt du bénéficiaire ou de la fin poursuivie.

Il ne peut, sans contrepartie valable, renoncer à un droit qui appartient au bénéficiaire ou qui fait partie du patrimoine administré.

1316. L'administrateur peut ester en justice pour tout ce qui touche son administration; il peut aussi intervenir dans toute action concernant les biens administrés.

1317. S'il y a plusieurs bénéficiaires de l'administration, simultanément ou successivement, l'administrateur est tenu d'agir avec impartialité à leur égard, compte tenu de leurs droits respectifs.

1318. Lorsqu'il apprécie l'étendue de la responsabilité d'un administrateur et fixe les dommages-intérêts en résultant, le tribunal peut les réduire, en tenant compte des circonstances dans lesquelles l'administration est assumée ou du fait que l'administrateur agit gratuitement, ou qu'il est mineur ou majeur protégé.

230

SECTION II

DES OBLIGATIONS DE L'ADMINISTRATEUR ET DU BÉNÉFICIAIRE ENVERS LES TIERS

1319. L'administrateur qui, dans les limites de ses pouvoirs, s'oblige au nom du bénéficiaire ou pour le patrimoine fiduciaire n'est pas personnellement responsable envers les tiers avec qui il contracte.

Il est responsable envers eux s'il s'oblige en son propre nom, sous réserve des droits des tiers contre le bénéficiaire ou le patrimoine fiduciaire, le cas échéant.

1320. L'administrateur qui excède ses pouvoirs est responsable envers les tiers avec qui il contracte, à moins que les tiers n'en aient eu une connaissance suffisante ou que le bénéficiaire n'ait ratifié, expressément ou tacitement, les obligations contractées.

1321. L'administrateur qui exerce seul des pouvoirs qu'il est chargé d'exercer avec un autre excède ses pouvoirs.

N'excède pas ses pouvoirs celui qui les exerce d'une manière plus avantageuse que celle qui lui était imposée.

1322. Le bénéficiaire ne répond envers les tiers du préjudice causé par la faute de l'administrateur dans l'exercice de ses fonctions qu'à concurrence des avantages qu'il a retirés de l'acte. En cas de fiducie, ces obligations retombent sur le patrimoine fiduciaire.

1323. Celui qui, pleinement capable d'exercer ses droits civils, a donné à croire qu'une personne était administrateur de ses biens, est responsable, comme s'il y avait eu administration, envers les tiers qui ont contracté de bonne foi avec cette personne.

SECTION III

DE L'INVENTAIRE, DES SÛRETÉS ET DES ASSURANCES

1324. L'administrateur n'est pas tenu de faire inventaire, de souscrire une assurance ou de fournir une autre sûreté pour garantir l'exécution de ses obligations, à moins d'y être obligé par la loi ou l'acte, ou encore par le tribunal, à la demande du bénéficiaire ou de tout intéressé.

Quand l'acte lui crée ces obligations, il peut, si les circonstances le justifient, demander d'en être dispensé.

1325. Le tribunal saisi d'une demande tient compte, dans sa décision, de la valeur des biens administrés, de la situation des parties et des autres circonstances.

Il ne peut faire droit à la demande si cela a pour effet de remettre en cause les termes d'une convention à laquelle l'administrateur et le bénéficiaire étaient initialement parties.

1326. L'inventaire auquel peut être tenu l'administrateur doit comprendre l'énumération fidèle et exacte de tous les biens qu'il est chargé d'administrer ou qui forment le patrimoine administré.

Il comprend notamment:

1° La désignation des immeubles et la description des meubles, avec indication de leur valeur et, s'il s'agit d'une universalité de biens meubles, une identification suffisante de cette universalité;

2° La désignation des espèces en numéraire et des autres valeurs;

3° L'énumération des documents de valeur.

L'inventaire fait aussi état des dettes et se termine par une récapitulation de l'actif et du passif.

1327. L'inventaire est fait par acte notarié en minute. Il peut aussi être fait sous seing privé en présence de deux témoins. Dans ce cas, son auteur et les témoins le signent et y indiquent la date et le lieu où il est fait.

1328. Lorsqu'il se trouve, dans le patrimoine administré, des effets personnels du titulaire du patrimoine ou, le cas échéant, du défunt, il suffit de les mentionner généralement dans l'inventaire et de n'énumérer ou ne décrire que les vêtements, papiers personnels, bijoux ou objets d'usage courant dont la valeur excède pour chacun 100 $.

1329. Les biens désignés dans l'inventaire sont présumés en bon état à la date de la confection de l'inventaire, à moins que l'administrateur n'y joigne un document attestant le contraire.

1330. L'administrateur doit fournir une copie de l'inventaire à celui qui l'a chargé de l'administration et au bénéficiaire de celle-ci, ainsi qu'à toute personne dont l'intérêt lui est connu. Il doit aussi, lorsque la loi le prévoit, déposer au lieu indiqué l'inventaire ou un avis de clôture en précisant alors le lieu où l'inventaire peut être consulté.

Tout intéressé peut contester l'inventaire ou l'une de ses inscriptions; il peut aussi demander qu'il soit procédé à un nouvel inventaire.

1331. L'administrateur peut, aux frais du bénéficiaire ou de la fiducie, assurer les biens qui lui sont confiés contre les risques usuels, tels le vol et l'incendie.

Il peut aussi souscrire une assurance garantissant l'exécution de ses obligations; il le fait aux frais du bénéficiaire ou de la fiducie si l'administration est gratuite.

SECTION IV

DE L'ADMINISTRATION COLLECTIVE ET DE LA DÉLÉGATION

1332. Lorsque plusieurs administrateurs sont chargés de l'administration, ils peuvent agir à la majorité d'entre eux, à moins que l'acte ou la loi ne prévoie qu'ils agissent de concert ou suivant une proportion déterminée.

1333. Si, en cas d'empêchement ou par suite de l'opposition systématique de certains d'entre eux, les administrateurs ne peuvent agir à la majorité ou selon la proportion prévue, les autres peuvent agir seuls pour les actes conservatoires; ils peuvent aussi agir seuls pour des actes qui demandent célérité, s'ils y sont autorisés par le tribunal.

Lorsque la situation persiste et que l'administration s'en trouve sérieusement entravée, le tribunal peut, à la demande d'un intéressé, dispenser les administrateurs d'agir suivant la proportion prévue, diviser leurs fonctions, donner voix prépondérante à l'un d'eux ou rendre toute ordonnance qu'il estime appropriée dans les circonstances.

1334. Les administrateurs sont solidairement responsables de leur administration.

Toutefois, lorsque leurs fonctions ont été divisées par la loi, l'acte ou le tribunal et que cette division a été respectée, chacun n'est responsable que de sa propre administration.

1335. L'administrateur est présumé avoir approuvé toute décision prise par ses coadministrateurs. Il en est responsable avec eux, à moins qu'il ne manifeste immédiatement sa dissidence à ses coadministrateurs et en avise le bénéficiaire dans un délai raisonnable.

L'administrateur qui justifie de motifs sérieux pour n'avoir pu faire connaître au bénéficiaire sa dissidence en temps utile peut, néanmoins, se dégager de sa responsabilité.

1336. L'administrateur est présumé avoir approuvé une décision prise en son absence, à moins qu'il ne manifeste sa dissidence aux autres administrateurs et au bénéficiaire dans un délai raisonnable après en avoir pris connaissance.

1337. L'administrateur peut déléguer ses fonctions ou se faire représenter par un tiers pour un acte déterminé; toutefois, il ne peut déléguer généralement la conduite de l'administration ou l'exercice d'un pouvoir discrétionnaire, sauf à ses coadministrateurs.

Il répond de la personne qu'il a choisie, entre autres, lorsqu'il n'était pas autorisé à le faire; s'il l'était, il ne répond alors que du soin avec lequel il a choisi cette personne et lui a donné ses instructions.

1338. Le bénéficiaire qui subit un préjudice peut répudier les actes de la personne mandatée par l'administrateur, s'ils sont faits en violation de l'acte constitutif de l'administration ou des usages.

Il peut aussi, même si l'administrateur pouvait valablement confier le mandat, exercer ses recours contre la personne mandatée.

SECTION V

DES PLACEMENTS PRÉSUMÉS SÛRS

1339. Sont présumés sûrs les placements faits dans les biens suivants:

1° Les titres de propriété sur un immeuble;

2° Les obligations ou autres titres d'emprunt émis ou garantis par le Québec, le Canada ou une province canadienne, les États-Unis d'Amérique ou l'un des États membres, la Banque internationale pour la reconstruction et le développement, une municipalité ou une commission scolaire au Canada ou une fabrique au Québec;

3° Les obligations ou autres titres d'emprunt émis par une personne morale exploitant un service public au Canada et investie du droit de fixer un tarif pour ce service;

4° Les obligations ou autres titres d'emprunt garantis par l'engagement, pris envers un fiduciaire, du Québec, du Canada ou d'une province canadienne, de verser des subventions suffisantes pour acquitter les intérêts et le capital à leurs échéances respectives;

5° Les obligations ou autres titres d'emprunt d'une société dans les cas suivants:

a) Ils sont garantis par une hypothèque de premier rang sur un immeuble ou sur des titres présumés sûrs;

b) Ils sont garantis par une hypothèque de premier rang sur des équipements et la société a régulièrement assuré le service des intérêts sur ses emprunts au cours des dix derniers exercices;

c) Ils sont émis par une société dont les actions ordinaires ou privilégiées constituent des placements présumés sûrs;

6° Les obligations ou autres titres d'emprunt émis par une société de prêts constituée par une loi du Québec ou autorisée à exercer son activité au Québec en vertu de la Loi sur les sociétés de prêts et de placements, à la condition que cette société ait été spécialement agréée par le gouvernement et que son activité habituelle au Québec consiste à faire soit des prêts aux municipalités ou aux commissions scolaires et aux fabriques, soit des prêts garantis par une hypothèque de premier rang sur des immeubles situés au Québec;

7° Les créances garanties par hypothèque sur des immeubles situés au Québec:

a) Si le paiement du capital et des intérêts est garanti ou assuré par le Québec, le Canada ou une province canadienne;

b) Si le montant de la créance n'est pas supérieur à 75 p. 100 de la valeur de l'immeuble qui en garantit le paiement, déduction faite des autres créances garanties par le même immeuble et ayant le même rang que la créance ou un rang antérieur;

c) Si le montant de la créance qui excède 75 p. 100 de la valeur de l'immeuble qui en garantit le paiement, déduction faite des autres créances garanties par le même immeuble et ayant le même rang que la créance ou un rang antérieur, est garanti ou assuré par le Québec, le Canada, une province canadienne, la Société canadienne d'hypothèques et de logements, la Société d'habitation du Québec ou par une police d'assurance hypothécaire délivrée par une société titulaire d'un permis en vertu de la Loi sur les assurances;

8° Les actions privilégiées libérées, émises par une société dont les actions ordinaires constituent des placements présumés sûrs ou qui, au cours des cinq derniers exercices, a distribué le dividende stipulé sur toutes ses actions privilégiées;

9° Les actions ordinaires, émises par une société qui satisfait depuis trois ans aux obligations d'information continue définies par la Loi sur les valeurs mobilières, dans la mesure où elles sont inscrites à la cote d'une bourse reconnue à cette fin par le gouvernement, sur recommandation de la Commission des valeurs mobilières, et où la capitalisation boursière de la société, compte non tenu des actions privilégiées et des blocs d'actions de 10 p. 100 et plus, excède la somme alors fixée par le gouvernement;

10° Les actions d'une société d'investissement à capital variable et les parts d'un fonds commun de placement ou d'une fiducie d'utilité privée, à la condition que 60 p. 100 de leur portefeuille soit composé de placements présumés sûrs, dans les cas suivants:

a) Les actions ou les parts remplissent les exigences prévues au sous-paragraphe *a* du paragraphe 11 de l'article 3 de la Loi sur les valeurs mobilières;

b) La société, le fonds ou la fiducie satisfait depuis trois ans aux obligations d'information continue définies par cette loi.

1340. L'administrateur décide des placements à faire en fonction du rendement et de la plus-value espérée; dans la mesure du possible, il tend à composer un portefeuille diversifié, assurant, dans une proportion établie en fonction de la conjoncture, des revenus fixes et des revenus variables.

Il ne peut, cependant, acquérir plus de 5 p. 100 des actions d'une même société, ni acquérir des actions, obligations ou autres titres d'emprunt d'une personne morale ou d'une société en commandite qui a omis de payer les dividendes prescrits sur ses actions ou les intérêts sur ses obligations ou autres titres, ni consentir un prêt à ladite personne morale ou société.

1341. L'administrateur peut déposer les sommes d'argent dont il est saisi dans une banque, une caisse d'épargne et de crédit ou un autre établissement financier, si le dépôt est remboursable à vue ou sur un avis d'au plus trente jours.

Il peut aussi les déposer pour un terme plus long si le remboursement du dépôt est pleinement garanti par la Régie de l'assurance-dépôts du Québec; autrement, il ne le peut qu'avec l'autorisation du tribunal, aux conditions que celui-ci détermine.

1342. L'administrateur peut maintenir les placements existants lors de son entrée en fonctions, même s'ils ne sont pas présumés sûrs.

Il peut aussi détenir les titres qui, par suite de la réorganisation, de la liquidation ou de la fusion d'une personne morale, remplacent ceux qu'il détenait.

1343. L'administrateur qui agit conformément aux dispositions de la présente section est présumé agir prudemment.

L'administrateur qui effectue un placement qu'il n'est pas autorisé à faire est, par ce seul fait et sans autre preuve de faute, responsable des pertes qui en résultent.

1344. Les placements effectués au cours de l'administration doivent l'être au nom de l'administrateur agissant ès qualités.

Ils peuvent aussi être faits au nom du bénéficiaire, pourvu que soit également indiqué qu'ils sont faits par l'administrateur agissant ès qualités.

SECTION VI

DE LA RÉPARTITION DES BÉNÉFICES ET DES DÉPENSES

1345. La répartition des bénéfices et des dépenses, entre le bénéficiaire des fruits et revenus et celui du capital, se fait conformément aux dispositions de l'acte constitutif et suivant l'intention qui y est manifestée.

À défaut d'indication suffisante dans l'acte, cette répartition se fait le plus équitablement possible, en tenant compte de l'objet de l'administration, des circonstances qui y ont donné lieu et des usages comptables généralement reconnus.

1346. Le compte du revenu est généralement débité des dépenses suivantes et autres de même nature:

1° Les primes d'assurance, le coût des réparations mineures et les autres dépenses ordinaires de l'administration;

2° La moitié de la rémunération de l'administrateur et des dépenses raisonnables qu'il a faites dans l'administration conjointe du capital et des fruits et revenus;

3° Les impôts payables sur les biens administrés;

4° À moins que le tribunal n'en ordonne autrement, les frais acquittés pour protéger les droits du bénéficiaire des fruits et revenus et la moitié des frais de la reddition de compte en justice;

5° L'amortissement des biens, sauf ceux utilisés à des fins personnelles par le bénéficiaire.

L'administrateur peut, pour régulariser le revenu, répartir les dépenses considérables sur une période de temps raisonnable.

1347. Le compte du capital est généralement débité des dépenses qui ne sont pas débitées au revenu, y compris celles qui sont afférentes au placement du capital, à l'aliénation des biens, à la protection des droits du bénéficiaire du capital ou du droit de propriété des biens administrés.

Sont aussi généralement débités au compte du capital les impôts sur les gains ou les autres montants attribuables au capital, lors même que la loi qui régit ces impôts les considère comme impôts sur le revenu.

1348. Le bénéficiaire des fruits et revenus a droit au revenu net des biens administrés, à compter de la date déterminée dans l'acte donnant lieu à l'administration ou, à défaut, de la date du début de l'administration ou de celle du décès qui y a donné ouverture.

1349. Les fruits et revenus payables périodiquement sont comptés jour par jour.

Les dividendes et distributions d'une personne morale sont dus depuis la date indiquée à la déclaration de distribution ou, à défaut, depuis la date de cette déclaration.

1350. Lorsque son droit prend fin, le bénéficiaire des fruits et revenus a droit aux fruits et revenus qui ne lui ont pas été versés et à la portion gagnée mais non encore perçue par l'administrateur.

Cependant, il n'a pas droit aux dividendes d'une personne morale qui n'ont pas été déclarés durant la période d'existence de son droit.

SECTION VII

DU COMPTE ANNUEL

1351. L'administrateur rend un compte sommaire de sa gestion au bénéficiaire au moins une fois l'an.

1352. Le compte doit être suffisamment détaillé pour qu'on puisse en vérifier l'exactitude.

Tout intéressé peut, à l'occasion de la reddition de compte, demander au tribunal d'en ordonner la vérification par un expert.

1353. S'il y a plusieurs administrateurs, ils doivent rendre un seul et même compte, sauf si leurs fonctions ont été divisées par la loi, l'acte ou le tribunal et que cette division a été respectée.

1354. L'administrateur doit, à tout moment, permettre au bénéficiaire d'examiner les livres et pièces justificatives se rapportant à l'administration.

CHAPITRE QUATRIÈME

DE LA FIN DE L'ADMINISTRATION

SECTION I

DES CAUSES METTANT FIN À L'ADMINISTRATION

1355. Les fonctions de l'administrateur prennent fin par son décès, sa démission ou son remplacement, par sa faillite ou par l'ouverture à son égard d'un régime de protection.

Elles prennent fin aussi par la faillite du bénéficiaire ou par l'ouverture à son égard d'un régime de protection, si cela a un effet sur les biens administrés.

1356. L'administration prend fin :

1° Par la cessation du droit du bénéficiaire sur les biens administrés ;

2° Par l'arrivée du terme ou l'avènement de la condition stipulée dans l'acte donnant lieu à l'administration ;

3° Par l'accomplissement de l'objet de l'administration ou la disparition de la cause qui y a donné lieu.

1357. L'administrateur peut renoncer à ses fonctions en avisant par écrit le bénéficiaire et, le cas échéant, ses coadministrateurs ou la personne qui peut lui nommer un remplaçant. S'il ne se trouve aucune de ces personnes ou s'il est impossible de leur donner l'avis, celui-ci est donné au curateur public qui, au besoin, assume provisoirement l'administration des biens et fait procéder au remplacement de l'administrateur.

L'administrateur d'une fiducie d'utilité privée ou sociale doit aussi aviser de sa démission la personne ou l'organisme désigné par la loi pour surveiller son administration.

1358. La démission de l'administrateur prend effet à la date de la réception de l'avis ou à une date postérieure qui y est indiquée.

1359. L'administrateur est tenu de réparer le préjudice causé par sa démission si elle est donnée sans motif sérieux et à contretemps, ou si elle équivaut à un manquement à ses devoirs.

1360. Le bénéficiaire qui a confié à autrui l'administration d'un bien peut remplacer l'administrateur ou mettre fin à l'administration, notamment en exerçant son droit d'exiger sur demande la remise du bien.

Tout intéressé peut demander le remplacement de l'administrateur qui ne peut exercer sa charge ou qui ne respecte pas ses obligations.

1361. Lors du décès de l'administrateur ou de l'ouverture à son égard d'un régime de protection, le liquidateur de sa succession, son tuteur ou curateur qui est au courant de l'administration est tenu d'en aviser le bénéficiaire et, le cas échéant, les coadministrateurs ou, s'il s'agit d'une fiducie d'utilité privée ou sociale, la personne ou l'organisme désigné par la loi pour surveiller l'administration.

Le liquidateur, tuteur ou curateur est également tenu de faire, dans les affaires commencées, tout ce qui est immédiatement nécessaire pour prévenir une perte; il doit aussi rendre compte et remettre les biens à ceux qui y ont droit.

1362. Les obligations contractées envers les tiers de bonne foi par l'administrateur, dans l'ignorance du terme de son administration, sont valides et obligent le bénéficiaire ou le patrimoine fiduciaire; il en est de même des obligations contractées après la fin de l'administration qui en sont la suite nécessaire ou sont requises pour prévenir une perte.

Le bénéficiaire ou le patrimoine fiduciaire est aussi tenu des obligations contractées envers les tiers qui ignoraient la fin de l'administration.

SECTION II

DE LA REDDITION DE COMPTE ET DE LA REMISE DU BIEN

1363. L'administrateur doit, à la fin de son administration, rendre un compte définitif au bénéficiaire et, le cas échéant, à l'administrateur qui le remplace ou à ses coadministrateurs. S'il y a plusieurs administrateurs et que leur charge prend fin simultanément, ils doivent rendre un seul et même compte, à moins d'une division de leurs fonctions.

Le compte doit être suffisamment détaillé pour permettre d'en vérifier l'exactitude; les livres et les autres pièces justificatives se rapportant à l'administration peuvent être consultés par les intéressés.

L'acceptation du compte par le bénéficiaire en opère la clôture.

1364. L'administrateur peut, à tout moment et avec l'agrément de tous les bénéficiaires, rendre compte à l'amiable.

Si le compte ne peut être rendu à l'amiable, la reddition de compte a lieu en justice.

1365. L'administrateur doit remettre le bien administré au lieu convenu ou, à défaut, au lieu où il se trouve.

1366. L'administrateur doit remettre tout ce qu'il a reçu dans l'exécution de ses fonctions, même si ce qu'il a reçu n'était pas dû au bénéficiaire ou au patrimoine fiduciaire; il est aussi comptable de tout profit ou avantage personnel qu'il a réalisé en utilisant, sans y être autorisé, l'information qu'il détenait en raison de son administration.

L'administrateur qui a utilisé un bien sans y être autorisé est tenu d'indemniser le bénéficiaire ou le patrimoine fiduciaire pour son usage, en payant soit un loyer approprié, soit l'intérêt sur le numéraire.

1367. Les dépenses de l'administration, y compris les frais de la reddition de compte et de remise, sont à la charge du bénéficiaire ou du patrimoine fiduciaire.

La démission ou le remplacement de l'administrateur oblige le bénéficiaire ou le patrimoine fiduciaire à lui payer, outre les dépenses de l'administration, la part acquise de sa rémunération.

1368. L'administrateur doit des intérêts sur le reliquat, à compter de la clôture du compte définitif ou de la mise en demeure de le produire; le bénéficiaire ou le patrimoine fiduciaire n'en doit qu'à compter de la mise en demeure.

1369. L'administrateur a le droit de déduire des sommes qu'il doit remettre ce que le bénéficiaire ou le patrimoine fiduciaire lui doit en raison de l'administration.

Il peut retenir le bien administré jusqu'au paiement de ce qui lui est dû.

1370. S'il y a plusieurs bénéficiaires, leur obligation envers l'administrateur est solidaire.

LIVRE CINQUIÈME

DES OBLIGATIONS

TITRE PREMIER

DES OBLIGATIONS EN GÉNÉRAL

CHAPITRE PREMIER

DISPOSITIONS GÉNÉRALES

4, 5, 6
(en (air 6, 7, 8)

1371. Il est de l'essence de l'obligation qu'il y ait des personnes entre qui elle existe, une prestation qui en soit l'objet et, s'agissant d'une obligation découlant d'un acte juridique, une cause qui en justifie l'existence.

1372. L'obligation naît du contrat et de tout acte ou fait auquel la loi attache d'autorité les effets d'une obligation.

Elle peut être pure et simple ou assortie de modalités.

1373. L'objet de l'obligation est la prestation à laquelle le débiteur est tenu envers le créancier et qui consiste à faire ou à ne pas faire quelque chose.

La prestation doit être possible et déterminée ou déterminable; elle ne doit être ni prohibée par la loi ni contraire à l'ordre public.

1374. La prestation peut porter sur tout bien, même à venir, pourvu que le bien soit déterminé quant à son espèce et déterminable quant à sa quotité.

1375. La bonne foi doit gouverner la conduite des parties, tant au moment de la naissance de l'obligation qu'à celui de son exécution ou de son extinction.

1376. Les règles du présent livre s'appliquent à l'État, ainsi qu'à ses organismes et à toute autre personne morale de droit public, sous réserve des autres règles de droit qui leur sont applicables.

398...

CHAPITRE DEUXIÈME

DU CONTRAT

SECTION I

DISPOSITION GÉNÉRALE

1377. Les règles générales du présent chapitre s'appliquent à tout contrat, quelle qu'en soit la nature.

Des règles particulières à certains contrats, qui complètent ces règles générales ou y dérogent, sont établies au titre deuxième du présent livre.

SECTION II

DE LA NATURE DU CONTRAT ET DE CERTAINES DE SES ESPÈCES

1378. Le contrat est un accord de volonté, par lequel une ou plusieurs personnes s'obligent envers une ou plusieurs autres à exécuter une prestation.

Il peut être d'adhésion ou de gré à gré, synallagmatique ou unilatéral, à titre onéreux ou gratuit, commutatif ou aléatoire et à exécution instantanée ou successive; il peut aussi être de consommation.

1379. Le "contrat est d'adhésion" lorsque les stipulations essentielles qu'il comporte ont été imposées par l'une des parties ou rédigées par elle, pour son compte ou suivant ses instructions, et qu'elles ne pouvaient être librement discutées.

Tout contrat qui n'est pas d'adhésion est de gré à gré.

1380. Le contrat est synallagmatique ou bilatéral lorsque les parties s'obligent réciproquement, de manière que l'obligation de chacune d'elles soit corrélative à l'obligation de l'autre.

Il est unilatéral lorsque l'une des parties s'oblige envers l'autre sans que, de la part de cette dernière, il y ait d'obligation.

1381. Le contrat à titre onéreux est celui par lequel chaque partie retire un avantage en échange de son obligation.

Le contrat à titre gratuit est celui par lequel l'une des parties s'oblige envers l'autre pour le bénéfice de celle-ci, sans retirer d'avantage en retour.

1382. Le contrat est commutatif lorsque, au moment où il est conclu, l'étendue des obligations des parties et des avantages qu'elles retirent en échange est certaine et déterminée.

Il est aléatoire lorsque l'étendue de l'obligation ou des avantages est incertaine.

1383. Le contrat à exécution instantanée est celui où la nature des choses ne s'oppose pas à ce que les obligations des parties s'exécutent en une seule et même fois.

Le contrat à exécution successive est celui où la nature des choses exige que les obligations s'exécutent en plusieurs fois ou d'une façon continue.

1384. Le contrat de consommation est le contrat dont le champ d'application est délimité par les lois relatives à la protection du consommateur, par lequel l'une des parties, étant une personne physique, le consommateur, acquiert, loue, emprunte ou se procure de toute autre manière, à des fins personnelles, familiales ou domestiques, des biens ou des services auprès de l'autre partie, laquelle offre de tels biens ou services dans le cadre d'une entreprise qu'elle exploite.

1525 (3)

SECTION III

DE LA FORMATION DU CONTRAT

§ 1.—*Des conditions de formation du contrat*

I — Disposition générale

1385. Le contrat se forme par le seul échange de consentement entre des personnes capables de contracter, à moins que la loi n'exige, en outre, le respect d'une forme particulière comme condition nécessaire à sa formation, ou que les parties n'assujettissent la formation du contrat à une forme solennelle.

1414-15

Il est aussi de son essence qu'il ait une cause et un objet.

II — Du consentement

1. De l'échange de consentement

1386. L'échange de consentement se réalise par la manifestation, expresse ou tacite, de la volonté d'une personne d'accepter l'offre de contracter que lui fait une autre personne.

1387. Le contrat est formé au moment où l'offrant reçoit l'acceptation et au lieu où cette acceptation est reçue, quel qu'ait été le moyen utilisé pour la communiquer et lors même que les parties ont convenu de réserver leur accord sur certains éléments secondaires.

2. De l'offre et de l'acceptation

1388. Est une offre de contracter, la proposition qui comporte tous les éléments essentiels du contrat envisagé et qui indique la volonté de son auteur d'être lié en cas d'acceptation.

1389. L'offre de contracter émane de la personne qui prend l'initiative du contrat ou qui en détermine le contenu, ou même, en certains cas, qui présente le dernier élément essentiel du contrat projeté.

1390. L'offre de contracter peut être faite à une personne déterminée ou indéterminée; elle peut être assortie ou non d'un délai pour son acceptation.

Celle qui est assortie d'un délai est irrévocable avant l'expiration du délai; celle qui n'en est pas assortie demeure révocable tant que l'offrant n'a pas reçu l'acceptation.

1391. La révocation qui parvient au destinataire avant l'offre rend celle-ci caduque, lors même que l'offre est assortie d'un délai.

1392. L'offre devient caduque si aucune acceptation n'est reçue par l'offrant avant l'expiration du délai imparti ou, en l'absence d'un tel délai, à l'expiration d'un délai raisonnable; elle devient également caduque à l'égard du destinataire qui l'a refusée.

Le décès ou la faillite de l'offrant ou du destinataire de l'offre, assortie ou non d'un délai, de même que l'ouverture à l'égard de l'un ou de l'autre d'un régime de protection, emportent aussi la caducité de l'offre, si ces causes de caducité surviennent avant que l'acceptation ne soit reçue par l'offrant.

1393. L'acceptation qui n'est pas substantiellement conforme à l'offre, de même que celle qui est reçue par l'offrant alors que l'offre était devenue caduque, ne vaut pas acceptation.

Elle peut, cependant, constituer elle-même une nouvelle offre.

1394. Le silence ne vaut pas acceptation, à moins qu'il n'en résulte autrement de la volonté des parties, de la loi ou de circonstances particulières, tels les usages ou les relations d'affaires antérieures.

1395. L'offre de récompense à quiconque accomplira un acte donné est réputée acceptée et lie l'offrant dès qu'une personne, même sans connaître l'offre, accomplit cet acte, à moins que, dans les cas qui le permettent, l'offrant n'ait révoqué son offre antérieurement d'une manière expresse et suffisante.

1396. L'offre de contracter, faite à une personne déterminée, constitue une promesse de conclure le contrat envisagé, dès lors que le destinataire manifeste clairement à l'offrant son intention de prendre l'offre en considération et d'y répondre dans un délai raisonnable ou dans celui dont elle est assortie.

La promesse, à elle seule, n'équivaut pas au contrat envisagé; cependant, lorsque le bénéficiaire de la promesse l'accepte ou lève l'option à lui consentie, il s'oblige alors, de même que le promettant, à conclure le contrat, à moins qu'il ne décide de le conclure immédiatement.

1397. Le contrat conclu en violation d'une promesse de contracter est opposable au bénéficiaire de celle-ci, sans préjudice, toutefois, de ses recours en dommages-intérêts contre le promettant et la personne qui, de mauvaise foi, a conclu le contrat avec ce dernier.

Il en est de même du contrat conclu en violation d'un pacte de préférence.

3. Des qualités et des vices du consentement

1398. Le consentement doit être donné par une personne qui, au temps où elle le manifeste, de façon expresse ou tacite, est apte à s'obliger.

1399. Le consentement doit être libre et éclairé.

Il peut être vicié par l'erreur, la crainte ou la lésion.

1400. L'erreur vicie le consentement des parties ou de l'une d'elles lorsqu'elle porte sur la nature du contrat, sur l'objet de la prestation ou, encore, sur tout élément essentiel qui a déterminé le consentement.

L'erreur inexcusable ne constitue pas un vice de consentement.

1401. L'erreur d'une partie, provoquée par le dol de l'autre partie ou à la connaissance de celle-ci, vicie le consentement dans tous les cas où, sans cela, la partie n'aurait pas contracté ou aurait contracté à des conditions différentes.

Le dol peut résulter du silence ou d'une réticence.

1402. La crainte d'un préjudice sérieux pouvant porter atteinte à la personne ou aux biens de l'une des parties vicie le consentement donné par elle, lorsque cette crainte est provoquée par la violence ou la menace de l'autre partie ou à sa connaissance.

Le préjudice appréhendé peut aussi se rapporter à une autre personne ou à ses biens et il s'apprécie suivant les circonstances.

1403. La crainte inspirée par l'exercice abusif d'un droit ou d'une autorité ou par la menace d'un tel exercice vicie le consentement.

1404. N'est pas vicié le consentement à un contrat qui a pour objet de soustraire celui qui le conclut à la crainte d'un préjudice sérieux, lorsque le cocontractant, bien qu'ayant connaissance de l'état de nécessité, est néanmoins de bonne foi.

1405. Outre les cas expressément prévus par la loi, la lésion ne vicie le consentement qu'à l'égard des mineurs et des majeurs protégés.

1406. La lésion résulte de l'exploitation de l'une des parties par l'autre, qui entraîne une disproportion importante entre les prestations des parties; le fait même qu'il y ait disproportion importante fait présumer l'exploitation.

Elle peut aussi résulter, lorsqu'un mineur ou un majeur protégé est en cause, d'une obligation estimée excessive eu égard à la situation patrimoniale de la personne, aux avantages qu'elle retire du contrat et à l'ensemble des circonstances.

1407. Celui dont le consentement est vicié a le droit de demander la nullité du contrat; en cas d'erreur provoquée par le dol, de crainte ou de lésion, il peut demander, outre la nullité, des dommages-intérêts ou encore, s'il préfère que le contrat soit maintenu, demander une réduction de son obligation équivalente aux dommages-intérêts qu'il eût été justifié de réclamer.

1408. Le tribunal peut, en cas de lésion, maintenir le contrat dont la nullité est demandée, lorsque le défendeur offre une réduction de sa créance ou un supplément pécuniaire équitable.

III — De la capacité de contracter

1409. Les règles relatives à la capacité de contracter sont principalement établies au livre Des personnes.

IV — De la cause du contrat

1410. La cause du contrat est la raison qui détermine chacune des parties à le conclure.

Il n'est pas nécessaire qu'elle soit exprimée.

1411. Est nul le contrat dont la cause est prohibée par la loi ou contraire à l'ordre public.

V — De l'objet du contrat

1412. L'objet du contrat est l'opération juridique envisagée par les parties au moment de sa conclusion, telle qu'elle ressort de l'ensemble des droits et obligations que le contrat fait naître.

1413. Est nul le contrat dont l'objet est prohibé par la loi ou contraire à l'ordre public.

VI — De la forme du contrat

1414. Lorsqu'une forme particulière ou solennelle est exigée comme condition nécessaire à la formation du contrat, elle doit être observée ; cette forme doit aussi être observée pour toute modification apportée à un tel contrat, à moins que la modification ne consiste qu'en stipulations accessoires.

1415. La promesse de conclure un contrat n'est pas soumise à la forme exigée pour ce contrat.

§ 2.—*De la sanction des conditions de formation du contrat*

I — De la nature de la nullité

1416. Tout contrat qui n'est pas conforme aux conditions nécessaires à sa formation peut être frappé de nullité.

1417. La nullité d'un contrat est absolue lorsque la condition de formation qu'elle sanctionne s'impose pour la protection de l'intérêt général.

1418. La nullité absolue d'un contrat peut être invoquée par toute personne qui y a un intérêt né et actuel; le tribunal la soulève d'office.

Le contrat frappé de nullité absolue n'est pas susceptible de confirmation.

1419. La nullité d'un contrat est relative lorsque la condition de formation qu'elle sanctionne s'impose pour la protection d'intérêts particuliers; il en est ainsi lorsque le consentement des parties ou de l'une d'elles est vicié.

1420. La nullité relative d'un contrat ne peut être invoquée que par la personne en faveur de qui elle est établie ou par son cocontractant, s'il est de bonne foi et en subit un préjudice sérieux; le tribunal ne peut la soulever d'office.

Le contrat frappé de nullité relative est susceptible de confirmation.

1421. À moins que la loi n'indique clairement le caractère de la nullité, le contrat qui n'est pas conforme aux conditions nécessaires à sa formation est présumé n'être frappé que de nullité relative.

II — Des effets de la nullité

1422. Le contrat frappé de nullité est réputé n'avoir jamais existé.

Chacune des parties est, dans ce cas, tenue de restituer à l'autre les prestations qu'elle a reçues.

III — De la confirmation du contrat

1423. La confirmation d'un contrat résulte de la volonté, expresse ou tacite, de renoncer à en invoquer la nullité.

La volonté de confirmer doit être certaine et évidente.

1424. Lorsque chacune des parties peut invoquer la nullité du contrat, ou que plusieurs d'entre elles le peuvent à l'encontre d'un cocontractant commun, la confirmation par l'une d'elles n'empêche pas les autres d'invoquer la nullité.

SECTION IV

DE L'INTERPRÉTATION DU CONTRAT

1425. Dans l'interprétation du contrat, on doit rechercher quelle a été la commune intention des parties plutôt que de s'arrêter au sens littéral des termes utilisés.

1426. On tient compte, dans l'interprétation du contrat, de sa nature, des circonstances dans lesquelles il a été conclu, de l'interprétation que les parties lui ont déjà donnée ou qu'il peut avoir reçue, ainsi que des usages.

1427. Les clauses s'interprètent les unes par les autres, en donnant à chacune le sens qui résulte de l'ensemble du contrat.

1428. Une clause s'entend dans le sens qui lui confère quelque effet plutôt que dans celui qui n'en produit aucun.

1429. Les termes susceptibles de deux sens doivent être pris dans le sens qui convient le plus à la matière du contrat.

1430. La clause destinée à écarter tout doute sur l'application du contrat à un cas particulier ne restreint pas la portée du contrat par ailleurs conçu en termes généraux.

1431. Les clauses d'un contrat, même si elles sont énoncées en termes généraux, comprennent seulement ce sur quoi il paraît que les parties se sont proposé de contracter.

1432. Dans le doute, le contrat s'interprète en faveur de celui qui a contracté l'obligation et contre celui qui l'a stipulée. Dans tous les cas, il s'interprète en faveur de l'adhérent ou du consommateur.

SECTION V

DES EFFETS DU CONTRAT

§ 1.—*Des effets du contrat entre les parties*

I — Disposition générale

1433. Le contrat crée des obligations et quelquefois les modifie ou les éteint.

En certains cas, il a aussi pour effet de constituer, transférer, modifier ou éteindre des droits réels.

II — De la force obligatoire et du contenu du contrat

1434. Le contrat valablement formé oblige ceux qui l'ont conclu non seulement pour ce qu'ils y ont exprimé, mais aussi pour tout ce qui en découle d'après sa nature et suivant les usages, l'équité ou la loi.

1435. La clause externe à laquelle renvoie le contrat lie les parties.

Toutefois, dans un contrat de consommation ou d'adhésion, cette clause est nulle si, au moment de la formation du contrat, elle n'a pas été expressément portée à la connaissance du consommateur ou de la partie qui y adhère, à moins que l'autre partie ne prouve que le consommateur ou l'adhérent en avait par ailleurs connaissance.

1436. Dans un contrat de consommation ou d'adhésion, la clause illisible ou incompréhensible pour une personne raisonnable est nulle si le consommateur ou la partie qui y adhère en souffre préjudice, à moins que l'autre partie ne prouve que des explications adéquates sur la nature et l'étendue de la clause ont été données au consommateur ou à l'adhérent.

1437. La clause abusive d'un contrat de consommation ou d'adhésion est nulle ou l'obligation qui en découle, réductible.

Est abusive toute clause qui désavantage le consommateur ou l'adhérent d'une manière excessive et déraisonnable, allant ainsi à l'encontre de ce qu'exige la bonne foi; est abusive, notamment, la clause si éloignée des obligations essentielles qui découlent des règles gouvernant habituellement le contrat qu'elle dénature celui-ci.

1438. La clause qui est nulle ne rend pas le contrat invalide quant au reste, à moins qu'il n'apparaisse que le contrat doive être considéré comme un tout indivisible.

Il en est de même de la clause qui est sans effet ou réputée non écrite.

1439. Le contrat ne peut être résolu, résilié, modifié ou révoqué que pour les causes reconnues par la loi ou de l'accord des parties.

§ 2.—*Des effets du contrat à l'égard des tiers*

I — Dispositions générales

1440. Le contrat n'a d'effet qu'entre les parties contractantes; il n'en a point quant aux tiers, excepté dans les cas prévus par la loi.

1441. Les droits et obligations résultant du contrat sont, lors du décès de l'une des parties, transmis à ses héritiers si la nature du contrat ne s'y oppose pas.

1442. Les droits des parties à un contrat sont transmis à leurs ayants cause à titre particulier s'ils constituent l'accessoire d'un bien qui leur est transmis ou s'ils lui sont intimement liés.

II — De la promesse du fait d'autrui

1443. On ne peut, par un contrat fait en son propre nom, engager d'autres que soi-même et ses héritiers; mais on peut, en son propre nom, promettre qu'un tiers s'engagera à exécuter une obligation; en ce cas, on est tenu envers son cocontractant du préjudice qu'il subit si le tiers ne s'engage pas conformément à la promesse.

III — De la stipulation pour autrui

1444. On peut, dans un contrat, stipuler en faveur d'un tiers.

Cette stipulation confère au tiers bénéficiaire le droit d'exiger directement du promettant l'exécution de l'obligation promise.

1445. Il n'est pas nécessaire que le tiers bénéficiaire soit déterminé ou existe au moment de la stipulation; il suffit qu'il soit déterminable à cette époque et qu'il existe au moment où le promettant doit exécuter l'obligation en sa faveur.

1446. La stipulation est révocable aussi longtemps que le tiers bénéficiaire n'a pas porté à la connaissance du stipulant ou du promettant sa volonté de l'accepter.

1447. Seul le stipulant peut révoquer la stipulation; ni ses héritiers ni ses créanciers ne le peuvent.

Il ne peut, toutefois, le faire sans le consentement du promettant, lorsque celui-ci a un intérêt à ce que la stipulation soit maintenue.

1448. La révocation de la stipulation prend effet dès qu'elle est portée à la connaissance du promettant, à moins qu'elle ne soit faite par testament, auquel cas elle prend effet dès l'ouverture de la succession.

La révocation profite au stipulant ou à ses héritiers, à défaut d'une nouvelle désignation de bénéficiaire.

1449. Le tiers bénéficiaire et ses héritiers peuvent valablement accepter la stipulation, même après le décès du stipulant ou du promettant.

1450. Le promettant peut opposer au tiers bénéficiaire les moyens qu'il aurait pu faire valoir contre le stipulant.

IV — De la simulation

1451. Il y a simulation lorsque les parties conviennent d'exprimer leur volonté réelle non point dans un contrat apparent, mais dans un contrat secret, aussi appelé contre-lettre.

Entre les parties, la contre-lettre l'emporte sur le contrat apparent.

1452. Les tiers de bonne foi peuvent, selon leur intérêt, se prévaloir du contrat apparent ou de la contre-lettre, mais s'il survient entre eux un conflit d'intérêts, celui qui se prévaut du contrat apparent est préféré.

§ 3.—*Des effets particuliers à certains contrats*

I — Du transfert de droits réels

1453. Le transfert d'un droit réel portant sur un bien individualisé ou sur plusieurs biens considérés comme une universalité, en rend l'acquéreur titulaire dès la formation du contrat, quoique la délivrance n'ait pas lieu immédiatement et qu'une opération puisse rester nécessaire à la détermination du prix.

Le transfert portant sur un bien déterminé quant à son espèce seulement en rend l'acquéreur titulaire, dès qu'il a été informé de l'individualisation du bien.

1454. Si une partie transfère successivement, à des acquéreurs différents, un même droit réel portant sur un même bien meuble, l'acquéreur de bonne foi qui est mis en possession du bien en premier est titulaire du droit réel sur ce bien, quoique son titre soit postérieur.

1455. Le transfert d'un droit réel portant sur un bien immeuble n'est opposable aux tiers que suivant les règles relatives à la publicité des droits.

II — Des fruits et revenus et des risques du bien

1456. L'attribution des fruits et revenus et la charge des risques du bien qui est l'objet d'un droit réel transféré par contrat sont principalement réglées au livre Des biens.

Toutefois, tant que la délivrance du bien n'a pas été faite, le débiteur de l'obligation de délivrance continue d'assumer les risques y afférents.

CHAPITRE TROISIÈME

DE LA RESPONSABILITÉ CIVILE

SECTION I

DES CONDITIONS DE LA RESPONSABILITÉ

§ 1.—Dispositions générales

1457. Toute personne a le devoir de respecter les règles de conduite qui, suivant les circonstances, les usages ou la loi, s'imposent à elle, de manière à ne pas causer de préjudice à autrui.

Elle est, lorsqu'elle est douée de raison et qu'elle manque à ce devoir, responsable du préjudice qu'elle cause par cette faute à autrui et tenue de réparer ce préjudice, qu'il soit corporel, moral ou matériel.

Elle est aussi tenue, en certains cas, de réparer le préjudice causé à autrui par le fait ou la faute d'une autre personne ou par le fait des biens qu'elle a sous sa garde.

1458. Toute personne a le devoir d'honorer les engagements qu'elle a contractés.

Elle est, lorsqu'elle manque à ce devoir, responsable du préjudice, corporel, moral ou matériel, qu'elle cause à son cocontractant et tenue de réparer ce préjudice; ni elle ni le cocontractant ne peuvent alors se soustraire à l'application des règles du régime contractuel de responsabilité pour opter en faveur de règles qui leur seraient plus profitables.

Ⓐ 93-1397 : Fargueli (J. André) voir p. 259

§ 2.—*Du fait ou de la faute d'autrui*

1459. Le titulaire de l'autorité parentale est tenu de réparer le préjudice causé à autrui par le fait ou la faute du mineur à l'égard de qui il exerce cette autorité, à moins de prouver qu'il n'a lui-même commis aucune faute dans la garde, la surveillance ou l'éducation du mineur.

Celui qui a été déchu de l'autorité parentale est tenu de la même façon, si le fait ou la faute du mineur est lié à l'éducation qu'il lui a donnée.

1460. La personne qui, sans être titulaire de l'autorité parentale, se voit confier, par délégation ou autrement, la garde, la surveillance ou l'éducation d'un mineur est tenue, de la même manière que le titulaire de l'autorité parentale, de réparer le préjudice causé par le fait ou la faute du mineur.

Toutefois, elle n'y est tenue, lorsqu'elle agit gratuitement ou moyennant une récompense, que s'il est prouvé qu'elle a commis une faute.

1461. La personne qui, agissant comme tuteur, curateur ou autrement, assume la garde d'un majeur non doué de raison n'est pas tenue de réparer le préjudice causé par le fait de ce majeur, à moins qu'elle n'ait elle-même commis une faute intentionnelle ou lourde dans l'exercice de la garde.

1462. On ne peut être responsable du préjudice causé à autrui par le fait d'une personne non douée de raison que dans le cas où le comportement de celle-ci aurait été autrement considéré comme fautif.

1463. Le commettant est tenu de réparer le préjudice causé par la faute de ses préposés dans l'exécution de leurs fonctions; il conserve, néanmoins, ses recours contre eux.

1464. Le préposé de l'État ou d'une personne morale de droit public ne cesse pas d'agir dans l'exécution de ses fonctions du seul fait qu'il commet un acte illégal, hors de sa compétence ou non autorisé, ou du fait qu'il agit comme agent de la paix.

§ 3.—*Du fait des biens*

1465. Le gardien d'un bien est tenu de réparer le préjudice causé par le fait autonome de celui-ci, à moins qu'il prouve n'avoir commis aucune faute.

1466. Le propriétaire d'un animal est tenu de réparer le préjudice que l'animal a causé, soit qu'il fût sous sa garde ou sous celle d'un tiers, soit qu'il fût égaré ou échappé.

La personne qui se sert de l'animal en est aussi, pendant ce temps, responsable avec le propriétaire.

1467. Le propriétaire, sans préjudice de sa responsabilité à titre de gardien, est tenu de réparer le préjudice causé par la ruine, même partielle, de son immeuble, qu'elle résulte d'un défaut d'entretien ou d'un vice de construction.

1468. Le fabricant d'un bien meuble, même si ce bien est incorporé à un immeuble ou y est placé pour le service ou l'exploitation de celui-ci, est tenu de réparer le préjudice causé à un tiers par le défaut de sécurité du bien.

Il en est de même pour la personne qui fait la distribution du bien sous son nom ou comme étant son bien et pour tout fournisseur du bien, qu'il soit grossiste ou détaillant, ou qu'il soit ou non l'importateur du bien.

1469. Il y a défaut de sécurité du bien lorsque, compte tenu de toutes les circonstances, le bien n'offre pas la sécurité à laquelle on est normalement en droit de s'attendre, notamment en raison d'un vice de conception ou de fabrication du bien, d'une mauvaise conservation ou présentation du bien ou, encore, de l'absence d'indications suffisantes quant aux risques et dangers qu'il comporte ou quant aux moyens de s'en prémunir.

SECTION II

DE CERTAINS CAS D'EXONÉRATION DE RESPONSABILITÉ

1470. Toute personne peut se dégager de sa responsabilité pour le préjudice causé à autrui si elle prouve que le préjudice résulte d'une force majeure, à moins qu'elle ne se soit engagée à le réparer.

La "force majeure" est un événement imprévisible et irrésistible ; y est assimilée la cause étrangère qui présente ces mêmes caractères.

1471. La personne qui porte secours à autrui ou qui, dans un but désintéressé, dispose gratuitement de biens au profit d'autrui est exonérée de toute responsabilité pour le préjudice qui peut en résulter, à moins que ce préjudice ne soit dû à sa faute intentionnelle ou à sa faute lourde.

1472. Toute personne peut se dégager de sa responsabilité pour le préjudice causé à autrui par suite de la divulgation d'un secret commercial si elle prouve que l'intérêt général l'emportait sur le maintien du secret et, notamment, que la divulgation de celui-ci était justifiée par des motifs liés à la santé ou à la sécurité du public.

1473. Le fabricant, distributeur ou fournisseur d'un bien meuble n'est pas tenu de réparer le préjudice causé par le défaut de sécurité de ce bien s'il prouve que la victime connaissait ou était en mesure de connaître le défaut du bien, ou qu'elle pouvait prévoir le préjudice.

Il n'est pas tenu, non plus, de réparer le préjudice s'il prouve que le défaut ne pouvait être connu, compte tenu de l'état des connaissances, au moment où il a fabriqué, distribué ou fourni le bien et qu'il n'a pas été négligent dans son devoir d'information lorsqu'il a eu connaissance de l'existence de ce défaut.

1474. Une personne ne peut exclure ou limiter sa responsabilité pour le préjudice matériel causé à autrui par une faute intentionnelle ou une faute lourde; la "faute lourde" est celle qui dénote une insouciance, une imprudence ou une négligence grossières.

Elle ne peut aucunement exclure ou limiter sa responsabilité pour le préjudice corporel ou moral causé à autrui.

1475. Un avis, qu'il soit ou non affiché, stipulant l'exclusion ou la limitation de l'obligation de réparer le préjudice résultant de l'inexécution d'une obligation contractuelle n'a d'effet, à l'égard du créancier, que si la partie qui invoque l'avis prouve que l'autre partie en avait connaissance au moment de la formation du contrat.

1476. On ne peut, par un avis, exclure ou limiter, à l'égard des tiers, son obligation de réparer; mais, pareil avis peut valoir dénonciation d'un danger.

(en matière délictuelle)

1477. L'acceptation de risques par la victime, même si elle peut, eu égard aux circonstances, être considérée comme une imprudence, n'emporte pas renonciation à son recours contre l'auteur du préjudice.

(e.g. partage de responsabilité)

1437 Clause abusive

SECTION III

DU PARTAGE DE RESPONSABILITÉ

1478. Lorsque le préjudice est causé par plusieurs personnes, la responsabilité se partage entre elles en proportion de la gravité de leur faute respective.

La faute de la victime, commune dans ses effets avec celle de l'auteur, entraîne également un tel partage.

1479. La personne qui est tenue de réparer un préjudice ne répond pas de l'aggravation de ce préjudice que la victime pouvait éviter.

1480. Lorsque plusieurs personnes ont participé à un fait collectif fautif qui entraîne un préjudice ou qu'elles ont commis des fautes distinctes dont chacune est susceptible d'avoir causé le préjudice, sans qu'il soit possible, dans l'un ou l'autre cas, de déterminer laquelle l'a effectivement causé, elles sont tenues solidairement à la réparation du préjudice.

1481. Lorsque le préjudice est causé par plusieurs personnes et qu'une disposition expresse d'une loi particulière exonère l'une d'elles de toute responsabilité, la part de responsabilité qui lui aurait été attribuée est assumée de façon égale par les autres responsables du préjudice.

CHAPITRE QUATRIÈME

DE CERTAINES AUTRES SOURCES DE L'OBLIGATION

SECTION I

DE LA GESTION D'AFFAIRES

1482. Il y a gestion d'affaires lorsqu'une personne, le gérant, de façon spontanée et sans y être obligée, entreprend volontairement et opportunément de gérer l'affaire d'une autre personne, le géré, hors la connaissance de celle-ci ou à sa connaissance si elle n'était pas elle-même en mesure de désigner un mandataire ou d'y pourvoir de toute autre manière.

1483. Le gérant doit, dès qu'il lui est possible de le faire, informer le géré de la gestion qu'il a entreprise.

1484. La gestion d'affaires oblige le gérant à continuer la gestion qu'il a entreprise jusqu'à ce qu'il puisse l'abandonner sans risque de perte ou jusqu'à ce que le géré, ses tuteur ou curateur, ou le liquidateur de sa succession, le cas échéant, soient en mesure d'y pourvoir.

Le gérant est, pour le reste, soumis dans sa gestion aux obligations générales de l'administrateur du bien d'autrui chargé de la simple administration, dans la mesure où ces obligations ne sont pas incompatibles, compte tenu des circonstances.

1485. Le liquidateur de la succession du gérant qui connaît la gestion, n'est tenu de faire, dans les affaires commencées, que ce qui est nécessaire pour prévenir une perte ; il doit aussitôt rendre compte au géré.

1486. Le géré doit, lorsque les conditions de la gestion d'affaires sont réunies et même si le résultat recherché n'a pas été atteint, rembourser au gérant les dépenses nécessaires ou utiles faites par celui-ci et l'indemniser pour le préjudice qu'il a subi en raison de sa gestion et qui n'est pas dû à sa faute.

Il doit aussi remplir les engagements nécessaires ou utiles qui ont été contractés, en son nom ou à son bénéfice, par le gérant envers des tiers.

1487. L'utilité ou la nécessité des dépenses faites par le gérant et des obligations qu'il a contractées s'apprécie au moment où elles ont été faites ou contractées.

1488. Les impenses faites par le gérant sur un immeuble appartenant au géré sont traitées suivant les règles établies pour celles faites par un possesseur de bonne foi.

1489. Le gérant qui agit en son propre nom est tenu envers les tiers avec qui il contracte, sans préjudice des recours de l'un et des autres contre le géré.

Le gérant qui agit au nom du géré n'est tenu envers les tiers avec qui il contracte que si le géré n'est pas tenu envers eux.

1490. La gestion inopportunément entreprise par le gérant n'oblige le géré que dans la seule mesure de son enrichissement.

SECTION II

DE LA RÉCEPTION DE L'INDU

1491. Le paiement fait par erreur, ou simplement pour éviter un préjudice à celui qui le fait en protestant qu'il ne doit rien, oblige celui qui l'a reçu à le restituer.

Toutefois, il n'y a pas lieu à la restitution lorsque, par suite du paiement, celui qui a reçu de bonne foi a désormais une créance prescrite, a détruit son titre ou s'est privé d'une sûreté, sauf le recours de celui qui a payé contre le véritable débiteur.

1492. La restitution de ce qui a été payé indûment se fait suivant les règles de la restitution des prestations.

SECTION III

DE L'ENRICHISSEMENT INJUSTIFIÉ (A) p. 253

1493. Celui qui s'enrichit aux dépens d'autrui doit, jusqu'à concurrence de son enrichissement, indemniser ce dernier de son appauvrissement corrélatif s'il n'existe aucune justification à l'enrichissement ou à l'appauvrissement.

1494. Il y a "justification" à l'enrichissement ou à l'appauvrissement lorsqu'il résulte de l'exécution d'une obligation, du défaut, par l'appauvri, d'exercer un droit qu'il peut ou aurait pu faire valoir contre l'enrichi ou d'un acte accompli par l'appauvri dans son intérêt personnel et exclusif ou à ses risques et périls ou, encore, dans une intention libérale constante.

1495. L'indemnité n'est due que si l'enrichissement subsiste au jour de la demande.

Tant l'enrichissement que l'appauvrissement s'apprécient au jour de la demande; toutefois, si les circonstances indiquent la mauvaise foi de l'enrichi, l'enrichissement peut s'apprécier au temps où il en a bénéficié.

1496. Lorsque l'enrichi a disposé gratuitement de ce dont il s'est enrichi sans intention de frauder l'appauvri, l'action de ce dernier peut s'exercer contre le tiers bénéficiaire, si celui-ci était en mesure de connaître l'appauvrissement.

CHAPITRE CINQUIÈME

DES MODALITÉS DE L'OBLIGATION

SECTION I

DE L'OBLIGATION À MODALITÉ SIMPLE

§ 1.—De l'obligation conditionnelle

1497. L'obligation est conditionnelle lorsqu'on la fait dépendre d'un événement futur et incertain, soit en suspendant sa naissance jusqu'à ce que l'événement arrive ou qu'il devienne certain qu'il n'arrivera pas, soit en subordonnant son extinction au fait que l'événement arrive ou n'arrive pas.

1498. N'est pas conditionnelle l'obligation dont la naissance ou l'extinction dépend d'un événement qui, à l'insu des parties, est déjà arrivé au moment où le débiteur s'est obligé sous condition.

1499. La condition dont dépend l'obligation doit être possible et ne doit être ni prohibée par la loi ni contraire à l'ordre public; autrement, elle est nulle et rend nulle l'obligation qui en dépend.

1500. L'obligation dont la naissance dépend d'une condition qui relève de la seule discrétion du débiteur est nulle; mais, si la condition consiste à faire ou à ne pas faire quelque chose, quoique cela relève de sa discrétion, l'obligation est valable.

1501. La condition qui n'est assortie d'aucun délai pour son accomplissement peut toujours être accomplie; elle est toutefois défaillie s'il devient certain qu'elle ne s'accomplira pas.

1502. Lorsque l'obligation est subordonnée à la condition qu'un événement n'arrivera pas dans un temps déterminé, cette condition est accomplie lorsque le temps s'est écoulé sans que l'événement soit arrivé; elle l'est également lorsqu'il devient certain, avant l'écoulement du temps prévu, que l'événement n'arrivera pas.

S'il n'y a pas de temps déterminé, la condition n'est censée accomplie que lorsqu'il devient certain que l'événement n'arrivera pas.

1503. L'obligation conditionnelle a tout son effet lorsque le débiteur obligé sous telle condition en empêche l'accomplissement.

1504. Le créancier peut, avant l'accomplissement de la condition, prendre toutes les mesures utiles à la conservation de ses droits.

1505. Le simple fait que l'obligation soit conditionnelle ne l'empêche pas d'être cessible ou transmissible.

1506. La condition accomplie a, entre les parties et à l'égard des tiers, un effet rétroactif au jour où le débiteur s'est obligé sous condition.

1507. La condition suspensive accomplie oblige le débiteur à exécuter l'obligation, comme si celle-ci avait existé depuis le jour où il s'est obligé sous telle condition.

La condition résolutoire accomplie oblige chacune des parties à restituer à l'autre les prestations qu'elle a reçues en vertu de l'obligation, comme si celle-ci n'avait jamais existé.

§ 2.—*De l'obligation à terme*

1508. L'obligation est à terme suspensif lorsque son exigibilité seule est suspendue jusqu'à l'arrivée d'un événement futur et certain.

1509. Lorsque l'exigibilité de l'obligation est suspendue jusqu'à l'expiration d'un délai, sans mention d'une date déterminée, on ne compte pas le jour qui marque le point de départ, mais on compte celui de l'échéance.

1510. Si l'événement qui était tenu pour certain n'arrive pas, l'obligation devient exigible au jour où l'événement aurait dû normalement arriver.

1511. Le terme profite au débiteur, sauf s'il résulte de la loi, de la volonté des parties ou des circonstances qu'il a été stipulé en faveur du créancier ou des deux parties.

La partie au bénéfice exclusif de qui le terme est stipulé peut y renoncer, sans le consentement de l'autre partie.

1512. Lorsque les parties ont convenu de retarder la détermination du terme ou de laisser à l'une d'elles le soin de le déterminer et qu'à l'expiration d'un délai raisonnable, elles n'y ont point encore procédé, le tribunal peut, à la demande de l'une d'elles, fixer ce terme en tenant compte de la nature de l'obligation, de la situation des parties et de toute circonstance appropriée.

Le tribunal peut aussi fixer ce terme lorsqu'il est de la nature de l'obligation qu'elle soit à terme et qu'il n'y a pas de convention par laquelle on puisse le déterminer.

1513. Ce qui n'est dû qu'à terme ne peut être exigé avant l'échéance; mais ce qui a été exécuté d'avance, librement et sans erreur, ne peut être répété.

1514. Le débiteur perd le bénéfice du terme s'il devient insolvable, est déclaré failli, ou diminue, par son fait et sans le consentement du créancier, les sûretés qu'il a consenties à ce dernier.

Il perd aussi le bénéfice du terme s'il fait défaut de respecter les conditions en considération desquelles ce bénéfice lui avait été accordé.

1515. La renonciation au bénéfice du terme ou la déchéance du terme rend l'obligation immédiatement exigible.

1516. La déchéance du terme encourue par l'un des débiteurs, même solidaire, est inopposable aux autres codébiteurs.

1517. L'obligation est à terme extinctif lorsque sa durée est fixée par la loi ou par les parties et qu'elle s'éteint par l'arrivée du terme.

SECTION II

DE L'OBLIGATION À MODALITÉ COMPLEXE

§ 1.—*De l'obligation à plusieurs sujets*

I — De l'obligation conjointe, divisible et indivisible

1518. L'obligation est conjointe entre plusieurs débiteurs lorsqu'ils sont obligés à une même chose envers le créancier, mais de manière que chacun d'eux ne puisse être contraint à l'exécution de l'obligation que séparément et jusqu'à concurrence de sa part dans la dette.

Elle est conjointe entre plusieurs créanciers lorsque chacun d'eux ne peut exiger, du débiteur commun, que l'exécution de sa part dans la créance.

1519. L'obligation est divisible de plein droit, à moins que l'indivisibilité n'ait été expressément stipulée ou que l'objet de l'obligation ne soit pas, de par sa nature, susceptible de division matérielle ou intellectuelle.

1520. L'obligation qui est indivisible ne se divise ni entre les débiteurs ou les créanciers, ni entre leurs héritiers.

Chacun des débiteurs ou de ses héritiers peut être séparément contraint à l'exécution de l'obligation entière et chacun des créanciers ou de ses héritiers peut, inversement, exiger son exécution intégrale, encore que l'obligation ne soit pas solidaire.

1521. La stipulation de solidarité, à elle seule, ne confère pas à l'obligation le caractère d'indivisibilité.

1522. L'obligation divisible qui n'a qu'un seul débiteur et qu'un seul créancier doit être exécutée entre eux comme si elle était indivisible ; mais elle demeure divisible entre leurs héritiers.

II — De l'obligation solidaire

1. De la solidarité entre les débiteurs

1523. L'obligation est solidaire entre les débiteurs lorsqu'ils sont obligés à une même chose envers le créancier, de manière que chacun puisse être séparément contraint pour la totalité de l'obligation, et que l'exécution par un seul libère les autres envers le créancier.

1524. L'obligation peut être solidaire quoique l'un des codébiteurs soit obligé différemment des autres à l'accomplissement de la même chose, par exemple si l'un est obligé conditionnellement tandis que l'engagement de l'autre n'est pas conditionnel, ou s'il est donné à l'un un terme qui n'est pas accordé à l'autre.

1525. La solidarité entre les débiteurs ne se présume pas ; elle n'existe que lorsqu'elle est expressément stipulée par les parties ou prévue par la loi.

Elle est, au contraire, présumée entre les débiteurs d'une obligation contractée pour le service ou l'exploitation d'une entreprise.

Constitue l'exploitation d'une entreprise l'exercice, par une ou plusieurs personnes, d'une activité économique organisée, qu'elle soit ou non à caractère commercial, consistant dans la production ou la réalisation de biens, leur administration ou leur aliénation, ou dans la prestation de services.

1526. L'obligation de réparer le préjudice causé à autrui par la faute de deux personnes ou plus est solidaire, lorsque cette obligation est extracontractuelle.

1527. Lorsque l'exécution en nature d'une obligation devient impossible par la faute ou pendant la demeure de l'un ou de plusieurs des débiteurs solidaires, les autres codébiteurs ne sont pas déchargés de l'obligation d'en payer l'équivalent au créancier, mais ils ne sont pas tenus des dommages-intérêts additionnels qui pourraient lui être dus.

Le créancier ne peut réclamer des dommages-intérêts additionnels qu'aux codébiteurs par la faute desquels l'obligation est devenue impossible à exécuter et qu'à ceux qui étaient alors en demeure de l'exécuter.

1528. Le créancier d'une obligation solidaire peut s'adresser, pour en obtenir le paiement, à celui des codébiteurs qu'il choisit, sans que celui-ci puisse lui opposer le bénéfice de division.

1529. La poursuite intentée contre l'un des débiteurs solidaires ne prive pas le créancier de son recours contre les autres, mais le débiteur poursuivi peut appeler, au procès, les autres débiteurs solidaires.

1530. Le débiteur solidaire poursuivi par le créancier peut opposer tous les moyens qui lui sont personnels, ainsi que ceux qui sont communs à tous les codébiteurs; mais il ne peut opposer les moyens qui sont purement personnels à l'un ou à plusieurs des autres codébiteurs.

1531. Le débiteur solidaire qui, par le fait du créancier, est privé d'une sûreté ou d'un droit qu'il aurait pu faire valoir par subrogation, est libéré jusqu'à concurrence de la valeur de la sûreté ou du droit dont il est privé.

1532. Le créancier qui renonce à la solidarité à l'égard de l'un des débiteurs conserve son recours solidaire contre les autres pour le tout.

1533. Le créancier qui reçoit divisément et sans réserve la part de l'un des débiteurs solidaires, en spécifiant dans sa quittance que c'est pour sa part, ne renonce à la solidarité qu'à l'égard de ce débiteur.

1534. Le créancier qui reçoit divisément et sans réserve la part de l'un des débiteurs dans les arrérages ou les intérêts de la dette, en spécifiant dans la quittance que c'est pour sa part, perd son recours solidaire contre ce dernier pour les arrérages ou intérêts échus, mais non pour ceux à échoir, ni pour le capital, à moins que le paiement divisé ne se soit continué pendant trois ans consécutifs.

1535. Le créancier qui poursuit un débiteur solidaire pour sa part perd son recours solidaire contre ce débiteur, lorsque celui-ci acquiesce à la demande ou est condamné par jugement.

1536. Le débiteur solidaire qui a exécuté l'obligation ne peut répéter de ses codébiteurs que leur part respective dans celle-ci, encore qu'il soit subrogé aux droits du créancier.

1537. La contribution dans le paiement d'une obligation solidaire se fait en parts égales entre les débiteurs solidaires, à moins que leur intérêt dans la dette, y compris leur part dans l'obligation de réparer le préjudice causé à autrui, ne soit inégal, auquel cas la contribution se fait proportionnellement à l'intérêt de chacun dans la dette.

Cependant, si l'obligation a été contractée dans l'intérêt exclusif de l'un des débiteurs ou résulte de la faute d'un seul des codébiteurs, celui-ci est tenu seul de toute la dette envers ses codébiteurs, lesquels sont alors considérés, par rapport à lui, comme ses cautions.

1538. La perte occasionnée par l'insolvabilité de l'un des débiteurs solidaires se répartit en parts égales entre les autres codébiteurs, sauf si leur intérêt dans la dette est inégal.

Toutefois, le créancier qui a renoncé à la solidarité à l'égard de l'un des débiteurs supporte la part contributive de ce dernier.

1539. Le débiteur solidaire poursuivi en remboursement par celui des codébiteurs qui a exécuté l'obligation peut soulever les moyens communs que ce dernier n'a pas opposés au créancier; il peut aussi opposer les moyens qui lui sont personnels, mais non ceux qui sont purement personnels à l'un ou à plusieurs des autres codébiteurs.

1540. L'obligation d'un débiteur solidaire se divise de plein droit entre ses héritiers, à moins qu'elle ne soit indivisible.

2. De la solidarité entre les créanciers

1541. La solidarité n'existe entre les créanciers que lorsqu'elle a été expressément stipulée.

Elle donne alors à chacun d'eux le droit d'exiger du débiteur qu'il exécute entièrement l'obligation, ainsi que le droit d'en donner quittance pour le tout.

1542. L'exécution de l'obligation au profit de l'un des créanciers solidaires libère le débiteur à l'égard des autres créanciers.

1543. Le débiteur a le choix d'exécuter l'obligation au profit de l'un ou l'autre des créanciers solidaires, tant qu'il n'a pas été poursuivi par l'un d'eux.

Néanmoins, si l'un des créanciers lui fait remise de l'obligation, le débiteur n'en est libéré que pour la part de ce créancier. Il en est de même dans tous les cas où l'obligation est éteinte autrement que par le paiement de celle-ci.

1544. L'obligation au profit d'un créancier solidaire se divise de plein droit entre ses héritiers.

§ 2.—De l'obligation à plusieurs objets

I — De l'obligation alternative

1545. L'obligation est alternative lorsqu'elle a pour objet deux prestations principales et que l'exécution d'une seule libère le débiteur pour le tout.

L'obligation n'est pas considérée comme alternative si au moment où elle est née, l'une des prestations ne pouvait être l'objet de l'obligation.

1546. Le choix de la prestation appartient au débiteur, à moins qu'il n'ait été expressément accordé au créancier.

Toutefois, si la partie à qui appartient le choix de la prestation fait défaut, après mise en demeure, d'exercer son choix dans le délai qui lui est imparti pour le faire, le choix de la prestation revient à l'autre partie.

1547. Le débiteur ne peut exécuter ni être contraint d'exécuter partie d'une prestation et partie de l'autre.

1548. Le débiteur qui a le choix de la prestation doit, si l'une ou l'autre des prestations devient impossible à exécuter même par sa faute, exécuter la prestation qui reste.

Si, dans le même cas, les deux prestations deviennent impossibles à exécuter et que l'impossibilité quant à l'une ou l'autre est due à la faute du débiteur, celui-ci est tenu envers le créancier jusqu'à concurrence de la valeur de la prestation qui est restée la dernière.

1549. Le créancier qui a le choix de la prestation doit, si l'une ou l'autre des prestations devient impossible à exécuter, accepter la prestation qui reste, à moins que cette impossibilité ne résulte de la faute du débiteur, auquel cas il peut exiger soit l'exécution en nature de la prestation qui reste, soit la réparation, par équivalent, du préjudice résultant de l'inexécution de la prestation devenue impossible.

Si, dans le même cas, les prestations deviennent impossibles à exécuter et que l'impossibilité est due à la faute du débiteur, il peut exiger la réparation, par équivalent, du préjudice résultant de l'inexécution de l'une ou l'autre des prestations.

1550. Lorsque toutes les prestations deviennent impossibles à exécuter sans la faute du débiteur, l'obligation est éteinte.

1551. L'obligation est alternative même dans les cas où elle a pour objet plus de deux prestations principales; les règles du présent sous-paragraphe s'appliquent à ces cas, compte tenu des adaptations nécessaires.

II — De l'obligation facultative

1552. L'obligation est facultative lorsqu'elle a pour objet une seule prestation principale dont le débiteur peut néanmoins se libérer en exécutant une autre prestation.

Le débiteur est libéré si la prestation principale devient impossible à exécuter sans que cela soit dû à sa faute.

CHAPITRE SIXIÈME

DE L'EXÉCUTION DE L'OBLIGATION

SECTION I

DU PAIEMENT

§ 1.—Du paiement en général

1553. Par paiement on entend non seulement le versement d'une somme d'argent pour acquitter une obligation, mais aussi l'exécution même de ce qui est l'objet de l'obligation.

1554. Tout paiement suppose une obligation: ce qui a été payé sans qu'il existe une obligation est sujet à répétition.

La répétition n'est cependant pas admise à l'égard des obligations naturelles qui ont été volontairement acquittées.

1555. Le paiement peut être fait par toute personne, lors même qu'elle serait un tiers par rapport à l'obligation; le créancier peut être mis en demeure par l'offre d'un tiers d'exécuter l'obligation pour le débiteur, mais il faut que cette offre soit faite pour l'avantage du débiteur et non dans le seul but de changer de créancier.

Toutefois, le créancier ne peut être contraint de recevoir le paiement d'un tiers lorsqu'il a intérêt à ce que le paiement soit fait personnellement par le débiteur.

1556. Pour payer valablement, il faut avoir dans ce qui est dû un droit qui autorise à le donner en paiement.

Néanmoins, si ce qui est dû est une somme d'argent ou autre chose qui se consomme par l'usage, le paiement ne peut être recouvré contre le créancier qui l'a consommé de bonne foi, quoique ce paiement ait été fait par une personne qui n'était pas autorisée à le faire.

1557. Le paiement doit être fait au créancier ou à une personne autorisée à le recevoir pour lui.

S'il est fait à un tiers, il est valable si le créancier le ratifie; à défaut de ratification, il ne vaut que dans la mesure où le créancier en a profité.

1558. Le paiement fait à un créancier qui est incapable de le recevoir ne vaut que dans la mesure où il en a profité.

1559. Le paiement fait de bonne foi au créancier apparent est valable, encore que subséquemment il soit établi qu'il n'est pas le véritable créancier.

1560. Le paiement fait par un débiteur à son créancier au détriment d'un créancier saisissant n'est pas valable à l'égard de celui-ci, lequel peut, selon ses droits, contraindre le débiteur à payer de nouveau; dans ce cas, le débiteur a un recours contre celui de ses créanciers qu'il a ainsi payé.

1561. Le créancier ne peut être contraint de recevoir autre chose que ce qui lui est dû, quoique ce qui est offert soit d'une plus grande valeur.

Il ne peut, non plus, être contraint de recevoir le paiement partiel de l'obligation, à moins qu'il n'y ait un litige sur une partie de celle-ci, auquel cas il ne peut, si le débiteur offre de payer la partie non litigieuse, refuser d'en recevoir le paiement; mais il conserve son droit de réclamer l'autre partie de l'obligation.

1562. Le débiteur d'un bien individualisé est libéré par la remise de celui-ci dans l'état où il se trouve lors du paiement, pourvu que les détériorations qu'il a subies ne résultent pas de son fait ou de sa faute et ne soient pas survenues après qu'il fût en demeure de payer.

1563. Le débiteur d'un bien qui n'est déterminé que par son espèce n'est pas tenu de le donner de la meilleure qualité, mais il ne peut l'offrir de la plus mauvaise.

1564. Le débiteur d'une somme d'argent est libéré par la remise au créancier de la somme nominale prévue, en monnaie ayant cours légal lors du paiement.

Il est aussi libéré par la remise de la somme prévue au moyen d'un mandat postal, d'un chèque fait à l'ordre du créancier et certifié par un établissement financier exerçant son activité au Québec ou d'un autre effet de paiement offrant les mêmes garanties au créancier, ou, encore, si le créancier est en mesure de l'accepter, au moyen d'une carte de crédit ou d'un virement de fonds à un compte que détient le créancier dans un établissement financier.

1565. Les intérêts se paient au taux convenu ou, à défaut, au taux légal.

1566. Le paiement se fait au lieu désigné expressément ou implicitement par les parties.

Si le lieu n'est pas ainsi désigné, le paiement se fait au domicile du débiteur, à moins que ce qui est dû ne soit un bien individualisé, auquel cas le paiement se fait au lieu où le bien se trouvait lorsque l'obligation est née.

1567. Les frais du paiement sont à la charge du débiteur.

1568. Le débiteur qui paie a droit à une quittance et à la remise du titre original de l'obligation.

§ 2.—*De l'imputation des paiements*

1569. Le débiteur de plusieurs dettes a le droit d'indiquer, lorsqu'il paie, quelle dette il entend acquitter.

Il ne peut toutefois, sans le consentement du créancier, imputer le paiement sur une dette qui n'est pas encore échue de préférence à une dette qui est échue, à moins qu'il ne soit prévu qu'il puisse payer par anticipation.

1570. Le débiteur d'une dette qui porte intérêt ou produit des arrérages ne peut, sans le consentement du créancier, imputer le paiement qu'il fait sur le capital de préférence aux intérêts ou arrérages.

Le paiement fait sur capital et intérêts, mais qui n'est point intégral, s'impute d'abord sur les intérêts.

1571. Le débiteur de plusieurs dettes qui a accepté une quittance par laquelle le créancier a, lors du paiement, imputé ce qu'il a reçu sur l'une d'elles spécialement, ne peut plus demander l'imputation sur une dette différente, à moins que ne se présente une des causes de nullité des contrats.

1572. À défaut d'imputation par les parties, le paiement est d'abord imputé sur la dette échue.

Entre plusieurs dettes échues, l'imputation se fait sur celle que le débiteur a, pour lors, le plus d'intérêt à acquitter.

À intérêt égal, l'imputation se fait sur la dette qui est échue la première, mais si toutes les dettes sont échues en même temps, elle se fait proportionnellement.

§ 3.—*Des offres réelles et de la consignation*

1573. Lorsque le créancier refuse ou néglige de recevoir le paiement, le débiteur peut lui faire des offres réelles.

Ces offres consistent à mettre à la disposition du créancier le bien qui est dû, aux temps et lieu où le paiement doit être fait. Elles doivent comprendre, outre le bien dû et les intérêts ou arrérages qu'il a produits, une somme raisonnable destinée à couvrir les frais non liquidés dus par le débiteur, sauf à les parfaire.

1574. Les offres réelles portant sur une somme d'argent peuvent être faites en monnaie ayant cours légal lors du paiement ou au moyen d'un chèque établi à l'ordre du créancier et certifié par un établissement financier exerçant son activité au Québec.

Elles peuvent aussi être faites par la présentation d'un engagement irrévocable, inconditionnel et à durée indéterminée, pris par un établissement financier exerçant son activité au Québec, de verser au créancier la somme qui fait l'objet des offres si ce dernier les accepte ou si le tribunal les déclare valables.

1575. Les offres réelles peuvent être constatées par acte notarié en minute ou par une déclaration judiciaire dont il est donné acte ; elles peuvent aussi être constatées par un autre écrit ou faites de toute autre manière, sauf, en ces cas, à en rapporter la preuve.

Lorsque les offres réelles sont constatées par acte notarié, le notaire y mentionne la réponse du créancier, de même que, en cas de refus, les motifs que celui-ci lui a donnés.

1576. Les offres réelles faites par déclaration judiciaire qui ont pour objet une somme d'argent ou une valeur mobilière, doivent être complétées par la consignation de cette somme ou de cette valeur, suivant les règles du Code de procédure civile.

1577. Lorsque le bien doit être payé ou livré au domicile du débiteur ou au lieu où le bien se trouve, l'avis écrit donné par le débiteur au créancier qu'il est prêt à y exécuter l'obligation tient lieu d'offres réelles.

Lorsque le bien n'a pas à être ainsi payé ou livré et qu'il est difficile de le transporter au lieu où il doit l'être, le débiteur peut, s'il est justifié de croire que le créancier en refusera le paiement, requérir ce dernier, par écrit, de lui faire connaître sa volonté de recevoir le bien; à défaut par le créancier de faire connaître sa volonté en temps utile, le débiteur est dispensé de transporter le bien au lieu où il doit être payé ou livré et son avis tient lieu d'offres réelles.

1578. Lorsque le bien qui est dû est une somme d'argent ou une valeur mobilière, l'avis écrit, donné par le débiteur au créancier, de la consignation de la somme ou de la valeur, tient lieu d'offres réelles.

1579. Les offres réelles ou les avis qui en tiennent lieu doivent indiquer la nature de la dette, le titre qui la crée et le nom du créancier ou des personnes à qui le paiement doit être fait; de plus, elles doivent décrire le bien offert et, s'il s'agit d'espèces, en contenir l'énumération et la qualité.

1580. Le créancier est en demeure de plein droit de recevoir le paiement lorsqu'il refuse sans justification les offres réelles valablement faites, lorsqu'il refuse de donner suite à l'avis qui en tient lieu ou, encore, lorsqu'il exprime clairement son intention de refuser les offres que le débiteur pourrait vouloir lui faire; en ce dernier cas, le débiteur est dispensé de lui faire des offres ou de lui donner l'avis qui en tient lieu.

Il est encore en demeure de plein droit lorsque le débiteur, malgré sa diligence, ne peut le trouver.

1581. Le débiteur peut, lorsque le créancier est en demeure de recevoir le paiement, prendre toutes les mesures nécessaires ou utiles à la conservation du bien qu'il doit et, notamment, le faire entreposer auprès d'un tiers ou lui en confier la garde.

Il peut aussi, dans le même cas, faire vendre le bien pour en consigner le prix, lorsque celui-ci est susceptible de dépérir ou de se déprécier rapidement ou qu'il est dispendieux à conserver.

1582. Le créancier qui est en demeure de recevoir le paiement assume les frais raisonnables de conservation du bien, de même que les frais de la vente du bien et de la consignation du prix, le cas échéant.

Il assume aussi les risques de perte du bien par force majeure.

1583. La "consignation" consiste dans le dépôt, par le débiteur, de la somme d'argent ou de la valeur mobilière qu'il doit, au Bureau général de dépôts pour le Québec ou auprès d'une société de fiducie ou, encore, si le dépôt est fait en cours d'instance, suivant les règles du Code de procédure civile.

Outre le cas où le créancier refuse de recevoir la somme ou la valeur due par le débiteur, la consignation peut, entre autres, être faite lorsque la créance est l'objet d'un litige entre plusieurs personnes ou que le débiteur est empêché de payer parce que le créancier ne peut être trouvé au lieu où le paiement doit être fait.

1584. Le débiteur peut retirer la somme d'argent ou la valeur mobilière consignée tant qu'elle n'a pas été acceptée par le créancier et, en ce cas, ni ses codébiteurs, ni ses cautions ne sont libérés.

Le retrait ne peut, toutefois, être fait en cours d'instance qu'avec l'autorisation du tribunal.

1585. Lorsque le tribunal déclare valable la consignation de la somme d'argent ou de la valeur mobilière, le débiteur ne peut la retirer qu'avec le consentement du créancier.

Ce retrait ne peut, toutefois, porter atteinte aux droits des tiers ni empêcher la libération des codébiteurs ou des cautions du débiteur.

1586. La consignation faite dans les conditions prévues aux articles précédents libère le débiteur du paiement des intérêts ou des revenus produits pour l'avenir.

1587. Les intérêts ou revenus produits pendant la consignation appartiennent au créancier. Néanmoins, ils appartiennent au débiteur jusqu'à ce que la consignation soit acceptée par le créancier, lorsque la consignation est faite afin d'obtenir l'exécution d'une obligation de ce dernier, elle-même corrélative à celle qu'entend exécuter le débiteur par la consignation.

1588. Les offres réelles acceptées par le créancier ou déclarées valables par le tribunal équivalent, quant au débiteur, à un paiement fait au jour des offres ou de l'avis qui en tient lieu, à la condition qu'il ait toujours été disposé à payer depuis ce jour.

1589. Les frais des offres réelles et de la consignation sont à la charge du créancier lorsqu'elles sont acceptées ou déclarées valables.

SECTION II

DE LA MISE EN OEUVRE DU DROIT À L'EXÉCUTION DE L'OBLIGATION

§ 1.—*Disposition générale*

1590. L'obligation confère au créancier le droit d'exiger qu'elle soit exécutée entièrement, correctement et sans retard.

Lorsque le débiteur, sans justification, n'exécute pas son obligation et qu'il est en demeure, le créancier peut, sans préjudice de son droit à l'exécution par équivalent de tout ou partie de l'obligation:

1° Forcer l'exécution en nature de l'obligation;

2° Obtenir, si l'obligation est contractuelle, la résolution ou la résiliation du contrat ou la réduction de sa propre obligation corrélative;

3° Prendre tout autre moyen que la loi prévoit pour la mise en oeuvre de son droit à l'exécution de l'obligation.

§ 2.—*De l'exception d'inexécution et du droit de rétention*

1591. Lorsque les obligations résultant d'un contrat synallagmatique sont exigibles et que l'une des parties n'exécute pas substantiellement la sienne ou n'offre pas de l'exécuter, l'autre partie peut, dans une mesure correspondante, refuser d'exécuter son obligation corrélative, à moins qu'il ne résulte de la loi, de la volonté des parties ou des usages qu'elle soit tenue d'exécuter la première.

1592. Toute partie qui, du consentement de son cocontractant, détient un bien appartenant à celui-ci a le droit de le retenir jusqu'au paiement total de la créance qu'elle a contre lui, lorsque sa créance est exigible et est intimement liée au bien qu'elle détient.

1593. Le droit de rétention qu'exerce une partie est opposable à tous.

La dépossession involontaire du bien n'éteint pas le droit de rétention; la partie qui exerce ce droit peut revendiquer le bien, sous réserve des règles de la prescription.

§ 3.—*De la demeure*

1594. Le débiteur peut être constitué en demeure d'exécuter l'obligation par les termes mêmes du contrat, lorsqu'il y est stipulé que le seul écoulement du temps pour l'exécuter aura cet effet.

Il peut être aussi constitué en demeure par la demande extrajudiciaire que lui adresse son créancier d'exécuter l'obligation, par la demande en justice formée contre lui ou, encore, par le seul effet de la loi.

1595. La demande extrajudiciaire par laquelle le créancier met son débiteur en demeure doit être faite par écrit.

Elle doit accorder au débiteur un délai d'exécution suffisant, eu égard à la nature de l'obligation et aux circonstances; autrement, le débiteur peut toujours l'exécuter dans un délai raisonnable à compter de la demande.

1596. La demande en justice formée par le créancier contre le débiteur, sans que celui-ci n'ait été autrement constitué en demeure au préalable, lui confère le droit d'exécuter l'obligation dans un délai raisonnable à compter de la demande. S'il y a exécution de l'obligation dans ce délai, les frais de la demande sont à la charge du créancier.

1597. Le débiteur est en demeure de plein droit, par le seul effet de la loi, lorsque l'obligation ne pouvait être exécutée utilement que dans un certain temps qu'il a laissé s'écouler ou qu'il ne l'a pas exécutée immédiatement alors qu'il y avait urgence.

Il est également en demeure de plein droit lorsqu'il a manqué à une obligation de ne pas faire, ou qu'il a, par sa faute, rendu impossible l'exécution en nature de l'obligation; il l'est encore lorsqu'il a clairement manifesté au créancier son intention de ne pas exécuter l'obligation ou, s'il s'agit d'une obligation à exécution successive, qu'il refuse ou néglige de l'exécuter de manière répétée.

1598. Le créancier doit prouver la survenance de l'un des cas où il y a demeure de plein droit, malgré toute déclaration ou stipulation contraire.

1599. La demande extrajudiciaire par laquelle le créancier met l'un des débiteurs solidaires en demeure vaut à l'égard des autres débiteurs.

Celle qui est faite par l'un des créanciers solidaires vaut, de même, à l'égard des autres créanciers.

1600. Le débiteur, même s'il bénéficie d'un délai de grâce, répond, à compter de la demeure, du préjudice qui résulte du retard à exécuter l'obligation, lorsque celle-ci a pour objet une somme d'argent.

Il répond aussi, à compter de la demeure, de toute perte qui résulte d'une force majeure, à moins qu'il ne soit alors libéré.

§ 4.—*De l'exécution en nature*

1601. Le créancier, dans les cas qui le permettent, peut demander que le débiteur soit forcé d'exécuter en nature l'obligation.

1602. Le créancier peut, en cas de défaut, exécuter ou faire exécuter l'obligation aux frais du débiteur.

Le créancier qui veut se prévaloir de ce droit doit en aviser le débiteur dans sa demande, extrajudiciaire ou judiciaire, le constituant en demeure, sauf dans les cas où ce dernier est en demeure de plein droit ou par les termes mêmes du contrat.

1603. Le créancier peut être autorisé à détruire ou enlever, aux frais du débiteur, ce que celui-ci a fait en violation d'une obligation de ne pas faire.

§ 5.—*De la résolution ou de la résiliation du contrat et de la réduction de l'obligation*

1604. Le créancier, s'il ne se prévaut pas du droit de forcer, dans les cas qui le permettent, l'exécution en nature de l'obligation contractuelle de son débiteur, a droit à la résolution du contrat, ou à sa résiliation s'il s'agit d'un contrat à exécution successive.

Cependant, il n'y a pas droit, malgré toute stipulation contraire, lorsque le défaut du débiteur est de peu d'importance, à moins que, s'agissant d'une obligation à exécution successive, ce défaut n'ait un caractère répétitif; mais il a droit, alors, à la réduction proportionnelle de son obligation corrélative.

La réduction proportionnelle de l'obligation corrélative s'apprécie en tenant compte de toutes les circonstances appropriées; si elle ne peut avoir lieu, le créancier n'a droit qu'à des dommages-intérêts.

1605. La résolution ou la résiliation du contrat peut avoir lieu sans poursuite judiciaire lorsque le débiteur est en demeure de plein droit d'exécuter son obligation ou qu'il ne l'a pas exécutée dans le délai fixé par la mise en demeure.

1606. Le contrat résolu est réputé n'avoir jamais existé; chacune des parties est, dans ce cas, tenue de restituer à l'autre les prestations qu'elle a reçues.

Le contrat résilié cesse d'exister pour l'avenir seulement.

§ 6.—*De l'exécution par équivalent*

I — Dispositions générales

1607. Le créancier a droit à des dommages-intérêts en réparation du préjudice, qu'il soit corporel, moral ou matériel, que lui cause le défaut du débiteur et qui en est une suite immédiate et directe.

1608. L'obligation du débiteur de payer des dommages-intérêts au créancier n'est ni atténuée ni modifiée par le fait que le créancier reçoive une prestation d'un tiers, par suite du préjudice qu'il a subi, sauf dans la mesure où le tiers est subrogé aux droits du créancier.

1609. Les quittances, transactions ou déclarations obtenues du créancier par le débiteur, un assureur ou leurs représentants, lorsqu'elles sont liées au préjudice corporel ou moral subi par le créancier, sont sans effet si elles ont été obtenues dans les trente jours du fait dommageable et sont préjudiciables au créancier.

1610. Le droit du créancier à des dommages-intérêts, même punitifs, est cessible et transmissible.

Il est fait exception à cette règle lorsque le droit du créancier résulte de la violation d'un droit de la personnalité; en ce cas, son droit à des dommages-intérêts est incessible, et il n'est transmissible qu'à ses héritiers.

II — De l'évaluation des dommages-intérêts

1. De l'évaluation en général

1611. Les dommages-intérêts dus au créancier compensent la perte qu'il subit et le gain dont il est privé.

On tient compte, pour les déterminer, du préjudice futur lorsqu'il est certain et qu'il est susceptible d'être évalué.

1612. En matière de secret commercial, la perte que subit le propriétaire du secret comprend le coût des investissements faits pour son acquisition, sa mise au point et son exploitation; le gain dont il est privé peut être indemnisé sous forme de redevances.

1613. En matière contractuelle, le débiteur n'est tenu que des dommages-intérêts qui ont été prévus ou qu'on a pu prévoir au moment où l'obligation a été contractée, lorsque ce n'est point par sa faute intentionnelle ou par sa faute lourde qu'elle n'est point exécutée; même alors, les dommages-intérêts ne comprennent que ce qui est une suite immédiate et directe de l'inexécution.

1614. Les dommages-intérêts dus au créancier en réparation du préjudice corporel qu'il subit sont établis, quant aux aspects prospectifs du préjudice, en fonction des taux d'actualisation prescrits par règlement du gouvernement, dès lors que de tels taux sont ainsi fixés.

1615. Le tribunal, quand il accorde des dommages-intérêts en réparation d'un préjudice corporel peut, pour une période d'au plus trois ans, réserver au créancier le droit de demander des dommages-intérêts additionnels, lorsqu'il n'est pas possible de déterminer avec une précision suffisante l'évolution de sa condition physique au moment du jugement.

1616. Les dommages-intérêts accordés pour la réparation d'un préjudice sont, à moins que les parties n'en conviennent autrement, exigibles sous la forme d'un capital payable au comptant.

Toutefois, lorsque le préjudice est corporel et que le créancier est mineur, le tribunal peut imposer, en tout ou en partie, le paiement sous forme de rente ou de versements périodiques, dont il fixe les modalités et peut prévoir l'indexation suivant un taux fixe. Dans les trois mois qui suivent sa majorité, le créancier peut exiger le paiement immédiat, actualisé, de tout ce qui lui reste à recevoir.

1617. Les dommages-intérêts résultant du retard dans l'exécution d'une obligation de payer une somme d'argent consistent dans l'intérêt au taux convenu ou, à défaut de toute convention, au taux légal.

Le créancier y a droit à compter de la demeure sans être tenu de prouver qu'il a subi un préjudice.

Le créancier peut, cependant, stipuler qu'il aura droit à des dommages-intérêts additionnels, à condition de les justifier.

1618. Les dommages-intérêts autres que ceux résultant du retard dans l'exécution d'une obligation de payer une somme d'argent portent intérêt au taux convenu entre les parties ou, à défaut, au taux légal, depuis la demeure ou depuis toute autre date postérieure que le tribunal estime appropriée, eu égard à la nature du préjudice et aux circonstances.

1619. Il peut être ajouté aux dommages-intérêts accordés à quelque titre que ce soit, une indemnité fixée en appliquant à leur montant, à compter de l'une ou l'autre des dates servant à calculer les intérêts qu'ils portent, un pourcentage égal à l'excédent du taux d'intérêt fixé pour les créances de l'État en application de l'article 28 de la Loi sur le ministère du Revenu sur le taux d'intérêt convenu entre les parties ou, à défaut, sur le taux légal.

1620. Les intérêts échus des capitaux ne produisent eux-mêmes des intérêts que s'il existe une convention ou une loi à cet effet ou si, dans une action, de nouveaux intérêts sont expressément demandés.

1621. Lorsque la loi prévoit l'attribution de dommages-intérêts punitifs, ceux-ci ne peuvent excéder, en valeur, ce qui est suffisant pour assurer leur fonction préventive.

Ils s'apprécient en tenant compte de toutes les circonstances appropriées, notamment de la gravité de la faute du débiteur, de sa situation patrimoniale ou de l'étendue de la réparation à laquelle il est déjà tenu envers le créancier, ainsi que, le cas échéant, du fait que la prise en charge du paiement réparateur est, en tout ou en partie, assumée par un tiers.

2. De l'évaluation anticipée

1622. La clause pénale est celle par laquelle les parties évaluent par anticipation les dommages-intérêts en stipulant que le débiteur se soumettra à une peine au cas où il n'exécuterait pas son obligation.

Elle donne au créancier le droit de se prévaloir de cette clause au lieu de poursuivre, dans les cas qui le permettent, l'exécution en nature de l'obligation; mais il ne peut en aucun cas demander en même temps l'exécution et la peine, à moins que celle-ci n'ait été stipulée que pour le seul retard dans l'exécution de l'obligation.

1623. Le créancier qui se prévaut de la clause pénale a droit au montant de la peine stipulée sans avoir à prouver le préjudice qu'il a subi.

Cependant, le montant de la peine stipulée peut être réduit si l'exécution partielle de l'obligation a profité au créancier ou si la clause est abusive.

1624. Lorsque l'obligation assortie d'une clause pénale est indivisible sans être solidaire et que son inexécution est le fait d'un seul des codébiteurs, la peine peut être demandée soit en totalité contre celui qui n'a pas exécuté, soit contre chacun des codébiteurs pour sa part; sauf, dans ce dernier cas, leur recours contre celui qui a fait encourir la peine.

1625. Lorsque l'obligation assortie d'une clause pénale est divisible, la peine est également divisible et elle n'est encourue que par celui des codébiteurs qui n'exécute pas l'obligation, et pour la part dont il est tenu dans l'obligation, sans qu'il y ait d'action contre ceux qui l'ont exécutée.

Cette règle ne s'applique pas lorsque l'obligation est solidaire. Elle ne s'applique pas, non plus, lorsque la clause pénale avait été stipulée afin que le paiement ne pût se faire partiellement et que l'un des codébiteurs a empêché l'exécution de l'obligation pour la totalité; en ce cas, la peine entière peut être exigée de lui, et des autres pour leur part seulement, sauf leur recours contre lui.

SECTION III

DE LA PROTECTION DU DROIT À L'EXÉCUTION DE L'OBLIGATION

§ 1.—*Des mesures conservatoires*

1626. Le créancier peut prendre toutes les mesures nécessaires ou utiles à la conservation de ses droits.

§ 2.—*De l'action oblique* (y compris)

1627. Le créancier dont la créance est certaine, liquide et exigible peut, au nom de son débiteur, exercer les droits et actions de celui-ci, lorsque le débiteur, au préjudice du créancier, refuse ou néglige de les exercer.

Il ne peut, toutefois, exercer les droits et actions qui sont exclusivement attachés à la personne du débiteur.

1628. Il n'est pas nécessaire que la créance soit liquide et exigible au moment où l'action est intentée; mais elle doit l'être au moment du jugement sur l'action.

1629. Celui contre qui est exercée l'action oblique peut opposer au créancier tous les moyens qu'il aurait pu opposer à son propre créancier.

1630. Les biens recueillis par le créancier au nom de son débiteur tombent dans le patrimoine de celui-ci et profitent à tous ses créanciers.

§ 3.—*De l'action en inopposabilité* (PAULIENNE)

1631. Le créancier, s'il en subit un préjudice, peut faire déclarer inopposable à son égard l'acte juridique que fait son débiteur en fraude de ses droits, notamment l'acte par lequel il se rend ou cherche à se rendre insolvable ou accorde, alors qu'il est insolvable, une préférence à un autre créancier.

1632. Un contrat à titre onéreux ou un paiement fait en exécution d'un tel contrat est réputé fait avec l'intention de frauder si le cocontractant ou le créancier connaissait l'insolvabilité du débiteur ou le fait que celui-ci, par cet acte, se rendait ou cherchait à se rendre insolvable.

> 2847 (2)

1633. Un contrat à titre gratuit ou un paiement fait en exécution d'un tel contrat est réputé fait avec l'intention de frauder, même si le cocontractant ou le créancier ignorait ces faits, dès lors que le débiteur est insolvable ou le devient au moment où le contrat est conclu ou le paiement effectué.

1634. La créance doit être certaine au moment où l'action est intentée; elle doit aussi être liquide et exigible au moment du jugement sur l'action.

La créance doit être antérieure à l'acte juridique attaqué, sauf si cet acte avait pour but de frauder un créancier postérieur.

1635. L'action doit, à peine de déchéance, être intentée avant l'expiration d'un délai d'un an à compter du jour où le créancier a eu connaissance du préjudice résultant de l'acte attaqué ou, si l'action est intentée par un syndic de faillite pour le compte des créanciers collectivement, à compter du jour de la nomination du syndic.

1636. Lorsque l'acte juridique est déclaré inopposable à l'égard du créancier, il l'est aussi à l'égard des autres créanciers qui pouvaient intenter l'action et qui y sont intervenus pour protéger leurs droits; tous peuvent faire saisir et vendre le bien qui en est l'objet et être payés en proportion de leur créance, sous réserve des droits des créanciers prioritaires ou hypothécaires.

CHAPITRE SEPTIÈME

DE LA TRANSMISSION ET DES MUTATIONS DE L'OBLIGATION

SECTION I

DE LA CESSION DE CRÉANCE

§ 1.—*De la cession de créance en général*

1637. Le créancier peut céder à un tiers, tout ou partie d'une créance ou d'un droit d'action qu'il a contre son débiteur.

Cette cession ne peut, cependant, porter atteinte aux droits du débiteur, ni rendre son obligation plus onéreuse.

1638. La cession d'une créance en comprend les accessoires.

1639. Le cédant à titre onéreux garantit que la créance existe et qu'elle lui est due même si la cession est faite sans garantie, à moins que le cessionnaire ne l'ait acquise à ses risques et périls ou qu'il n'ait connu, lors de la cession, le caractère incertain de la créance.

1640. Le cédant à titre onéreux qui répond, par une simple clause de garantie, de la solvabilité du débiteur ne répond de cette solvabilité qu'au moment de la cession et qu'à concurrence du prix qu'il a reçu.

1641. La cession est opposable au débiteur et aux tiers, dès que le débiteur y a acquiescé ou qu'il a reçu une copie ou un extrait pertinent de l'acte de cession ou, encore, une autre preuve de la cession qui soit opposable au cédant.

Lorsque le débiteur ne peut être trouvé au Québec, la cession est opposable dès la publication d'un avis de la cession, dans un journal distribué dans la localité de la dernière adresse connue du débiteur ou, s'il exploite une entreprise, dans la localité où elle a son principal établissement.

1642. La cession d'une universalité de créances, actuelles ou futures, est opposable aux débiteurs et aux tiers, par l'inscription de la cession au registre des droits personnels et réels mobiliers, pourvu cependant, quant aux débiteurs qui n'ont pas acquiescé à la cession, que les autres formalités prévues pour leur rendre la cession opposable aient été accomplies.

1643. Le débiteur peut opposer au cessionnaire tout paiement fait au cédant avant que la cession ne lui ait été rendue opposable, ainsi que toute autre cause d'extinction de l'obligation survenue avant ce moment.

Il peut aussi opposer le paiement que lui-même ou sa caution a fait de bonne foi au créancier apparent, même si les formalités exigées pour rendre la cession opposable au débiteur et aux tiers ont été accomplies.

1644. Lorsque la remise au débiteur de la copie ou d'un extrait de l'acte de cession ou d'une autre preuve de la cession qui soit opposable au cédant a lieu au moment de la signification d'une action exercée contre le débiteur, aucuns frais judiciaires ne peuvent être exigés de ce dernier s'il paie dans le délai fixé pour la comparution, à moins qu'il n'ait déjà été en demeure d'exécuter l'obligation.

1645. La cession n'est opposable à la caution que si les formalités prévues pour rendre la cession opposable au débiteur ont été accomplies à l'égard de la caution elle-même.

1646. Les cessionnaires d'une même créance, de même que le cédant pour ce qui lui reste dû, sont payés en proportion de leur créance.

Néanmoins, ceux qui ont obtenu une cession avec la garantie de fournir et faire valoir sont payés par préférence à tous les autres cessionnaires, ainsi qu'au cédant, en tenant compte, entre eux, des dates auxquelles leurs cessions respectives sont devenues opposables au débiteur.

§ 2.—*De la cession d'une créance constatée dans un titre au porteur*

1647. Il est de l'essence de toute créance constatée dans un titre au porteur émis par un débiteur, qu'elle puisse être cédée par la simple tradition, d'un porteur à un autre, du titre qui la constate.

1648. Le débiteur qui a émis le titre au porteur est tenu de payer la créance qui y est constatée à tout porteur qui lui remet le titre, sauf s'il a reçu notification d'un jugement lui ordonnant d'en retenir le paiement.

Il ne peut opposer au porteur d'autres moyens que ceux qui concernent la nullité ou un vice du titre, qui dérivent d'une stipulation expresse du titre ou qu'il peut faire valoir contre le porteur personnellement.

1649. Le débiteur qui a émis le titre au porteur demeure tenu envers tout porteur de bonne foi, même s'il démontre que le titre a été mis en circulation contre sa volonté.

1650. Celui qui a été injustement dépossédé d'un titre au porteur ne peut empêcher le débiteur de payer la créance à celui qui le lui présente, que sur notification d'une ordonnance du tribunal.

SECTION II

DE LA SUBROGATION

1651. La personne qui paie à la place du débiteur peut être subrogée dans les droits du créancier.

Elle n'a pas plus de droits que le subrogeant.

1652. La subrogation est conventionnelle ou légale.

1653. La subrogation conventionnelle peut être consentie par le créancier ou par le débiteur, mais elle doit être expresse et constatée par écrit.

1654. La subrogation consentie par le créancier doit l'être en même temps qu'il reçoit le paiement. Elle s'opère sans le consentement du débiteur, malgré toute stipulation contraire.

1655. La subrogation consentie par le débiteur ne peut l'être qu'au profit de son prêteur et elle s'opère sans le consentement du créancier.

Il faut, pour que cette subrogation soit valable, que l'acte de prêt et la quittance soient faits par acte notarié en minute ou par acte sous seing privé établi en présence de deux témoins qui le signent. En outre, il doit être déclaré, dans l'acte de prêt, que l'emprunt est fait pour acquitter la dette, et, dans la quittance, que le paiement est fait à même l'emprunt.

1656. La subrogation s'opère par le seul effet de la loi:

1° Au profit d'un créancier qui paie un autre créancier qui lui est préférable en raison d'une créance prioritaire ou d'une hypothèque;

2° Au profit de l'acquéreur d'un bien qui paie un créancier dont la créance est garantie par une hypothèque sur ce bien;

3° Au profit de celui qui paie une dette à laquelle il est tenu avec d'autres ou pour d'autres et qu'il a intérêt à acquitter;

4° Au profit de l'héritier qui paie de ses propres deniers une dette de la succession à laquelle il n'était pas tenu;

5° Dans les autres cas établis par la loi.

1657. La subrogation a effet contre le débiteur principal et ses garants, qui peuvent opposer au subrogé les moyens qu'ils avaient contre le créancier originaire.

1658. Le créancier qui n'a été payé qu'en partie peut exercer ses droits pour le solde de sa créance, par préférence au subrogé dont il n'a reçu qu'une partie de celle-ci.

Toutefois, si le créancier s'est obligé envers le subrogé à fournir et faire valoir le montant pour lequel sa subrogation est acquise, le subrogé lui est préféré.

1659. Ceux qui sont subrogés dans les droits d'un même créancier sont payés à proportion de leur part dans le paiement subrogatoire, sauf convention contraire.

SECTION III

DE LA NOVATION

1660. La novation s'opère lorsque le débiteur contracte envers son créancier une nouvelle dette qui est substituée à l'ancienne, laquelle est éteinte, ou lorsqu'un nouveau débiteur est substitué à l'ancien, lequel est déchargé par le créancier; la novation peut alors s'opérer sans le consentement de l'ancien débiteur.

Elle s'opère aussi lorsque, par l'effet d'un nouveau contrat, un nouveau créancier est substitué à l'ancien envers lequel le débiteur est déchargé.

1661. La novation ne se présume pas; l'intention de l'opérer doit être évidente.

1662. Les hypothèques liées à l'ancienne créance ne passent point à celle qui lui est substituée, à moins que le créancier ne les ait expressément réservées.

1663. Lorsque la novation s'opère par la substitution d'un nouveau débiteur, le nouveau débiteur ne peut opposer au créancier les moyens qu'il pouvait faire valoir contre l'ancien débiteur, ni ceux que l'ancien débiteur avait contre le créancier, à moins, dans ce dernier cas, qu'il ne puisse invoquer la nullité de l'acte qui les liait.

De plus, les hypothèques liées à l'ancienne créance ne peuvent point passer sur les biens du nouveau débiteur; et elles ne peuvent point, non plus, être réservées sur les biens de l'ancien débiteur sans son consentement. Mais elles peuvent passer sur les biens acquis de l'ancien débiteur par le nouveau débiteur, si celui-ci y consent.

1664. Lorsque la novation s'opère entre le créancier et l'un des débiteurs solidaires, les hypothèques liées à l'ancienne créance ne peuvent être réservées que sur les biens du codébiteur qui contracte la nouvelle dette.

1665. La novation qui s'opère entre le créancier et l'un des débiteurs solidaires libère les autres codébiteurs à l'égard du créancier; celle qui s'opère à l'égard du débiteur principal libère les cautions.

Toutefois, lorsque le créancier a exigé, dans le premier cas, l'accession des codébiteurs, ou, dans le second cas, celle des cautions, l'ancienne créance subsiste, si les codébiteurs ou les cautions refusent d'accéder au nouveau contrat.

1666. La novation consentie par un créancier solidaire est inopposable à ses cocréanciers, excepté pour sa part dans la créance solidaire.

SECTION IV

DE LA DÉLÉGATION

1667. La désignation par le débiteur d'une personne qui paiera à sa place ne constitue une délégation de paiement que si le délégué s'oblige personnellement au paiement envers le créancier délégataire; autrement, elle ne constitue qu'une simple indication de paiement.

1668. Le créancier délégataire, s'il accepte la délégation, conserve ses droits contre le débiteur délégant, à moins qu'il ne soit évident que le créancier entend décharger ce débiteur.

1669. Le délégué ne peut opposer au délégataire les moyens qu'il aurait pu faire valoir contre le délégant, même s'il en ignorait l'existence au moment de la délégation.

Cette règle ne s'applique pas, si, au moment de la délégation, rien n'est dû au délégataire, et elle ne préjudicie pas au recours du délégué contre le délégant.

1670. Le délégué peut opposer au délégataire tous les moyens que le délégant aurait pu faire valoir contre le délégataire.

Le délégué ne peut, toutefois, opposer la compensation de ce que le délégant doit au délégataire, ni de ce que le délégataire doit au délégant.

CHAPITRE HUITIÈME

DE L'EXTINCTION DE L'OBLIGATION

SECTION I

DISPOSITION GÉNÉRALE

1671. Outre les autres causes d'extinction prévues ailleurs dans ce code, tels le paiement, l'arrivée d'un terme extinctif, la novation ou la prescription, l'obligation est éteinte par la compensation, par la confusion, par la remise, par l'impossibilité de l'exécuter ou, encore, par la libération du débiteur.

SECTION II

DE LA COMPENSATION

1672. Lorsque deux personnes se trouvent réciproquement débitrices et créancières l'une de l'autre, les dettes auxquelles elles sont tenues s'éteignent par compensation jusqu'à concurrence de la moindre.

La compensation ne peut être invoquée contre l'État, mais celui-ci peut s'en prévaloir.

1673. La compensation s'opère de plein droit dès que coexistent des dettes qui sont l'une et l'autre certaines, liquides et exigibles et qui ont pour objet une somme d'argent ou une certaine quantité de biens fongibles de même espèce.

Une partie peut demander la liquidation judiciaire d'une dette afin de l'opposer en compensation.

1674. La compensation s'opère même si les dettes ne sont pas payables au même lieu, sauf à tenir compte des frais de délivrance, le cas échéant.

1675. Le délai de grâce accordé pour le paiement de l'une des dettes ne fait pas obstacle à la compensation.

1676. La compensation s'opère quelle que soit la cause de l'obligation d'où résulte la dette.

Elle n'a pas lieu, cependant, si la créance résulte d'un acte fait dans l'intention de nuire ou si la dette a pour objet un bien insaisissable.

1677. Lorsque plusieurs dettes susceptibles de compensation sont dues par le même débiteur, il est fait application des règles établies pour l'imputation des paiements.

1678. Le débiteur solidaire ne peut opposer la compensation de ce que le créancier doit à son codébiteur, excepté pour la part de ce dernier dans la dette solidaire.

Le débiteur, qu'il soit ou non solidaire, ne peut opposer à un créancier solidaire la compensation de ce qu'un cocréancier lui doit, excepté pour la part de ce dernier dans la créance solidaire.

1679. La caution peut opposer la compensation de ce que le créancier doit au débiteur principal; mais le débiteur principal ne peut opposer la compensation de ce que le créancier doit à la caution.

1680. Le débiteur qui acquiesce purement et simplement à la cession ou à l'hypothèque de créance consentie par son créancier à un tiers, ne peut plus opposer à ce tiers la compensation qu'il eût pu opposer au créancier originaire avant son acquiescement.

La cession ou l'hypothèque à laquelle le débiteur n'a pas acquiescé, mais qui lui est devenue opposable, n'empêche que la compensation des dettes du créancier originaire qui sont postérieures au moment où la cession ou l'hypothèque lui est ainsi devenue opposable.

1681. La compensation n'a pas lieu, et on ne peut non plus y renoncer, au préjudice des droits acquis à un tiers.

1682. Le débiteur qui pouvait opposer la compensation et qui a néanmoins payé sa dette ne peut plus se prévaloir, au préjudice des tiers, des priorités ou des hypothèques attachées à sa créance.

SECTION III

DE LA CONFUSION

1683. La réunion des qualités de créancier et de débiteur dans la même personne opère une confusion qui éteint l'obligation. Néanmoins, dans certains cas, lorsque la confusion cesse d'exister, ses effets cessent aussi.

1684. La confusion qui s'opère par le concours des qualités de créancier et de débiteur en la même personne profite aux cautions. Celle qui s'opère par le concours des qualités de caution et de créancier, ou de caution et de débiteur principal, n'éteint pas l'obligation principale.

1685. La confusion qui s'opère par le concours des qualités de créancier et de codébiteur solidaire ou de débiteur et de cocréancier solidaire, n'éteint l'obligation qu'à concurrence de la part de ce codébiteur ou cocréancier.

1686. L'hypothèque s'éteint par la confusion des qualités de créancier hypothécaire et de propriétaire du bien hypothéqué.

Elle renaît, cependant, si le créancier est évincé pour quelque cause indépendante de lui.

SECTION IV

DE LA REMISE

1687. Il y a remise lorsque le créancier libère son débiteur de son obligation.

La remise est totale, à moins qu'elle ne soit stipulée partielle.

1688. La remise est expresse ou tacite.

Elle est à titre onéreux ou à titre gratuit, suivant la nature de l'acte dans lequel elle s'inscrit.

1689. Le créancier qui, volontairement, met son débiteur en possession du titre original de l'obligation est présumé lui faire remise de la dette, s'il n'y a d'autres circonstances permettant d'en déduire plutôt un paiement du débiteur.

Le créancier qui, pareillement, met l'un des débiteurs solidaires en possession du titre original de l'obligation est, de même, présumé faire remise de la dette à l'égard de tous.

1690. La remise expresse accordée à l'un des débiteurs solidaires ne libère les autres codébiteurs que pour la part de celui qu'il a déchargé; et si l'un ou plusieurs des autres codébiteurs deviennent insolvables, les portions des insolvables sont réparties par contribution entre tous les autres codébiteurs, excepté celui à qui il a été fait remise, dont la part contributive est supportée par le créancier.

La remise expresse accordée par l'un des créanciers solidaires ne libère le débiteur que pour la part de ce créancier.

1691. La renonciation expresse à une priorité ou à une hypothèque par le créancier ne fait pas présumer la remise de la dette garantie.

1692. La remise expresse accordée à l'une des cautions libère les autres, dans la mesure du recours que ces dernières auraient eu contre la caution libérée.

Toutefois, ce que le créancier a reçu de la caution pour sa libération n'est pas imputé à la décharge du débiteur principal ou des autres cautions, excepté, quant à ces derniers, dans les cas où ils ont un recours contre la caution libérée et jusqu'à concurrence de tel recours.

SECTION V

DE L'IMPOSSIBILITÉ D'EXÉCUTER L'OBLIGATION

1693. Lorsqu'une obligation ne peut plus être exécutée par le débiteur, en raison d'une force majeure et avant qu'il soit en demeure, il est libéré de cette obligation; il en est également libéré, lors même qu'il était en demeure, lorsque le créancier n'aurait pu, de toute façon, bénéficier de l'exécution de l'obligation en raison de cette force majeure; à moins que, dans l'un et l'autre cas, le débiteur ne se soit expressément chargé des cas de force majeure.

La preuve d'une force majeure incombe au débiteur.

1694. Le débiteur ainsi libéré ne peut exiger l'exécution de l'obligation corrélative du créancier; si elle a été exécutée, il y a lieu à restitution.

Lorsque le débiteur a exécuté son obligation en partie, le créancier demeure tenu d'exécuter la sienne jusqu'à concurrence de son enrichissement.

SECTION VI

DE LA LIBÉRATION DU DÉBITEUR

1695. Lorsqu'un créancier prioritaire ou hypothécaire acquiert le bien sur lequel porte sa créance, à la suite d'une vente en justice, d'une vente faite par le créancier ou d'une vente sous contrôle de justice, le débiteur est libéré de sa dette envers ce créancier, jusqu'à concurrence de la valeur marchande du bien au moment de l'acquisition, déduction faite de toute autre créance ayant priorité de rang sur celle de l'acquéreur.

Le débiteur est également libéré lorsque, dans les trois années qui suivent la vente, ce créancier reçoit, en revendant le bien ou une partie de celui-ci, ou en faisant sur le bien d'autres opérations, une valeur au moins égale au montant de sa créance, en capital, intérêts et frais, au montant des impenses qu'il a faites sur le bien, portant intérêt, et au montant des autres créances prioritaires ou hypothécaires qui prennent rang avant la sienne.

1696. Le créancier est présumé avoir acquis le bien s'il est vendu à une personne avec qui il est de connivence ou qui lui est liée, notamment, un parent ou allié jusqu'au deuxième degré, une personne vivant sous son toit, ou encore un associé ou une personne morale dont il est un administrateur ou qu'il contrôle.

1697. Le débiteur libéré a le droit d'obtenir quittance du créancier.

Si ce dernier refuse, le débiteur peut s'adresser au tribunal pour faire constater sa libération. Le jugement qui la constate vaut quittance à l'égard du créancier.

1698. La libération du débiteur principal entraîne la libération de ses cautions et de ses autres garants, qui peuvent exercer les mêmes droits que le débiteur principal, même indépendamment de lui.

CHAPITRE NEUVIÈME

DE LA RESTITUTION DES PRESTATIONS

SECTION I

DES CIRCONSTANCES DANS LESQUELLES A LIEU LA RESTITUTION

1699. La restitution des prestations a lieu chaque fois qu'une personne est, en vertu de la loi, tenue de rendre à une autre des biens qu'elle a reçus sans droit ou par erreur, ou encore en vertu d'un acte juridique qui est subséquemment anéanti de façon rétroactive ou dont les obligations deviennent impossibles à exécuter en raison d'une force majeure.

Le tribunal peut, exceptionnellement, refuser la restitution lorsqu'elle aurait pour effet d'accorder à l'une des parties, débiteur ou créancier, un avantage indu, à moins qu'il ne juge suffisant, dans ce cas, de modifier plutôt l'étendue ou les modalités de la restitution.

SECTION II

DES MODALITÉS DE LA RESTITUTION

1700. La restitution des prestations se fait en nature, mais si elle ne peut se faire ainsi en raison d'une impossibilité ou d'un inconvénient sérieux, elle se fait par équivalent.

L'équivalence s'apprécie au moment où le débiteur a reçu ce qu'il doit restituer.

1701. En cas de perte totale ou d'aliénation du bien sujet à restitution, celui qui a l'obligation de restituer est tenu de rendre la valeur du bien, considérée au moment de sa réception, de sa perte ou aliénation, ou encore au moment de la restitution, suivant la moindre de ces valeurs ; mais s'il est de mauvaise foi ou si la cause de restitution est due à sa faute, la restitution se fait suivant la valeur la plus élevée.

Le débiteur est cependant dispensé de toute restitution si le bien a péri par force majeure, mais il doit alors céder au créancier, le cas échéant, l'indemnité qu'il a reçue pour cette perte, ou le droit à cette indemnité s'il ne l'a pas déjà reçue ; lorsque le débiteur est de mauvaise foi ou que la cause de restitution est due à sa faute, il n'est dispensé de la restitution que si le bien eût également péri entre les mains du créancier.

1702. Lorsque le bien qu'il rend a subi une perte partielle, telle une détérioration ou une autre dépréciation de valeur, celui qui a l'obligation de restituer est tenu d'indemniser le créancier pour cette perte, à moins que celle-ci ne résulte de l'usage normal du bien.

1703. Le droit d'être remboursé des impenses faites au bien sujet à la restitution est réglé conformément aux dispositions du livre Des biens applicables au possesseur de bonne foi ou, s'il y a mauvaise foi ou si la cause de la restitution est due à la faute de celui qui a l'obligation de restituer, à celles qui sont applicables au possesseur de mauvaise foi.

1704. Celui qui a l'obligation de restituer fait siens les fruits et revenus produits par le bien qu'il rend et il supporte les frais qu'il a engagés pour les produire. Il ne doit aucune indemnité pour la jouissance du bien, à moins que cette jouissance n'ait été l'objet principal de la prestation ou que le bien était susceptible de se déprécier rapidement.

Cependant, s'il est de mauvaise foi, ou si la cause de la restitution est due à sa faute, il est tenu, après avoir compensé les frais, de rendre ces fruits et revenus et d'indemniser le créancier pour la jouissance qu'a pu lui procurer le bien.

1705. Les frais de la restitution sont supportés par les parties, en proportion, le cas échéant, de la valeur des prestations qu'elles se restituent mutuellement.

Toutefois, lorsque l'une d'elles est de mauvaise foi ou que la cause de la restitution est due à sa faute, elle seule supporte les frais de la restitution.

1706. Les personnes protégées ne sont tenues à la restitution des prestations que jusqu'à concurrence de l'enrichissement qu'elles en conservent; la preuve de cet enrichissement incombe à celui qui exige la restitution.

Elles peuvent, toutefois, être tenues à la restitution intégrale lorsqu'elles ont rendu impossible la restitution par leur faute intentionnelle ou lourde.

SECTION III

DE LA SITUATION DES TIERS À L'ÉGARD DE LA RESTITUTION

1707. Les actes d'aliénation à titre onéreux faits par celui qui a l'obligation de restituer, s'ils ont été accomplis au profit d'un tiers de bonne foi, sont opposables à celui à qui est due la restitution. Ceux à titre gratuit sont inopposables, sous réserve des règles relatives à la prescription.

Les autres actes accomplis au profit d'un tiers de bonne foi sont opposables à celui à qui est due la restitution.

TITRE DEUXIÈME

DES CONTRATS NOMMÉS

CHAPITRE PREMIER

DE LA VENTE

SECTION I

DE LA VENTE EN GÉNÉRAL

§ 1.—*Dispositions générales*

1708. La "vente" est le contrat par lequel une personne, le vendeur, transfère la propriété d'un bien à une autre personne, l'acheteur, moyennant un prix en argent que cette dernière s'oblige à payer.

Le transfert peut aussi porter sur un démembrement du droit de propriété ou sur tout autre droit dont on est titulaire.

1709. Celui qui est chargé de vendre le bien d'autrui ne peut, même par partie interposée, se rendre acquéreur d'un tel bien; il en est de même de celui qui est chargé d'administrer le bien d'autrui ou de surveiller l'administration qui en est faite, sous réserve cependant, quant à l'administrateur, de l'article 1312.

Celui qui ne peut acquérir ne peut, non plus, vendre ses propres biens, moyennant un prix provenant du bien ou du patrimoine qu'il administre ou dont il surveille l'administration.

Ces personnes ne peuvent en aucun cas demander la nullité de la vente.

§ 2.—*De la promesse*

1710. La promesse de vente accompagnée de délivrance et possession actuelle équivaut à vente.

1711. Toute somme versée à l'occasion d'une promesse de vente est présumée être un acompte sur le prix, à moins que le contrat n'en dispose autrement.

1712. Le défaut par le promettant vendeur ou le promettant acheteur de passer titre confère au bénéficiaire de la promesse le droit d'obtenir un jugement qui en tienne lieu.

§ 3.—*De la vente du bien d'autrui*

1713. La vente d'un bien par une personne qui n'en est pas propriétaire ou qui n'est pas chargée ni autorisée à le vendre, peut être frappée de nullité.

Elle ne peut plus l'être si le vendeur devient propriétaire du bien.

1714. Le véritable propriétaire peut demander la nullité de la vente et revendiquer contre l'acheteur le bien vendu, à moins que la vente n'ait eu lieu sous l'autorité de la justice ou que l'acheteur ne puisse opposer une prescription acquisitive.

Il est tenu, si le bien est un meuble qui a été vendu dans le cours des activités d'une entreprise, de rembourser à l'acheteur de bonne foi le prix qu'il a payé.

1715. L'acheteur peut aussi demander la nullité de la vente.

Il n'est pas, toutefois, admis à le faire lorsque le propriétaire n'est pas lui-même admis à revendiquer le bien.

§ 4.—*Des obligations du vendeur*

1716. Le vendeur est tenu de délivrer le bien, et d'en garantir le droit de propriété et la qualité.

Ces garanties existent de plein droit, sans qu'il soit nécessaire de les stipuler dans le contrat de vente.

I — De la délivrance

1717. L'obligation de délivrer le bien est remplie lorsque le vendeur met l'acheteur en possession du bien ou consent à ce qu'il en prenne possession, tous obstacles étant écartés.

1718. Le vendeur est tenu de délivrer le bien dans l'état où il se trouve lors de la vente, avec tous ses accessoires.

1719. Le vendeur est tenu de remettre à l'acheteur les titres de propriété qu'il possède, ainsi que, s'il s'agit d'une vente immobilière, une copie de l'acte d'acquisition de l'immeuble, de même qu'une copie des titres antérieurs et du certificat de localisation qu'il possède.

1720. Le vendeur est tenu de délivrer la contenance ou la quantité indiquée au contrat, que la vente ait été faite à raison de tant la mesure ou pour un prix global, à moins qu'il ne soit évident que le bien individualisé a été vendu sans égard à cette contenance ou à cette quantité.

1721. Le vendeur qui a accordé un délai pour le paiement n'est pas tenu de délivrer le bien si, depuis la vente, l'acheteur est devenu insolvable.

1722. Les frais de délivrance sont à la charge du vendeur; ceux d'enlèvement sont à la charge de l'acheteur.

II — De la garantie du droit de propriété

1723. Le vendeur est tenu de garantir à l'acheteur que le bien est libre de tous droits, à l'exception de ceux qu'il a déclarés lors de la vente.

Il est tenu de purger le bien des hypothèques qui le grèvent, même déclarées ou inscrites, à moins que l'acheteur n'ait assumé la dette ainsi garantie.

1724. Le vendeur se porte garant envers l'acheteur de tout empiétement exercé par lui-même, à moins qu'il ne l'ait déclaré lors de la vente.

Il se porte garant, de même, de tout empiétement qu'un tiers aurait, à sa connaissance, commencé d'exercer avant la vente.

1725. Le vendeur d'un immeuble se porte garant envers l'acheteur de toute violation aux limitations de droit public qui grèvent le bien et qui échappent au droit commun de la propriété.

Le vendeur n'est pas tenu à cette garantie lorsqu'il a dénoncé ces limitations à l'acheteur lors de la vente, lorsqu'un acheteur prudent et diligent aurait pu les découvrir par la nature, la situation et l'utilisation des lieux ou lorsqu'elles ont fait l'objet d'une inscription au bureau de la publicité des droits.

III — De la garantie de qualité

1726. Le vendeur est tenu de garantir à l'acheteur que le bien et ses accessoires sont, lors de la vente, exempts de vices cachés qui le rendent impropre à l'usage auquel on le destine ou qui diminuent tellement son utilité que l'acheteur ne l'aurait pas acheté, ou n'aurait pas donné si haut prix, s'il les avait connus.

Il n'est, cependant, pas tenu de garantir le vice caché connu de l'acheteur ni le vice apparent; est apparent le vice qui peut être constaté par un acheteur prudent et diligent sans avoir besoin de recourir à un expert.

1727. Lorsque le bien périt en raison d'un vice caché qui existait lors de la vente, la perte échoit au vendeur, lequel est tenu à la restitution du prix; si la perte résulte d'une force majeure ou est due à la faute de l'acheteur, ce dernier doit déduire, du montant de sa réclamation, la valeur du bien, dans l'état où il se trouvait lors de la perte.

1728. Si le vendeur connaissait le vice caché ou ne pouvait l'ignorer, il est tenu, outre la restitution du prix, de tous les dommages-intérêts soufferts par l'acheteur.

1729. En cas de vente par un vendeur professionnel, l'existence d'un vice au moment de la vente est présumée, lorsque le mauvais fonctionnement du bien ou sa détérioration survient prématurément par rapport à des biens identiques ou de même espèce; cette présomption est repoussée si le défaut est dû à une mauvaise utilisation du bien par l'acheteur.

1730. Sont également tenus à la garantie du vendeur, le fabricant, toute personne qui fait la distribution du bien sous son nom ou comme étant son bien et tout fournisseur du bien, notamment le grossiste et l'importateur.

1731. La vente faite sous l'autorité de la justice ne donne lieu à aucune obligation de garantie de qualité du bien vendu.

IV — De la garantie conventionnelle

1732. Les parties peuvent, dans leur contrat, ajouter aux obligations de la garantie légale, en diminuer les effets, ou l'exclure entièrement, mais le vendeur ne peut, en aucun cas, se dégager de ses faits personnels.

1733. Le vendeur ne peut exclure ni limiter sa responsabilité s'il n'a pas révélé les vices qu'il connaissait ou ne pouvait ignorer et qui affectent le droit de propriété ou la qualité du bien.

Cette règle reçoit exception lorsque l'acheteur achète à ses risques et périls d'un vendeur non professionnel.

§ 5.—*Des obligations de l'acheteur*

1734. L'acheteur est tenu de prendre livraison du bien vendu et d'en payer le prix au moment et au lieu de la délivrance. Il est aussi tenu, le cas échéant, de payer les frais de l'acte de vente.

1735. L'acheteur doit l'intérêt du prix de la vente, à compter de la délivrance du bien ou de l'expiration du délai convenu entre les parties.

§ 6.—*Des règles particulières à l'exercice des droits des parties*

I — Des droits de l'acheteur

1736. L'acheteur d'un bien meuble peut, lorsque le vendeur ne délivre pas le bien, considérer la vente comme résolue si le vendeur est en demeure de plein droit d'exécuter son obligation ou s'il ne l'exécute pas dans le délai fixé par la mise en demeure.

1737. Lorsque le vendeur est tenu de délivrer la contenance ou la quantité indiquée au contrat et qu'il est dans l'impossibilité de le faire, l'acheteur peut obtenir une diminution du prix ou, si la différence lui cause un préjudice sérieux, la résolution de la vente.

Toutefois, l'acheteur est tenu, lorsque la contenance ou la quantité excède celle qui est indiquée au contrat, de payer l'excédent ou de remettre celui-ci au vendeur.

1738. L'acheteur qui découvre un risque d'atteinte à son droit de propriété doit, par écrit et dans un délai raisonnable depuis sa découverte, dénoncer au vendeur le droit ou la prétention du tiers, en précisant la nature de ce droit ou de cette prétention.

Le vendeur qui connaissait ou ne pouvait ignorer ce droit ou cette prétention ne peut, toutefois, se prévaloir d'une dénonciation tardive de l'acheteur.

1739. L'acheteur qui constate que le bien est atteint d'un vice doit, par écrit, le dénoncer au vendeur dans un délai raisonnable depuis sa découverte. Ce délai commence à courir, lorsque le vice apparaît graduellement, du jour où l'acheteur a pu en soupçonner la gravité et l'étendue.

Le vendeur ne peut se prévaloir d'une dénonciation tardive de l'acheteur s'il connaissait ou ne pouvait ignorer le vice.

II — Des droits du vendeur

1740. Le vendeur d'un bien meuble peut, lorsque l'acheteur n'en paie pas le prix et n'en prend pas délivrance, considérer la vente comme résolue si l'acheteur est en demeure de plein droit d'exécuter ses obligations ou s'il ne les a pas exécutées dans le délai fixé par la mise en demeure.

Il peut aussi, lorsqu'il apparaît que l'acheteur n'exécutera pas une partie substantielle de ses obligations, arrêter la livraison du bien en cours de transport.

1741. Lorsque la vente d'un bien meuble a été faite sans terme, le vendeur peut, dans les trente jours de la délivrance, considérer la vente comme résolue et revendiquer le bien, si l'acheteur, alors qu'il est en demeure, fait défaut de payer le prix et si le meuble est encore entier et dans le même état, sans être passé entre les mains d'un tiers qui en a payé le prix ou d'un créancier hypothécaire qui a obtenu le délaissement du bien.

au lieu de 8

La saisie par un tiers, alors que l'acheteur est en demeure de payer le prix et que le bien est dans les conditions prescrites pour la résolution, ne fait pas obstacle au droit du vendeur.

1742. Le vendeur d'un bien immeuble ne peut demander la résolution de la vente, faute par l'acheteur d'exécuter l'une de ses obligations, que si le contrat contient une stipulation particulière à cet effet.

S'il est dans les conditions pour demander la résolution, il est tenu d'exercer son droit dans un délai de cinq ans à compter de la vente.

1743. Le vendeur d'un bien immeuble qui veut se prévaloir d'une clause résolutoire doit mettre en demeure l'acheteur et, le cas échéant, tout acquéreur subséquent, de remédier au défaut dans les soixante jours qui suivent l'inscription de la mise en demeure au registre foncier; les règles relatives à la prise en paiement énoncées au livre Des priorités et des hypothèques, ainsi que les mesures préalables à l'exercice de ce droit s'appliquent à la résolution de la vente, compte tenu des adaptations nécessaires.

2757 S.

Le vendeur qui reprend le bien par suite de l'exercice d'une telle clause le reprend libre de toutes les charges dont l'acheteur a pu le grever après que le vendeur a inscrit ses droits.

§ 7.—*De diverses modalités de la vente*

I — De la vente à l'essai

1744. La vente à l'essai d'un bien est présumée faite sous condition suspensive.

Lorsque la durée de l'essai n'est pas stipulée, la condition est réalisée par le défaut de l'acheteur de faire connaître son refus au vendeur dans les trente jours de la délivrance du bien.

II — De la vente à tempérament

1745. La vente à tempérament est une vente à terme par laquelle le vendeur se réserve la propriété du bien jusqu'au paiement total du prix de vente.

La réserve de propriété d'un bien acquis pour le service ou l'exploitation d'une entreprise n'est opposable aux tiers que si elle est publiée.

1746. La vente à tempérament transfère à l'acheteur les risques de perte du bien à moins qu'il ne s'agisse d'un contrat de consommation ou que les parties n'aient stipulé autrement.

1747. Le solde dû par l'acheteur devient exigible lorsque le bien est vendu sous l'autorité de la justice ou que l'acheteur, sans le consentement du vendeur, cède à un tiers le droit qu'il a sur le bien.

1748. Lorsque l'acheteur fait défaut de payer le prix de vente selon les modalités du contrat, le vendeur peut exiger le paiement immédiat des versements échus ou reprendre le bien vendu; si le contrat contient une clause de déchéance du terme, il peut plutôt exiger le paiement du solde du prix de vente.

1749. Si la réserve de propriété a été publiée, le vendeur qui choisit de reprendre le bien vendu doit mettre en demeure l'acheteur et, le cas échéant, tout acquéreur subséquent, de remédier au défaut dans les vingt jours, s'il s'agit d'un bien meuble, ou dans les soixante jours, s'il s'agit d'un bien immeuble, qui suivent l'inscription de la mise en demeure au registre approprié.

Les règles relatives à la prise en paiement énoncées au livre Des priorités et des hypothèques, ainsi que les mesures préalables à l'exercice de ce droit s'appliquent à la reprise du bien, compte tenu des adaptations nécessaires.

III — De la vente avec faculté de rachat

1750. La vente faite avec faculté de rachat, aussi appelée vente à réméré, est une vente sous condition résolutoire par laquelle le vendeur transfère la propriété d'un bien à l'acheteur en se réservant la faculté de le racheter.

La faculté de rachat d'un bien acquis pour le service et l'exploitation d'une entreprise n'est opposable aux tiers que si elle est publiée.

1751. Le vendeur qui désire exercer la faculté de rachat et reprendre le bien doit donner un avis de son intention à l'acheteur et, si la faculté de rachat a été publiée, à tout acquéreur subséquent contre lequel il entend exercer son droit. Cet avis doit être publié; il s'agit d'un avis de vingt jours si le bien est un meuble et d'un avis de soixante jours s'il est un immeuble.

1752. Lorsque le vendeur exerce la faculté de rachat, il reprend le bien libre de toutes les charges dont l'acheteur a pu le grever, si le droit du vendeur a été publié conformément aux règles relatives à la publicité des droits.

1753. La faculté de rachat ne peut être stipulée pour un terme excédant cinq ans; s'il excède cinq ans, le terme est réduit à cette durée.

1754. Si l'acheteur d'une partie indivise d'un bien sujet à la faculté de rachat devient, par l'effet d'un partage, acquéreur de la totalité, il peut obliger le vendeur qui veut exercer la faculté à reprendre la totalité du bien.

1755. Lorsque la vente a été faite par plusieurs personnes conjointement et par un seul contrat ou lorsque le vendeur a laissé plusieurs héritiers, l'acheteur peut s'opposer à la reprise partielle du bien et exiger que le covendeur ou le cohéritier reprenne la totalité du bien.

Pour le reste, les règles relatives à l'obligation conjointe ou divisible s'appliquent, compte tenu des adaptations nécessaires, à l'exercice de la faculté de rachat qui existe au profit de plusieurs vendeurs, à l'encontre de plusieurs acheteurs, ou entre leurs héritiers.

1756. Si la faculté de rachat a pour objet de garantir un prêt, le vendeur est réputé emprunteur et l'acquéreur est réputé créancier hypothécaire. Le vendeur ne pourra toutefois perdre le droit d'exercer la faculté de rachat, à moins que l'acquéreur ne suive les règles prévues au livre Des priorités et des hypothèques pour l'exercice des droits hypothécaires.

IV — De la vente aux enchères

1757. La vente aux enchères est celle par laquelle un bien est offert en vente à plusieurs personnes par l'entremise d'un tiers, l'encanteur, et est déclaré adjugé au plus offrant et dernier enchérisseur.

1758. La vente aux enchères est volontaire ou forcée; en ce dernier cas, la vente est alors soumise aux règles prévues au Code de procédure civile, ainsi qu'aux règles du présent sous-paragraphe, s'il n'y a pas incompatibilité.

1759. Le vendeur peut fixer une mise à prix ou d'autres conditions à la vente. Celles-ci ne sont, néanmoins, opposables à l'adjudicataire que si l'encanteur les a communiquées aux personnes présentes avant de recevoir les enchères.

1760. Le vendeur peut refuser de divulguer son identité lors des enchères, mais si celle-ci n'est pas divulguée à l'adjudicataire, l'encanteur est tenu personnellement de toutes les obligations du vendeur.

1761. L'enchérisseur ne peut, en aucun temps, retirer son enchère.

1762. La vente aux enchères est parfaite par l'adjudication du bien, par l'encanteur, au dernier enchérisseur. L'inscription, au registre de l'encanteur, du nom de l'adjudicataire et de son enchère fait preuve de la vente, mais, à défaut d'inscription, la preuve testimoniale est admise.

1763. Le vendeur et l'adjudicataire d'un immeuble doivent passer l'acte de vente dans les dix jours de la demande de l'une des parties.

1764. Lorsqu'une entreprise est vendue aux enchères, l'encanteur doit, avant de remettre le prix au vendeur, suivre les formalités imposées pour la vente d'entreprise.

1765. Le défaut de l'acheteur de payer le prix, selon les conditions de la vente, permet à l'encanteur, outre les recours ordinaires du vendeur, de revendre le bien à la folle enchère, selon l'usage et après un avis suffisant.

Le fol enchérisseur ne peut, alors, enchérir de nouveau et il est tenu, le cas échéant, de payer la différence entre le prix de son adjudication et le prix moindre de la revente, sans qu'il puisse réclamer l'excédent. Il est aussi, en cas de vente forcée, responsable envers le vendeur, le saisi et les créanciers qui ont obtenu un jugement, des intérêts, des frais et des dommages-intérêts résultant de son défaut.

1766. L'adjudicataire dont le droit de propriété sur un bien acquis lors d'une vente aux enchères est atteint à la suite d'une saisie exercée par un créancier du vendeur, peut recouvrer du vendeur le prix qu'il a payé, avec les intérêts et les frais; il peut aussi recouvrer des créanciers du vendeur le prix qui leur a été remis, avec intérêts, sous réserve de se faire opposer le bénéfice de discussion.

Il peut réclamer du créancier saisissant les dommages-intérêts qui résultent des irrégularités de la saisie ou de la vente.

§ 8.—*De la vente d'entreprise*

1767. La vente d'entreprise est celle qui porte sur l'ensemble ou sur une partie substantielle d'une entreprise et qui a lieu en dehors du cours des activités du vendeur.

1768. L'acheteur est tenu, avant de se départir du prix, d'obtenir du vendeur une déclaration sous serment qui énonce le nom et l'adresse de tous les créanciers du vendeur, et indique le montant et la nature de chacune de leurs créances en précisant ce qui reste à échoir, ainsi que les sûretés qui s'y attachent.

1769. Avant de se départir du prix, l'acheteur doit aviser de la vente les créanciers prioritaires et hypothécaires désignés dans la déclaration et leur demander de lui indiquer, par écrit, dans les vingt jours de sa demande, le montant de leur créance, et, s'il y a hypothèque, la valeur qu'ils attribuent à leur sûreté, compte tenu du rang de leur sûreté, de la somme pour laquelle elle est consentie, et de la valeur du bien grevé.

1770. Lorsque le prix est payable au comptant et qu'il est suffisant pour rembourser tous les créanciers du vendeur désignés dans la déclaration, l'acheteur n'est pas tenu d'aviser de la vente les créanciers prioritaires et hypothécaires du vendeur ni de suivre les autres formalités prescrites pour la distribution du prix de vente. Il est cependant tenu, à même le prix de vente, de payer tous les créanciers du vendeur, à l'exception de ceux qui ont renoncé par écrit à ce droit.

1771. Le créancier hypothécaire qui omet d'indiquer la valeur de sa sûreté ne peut faire valoir sa créance lors de la distribution du prix de vente. Il ne peut non plus le faire lorsque cette valeur excède le montant de sa créance.

1772. Lorsque la valeur de la sûreté du créancier hypothécaire est inférieure au montant de sa créance, celle-ci est comptée, lors de la distribution du prix de vente, pour l'excédent seulement.

1773. L'acheteur et le vendeur désignent, dans l'acte de vente, une personne à qui l'acheteur devra remettre, pour distribution aux créanciers, le prix de vente, que celui-ci soit payable, en tout ou en partie, au comptant ou à terme.

1774. La personne désignée pour procéder à la distribution du prix est tenue de préparer un bordereau de distribution dont elle donne copie aux créanciers mentionnés dans la déclaration du vendeur. En l'absence de contestation du bordereau dans les vingt jours de l'envoi, elle paie les créanciers, en proportion de leurs créances.

Si le bordereau fait l'objet d'une contestation, elle retient sur le prix ce qui est nécessaire pour acquitter la partie contestée de la créance, jusqu'à ce que jugement soit rendu sur la contestation, à moins que celle-ci ne provienne d'un créancier que le vendeur a omis de déclarer et que le vendeur n'approuve la créance ; en ce dernier cas, le créancier participe à la distribution.

1775. Lorsque l'acheteur a suivi les formalités prescrites, les créanciers du vendeur ne peuvent exercer leurs droits et recours contre lui ou contre les biens qui ont été vendus, mais ils conservent leurs recours contre le vendeur.

S'ils ont qualité de créanciers prioritaires ou hypothécaires et n'ont pas participé à la distribution ou n'y ont participé que partiellement, ils conservent, néanmoins, le droit d'exercer les droits et recours que la loi leur accorde.

1776. Lorsque les formalités prescrites n'ont pas été suivies, la vente d'entreprise est inopposable aux créanciers du vendeur dont la créance est antérieure à la date de la conclusion de la vente, à moins que l'acheteur ne paie ces créanciers à concurrence de la valeur des biens qu'il a achetés.

L'inopposabilité de la vente ne peut être soulevée, à peine de déchéance, que dans l'année qui suit le jour où le créancier a eu connaissance de la vente et, dans tous les cas, elle ne peut plus l'être après trois ans de l'acte de vente.

1777. L'acheteur et le vendeur sont responsables du défaut par la personne désignée de distribuer le prix de vente selon les formalités prescrites ; toutefois, l'acheteur n'est responsable qu'à concurrence de la valeur des biens qu'il a achetés.

1778. Les ventes faites dans le cadre des droits et recours exercés par un créancier prioritaire ou hypothécaire ou celles qui sont faites par un administrateur du bien d'autrui pour le bénéfice des créanciers, ou par un officier public agissant sous l'autorité du tribunal, ne sont pas soumises aux règles de la vente d'entreprise.

Ces règles ne s'appliquent pas, non plus, à la vente faite à une société formée par le vendeur pour acheter l'actif de l'entreprise, lorsque la société assume les dettes du vendeur, continue l'entreprise et donne avis de la vente aux créanciers du vendeur.

§ 9.—*De la vente de certains biens incorporels*

I — De la vente de droits successoraux

1779. Le vendeur de droits successoraux, s'il ne spécifie pas en détail les biens sur lesquels portent les droits, ne garantit que sa qualité d'héritier.

1780. Le vendeur est tenu de remettre à l'acheteur les fruits et revenus qu'il a perçus, de même que le capital de la créance échue et le prix des biens qu'il a vendus et qui faisaient partie de la succession.

1781. L'acheteur est tenu de rembourser au vendeur les dettes de la succession et les frais de liquidation de celle-ci que le vendeur a payés, de même que les sommes que la succession lui doit.

Il doit aussi acquitter les dettes de la succession dont le vendeur est tenu.

II — De la vente de droits litigieux

1782. Un droit est litigieux lorsqu'il est incertain, disputé ou susceptible de dispute par le débiteur, que l'action soit intentée ou qu'il y ait lieu de présumer qu'elle sera nécessaire.

1783. Les juges, avocats, notaires et officiers de justice ne peuvent se porter acquéreurs de droits litigieux, sous peine de nullité absolue de la vente.

1784. Lorsqu'une vente de droits litigieux a lieu, celui de qui ils sont réclamés est entièrement déchargé en remboursant à l'acheteur le prix de cette vente, les frais et les intérêts sur le prix, à compter du jour où le paiement a été fait.

Ce droit de retrait ne peut être exercé lorsque la vente est faite à un créancier en paiement de ce qui lui est dû ou à un cohéritier ou copropriétaire du droit vendu, ou encore au possesseur du bien qui est l'objet du droit. Il ne peut l'être, non plus, lorsque le tribunal a rendu un jugement maintenant le droit vendu ou lorsque le droit a été établi et que le litige est en état d'être jugé.

SECTION II

DES RÈGLES PARTICULIÈRES À LA VENTE D'IMMEUBLES À USAGE D'HABITATION

1785. Dès lors que la vente d'un immeuble à usage d'habitation, bâti ou à bâtir, est faite par le <u>constructeur</u> de l'immeuble ou par un <u>promoteur</u> à une personne physique qui l'acquiert pour l'occuper elle-même, elle doit, que cette vente comporte ou non le transfert à l'acquéreur des droits du vendeur sur le sol, être précédée d'un contrat préliminaire par lequel une personne promet d'acheter l'immeuble.

Le contrat préliminaire doit contenir une stipulation par laquelle le promettant acheteur peut, dans les dix jours de l'acte, se dédire de la promesse.

1786. Outre qu'il doit indiquer les nom et adresse du vendeur et du promettant acheteur, les ouvrages à réaliser, le prix de vente, la date de délivrance et les droits réels qui grèvent l'immeuble, le contrat préliminaire doit contenir les informations utiles relatives aux caractéristiques de l'immeuble et mentionner, si le prix est révisable, les modalités de la révision.

Lorsque le contrat préliminaire prescrit une indemnité en cas d'exercice de la faculté de dédit, celle-ci ne peut excéder 0,5 p. 100 du prix de vente convenu.

1787. Lorsque la vente porte sur une fraction de copropriété divise ou sur une part indivise d'un immeuble à usage d'habitation et que cet immeuble comporte ou fait partie d'un ensemble qui comporte au moins dix unités de logement, le vendeur doit remettre au promettant acheteur, lors de la signature du contrat préliminaire, une note d'information; il doit également remettre cette note lorsque la vente porte sur une résidence faisant partie d'un ensemble comportant dix résidences ou plus et ayant des installations communes.

La vente qui porte sur la même fraction de copropriété faite à plusieurs personnes qui acquièrent ainsi sur cette fraction un droit de jouissance, périodique et successif, est aussi subordonnée à la remise d'une note d'information.

1788. La note d'information complète le contrat préliminaire. Elle énonce les noms des architectes, ingénieurs, constructeurs et promoteurs et contient un plan de l'ensemble du projet immobilier et, s'il y a lieu, le plan général de développement du projet, ainsi que le sommaire d'un devis descriptif; elle fait état du budget prévisionnel, indique les installations communes et fournit les renseignements sur la gérance de l'immeuble, ainsi que, s'il y a lieu, sur les droits d'emphytéose et les droits de propriété superficiaire dont l'immeuble fait l'objet.

Une copie ou un résumé de la déclaration de copropriété ou de la convention d'indivision et du règlement de l'immeuble, même si ces documents sont à l'état d'ébauche, doit être annexé à la note d'information.

1789. Lorsque la vente porte sur une fraction de copropriété divise, la note d'information contient un état des baux consentis par le promoteur ou le constructeur sur les parties privatives ou communes de l'immeuble et indique le nombre maximum de fractions destinées par eux à des fins locatives.

1790. Lorsque le promoteur ou le constructeur consent un bail au-delà du maximum indiqué à la note d'information, le syndicat des copropriétaires peut, après avoir avisé le locateur et le locataire, demander la résiliation du bail. S'il y a plusieurs baux qui excèdent ce maximum, les baux les plus récents doivent d'abord être résiliés.

1791. Le budget prévisionnel doit être établi sur une base annuelle d'occupation complète de l'immeuble; dans le cas d'une copropriété divise, il est établi pour une période débutant le jour où la déclaration de copropriété est inscrite.

Le budget comprend, notamment, un état des dettes et des créances, des recettes et débours et des charges communes. Il indique aussi, pour chaque fraction, les impôts fonciers susceptibles d'être dus, le taux de ceux-ci, et les charges annuelles à payer, y compris, le cas échéant, la contribution au fonds de prévoyance.

1792. La vente d'une fraction de copropriété peut être résolue sans formalités lorsque la déclaration de copropriété n'est pas inscrite dans un délai de trente jours, à compter de la date où elle peut l'être suivant le livre De la publicité des droits.

1793. La vente d'un immeuble à usage d'habitation qui n'est pas précédée du contrat préliminaire peut être annulée à la demande de l'acheteur, si celui-ci démontre qu'il en subit un préjudice sérieux.

1794. La vente par un entrepreneur d'un fonds qui lui appartient, avec un immeuble à usage d'habitation bâti ou à bâtir, est assujettie aux règles du contrat d'entreprise ou de service relatives aux garanties, compte tenu des adaptations nécessaires. Les mêmes règles s'appliquent à la vente faite par un promoteur immobilier.

SECTION III

DE DIVERS CONTRATS APPARENTÉS À LA VENTE

§ 1.—*De l'échange*

1795. L'échange est le contrat par lequel les parties se transfèrent respectivement la propriété d'un bien, autre qu'une somme d'argent.

1796. Lorsque l'une des parties, même après avoir reçu le bien qui lui est transféré en échange, prouve que l'autre partie n'en est pas propriétaire, elle ne peut être forcée à délivrer celui qu'elle a promis en contre-échange, mais seulement à rendre celui qu'elle a reçu.

1797. La partie qui est évincée du bien qu'elle a reçu en échange peut réclamer des dommages-intérêts ou reprendre le bien qu'elle a transféré.

1798. Les règles du contrat de vente sont, pour le reste, applicables au contrat d'échange.

§ 2.—*De la dation en paiement*

1799. La dation en paiement est le contrat par lequel un débiteur transfère la propriété d'un bien à son créancier qui accepte de la recevoir, à la place et en paiement d'une somme d'argent ou de quelque autre bien qui lui est dû.

1800. La dation en paiement est assujettie aux règles du contrat de vente et celui qui transfère ainsi un bien est tenu aux mêmes garanties que le vendeur.

Toutefois, la dation en paiement n'est parfaite que par la délivrance du bien.

1801. Est réputée non écrite toute clause selon laquelle, pour garantir l'exécution de l'obligation de son débiteur, le créancier se réserve le droit de devenir propriétaire irrévocable du bien ou d'en disposer.

§ 3.—*Du bail à rente*

1802. Le bail à rente est le contrat par lequel le bailleur transfère la propriété d'un immeuble moyennant une rente foncière que le preneur s'oblige à payer.

La rente est payable en numéraire ou en nature; les redevances sont dues à la fin de chaque année et elles sont comptées à partir de la constitution de la rente.

1803. Le preneur peut toujours se libérer du service de la rente en offrant de rembourser la valeur de la rente en capital et en renonçant à la répétition des redevances payées; mais il ne peut, pour le service de la rente, se faire remplacer par un assureur.

1804. Le preneur est tenu personnellement de la rente envers le bailleur. Le fait qu'il abandonne l'immeuble ou que celui-ci soit détruit par force majeure ne le libère pas de son obligation.

1805. Les règles relatives au contrat de vente et à la rente sont, pour le reste, applicables au contrat de bail à rente.

CHAPITRE DEUXIÈME

DE LA DONATION

SECTION I

DE LA NATURE ET DE L'ÉTENDUE DE LA DONATION

1806. La donation est le contrat par lequel une personne, le donateur, transfère la propriété d'un bien à titre gratuit à une autre personne, le donataire; le transfert peut aussi porter sur un démembrement du droit de propriété ou sur tout autre droit dont on est titulaire.

La donation peut être faite entre vifs ou à cause de mort.

1807. La donation entre vifs est celle qui emporte le dessaisissement actuel du donateur, en ce sens que celui-ci se constitue actuellement débiteur envers le donataire.

Le fait que le transfert du bien ou sa délivrance soient assortis d'un terme, ou que le transfert porte sur un bien individualisé que le donateur s'engage à acquérir, ou sur un bien déterminé quant à son espèce seulement que le donateur s'engage à délivrer, n'empêche pas le dessaisissement du donateur d'être actuel.

1808. La donation à cause de mort est celle où le dessaisissement du donateur demeure subordonné à son décès et n'a lieu qu'à ce moment.

1809. L'acte par lequel une personne renonce à exercer un droit qui ne lui est pas encore acquis ou renonce, purement et simplement, à une succession ou à un legs ne constitue pas une donation.

1810. La donation rémunératoire ou la donation avec charge ne vaut donation que pour ce qui excède la valeur de la rémunération ou de la charge.

1811. La donation indirecte et la donation déguisée sont régies, sauf quant à la forme, par les dispositions du présent chapitre.

1812. La promesse d'une donation n'équivaut pas à donation ; elle ne confère au bénéficiaire de la promesse que le droit de réclamer du promettant, à défaut par ce dernier de remplir sa promesse, des dommages-intérêts équivalents aux avantages que ce bénéficiaire a concédés et aux frais qu'il a faits en considération de la promesse.

SECTION II

DE CERTAINES CONDITIONS DE LA DONATION

§ 1.—*De la capacité de donner et de recevoir*

1813. Même représenté par son tuteur ou son curateur, le mineur ou le majeur protégé ne peut donner que des biens de peu de valeur et des cadeaux d'usage, sous réserve des règles relatives au contrat de mariage.

1814. Les père et mère ou le tuteur peuvent accepter la donation faite à un mineur ou, sous la condition qu'il naisse vivant et viable, à un enfant conçu mais non encore né.

Seul le tuteur ou le curateur peut accepter la donation faite à un majeur protégé. Le mineur et le majeur pourvu d'un tuteur peuvent, néanmoins, accepter seuls la donation de biens de peu de valeur ou de cadeaux d'usage.

1815. Le majeur à qui il est nommé un conseiller dont l'assistance est requise pour accepter une donation peut aussi donner, s'il est ainsi assisté.

§ 2.—*De certaines règles de validité de la donation*

1816. La donation d'un bien par une personne qui n'en est pas propriétaire ou qui n'est pas chargée de le donner ni autorisée à le faire est nulle, à moins que le donateur ne se soit expressément engagé à l'acquérir.

1817. La donation faite au propriétaire, à l'administrateur ou au salarié d'un établissement de santé ou de services sociaux qui n'est ni le conjoint ni un proche parent du donateur est nulle si elle est faite au temps où le donateur y est soigné ou y reçoit des services.

La donation faite à un membre de la famille d'accueil à l'époque où le donateur y demeure est également nulle.

1818. La donation entre vifs ne peut porter que sur des biens présents.

Celle qui prétendrait porter sur des biens à venir est réputée faite à cause de mort, mais celle qui porte à la fois sur des biens présents et à venir n'est réputée faite à cause de mort qu'à l'égard des biens à venir.

1819. La donation à cause de mort est nulle, à moins qu'elle ne soit faite par contrat de mariage ou qu'elle ne puisse valoir comme legs.

1820. La donation faite durant la maladie réputée mortelle du donateur, suivie ou non de son décès, est nulle comme faite à cause de mort si aucune circonstance n'aide à la valider.

Néanmoins, si le donateur se rétablit et laisse le donataire en possession paisible pendant trois ans, le vice disparaît.

1821. La donation entre vifs qui impose au donataire l'obligation d'acquitter des dettes ou des charges autres que celles qui existent lors de la donation est nulle, à moins que la nature de ces autres dettes ou charges ne soit exprimée au contrat et que leur montant n'y soit déterminé.

1822. La donation entre vifs stipulée révocable suivant la seule discrétion du donateur est nulle, alors même qu'elle est faite par contrat de mariage.

1823. La donation entre vifs ne peut être faite qu'à titre particulier; autrement, elle est nulle, de nullité absolue.

§ 3.—*De la forme et de la publicité de la donation*

1824. La donation d'un bien meuble ou immeuble s'effectue, à peine de nullité absolue, par acte notarié en minute; elle doit être publiée.

Il est fait exception à ces règles lorsque, s'agissant de la donation d'un bien meuble, le consentement des parties s'accompagne de la délivrance et de la possession immédiate du bien.

SECTION III

DES DROITS ET OBLIGATIONS DES PARTIES

§ 1.—*Dispositions générales*

1825. Le donateur délivre le bien en mettant le donataire en possession du bien ou en permettant au donataire qu'il en prenne possession, tous obstacles étant écartés.

1826. Le donateur n'est tenu de transférer que les droits qu'il a sur le bien donné.

1827. Le donataire ne peut recouvrer du donateur le paiement qu'il a fait pour libérer le bien donné d'un droit appartenant à un tiers ou pour exécuter une charge, que dans la mesure où le paiement excède l'avantage qu'il retire de la donation.

Cependant, le donataire évincé peut recouvrer du donateur les frais payés en raison de la donation, au-delà de l'avantage qu'il en retire, si l'éviction, totale ou partielle, provient d'un vice du droit transféré que le donateur connaissait mais n'a pas révélé lors de la donation.

1828. Le donateur ne répond pas des vices cachés qui affectent le bien donné.

Toutefois, il est tenu de réparer le préjudice causé au donataire en raison d'un vice qui porte atteinte à son intégrité physique, s'il connaissait ce vice et ne l'a pas révélé lors de la donation.

1829. Le donateur paie les frais du contrat; le donataire, ceux de l'enlèvement du bien.

§ 2.—*Des dettes du donateur*

1830. Le donataire n'est tenu que des dettes du donateur qui se rattachent à une universalité d'actif et de passif qu'il reçoit, à moins qu'il n'en résulte autrement du contrat ou de la loi.

§ 3.—*Des charges stipulées en faveur d'un tiers*

1831. La donation peut être assortie d'une charge ou d'une stipulation en faveur d'un tiers.

1832. La charge stipulée au bénéfice de plusieurs personnes, sans détermination de leurs parts respectives, emporte, au décès de l'une, accroissement de sa part en faveur des cobénéficiaires survivants.

Toutefois, lorsque les parts respectives des bénéficiaires sont déterminées, le décès de l'un n'emporte pas accroissement.

1833. Le donataire est tenu personnellement des charges grevant le bien donné.

1834. La charge qui, en raison de circonstances imprévisibles lors de l'acceptation de la donation, devient impossible ou trop onéreuse pour le donataire, peut être modifiée ou révoquée par le tribunal, compte tenu de la valeur de la donation, de l'intention du donateur et des circonstances.

1835. La révocation ou la caducité de la charge stipulée en faveur d'un tiers profite au donataire, à moins qu'un autre bénéficiaire ne soit désigné.

SECTION IV

DE LA RÉVOCATION DE LA DONATION POUR CAUSE D'INGRATITUDE

1836. Toute donation entre vifs peut être révoquée pour cause d'ingratitude.

Il y a cause d'ingratitude lorsque le donataire a eu envers le donateur un comportement gravement répréhensible, eu égard à la nature de la donation, aux facultés des parties et aux circonstances.

1837. L'action en révocation doit être intentée du vivant du donataire et dans l'année qui suit la cause d'ingratitude ou le jour où le donateur en a eu connaissance.

Le décès du donateur, dans les délais utiles à l'exercice de l'action, n'éteint pas le droit, mais ses héritiers doivent agir dans l'année du décès.

1838. La révocation de la donation oblige le donataire à restituer au donateur ce qu'il a reçu en vertu du contrat, suivant les règles du présent livre relatives à la restitution des prestations.

Elle emporte extinction, pour l'avenir, des charges qui y sont stipulées.

SECTION V

DE LA DONATION PAR CONTRAT DE MARIAGE

1839. Les donations consenties dans un contrat de mariage peuvent être entre vifs ou à cause de mort.

Elles ne sont valides que si le contrat prend lui-même effet.

1840. Toute personne peut faire une donation entre vifs par contrat de mariage, mais seuls peuvent être donataires les futurs époux, les époux, leurs enfants respectifs et leurs enfants communs nés et à naître, s'ils naissent vivants et viables.

La donation à cause de mort ne peut avoir lieu qu'entre les personnes qui peuvent être bénéficiaires d'une donation entre vifs par contrat de mariage.

1841. La donation à cause de mort, même faite à titre particulier, est révocable.

Toutefois, lorsque le donateur a stipulé l'irrévocabilité de la donation, il ne peut disposer des biens à titre gratuit par acte entre vifs ou par testament, à moins d'avoir obtenu le consentement du donataire et de tous les autres intéressés ou qu'il ne s'agisse de biens de peu de valeur ou de cadeaux d'usage; il demeure, cependant, titulaire des droits sur les biens donnés et libre de les aliéner à titre onéreux.

CHAPITRE TROISIÈME

DU CRÉDIT-BAIL

1842. Le crédit-bail est le contrat par lequel une personne, le crédit-bailleur, met un meuble à la disposition d'une autre personne, le crédit-preneur, pendant une période de temps déterminée et moyennant une contrepartie.

Le bien qui fait l'objet du crédit-bail est acquis d'un tiers par le crédit-bailleur, à la demande du crédit-preneur et conformément aux instructions de ce dernier.

Le crédit-bail ne peut être consenti qu'à des fins d'entreprise.

1843. Le bien qui fait l'objet du crédit-bail conserve sa nature mobilière tant que dure le contrat, même s'il est rattaché ou réuni à un immeuble, pourvu qu'il ne perde pas son individualité.

1844. Le crédit-bailleur doit dénoncer le contrat de crédit-bail dans l'acte d'achat.

1845. Le vendeur du bien est directement tenu envers le crédit-preneur des garanties légales et conventionnelles inhérentes au contrat de vente.

1846. Le crédit-preneur assume, à compter du moment où il en prend possession, tous les risques de perte du bien, même par force majeure.

Il en assume, de même, les frais d'entretien et de réparation.

1847. Les droits de propriété du crédit-bailleur ne sont opposables aux tiers que s'ils sont publiés.

1848. Le crédit-preneur peut, après que le crédit-bailleur est en demeure, considérer le contrat de crédit-bail comme étant résolu si le bien ne lui est pas délivré dans un délai raisonnable depuis le contrat ou dans le délai fixé dans la mise en demeure.

1849. Lorsque le contrat de crédit-bail est résolu et que le crédit-preneur a retiré un avantage du contrat, le crédit-bailleur peut déduire, lors de la restitution des prestations qu'il a reçues du crédit-preneur, une somme raisonnable qui tienne compte de cet avantage.

1850. Lorsque le contrat de crédit-bail prend fin, le crédit-preneur est tenu de rendre le bien au crédit-bailleur, à moins qu'il ne se soit prévalu, le cas échéant, de la faculté que lui réserve le contrat de l'acquérir.

CHAPITRE QUATRIÈME

DU LOUAGE

SECTION I

DE LA NATURE DU LOUAGE

1851. Le louage, aussi appelé bail, est le contrat par lequel une personne, le locateur, s'engage envers une autre personne, le locataire, à lui procurer, moyennant un loyer, la jouissance d'un bien, meuble ou immeuble, pendant un certain temps.

Le bail est à durée fixe ou indéterminée.

1852. Les droits résultant du bail peuvent être publiés.

1853. Le bail portant sur un bien meuble ne se présume pas; la personne qui utilise le bien, avec la tolérance du propriétaire, est présumée l'avoir emprunté en vertu d'un prêt à usage.

Le bail portant sur un bien immeuble est, pour sa part, présumé lorsqu'une personne occupe les lieux avec la tolérance du propriétaire. Ce bail est à durée indéterminée; il prend effet dès l'occupation et comporte un loyer correspondant à la valeur locative.

SECTION II

DES DROITS ET OBLIGATIONS RÉSULTANT DU BAIL

§ 1.—*Dispositions générales*

1854. Le locateur est tenu de délivrer au locataire le bien loué en bon état de réparation de toute espèce et de lui en procurer la jouissance paisible pendant toute la durée du bail.

Il est aussi tenu de garantir au locataire que le bien peut servir à l'usage pour lequel il est loué, et de l'entretenir à cette fin pendant toute la durée du bail.

1855. Le locataire est tenu, pendant la durée du bail, de payer le loyer convenu et d'user du bien avec prudence et diligence.

1856. Ni le locateur ni le locataire ne peuvent, au cours du bail, changer la forme ou la destination du bien loué.

1857. Le locateur a le droit de vérifier l'état du bien loué, d'y effectuer des travaux et, s'il s'agit d'un immeuble, de le faire visiter à un locataire ou à un acquéreur éventuel; il est toutefois tenu d'user de son droit de façon raisonnable.

1858. Le locateur est tenu de garantir le locataire des troubles de droit apportés à la jouissance du bien loué.

Le locataire, avant d'exercer ses recours, doit d'abord dénoncer le trouble au locateur.

1859. Le locateur n'est pas tenu de réparer le préjudice qui résulte du trouble de fait qu'un tiers apporte à la jouissance du bien; il peut l'être lorsque le tiers est aussi locataire de ce bien ou est une personne à laquelle le locataire permet l'usage ou l'accès à celui-ci.

Toutefois, si la jouissance du bien en est diminuée, le locataire conserve ses autres recours contre le locateur.

1860. Le locataire est tenu de se conduire de manière à ne pas troubler la jouissance normale des autres locataires.

Il est tenu, envers le locateur et les autres locataires, de réparer le préjudice qui peut résulter de la violation de cette obligation, que cette violation soit due à son fait ou au fait des personnes auxquelles il permet l'usage du bien ou l'accès à celui-ci.

Le locateur peut, au cas de violation de cette obligation, demander la résiliation du bail.

1861. Le locataire, troublé par un autre locataire ou par les personnes auxquelles ce dernier permet l'usage du bien ou l'accès à celui-ci, peut obtenir, suivant les circonstances, une diminution de loyer ou la résiliation du bail, s'il a dénoncé au locateur commun le trouble et que celui-ci persiste.

Il peut aussi obtenir des dommages-intérêts du locateur commun, à moins que celui-ci ne prouve qu'il a agi avec prudence et diligence; le locateur peut s'adresser au locataire fautif, afin d'être indemnisé pour le préjudice qu'il a subi.

1862. Le locataire est tenu de réparer le préjudice subi par le locateur en raison des pertes survenues au bien loué, à moins qu'il ne prouve que ces pertes ne sont pas dues à sa faute ou à celle des personnes à qui il permet l'usage du bien ou l'accès à celui-ci.

Néanmoins, lorsque le bien loué est un immeuble, le locataire n'est tenu des dommages-intérêts résultant d'un incendie que s'il est prouvé que celui-ci est dû à sa faute ou à celle des personnes à qui il a permis l'accès à l'immeuble.

1863. L'inexécution d'une obligation par l'une des parties confère à l'autre le droit de demander, outre des dommages-intérêts, l'exécution en nature, dans les cas qui le permettent. Si l'inexécution lui cause à elle-même ou, s'agissant d'un bail immobilier, aux autres occupants, un préjudice sérieux, elle peut demander la résiliation du bail.

L'inexécution confère, en outre, au locataire le droit de demander une diminution de loyer; lorsque le tribunal accorde une telle diminution de loyer, le locateur qui remédie au défaut a néanmoins le droit au rétablissement du loyer pour l'avenir.

§ 2.—*Des réparations*

1864. Le locateur est tenu, au cours du bail, de faire toutes les réparations nécessaires au bien loué, à l'exception des menues réparations d'entretien; celles-ci sont à la charge du locataire, à moins qu'elles ne résultent de la vétusté du bien ou d'une force majeure.

1865. Le locataire doit subir les réparations urgentes et nécessaires pour assurer la conservation ou la jouissance du bien loué.

Le locateur qui procède à ces réparations peut exiger l'évacuation ou la dépossession temporaire du locataire, mais il doit, s'il ne s'agit pas de réparations urgentes, obtenir l'autorisation préalable du tribunal, lequel fixe alors les conditions requises pour la protection des droits du locataire.

Le locataire conserve néanmoins, suivant les circonstances, le droit d'obtenir une diminution de loyer, celui de demander la résiliation du bail ou, en cas d'évacuation ou de dépossession temporaire, celui d'exiger une indemnité.

1866. Le locataire qui a connaissance d'une défectuosité ou d'une détérioration substantielles du bien loué, est tenu d'en aviser le locateur dans un délai raisonnable.

1867. Lorsque le locateur n'effectue pas les réparations ou améliorations auxquelles il est tenu, en vertu du bail ou de la loi, le locataire peut s'adresser au tribunal afin d'être autorisé à les exécuter.

Le tribunal, s'il autorise les travaux, en détermine le montant et fixe les conditions pour les effectuer. Le locataire peut alors retenir sur son loyer les dépenses faites pour l'exécution des travaux autorisés, jusqu'à concurrence du montant ainsi fixé.

1868. Le locataire peut, après avoir tenté d'informer le locateur ou après l'avoir informé si celui-ci n'agit pas en temps utile, entreprendre une réparation ou engager une dépense, même sans autorisation du tribunal, pourvu que cette réparation ou cette dépense soit urgente et nécessaire pour assurer la conservation ou la jouissance du bien loué. Le locateur peut toutefois intervenir à tout moment pour poursuivre les travaux.

Le locataire a le droit d'être remboursé des dépenses raisonnables qu'il a faites dans ce but; il peut, si nécessaire, retenir sur son loyer le montant de ces dépenses.

1869. Le locataire est tenu de rendre compte au locateur des réparations ou améliorations effectuées au bien et des dépenses engagées, de lui remettre les pièces justificatives de ces dépenses et, s'il s'agit d'un meuble, de lui remettre les pièces remplacées.

Le locateur, pour sa part, est tenu de rembourser la somme qui excède le loyer retenu, mais il n'est tenu, le cas échéant, qu'à concurrence de la somme que le locataire a été autorisé à débourser.

§ 3.—*De la sous-location du bien et de la cession du bail*

1870. Le locataire peut sous-louer tout ou partie du bien loué ou céder le bail. Il est alors tenu d'aviser le locateur de son intention, de lui indiquer le nom et l'adresse de la personne à qui il entend sous-louer le bien ou céder le bail et d'obtenir le consentement du locateur à la sous-location ou à la cession.

1871. Le locateur ne peut refuser de consentir à la sous-location du bien ou à la cession du bail sans un motif sérieux.

Lorsqu'il refuse, le locateur est tenu d'indiquer au locataire, dans les quinze jours de la réception de l'avis, les motifs de son refus; s'il omet de le faire, il est réputé avoir consenti.

1872. Le locateur qui consent à la sous-location ou à la cession ne peut exiger que le remboursement des dépenses raisonnables qui peuvent résulter de la sous-location ou de la cession.

1873. La cession de bail décharge l'ancien locataire de ses obligations, à moins que, s'agissant d'un bail autre que le bail d'un logement, les parties n'aient convenu autrement.

1874. Lorsqu'une action est intentée par le locateur contre le locataire, le sous-locataire n'est tenu, envers le locateur, qu'à concurrence du loyer de la sous-location dont il est lui-même débiteur envers le locataire; il ne peut opposer les paiements faits par anticipation.

Le paiement fait par le sous-locataire soit en vertu d'une stipulation portée à son bail et dénoncée au locateur, soit conformément à l'usage des lieux, n'est pas considéré fait par anticipation.

1875. Lorsque l'inexécution d'une obligation par le sous-locataire cause un préjudice sérieux au locateur ou aux autres locataires ou occupants, le locateur peut demander la résiliation de la sous-location.

1876. Faute par le locateur d'exécuter les obligations auxquelles il est tenu, le sous-locataire peut exercer les droits et recours appartenant au locataire du bien pour les faire exécuter.

SECTION III

DE LA FIN DU BAIL

1877. Le bail à durée fixe cesse de plein droit à l'arrivée du terme. Le bail à durée indéterminée cesse lorsqu'il est résilié par l'une ou l'autre des parties.

1878. Le bail à durée fixe peut être reconduit. Cette reconduction doit être expresse, à moins qu'il ne s'agisse du bail d'un immeuble, auquel cas elle peut être tacite.

1879. Le bail est reconduit tacitement lorsque le locataire continue, sans opposition de la part du locateur, d'occuper les lieux plus de dix jours après l'expiration du bail.

Dans ce cas, le bail est reconduit pour un an ou pour la durée du bail initial, si celle-ci était inférieure à un an, aux mêmes conditions. Le bail reconduit est lui-même sujet à reconduction.

1880. La durée du bail ne peut excéder cent ans. Si elle excède cent ans, elle est réduite à cette durée.

1881. La sûreté consentie par un tiers pour garantir l'exécution des obligations du locataire ne s'étend pas au bail reconduit.

1882. La partie qui entend résilier un bail à durée indéterminée doit donner à l'autre partie un avis à cet effet.

L'avis est donné dans le même délai que le terme fixé pour le paiement du loyer ou, si le terme excède trois mois, dans un délai de trois mois. Toutefois, lorsque le bien loué est un bien meuble, ce délai est de dix jours, quel que soit le terme fixé pour le paiement du loyer.

1883. Le locataire poursuivi en résiliation du bail pour défaut de paiement du loyer peut éviter la résiliation en payant, avant jugement, outre le loyer dû et les frais, les intérêts au taux fixé en application de l'article 28 de la Loi sur le ministère du Revenu ou à un autre taux convenu avec le locateur si ce taux est moins élevé.

1884. Le décès de l'une des parties n'emporte pas résiliation du bail.

1885. Lorsque le bail d'un immeuble est à durée fixe, le locataire doit, aux fins de location, permettre la visite des lieux et l'affichage au cours des trois mois qui précèdent l'expiration du bail, ou au cours du mois qui précède si le bail est de moins d'un an.

Lorsque le bail est à durée indéterminée, le locataire est tenu à cette obligation à compter de l'avis de résiliation.

1886. L'aliénation volontaire ou forcée du bien loué, de même que l'extinction du titre du locateur pour toute autre cause, ne met pas fin de plein droit au bail.

1887. L'acquéreur ou celui qui bénéficie de l'extinction du titre peut résilier le bail à durée indéterminée en suivant les règles ordinaires de résiliation prévues à la présente section.

S'il s'agit d'un bail immobilier à durée fixe et qu'il reste à courir plus de douze mois à compter de l'aliénation ou de l'extinction du titre, il peut le résilier à l'expiration de ces douze mois en donnant par écrit un préavis de six mois au locataire. Si le bail a été inscrit au bureau de la publicité des droits avant que l'ait été l'acte d'aliénation ou l'acte à l'origine de l'extinction du titre, il ne peut résilier le bail.

S'il s'agit d'un bail mobilier à durée fixe, l'avis est d'un mois.

1888. L'expropriation totale du bien loué met fin au bail à compter de la date à laquelle l'expropriant peut prendre possession du bien selon la Loi sur l'expropriation.

Si l'expropriation est partielle, le locataire peut, suivant les circonstances, obtenir une diminution du loyer ou la résiliation du bail.

1889. Le locateur d'un immeuble peut obtenir l'expulsion du locataire qui continue d'occuper les lieux loués après la fin du bail ou après la date convenue au cours du bail pour la remise des lieux; le locateur d'un meuble peut, dans les mêmes circonstances, obtenir la remise du bien.

1890. Le locataire est tenu, à la fin du bail, de remettre le bien dans l'état où il l'a reçu, mais il n'est pas tenu des changements résultant de la vétusté, de l'usure normale du bien ou d'une force majeure.

L'état du bien peut être constaté par la description ou les photographies qu'en ont faites les parties; à défaut de constatation, le locataire est présumé avoir reçu le bien en bon état au début du bail.

1891. Le locataire est tenu, à la fin du bail, d'enlever les constructions, ouvrages ou plantations qu'il a faits.

S'ils ne peuvent être enlevés sans détériorer le bien, le locateur peut les conserver en en payant la valeur au locataire ou forcer celui-ci à les enlever et à remettre le bien dans l'état où il l'a reçu.

Si la remise en l'état est impossible, le locateur peut les conserver sans indemnité.

SECTION IV

RÈGLES PARTICULIÈRES AU BAIL D'UN LOGEMENT

§ 1.—*Du domaine d'application*

1892. Sont assimilés à un bail de logement, le bail d'une chambre, celui d'une maison mobile placée sur un châssis, qu'elle ait ou non une fondation permanente, et celui d'un terrain destiné à recevoir une maison mobile.

Les dispositions de la présente section régissent également les baux relatifs aux services, accessoires et dépendances du logement, de la chambre, de la maison mobile ou du terrain.

Cependant, ces dispositions ne s'appliquent pas aux baux suivants:

1° Le bail d'un logement loué à des fins de villégiature;

2° Le bail d'un logement dont plus du tiers de la superficie totale est utilisée à un autre usage que l'habitation;

3° Le bail d'une chambre située dans un établissement hôtelier;

4° Le bail d'une chambre située dans la résidence principale du locateur, lorsque deux chambres au maximum y sont louées ou offertes en location et que la chambre ne possède ni sortie distincte donnant sur l'extérieur ni installations sanitaires indépendantes de celles utilisées par le locateur;

5° Le bail d'une chambre située dans un établissement de santé et de services sociaux, sauf en application de l'article 1974.

1893. Est sans effet la clause d'un bail portant sur un logement, qui déroge aux dispositions de la présente section, à celles du deuxième alinéa de l'article 1854 ou à celles des articles 1856 à 1858, 1860 à 1863, 1865, 1866, 1868 à 1872, 1875, 1876 et 1883.

§ 2.—*Du bail*

1894. Le locateur est tenu, avant la conclusion du bail, de remettre au locataire, le cas échéant, un exemplaire du règlement de l'immeuble portant sur les règles relatives à la jouissance, à l'usage et à l'entretien des logements et des lieux d'usage commun.

Ce règlement fait partie du bail.

1895. Le locateur est tenu, dans les dix jours de la conclusion du bail, de remettre un exemplaire du bail au locataire ou, dans le cas d'un bail verbal, de lui remettre un écrit indiquant le nom et l'adresse du locateur, le nom du locataire, le loyer et l'adresse du logement loué et reproduisant les mentions prescrites par les règlements pris par le gouvernement. Cet écrit fait partie du bail.

Il est aussi tenu, lorsque le bail est reconduit et que les parties conviennent de le modifier, de remettre au locataire, avant le début de la reconduction, un écrit qui constate les modifications au bail initial.

Le locataire ne peut, toutefois, demander la résiliation du bail si le locateur fait défaut de lui remettre l'exemplaire du bail ou de l'écrit prescrit.

1896. Le locateur doit, lors de la conclusion du bail, remettre au nouveau locataire un avis indiquant le loyer le plus bas payé au cours des douze mois précédant le début du bail ou, le cas échéant, le loyer fixé par le tribunal au cours de la même période, ainsi que toute autre mention prescrite par les règlements pris par le gouvernement.

Il n'est pas tenu de cette obligation lorsque le bail porte sur un logement visé aux articles 1955 et 1956.

1897. Le bail, ainsi que le règlement de l'immeuble, doivent être rédigés en français. Ils peuvent cependant être rédigés dans une autre langue si telle est la volonté expresse des parties.

1898. Tout avis relatif au bail, à l'exception de celui qui est donné par le locateur afin d'avoir accès au logement, doit être donné par écrit à l'adresse indiquée dans le bail, ou à la nouvelle adresse d'une partie lorsque l'autre en a été avisée après la conclusion du bail ; il doit être rédigé dans la même langue que le bail et respecter les règles prescrites par règlement.

L'avis qui ne respecte pas ces exigences est inopposable au destinataire, à moins que la personne qui a donné l'avis ne démontre au tribunal que le destinataire n'en subit aucun préjudice.

1899. Le locateur ne peut refuser de consentir un bail à une personne, refuser de la maintenir dans ses droits ou lui imposer des conditions plus onéreuses pour le seul motif qu'elle est enceinte ou qu'elle a un ou plusieurs enfants, à moins que son refus ne soit justifié par les dimensions du logement ; il ne peut, non plus, agir ainsi pour le seul motif que cette personne a exercé un droit qui lui est accordé en vertu du présent chapitre ou en vertu de la Loi sur la Régie du logement.

Il peut être attribué des dommages-intérêts punitifs en cas de violation de cette disposition.

1900. Est sans effet la clause qui limite la responsabilité du locateur, l'en exonère ou rend le locataire responsable d'un préjudice causé sans sa faute.

Est aussi sans effet la clause visant à modifier les droits du locataire en raison de l'augmentation du nombre d'occupants, à moins que les dimensions du logement n'en justifient l'application, ou la clause limitant le droit du locataire d'acheter des biens ou d'obtenir des services de personnes de son choix, suivant les modalités dont lui-même convient.

1901. Est abusive la clause qui stipule une peine dont le montant excède la valeur du préjudice réellement subi par le locateur, ainsi que celle qui impose au locataire une obligation qui est, en tenant compte des circonstances, déraisonnable.

Cette clause est nulle ou l'obligation qui en découle, réductible.

1902. Le locateur ou toute autre personne ne peut user de harcèlement envers un locataire de manière à restreindre son droit à la jouissance paisible des lieux ou à obtenir qu'il quitte le logement.

Le locataire, s'il est harcelé, peut demander que le locateur ou toute autre personne qui a usé de harcèlement soit condamné à des dommages-intérêts punitifs.

§ 3.—*Du loyer*

1903. Le loyer convenu doit être indiqué dans le bail.

Il est payable par versements égaux, sauf le dernier qui peut être moindre ; il est aussi payable le premier jour de chaque terme, à moins qu'il n'en soit convenu autrement.

1904. Le locateur ne peut exiger que chaque versement excède un mois de loyer ; il ne peut exiger d'avance que le paiement du premier terme de loyer ou, si ce terme excède un mois, le paiement de plus d'un mois de loyer.

Il ne peut, non plus, exiger une somme d'argent autre que le loyer, sous forme de dépôt ou autrement, ou exiger, pour le paiement, la remise d'un chèque ou d'un autre effet postdaté.

1905. Est sans effet la clause d'un bail stipulant que le loyer total sera exigible en cas de défaut du locataire d'effectuer un versement.

1906. Est sans effet, dans un bail à durée fixe de douze mois ou moins, la clause stipulant le réajustement du loyer en cours de bail.

Est également sans effet, dans un bail dont la durée excède douze mois, la clause stipulant le réajustement du loyer au cours des douze premiers mois du bail ou plus d'une fois au cours de chaque période de douze mois.

1907. Lorsque le locateur n'exécute pas les obligations auxquelles il est tenu, le locataire peut s'adresser au tribunal afin d'être autorisé à les exécuter. Les parties sont alors soumises aux dispositions des articles 1867 et 1869.

Le locataire peut aussi déposer son loyer au greffe du tribunal, s'il donne au locateur un préavis de dix jours indiquant le motif du dépôt et si le tribunal, considérant que le motif est sérieux, autorise le dépôt et en fixe le montant et les conditions.

1908. Le locataire qui, lors de l'aliénation de l'immeuble, de l'inscription d'une hypothèque sur les loyers ou d'une cession de créance, n'a pas été personnellement avisé du nom et de l'adresse du nouveau locateur ou de la personne à qui il doit payer le loyer, peut déposer son loyer au greffe du tribunal s'il obtient l'autorisation de celui-ci.

Le dépôt peut aussi être autorisé lorsque, pour tout autre motif sérieux, le locataire n'est pas certain de l'identité de la personne à qui il doit payer le loyer, lorsque le locateur ne peut être trouvé ou lorsqu'il refuse le paiement du loyer.

1909. Le tribunal autorise la remise du dépôt lorsque la personne à qui le locataire doit verser le loyer est identifiée ou a été trouvée ou, selon le cas, lorsque le locateur exécute ses obligations; autrement, il peut permettre au locataire de continuer à déposer son loyer jusqu'à ce que cette identification soit faite ou que le locateur ait rempli ses obligations. Il peut aussi autoriser la remise du dépôt au locataire pour lui permettre d'exécuter les obligations du locateur.

§ 4.—*De l'état du logement*

1910. Le locateur est tenu de délivrer un logement en bon état d'habitabilité; il est aussi tenu de le maintenir ainsi pendant toute la durée du bail.

La stipulation par laquelle le locataire reconnaît que le logement est en bon état d'habitabilité est sans effet.

1911. Le locateur est tenu de délivrer le logement en bon état de propreté; le locataire est, pour sa part, tenu de maintenir le logement dans le même état.

Lorsque le locateur effectue des travaux au logement, il doit remettre celui-ci en bon état de propreté.

1912. Donnent lieu aux mêmes recours qu'un manquement à une obligation du bail:

1° Tout manquement du locateur ou du locataire à une obligation imposée par la loi relativement à la sécurité ou à la salubrité d'un logement;

2° Tout manquement du locateur aux exigences minimales fixées par la loi, relativement à l'entretien, à l'habitabilité, à la sécurité et à la salubrité d'un immeuble comportant un logement.

1913. Le locateur ne peut offrir en location ni délivrer un logement impropre à l'habitation.

Est impropre à l'habitation le logement dont l'état constitue une menace sérieuse pour la santé ou la sécurité des occupants ou du public, ou celui qui a été déclaré tel par le tribunal ou par l'autorité compétente.

1914. Le locataire peut refuser de prendre possession du logement qui lui est délivré s'il est impropre à l'habitation; le bail est alors résilié de plein droit.

1915. Le locataire peut abandonner son logement s'il devient impropre à l'habitation. Il est alors tenu d'aviser le locateur de l'état du logement, avant l'abandon ou dans les dix jours qui suivent.

Le locataire qui donne cet avis est dispensé de payer le loyer pour la période pendant laquelle le logement est impropre à l'habitation, à moins que l'état du logement ne résulte de sa faute.

1916. Dès que le logement redevient propre à l'habitation, le locateur est tenu d'en aviser le locataire, si ce dernier l'a avisé de sa nouvelle adresse; le locataire est alors tenu, dans les dix jours, d'aviser le locateur de son intention de réintégrer ou non le logement.

Si le locataire n'a pas avisé le locateur de sa nouvelle adresse ou de son intention de réintégrer le logement, le bail est résilié de plein droit et le locateur peut consentir un bail à un nouveau locataire.

1917. Le tribunal peut, à l'occasion de tout litige relatif au bail, déclarer, même d'office, qu'un logement est impropre à l'habitation; il peut alors statuer sur le loyer, fixer les conditions nécessaires à la protection des droits du locataire et, le cas échéant, ordonner que le logement soit rendu propre à l'habitation.

1918. Le locataire peut requérir du tribunal qu'il enjoigne au locateur d'exécuter ses obligations relativement à l'état du logement lorsque leur inexécution risque de rendre le logement impropre à l'habitation.

1919. Le locataire ne peut, sans le consentement du locateur, employer ou conserver dans un logement une substance qui constitue un risque d'incendie ou d'explosion et qui aurait pour effet d'augmenter les primes d'assurance du locateur.

1920. Le nombre d'occupants d'un logement doit être tel qu'il permet à chacun de vivre dans des conditions normales de confort et de salubrité.

1921. Lorsqu'une personne handicapée, sérieusement restreinte dans ses déplacements, occupe un logement, qu'elle soit ou non elle-même locataire, le locateur est tenu, à la demande du locataire, d'identifier le logement, conformément à la Loi assurant l'exercice des droits des personnes handicapées.

§ 5.—*De certaines modifications au logement*

1922. Une amélioration majeure ou une réparation majeure non urgente, ne peut être effectuée dans un logement avant que le locateur n'en ait avisé le locataire et, si l'évacuation temporaire du locataire est prévue, avant que le locateur ne lui ait offert une indemnité égale aux dépenses raisonnables qu'il devra assumer en raison de cette évacuation.

1923. L'avis indique la nature des travaux, la date à laquelle ils débuteront et l'estimation de leur durée, ainsi que, s'il y a lieu, la période d'évacuation nécessaire; il précise aussi, le cas échéant, le montant de l'indemnité offerte, ainsi que toutes autres conditions dans lesquelles s'effectueront les travaux, si elles sont susceptibles de diminuer substantiellement la jouissance des lieux.

L'avis doit être donné au moins dix jours avant la date prévue pour le début des travaux ou, s'il est prévu une période d'évacuation de plus d'une semaine, au moins trois mois avant celle-ci.

1924. L'indemnité due au locataire en cas d'évacuation temporaire est payable à la date de l'évacuation.

Si l'indemnité se révèle insuffisante, le locataire peut être remboursé des dépenses raisonnables faites en surplus.

Le locataire peut aussi obtenir, selon les circonstances, une diminution de loyer ou la résiliation du bail.

1925. Lorsque l'avis du locateur prévoit une évacuation temporaire, le locataire doit, dans les dix jours de la réception de l'avis, aviser le locateur de son intention de s'y conformer ou non; s'il omet de le faire, il est réputé avoir refusé de quitter les lieux.

En cas de refus du locataire, le locateur peut, dans les dix jours du refus, demander au tribunal de statuer sur l'opportunité de l'évacuation.

1926. Lorsque aucune évacuation temporaire n'est exigée ou lorsque l'évacuation est acceptée par le locataire, celui-ci peut, dans les dix jours de la réception de l'avis, demander au tribunal de modifier ou de supprimer une condition abusive.

1927. La demande du locateur ou celle du locataire est instruite et jugée d'urgence. Elle suspend l'exécution des travaux, à moins que le tribunal n'en décide autrement.

Le tribunal peut imposer les conditions qu'il estime justes et raisonnables.

1928. Il appartient au locateur, lorsque le tribunal est saisi d'une demande sur les conditions dans lesquelles les travaux seront effectués, de démontrer le caractère raisonnable de ces travaux et de ces conditions, ainsi que la nécessité de l'évacuation.

1929. Aucun avis n'est requis et aucune contestation n'est possible lorsque les modifications effectuées ont fait l'objet d'une entente entre le locateur et le locataire, dans le cadre d'un programme public de conservation et de remise en état des logements.

§ 6.—*De l'accès et de la visite du logement*

1930. Le locataire qui avise le locateur de la non-reconduction du bail ou de sa résiliation est tenu de permettre la visite du logement et l'affichage, dès qu'il a donné cet avis.

1931. Le locateur est tenu, à moins d'une urgence, de donner au locataire un préavis de vingt-quatre heures de son intention de vérifier l'état du logement, d'y effectuer des travaux ou de le faire visiter par un acquéreur éventuel.

1932. Le locataire peut, à moins d'une urgence, refuser que le logement soit visité par un locataire ou un acquéreur éventuel, si la visite doit avoir lieu avant 9 heures et après 21 heures; il en est de même dans le cas où le locateur désire en vérifier l'état.

Il peut, dans tous les cas, refuser la visite si le locateur ne peut être présent.

1933. Le locataire ne peut refuser l'accès du logement au locateur, lorsque celui-ci doit y effectuer des travaux.

Il peut, néanmoins, en refuser l'accès avant 7 heures et après 19 heures, à moins que le locateur ne doive y effectuer des travaux urgents.

1934. Aucune serrure ou autre mécanisme restreignant l'accès à un logement ne peut être posé ou changé sans le consentement du locateur et du locataire.

Le tribunal peut ordonner à la partie qui ne se conforme pas à cette obligation de permettre à l'autre l'accès au logement.

1935. Le locateur ne peut interdire l'accès à l'immeuble ou au logement à un candidat à une élection provinciale, fédérale, municipale ou scolaire, à un délégué officiel nommé par un comité national ou à leur représentant autorisé, à des fins de propagande électorale ou de consultation populaire en vertu d'une loi.

§ 7.—*Du droit au maintien dans les lieux*

I — Des bénéficiaires du droit

1936. Tout locataire a un droit personnel au maintien dans les lieux; il ne peut être évincé du logement loué que dans les cas prévus par la loi.

1937. L'aliénation volontaire ou forcée d'un immeuble comportant un logement, ou l'extinction du titre du locateur, ne permet pas au nouveau locateur de résilier le bail. Celui-ci est continué et peut être reconduit comme tout autre bail.

Le nouveau locateur a, envers le locataire, les droits et obligations résultant du bail.

1938. Le conjoint d'un locataire ou, s'il habite avec ce dernier depuis au moins six mois, son concubin, un parent ou un allié, a droit au maintien dans les lieux et devient locataire si, lorsque cesse la cohabitation, il continue d'occuper le logement et avise le locateur de ce fait dans les deux mois de la cessation de la cohabitation.

La personne qui habite avec le locataire au moment de son décès a le même droit et devient locataire, si elle continue d'occuper le logement et avise le locateur de ce fait dans les deux mois du décès; cependant, si elle ne se prévaut pas de ce droit, le liquidateur de la succession ou, à défaut, un héritier, peut dans le mois qui suit l'expiration de ce délai de deux mois, résilier le bail en donnant au locateur un avis d'un mois.

1939. Si personne n'habite avec le locataire au moment du décès, le liquidateur de la succession ou, à défaut, un héritier, peut résilier le bail en donnant au locateur dans les six mois du décès, un avis de trois mois.

1940. Le sous-locataire d'un logement ne bénéficie pas du droit au maintien dans les lieux.

La sous-location prend fin au plus tard à la date à laquelle prend fin le bail du logement; le sous-locataire n'est cependant pas tenu de quitter les lieux avant d'avoir reçu du sous-locateur ou, en cas de défaut de sa part, du locateur principal, un avis de dix jours à cette fin.

II — De la reconduction et de la modification du bail

1941. Le locataire qui a droit au maintien dans les lieux a droit à la reconduction de plein droit du bail à durée fixe lorsque celui-ci prend fin.

Le bail est, à son terme, reconduit aux mêmes conditions et pour la même durée ou, si la durée du bail initial excède douze mois, pour une durée de douze mois. Les parties peuvent, cependant, convenir d'un terme de reconduction différent.

1942. Le locateur peut, lors de la reconduction du bail, modifier les conditions de celui-ci, notamment la durée ou le loyer; il ne peut cependant le faire que s'il donne un avis de modification au locataire, au moins trois mois, mais pas plus de six mois, avant l'arrivée du terme. Si la durée du bail est de moins de douze mois, l'avis doit être donné, au moins un mois, mais pas plus de deux mois, avant le terme.

Lorsque le bail est à durée indéterminée, le locateur ne peut le modifier, à moins de donner au locataire un avis d'au moins un mois, mais d'au plus deux mois.

Ces délais sont respectivement réduits à dix jours et vingt jours s'il s'agit du bail d'une chambre.

1943. L'avis de modification qui vise à augmenter le loyer doit indiquer en dollars le nouveau loyer proposé, ou l'augmentation en dollars ou en pourcentage du loyer en cours. Cette augmentation peut être exprimée en pourcentage du loyer qui sera déterminé par le tribunal, si ce loyer fait déjà l'objet d'une demande de fixation ou de révision.

L'avis doit, de plus, indiquer la durée proposée du bail, si le locateur propose de la modifier, et le délai accordé au locataire pour refuser la modification proposée.

1944. Le locateur peut, lorsque le locataire a sous-loué le logement pendant plus de douze mois, éviter la reconduction du bail, s'il avise le locataire et le sous-locataire de son intention d'y mettre fin, dans les mêmes délais que s'il y apportait une modification.

Il peut de même, lorsque le locataire est décédé et que personne n'habitait avec lui lors de son décès, éviter la reconduction en avisant l'héritier ou le liquidateur de la succession.

1945. Le locataire qui refuse la modification proposée par le locateur est tenu, dans le mois de la réception de l'avis de modification du bail, d'aviser le locateur de son refus ou de l'aviser qu'il quitte le logement; s'il omet de le faire, il est réputé avoir accepté la reconduction du bail aux conditions proposées par le locateur.

Toutefois, lorsque le bail porte sur un logement visé à l'article 1955, le locataire qui refuse la modification proposée doit quitter le logement à la fin du bail.

1946. Le locataire qui n'a pas reçu du locateur un avis de modification des conditions du bail peut éviter la reconduction d'un bail à durée fixe ou mettre fin à un bail à durée indéterminée, en donnant au locateur un avis de non-reconduction ou de résiliation du bail, dans les mêmes délais que ceux que doit respecter le locateur lorsqu'il donne un avis de modification.

III — De la fixation des conditions du bail

1947. Le locateur peut, lorsque le locataire refuse la modification proposée, s'adresser au tribunal dans le mois de la réception de l'avis de refus, pour faire fixer le loyer ou, suivant le cas, faire statuer sur toute autre modification du bail; s'il omet de le faire, le bail est reconduit de plein droit aux conditions antérieures.

1948. Le locataire qui a sous-loué son logement pendant plus de douze mois, ainsi que l'héritier ou le liquidateur de la succession d'un locataire décédé, peut, dans le mois de la réception d'un avis donné par le locateur pour éviter la reconduction du bail, s'adresser au tribunal pour en contester le bien-fondé; s'il omet de le faire, il est réputé avoir accepté la fin du bail.

Si le tribunal accueille la demande du locataire, mais que sa décision est rendue après l'expiration du délai pour donner un avis de modification du bail, celui-ci est reconduit, mais le locateur peut alors s'adresser au tribunal pour faire fixer un nouveau loyer, dans le mois de la décision finale.

1949. Lorsque le bail prévoit le réajustement du loyer, les parties peuvent s'adresser au tribunal pour contester le caractère excessif ou insuffisant du réajustement proposé ou convenu et faire fixer le loyer.

La demande doit être faite dans le mois où le réajustement doit prendre effet.

1950. Un nouveau locataire ou un sous-locataire peut faire fixer le loyer par le tribunal lorsqu'il paie un loyer supérieur au loyer le moins élevé des douze mois qui précèdent le début du bail ou, selon le cas, de la sous-location, à moins que ce loyer n'ait déjà été fixé par le tribunal.

La demande doit être présentée dans les dix jours de la conclusion du bail ou de la sous-location. Elle doit l'être dans les deux mois du début du bail ou de la sous-location lorsqu'elle est présentée par un nouveau locataire ou par un sous-locataire qui n'ont pas reçu du locateur, lors de la conclusion du bail ou de la sous-location, l'avis indiquant le loyer le moins élevé de l'année précédente; si le locateur a remis un avis comportant une fausse déclaration, la demande doit être présentée dans les deux mois de la connaissance de ce fait.

1951. N'est pas considéré comme nouveau locataire celui à qui la loi reconnaît le droit d'être maintenu dans les lieux et de devenir locataire lorsque cesse la cohabitation avec le locataire ou que celui-ci décède.

1952. Le tribunal qui autorise la modification d'une condition du bail fixe le loyer exigible pour le logement, compte tenu de la valeur relative de la modification par rapport au loyer du logement.

1953. Le tribunal saisi d'une demande de fixation ou de réajustement de loyer détermine le loyer exigible, en tenant compte des normes fixées par les règlements.

Le loyer qu'il fixe est en vigueur pour la même durée que le bail reconduit ou pour celle qu'il détermine, mais qui ne peut excéder douze mois.

S'il accorde une augmentation de loyer, il peut échelonner le paiement des arriérés sur une période qui n'excède pas le terme du bail reconduit.

1954. Lorsque le tribunal fixe le loyer à la demande d'un nouveau locataire, il le détermine pour la durée du bail.

Si la durée du bail excède douze mois, le locateur peut, néanmoins, en obtenir la fixation annuelle. La demande doit être faite trois mois avant l'expiration de chaque période de douze mois, après la date à laquelle la fixation du loyer a pris effet.

1955. Ni le locateur ni le locataire d'un logement loué par une coopérative d'habitation à l'un de ses membres, ne peut faire fixer le loyer ni modifier d'autres conditions du bail par le tribunal.

De même, ni le locateur ni le locataire d'un logement situé dans un immeuble nouvellement bâti ou dont l'utilisation à des fins locatives résulte d'un changement d'affectation récent ne peut exercer un tel recours, dans les cinq années qui suivent la date à laquelle l'immeuble est prêt pour l'usage auquel il est destiné.

Le bail d'un tel logement doit toutefois mentionner ces restrictions, à défaut de quoi le locateur ne peut les invoquer à l'encontre du locataire.

1956. Le locateur ou le locataire d'un logement à loyer modique ne peut faire fixer le loyer ou modifier d'autres conditions du bail que conformément aux dispositions particulières à ce type de bail.

IV — De la reprise du logement et de l'éviction

1957. Le locateur d'un logement, s'il en est le propriétaire, peut le reprendre pour l'habiter lui-même ou y loger ses ascendants ou descendants au premier degré, ou tout autre parent ou allié dont il est le principal soutien.

Il peut aussi le reprendre pour y loger son conjoint dont il est séparé ou divorcé, mais pour lequel il demeure le principal soutien.

1958. Le propriétaire d'une part indivise d'un immeuble ne peut reprendre aucun logement s'y trouvant, à moins qu'il n'y ait qu'un seul autre propriétaire et que ce dernier soit son conjoint ou son concubin.

1959. Le locateur d'un logement peut en évincer le locataire pour subdiviser le logement, l'agrandir substantiellement ou en changer l'affectation.

1960. Le locateur qui désire reprendre le logement ou évincer le locataire doit aviser celui-ci, au moins six mois avant l'expiration du bail à durée fixe ; si la durée du bail est de six mois ou moins, l'avis est d'un mois.

Toutefois, lorsque le bail est à durée indéterminée, l'avis doit être donné six mois avant la date de la reprise ou de l'éviction.

1961. L'avis de reprise doit indiquer la date prévue pour l'exercer, le nom du bénéficiaire et, s'il y a lieu, le degré de parenté ou le lien du bénéficiaire avec le locateur.

L'avis d'éviction doit indiquer le motif et la date de l'éviction.

Toutefois, la reprise ou l'éviction peut prendre effet à une date postérieure, à la demande du locataire et sur autorisation du tribunal.

1962. Dans le mois de la réception de l'avis de reprise, le locataire est tenu d'aviser le locateur de son intention de s'y conformer ou non ; s'il omet de le faire, il est réputé avoir refusé de quitter le logement.

1963. Lorsque le locataire refuse de quitter le logement, le locateur peut, néanmoins, le reprendre, avec l'autorisation du tribunal.

Cette demande doit être présentée dans le mois du refus et le locateur doit alors démontrer qu'il entend réellement reprendre le logement pour la fin mentionnée dans l'avis et qu'il ne s'agit pas d'un prétexte pour atteindre d'autres fins.

1964. Le locateur ne peut, sans le consentement du locataire, se prévaloir du droit à la reprise, s'il est propriétaire d'un autre logement qui est vacant ou offert en location à la date prévue pour la reprise, et qui est du même genre que celui occupé par le locataire, situé dans les environs et d'un loyer équivalent.

1965. Le locateur doit payer au locataire évincé une indemnité de trois mois de loyer et des frais raisonnables de déménagement. Si le locataire considère que le préjudice qu'il subit justifie des dommages-intérêts plus élevés, il peut s'adresser au tribunal pour en faire fixer le montant.

L'indemnité est payable à l'expiration du bail et les frais de déménagement le sont, sur présentation de pièces justificatives.

1966. Le locataire peut, dans le mois de la réception de l'avis d'éviction, s'adresser au tribunal pour s'opposer à la subdivision, à l'agrandissement ou au changement d'affectation du logement; s'il omet de le faire, il est réputé avoir consenti à quitter les lieux.

S'il y a opposition, il revient au locateur de démontrer qu'il entend réellement subdiviser le logement, l'agrandir ou en changer l'affectation et que la loi le permet.

1967. Lorsque le tribunal autorise la reprise ou l'éviction, il peut imposer les conditions qu'il estime justes et raisonnables, y compris, en cas de reprise, le paiement au locataire d'une indemnité équivalente aux frais de déménagement.

1968. Le locataire peut recouvrer les dommages-intérêts résultant d'une reprise ou d'une éviction obtenue de mauvaise foi, qu'il ait consenti ou non à cette reprise ou éviction.

Il peut aussi demander que celui qui a ainsi obtenu la reprise ou l'éviction soit condamné à des dommages-intérêts punitifs.

1969. Lorsque le locateur n'exerce pas ses droits de reprise ou d'éviction à la date prévue, le bail est reconduit de plein droit, pour autant que le locataire continue d'occuper le logement et que le locateur y consente. Le locateur peut alors, dans le mois de la date prévue pour la reprise ou l'éviction, s'adresser au tribunal pour faire fixer un nouveau loyer.

Le bail est aussi reconduit lorsque le tribunal refuse la demande de reprise ou d'éviction et que cette décision est rendue après l'expiration des délais prévus pour éviter la reconduction du bail ou pour modifier celui-ci. Le locateur peut alors présenter au tribunal, dans le mois de la décision finale, une demande de fixation de loyer.

1970. Un logement qui a fait l'objet d'une reprise ou d'une éviction ne peut être loué ou utilisé pour une fin autre que celle pour laquelle le droit a été exercé, sans que le tribunal l'autorise.

Si le tribunal autorise la location du logement, il en fixe le loyer.

§ 8.—*De la résiliation du bail*

1971. Le locateur peut obtenir la résiliation du bail si le locataire est en retard de plus de trois semaines pour le paiement du loyer ou, encore, s'il en subit un préjudice sérieux, lorsque le locataire en retarde fréquemment le paiement.

1972. Le locateur ou le locataire peut demander la résiliation du bail lorsque le logement devient impropre à l'habitation.

1973. Lorsque l'une ou l'autre des parties demande la résiliation du bail, le tribunal peut l'accorder immédiatement ou ordonner au débiteur d'exécuter ses obligations dans le délai qu'il détermine, à moins qu'il ne s'agisse d'un retard de plus de trois semaines dans le paiement du loyer.

Si le débiteur ne se conforme pas à la décision du tribunal, celui-ci, à la demande du créancier, résilie le bail.

1974. Un locataire peut résilier le bail en cours, s'il lui est attribué un logement à loyer modique ou si, en raison d'une décision du tribunal, il est relogé dans un logement équivalent qui correspond à ses besoins ; il peut aussi le résilier s'il ne peut plus occuper son logement en raison d'un handicap ou, s'il s'agit d'une personne âgée, s'il est admis de façon permanente dans un centre d'hébergement et de soins de longue durée ou dans un foyer d'hébergement, qu'il réside ou non dans un tel endroit au moment de son admission.

À moins que les parties n'en conviennent autrement, la résiliation prend effet trois mois après l'envoi d'un avis au locateur, accompagné d'une attestation de l'autorité concernée, ou un mois après cet avis lorsque le bail est à durée indéterminée ou de moins de douze mois.

1975. Le bail est résilié de plein droit lorsque, sans motif, un locataire déguerpit en emportant ses effets mobiliers ; il peut être résilié, sans autre motif, lorsque le logement est impropre à l'habitation et que le locataire l'abandonne sans en aviser le locateur.

1976. Sauf stipulation contraire dans le contrat de travail, l'employeur peut résilier le bail accessoire à un tel contrat lorsque le salarié cesse d'être à son service, en lui donnant un préavis d'un mois.

Le salarié peut résilier un tel bail lorsque le contrat de travail a pris fin, s'il donne à l'employeur un préavis d'un mois, sauf stipulation contraire dans le contrat.

1977. Lorsque le tribunal rejette une demande de résiliation de bail et que cette décision est rendue après les délais prévus pour éviter la reconduction du bail ou pour modifier celui-ci, le bail est reconduit de plein droit. Le locateur peut alors présenter au tribunal, dans le mois de la décision finale, une demande de fixation de loyer.

1978. Le locataire doit, lorsque le bail est résilié ou qu'il quitte le logement, laisser celui-ci libre de tous effets mobiliers autres que ceux qui appartiennent au locateur. S'il laisse des effets à la fin de son bail ou après avoir abandonné le logement, le locateur en dispose conformément aux règles prescrites au livre Des biens pour le détenteur du bien confié et oublié.

§ 9.—*Des dispositions particulières à certains baux*

I — Du bail dans un établissement d'enseignement

1979. La personne aux études qui loue un logement d'un établissement d'enseignement a droit au maintien dans les lieux pour toute période pendant laquelle elle est inscrite à temps plein dans cet établissement, mais elle n'y a pas droit si elle loue un logement dans un établissement autre que celui où elle est inscrite.

Celle à qui est consenti un bail pour la seule période estivale n'a pas non plus droit au maintien dans les lieux.

1980. La personne aux études qui désire bénéficier du droit au maintien dans les lieux doit donner un avis d'un mois avant le terme du bail indiquant son intention de le reconduire.

L'établissement d'enseignement peut toutefois, pour des motifs sérieux, la reloger dans un logement de même genre que celui qu'elle occupe, situé dans les environs et de loyer équivalent.

1981. La personne aux études ne peut sous-louer son logement ou céder son bail.

1982. L'établissement d'enseignement peut résilier le bail d'une personne qui cesse d'étudier à plein temps; il doit cependant lui donner un préavis d'un mois, lequel peut être contesté, quant à son bien-fondé, dans le mois de sa réception. La personne aux études peut, pareillement, résilier le bail.

1983. Le bail d'une personne aux études cesse de plein droit lorsqu'elle termine ses études ou lorsqu'elle n'est plus inscrite à l'établissement d'enseignement.

II — Du bail d'un logement à loyer modique

1984. Est à loyer modique le logement situé dans un immeuble d'habitation à loyer modique dont est propriétaire ou administratrice la Société d'habitation du Québec ou une personne morale dont les coûts d'exploitation sont subventionnés en totalité ou en partie par la Société, ou le logement situé dans un autre immeuble, mais dont le loyer est déterminé conformément aux règlements de la Société.

Est aussi à loyer modique le logement pour lequel la Société d'habitation du Québec convient de verser une somme à l'acquit du loyer, mais, en ce cas, les dispositions relatives au registre des demandes de location et à la liste d'admissibilité ne s'y appliquent pas lorsque le locataire est sélectionné par une association ayant la personnalité morale constituée à cette fin en vertu de la Loi sur la Société d'habitation du Québec.

1985. Le locateur d'un logement à loyer modique doit tenir à jour un registre des demandes de location et une liste d'admissibilité à la location d'un logement, conformément aux règlements de la Société d'habitation du Québec et, le cas échéant, aux règlements qu'il est autorisé à prendre lui-même en application des règlements de la Société.

Lorsqu'un logement est vacant, il doit l'offrir à une personne inscrite sur la liste d'admissibilité, dans les conditions prévues par ces règlements.

1986. Une personne peut, si le locateur refuse d'inscrire sa demande au registre ou de l'inscrire sur la liste d'admissibilité, s'adresser au tribunal, dans le mois du refus, pour faire réviser la décision du locateur.

La personne radiée de la liste ou inscrite dans une catégorie de logement, incluant une sous-catégorie, autre que celle à laquelle elle a droit peut, pareillement, faire réviser la décision du locateur, dans le mois qui suit la décision.

En ces cas, il incombe au locateur d'établir qu'il a agi dans les conditions prévues par les règlements. Le tribunal peut, le cas échéant, ordonner l'inscription de la demande au registre ou l'inscription, la réinscription ou le reclassement de la personne sur la liste d'admissibilité.

1987. Si le locateur attribue un logement à une personne autre que celle qui y a droit en vertu des règlements, celle qui y a droit peut, dans le mois de l'attribution du logement, s'adresser au tribunal pour faire réviser la décision du locateur.

Il incombe au locateur d'établir qu'il a agi dans les conditions prévues par les règlements et s'il ne l'établit pas, le tribunal peut ordonner de loger la personne dans un logement de la catégorie à laquelle elle a droit ou, si aucun n'est vacant, de lui attribuer le prochain logement vacant de cette catégorie. Il peut aussi, s'il y a urgence, ordonner de la loger dans un logement équivalent, à loyer modique ou non, qui correspond à la catégorie de logement à laquelle elle a droit. Si le loyer de ce logement est plus élevé que celui que cette personne aurait payé pour le logement auquel elle a droit, le locateur est tenu d'en payer l'excédent.

1988. Lorsqu'un logement à loyer modique est attribué à la suite d'une fausse déclaration du locataire, le locateur peut, dans les deux mois où il a connaissance de la fausse déclaration, demander au tribunal la résiliation du bail ou la modification de certaines conditions du bail si, sans cela, il n'aurait pas attribué le logement au locataire ou l'aurait fait à des conditions différentes.

1989. Le locataire qui occupe un logement d'une catégorie autre que celle à laquelle il aurait droit peut s'adresser au locateur afin d'être réinscrit sur la liste d'admissibilité.

Si le locateur refuse de réinscrire le locataire ou l'inscrit dans une catégorie de logement autre que celle à laquelle il a droit, ce dernier peut, dans le mois de la réception de l'avis de refus du locateur ou de l'attribution du logement, s'adresser au tribunal pour contester la décision du locateur.

1990. Le locateur peut, en tout temps, reloger le locataire qui occupe un logement d'une catégorie autre que celle à laquelle il aurait droit dans un logement approprié, s'il lui donne un avis de trois mois.

Le locataire peut faire réviser cette décision par le tribunal dans le mois de la réception de l'avis.

1991. En cas de cessation de cohabitation avec le locataire ou en cas de décès de celui-ci, la personne qui bénéficie du droit au maintien dans les lieux n'a pas droit à la reconduction de plein droit du bail si elle ne satisfait plus aux conditions d'attribution prévues par les règlements.

Le locateur peut alors résilier le bail en donnant un avis de trois mois avant la fin du bail.

1992. Le locateur qui avise le locataire de son intention d'augmenter le loyer n'est pas tenu d'indiquer le nouveau loyer ou le montant de l'augmentation et le locataire n'est pas tenu de répondre à cet avis.

Cependant, si le loyer n'est pas déterminé conformément aux règlements de la Société d'habitation du Québec, le locataire peut, dans les deux mois qui suivent la détermination du loyer, s'adresser au tribunal pour le faire réviser.

1993. Le locataire qui reçoit un avis de modification de la durée ou d'une autre condition du bail peut, dans le mois de la réception de l'avis, s'adresser au tribunal pour faire statuer sur la durée ou sur la modification demandée, sinon il est réputé avoir accepté les nouvelles conditions.

Celui qui bénéficie du droit au maintien dans les lieux et qui reçoit un avis de résiliation du bail peut, pareillement, s'adresser au tribunal pour s'opposer au bien-fondé de la résiliation, sinon il est réputé l'avoir acceptée.

1994. Le locateur est tenu, au cours du bail et à la demande d'un locataire qui a subi une diminution de revenu ou un changement dans la composition de son ménage, de réduire le loyer conformément aux règlements de la Société d'habitation du Québec ; s'il refuse ou néglige de le faire, le locataire peut s'adresser au tribunal pour obtenir la réduction.

Toutefois, si le revenu du locataire redevient égal ou supérieur à ce qu'il était, le loyer antérieur est rétabli ; le locataire peut, dans le mois du rétablissement de loyer, s'adresser au tribunal pour contester ce rétablissement.

1995. Le locataire d'un logement à loyer modique ne peut sous-louer le logement ou céder son bail.

Il peut cependant, en tout temps, résilier le bail en donnant un avis de trois mois au locateur.

III — Du bail d'un terrain destiné à l'installation d'une maison mobile

1996. Le locateur d'un terrain destiné à l'installation d'une maison mobile est tenu de délivrer le terrain et de l'entretenir en conformité avec les normes d'aménagement établies par la loi. Ces obligations font partie du bail.

1997. Le locateur ne peut exiger de procéder lui-même au déplacement de la maison mobile du locataire.

1998. Le locateur ne peut restreindre le droit du locataire du terrain de remplacer sa maison par une autre maison mobile de son choix.

Il ne peut, non plus, limiter le droit du locataire d'aliéner ou de louer la maison mobile; il ne peut davantage exiger d'agir comme mandataire ou de choisir la personne qui agira comme mandataire du locataire pour l'aliénation ou la location de la maison mobile.

Le locataire qui aliène sa maison mobile doit toutefois en aviser immédiatement le locateur du terrain.

1999. Le locateur ne peut exiger du locataire de somme d'argent en raison de l'aliénation ou de la location de la maison mobile, à moins qu'il n'agisse comme mandataire du locataire pour l'aliénation ou la location de cette maison.

2000. L'acquéreur d'une maison mobile située sur un terrain loué devient locataire du terrain, à moins qu'il n'avise le locateur de son intention de quitter les lieux dans le mois de l'acquisition.

CHAPITRE CINQUIÈME

DE L'AFFRÈTEMENT

SECTION I

DISPOSITIONS GÉNÉRALES

2001. L'affrètement est le contrat par lequel une personne, le fréteur, moyennant un prix, aussi appelé fret, s'engage à mettre à la disposition d'une autre personne, l'affréteur, tout ou partie d'un navire, en vue de le faire naviguer.

Le contrat, lorsqu'il est écrit, est constaté par une chartepartie qui énonce, outre le nom des parties, les engagements de celles-ci et les éléments d'individualisation du navire.

2002. L'affréteur est tenu de payer le prix de l'affrètement. Si aucun prix n'a été convenu, il doit payer une somme qui tienne compte des conditions du marché, au lieu et au moment de la conclusion du contrat.

2003. Le fréteur qui n'est pas payé lors du déchargement de la cargaison du navire peut retenir les biens transportés jusqu'au paiement de ce qui lui est dû, y compris les frais raisonnables et les dommages qui résultent de cette rétention.

2004. Les dispositions relatives aux avaries communes sont celles admises par les règles et les usages maritimes conventionnels, au lieu et au moment de la conclusion du contrat.

2005. L'affréteur peut sous-fréter le navire, avec le consentement du fréteur, ou l'utiliser à des transports sous connaissements ; dans l'un ou l'autre cas, il demeure tenu envers le fréteur des obligations résultant du contrat d'affrètement.

Le fréteur peut, dans la mesure de ce qui lui est dû par l'affréteur, agir contre le sous-affréteur en paiement du fret dû par celui-ci, mais le sous-affrètement n'établit pas d'autres relations directes entre le fréteur et le sous-affréteur.

2006. La prescription des actions nées des contrats d'affrètement court, pour l'affrètement coque-nue ou à temps, depuis l'expiration de la durée du contrat ou l'interruption définitive de son exécution, et, pour l'affrètement au voyage, depuis le déchargement complet des biens transportés ou l'événement qui a mis fin au voyage.

La prescription des actions nées des contrats de sous-affrètement court dans les mêmes conditions.

SECTION II

DES RÈGLES PARTICULIÈRES AUX DIFFÉRENTS CONTRATS D'AFFRÈTEMENT

§ 1.—*De l'affrètement coque-nue*

2007. L'affrètement coque-nue est le contrat par lequel le fréteur met, pour un temps défini, un navire sans armement ni équipement, ou avec un armement et un équipement incomplets, à la disposition de l'affréteur et lui transfère la gestion nautique et la gestion commerciale du navire.

2008. Le fréteur présente, au lieu et au moment convenus, le navire en bon état de navigabilité et apte au service auquel il est destiné.

2009. L'affréteur peut utiliser le navire à toutes les fins conformes à sa destination normale, mais le fréteur peut, dans le contrat, imposer des restrictions quant à cette utilisation.

2010. L'affréteur a l'usage du matériel et de l'équipement de bord du navire.

Il assure le navire et en supporte tous les frais d'exploitation. Il recrute l'équipage et assume toutes les dépenses liées à l'entretien de celui-ci.

2011. L'affréteur est tenu de garantir le fréteur contre tous les recours des tiers qui sont la conséquence de l'exploitation du navire.

2012. L'affréteur est tenu de procéder à l'entretien du navire et d'effectuer les réparations et les remplacements nécessaires.

Le fréteur est, pour sa part, tenu des réparations et des remplacements occasionnés par les vices propres dont les effets se manifestent dans l'année de la remise du navire à l'affréteur et, si le navire est immobilisé par suite d'un tel vice, ce dernier ne doit aucun fret pendant l'immobilisation, si celle-ci dépasse vingt-quatre heures.

2013. L'affréteur restitue le navire, en fin de contrat, au lieu où il en a pris livraison et dans l'état où il l'a reçu; il n'est pas tenu d'indemniser le fréteur pour l'usure normale du navire, du matériel et de l'équipement de bord.

Il est cependant tenu, alors, de restituer la même quantité et la même qualité de matériel, de provisions et d'équipement de bord que ceux qu'il a reçus lorsqu'il a pris livraison du navire.

§ 2.—De l'affrètement à temps

2014. L'affrètement à temps est le contrat par lequel le fréteur met à la disposition de l'affréteur, pour un temps défini, un navire armé et équipé, dont il conserve la gestion nautique, alors qu'il en transfère la gestion commerciale à l'affréteur.

2015. Le fréteur présente, au lieu et au moment convenus, le navire en bon état de navigabilité, armé et équipé convenablement pour accomplir les opérations auxquelles il est destiné.

2016. L'affréteur assume les frais inhérents à l'exploitation commerciale du navire, notamment les droits de quai, de même que les frais de pilotage et de canaux.

Il acquiert et paie les soutes qui sont à bord du navire au moment où celui-ci lui est remis, ainsi que celles dont il doit le pourvoir et qui sont d'une qualité propre à assurer son bon fonctionnement.

2017. Le capitaine du navire doit obéir, dans les limites fixées par le contrat, aux instructions que lui donne l'affréteur pour tout ce qui a trait à la gestion commerciale du navire.

Si ces instructions sont incompatibles avec les droits que détient le fréteur en vertu du contrat, le capitaine peut refuser de s'y conformer. Si, néanmoins, il s'y conforme, il le fait, en ce cas, sans porter préjudice au recours du fréteur contre l'affréteur.

2018. L'affréteur est tenu d'indemniser le fréteur des pertes et des avaries qui sont causées au navire et qui résultent de son exploitation commerciale, exception faite de l'usure normale.

2019. Le fret court à compter du jour où le navire est remis à l'affréteur, conformément aux conditions du contrat.

Il est dû jusqu'au jour de la restitution du navire au fréteur; il n'est pas dû, cependant, pour les périodes où le fonctionnement du navire est entravé par force majeure ou pour une cause imputable à un tiers ou au fréteur.

2020. L'affréteur restitue le navire au lieu et dans les délais convenus; il en informe le fréteur, au préalable, dans un délai raisonnable. Si aucun lieu n'a été convenu pour la restitution, elle est faite au lieu où le navire a été présenté.

§ 3.—*De l'affrètement au voyage*

2021. L'affrètement au voyage est le contrat par lequel le fréteur met à la disposition de l'affréteur, en tout ou en partie, un navire armé et équipé dont il conserve la gestion nautique et la gestion commerciale, en vue d'accomplir, relativement à une cargaison, un ou plusieurs voyages déterminés.

Le contrat définit la nature et l'importance de la cargaison; il précise également les lieux de chargement et de déchargement, ainsi que le temps prévu pour effectuer ces opérations.

2022. Le fréteur présente, au lieu et au moment convenus, le navire en bon état de navigabilité, armé et équipé convenablement pour accomplir le voyage prévu.

Il s'oblige, en outre, à maintenir le navire en bon état de navigabilité et à faire toutes diligences qui dépendent de lui pour exécuter le voyage.

2023. Le fréteur est responsable de la perte ou de l'avarie des biens reçus à bord, dans les limites prévues par le contrat. Il peut cependant se libérer de cette responsabilité en établissant que les dommages ne résultent pas d'un manquement à ses obligations.

2024. L'affréteur est tenu de mettre à bord la cargaison, suivant la quantité et la qualité convenues; s'il ne le fait pas, il est néanmoins tenu de payer le fret prévu.

Il peut, cependant, résilier le contrat avant de commencer le chargement; il doit alors au fréteur une indemnité correspondant au préjudice subi par ce dernier, mais qui ne peut excéder le montant du fret.

2025. L'affréteur doit charger et décharger la cargaison dans les délais alloués par le contrat ou, à défaut, dans un délai raisonnable ou suivant l'usage du port.

Si le contrat établit distinctement les délais pour le chargement et le déchargement, ces délais ne sont pas réversibles et doivent être décomptés séparément.

2026. Les délais pour charger ou décharger courent à compter du moment où le fréteur informe l'affréteur que le navire est prêt à charger ou à décharger, après son arrivée au port.

2027. En cas de dépassement des délais alloués, pour une cause qui n'est pas imputable au fréteur, l'affréteur doit, à compter de la fin du délai alloué pour charger ou décharger, des surestaries; celles-ci sont considérées comme un supplément du fret et sont dues pour toute la période additionnelle effectivement requise pour les opérations de chargement ou de déchargement.

Les surestaries qui ne sont pas prévues au contrat sont calculées à un taux raisonnable, suivant l'usage du port où ont lieu les opérations ou, à défaut, suivant les usages maritimes.

2028. Le fret est dû à la fin du voyage. Il n'est toutefois pas dû en toutes circonstances.

Ainsi, lorsque l'achèvement du voyage devient impossible, l'affréteur n'est tenu au fret que si cette impossibilité est due à une cause non imputable au fréteur. Toutefois, le fret dû est alors limité au fret de distance.

2029. Le contrat est résolu de plein droit, sans dommages-intérêts de part et d'autre, si, avant le commencement du voyage, il survient une force majeure qui rend impossible l'exécution du voyage.

Toutefois, il subsiste si la force majeure n'empêche que pour un temps la sortie du navire ou la poursuite du voyage; en ce cas, il n'y a pas lieu à une réduction du fret ou à des dommages-intérêts en raison du retard.

CHAPITRE SIXIÈME

DU TRANSPORT

SECTION I

DES RÈGLES APPLICABLES À TOUS LES MODES DE TRANSPORT

§ 1.—*Dispositions générales*

2030. Le contrat de transport est celui par lequel une personne, le transporteur, s'oblige principalement à effectuer le déplacement d'une personne ou d'un bien, moyennant un prix qu'une autre personne, le passager, l'expéditeur ou le destinataire du bien, s'engage à lui payer, au temps convenu.

2031. Le transport successif est celui qui est effectué par plusieurs transporteurs qui se succèdent en utilisant le même mode de transport; le transport combiné est celui où les transporteurs se succèdent en utilisant des modes différents de transport.

2032. Sauf s'il est effectué par un transporteur qui offre ses services au public dans le cours des activités de son entreprise, le transport à titre gratuit d'une personne ou d'un bien n'est pas régi par les règles du présent chapitre et celui qui offre le transport n'est tenu, en ces cas, que d'une obligation de prudence et de diligence.

2033. Le transporteur qui offre ses services au public doit transporter toute personne qui le demande et tout bien qu'on lui demande de transporter, à moins qu'il n'ait un motif sérieux de refus; mais le passager, l'expéditeur ou le destinataire est tenu de suivre les instructions données par le transporteur, conformément à la loi.

2034. Le transporteur ne peut exclure ou limiter sa responsabilité que dans la mesure et aux conditions prévues par la loi.

Il est tenu de réparer le préjudice résultant du retard, à moins qu'il ne prouve la force majeure.

2035. Lorsque le transporteur se substitue un autre transporteur pour exécuter, en tout ou en partie, son obligation, la personne qu'il se substitue est réputée être partie au contrat de transport.

Le paiement effectué par l'expéditeur à l'un des transporteurs est libératoire.

§ 2.—*Du transport de personnes*

2036. Le transport de personnes couvre, outre les opérations de transport, celles d'embarquement et de débarquement.

2037. Le transporteur est tenu de mener le passager, sain et sauf, à destination.

Il est tenu de réparer le préjudice subi par le passager, à moins qu'il n'établisse que ce préjudice résulte d'une force majeure, de l'état de santé du passager ou de la faute de celui-ci. Il est aussi tenu à réparation lorsque le préjudice résulte de son état de santé ou de celui d'un de ses préposés, ou encore de l'état ou du fonctionnement du véhicule.

2038. Le transporteur est responsable de la perte des bagages et des autres effets qui lui ont été confiés par le passager, à moins qu'il ne prouve la force majeure, le vice propre du bien ou la faute du passager.

Cependant, il n'est pas responsable de la perte de documents, d'espèces ou d'autres biens de grande valeur, à moins que la nature ou la valeur du bien ne lui ait été déclarée et qu'il n'ait accepté de le transporter ; il n'est pas, non plus, responsable de la perte des bagages à main et des autres effets qui ont été laissés sous la surveillance du passager, à moins que ce dernier ne prouve la faute du transporteur.

2039. En cas de transport successif ou combiné de personnes, celui qui effectue le transport au cours duquel le préjudice est survenu en est responsable, à moins que, par stipulation expresse, l'un des transporteurs n'ait assumé la responsabilité pour tout le voyage.

§ 3.—*Du transport de biens*

2040. Le transport de biens couvre la période qui s'étend de la prise en charge du bien par le transporteur, en vue de son déplacement, jusqu'à la délivrance.

2041. Le connaissement est l'écrit qui constate le contrat de transport de biens.

Il mentionne, entre autres, les noms de l'expéditeur, du destinataire, du transporteur et, s'il y a lieu, de celui qui doit payer le fret et les frais de transport. Il mentionne également les lieu et date de la prise en charge du bien, les points de départ et de destination, le fret, ainsi que la nature, la quantité, le volume ou le poids et l'état apparent du bien et, s'il y a lieu, son caractère dangereux.

2042. Le connaissement est établi en plusieurs exemplaires ; le transporteur qui l'émet en conserve un, il en remet un à l'expéditeur et un autre accompagne le bien jusqu'à sa destination.

Il fait foi, jusqu'à preuve du contraire, de la prise en charge, de la nature et de la quantité, ainsi que de l'état apparent du bien.

2043. Le connaissement n'est pas négociable, à moins que la loi ou le contrat ne prévoie le contraire.

Lorsqu'il est négociable, la négociation a lieu soit par endossement et délivrance, soit par la seule délivrance, s'il est au porteur.

2044. Le transporteur est tenu de délivrer le bien transporté au destinataire ou au détenteur du connaissement.

Le détenteur d'un connaissement est tenu de le remettre au transporteur lorsqu'il exige la délivrance du bien transporté.

2045. Sous réserve des droits de l'expéditeur, le destinataire, par son acceptation du bien ou du contrat, acquiert les droits et assume les obligations résultant du contrat.

2046. Le transporteur est tenu d'informer le destinataire de l'arrivée du bien et du délai imparti pour son enlèvement, à moins que la délivrance du bien ne s'effectue à la résidence ou à l'établissement du destinataire.

2047. Lorsque le destinataire est introuvable ou qu'il refuse ou néglige de prendre délivrance du bien, ou que, pour toute autre raison, le transporteur ne peut, sans qu'il y ait faute de sa part, effectuer la délivrance, ce dernier doit, sans délai, en aviser l'expéditeur et lui demander des instructions sur la façon de disposer du bien ; il n'y est pas tenu, cependant, s'il y a urgence et si le bien est périssable, auquel cas il peut en disposer sans avis.

Faute d'avoir reçu, lorsqu'il y a lieu, des instructions dans les quinze jours de l'avis, le transporteur peut retourner les biens à l'expéditeur, aux frais de celui-ci ou en disposer conformément aux règles prescrites au livre Des biens pour le détenteur du bien confié et oublié.

2048. À l'expiration du délai d'enlèvement, ou à compter de l'avis donné à l'expéditeur, les obligations du transporteur deviennent celles d'un dépositaire à titre gratuit; néanmoins, il a droit, pour la conservation ou l'entreposage du bien, à une rémunération raisonnable, qui est à la charge du destinataire ou, à défaut, de l'expéditeur.

2049. Le transporteur est tenu de transporter le bien à destination.

Il est tenu de réparer le préjudice résultant du transport, à moins qu'il ne prouve que la perte résulte d'une force majeure, du vice propre du bien ou d'une freinte normale.

2050. Le délai de prescription de l'action en dommages-intérêts contre un transporteur court à compter de la délivrance du bien ou de la date à laquelle il aurait dû être délivré.

L'action n'est pas recevable à moins qu'un avis écrit de réclamation n'ait été préalablement donné au transporteur, dans les soixante jours à compter de la délivrance du bien, que la perte survenue au bien soit apparente ou non, ou, s'il n'est pas délivré, dans les neuf mois à compter de la date de son expédition. Aucun avis n'est nécessaire si l'action est intentée dans ce délai.

2051. En cas de transport successif ou combiné de biens, l'action en responsabilité peut être exercée contre le transporteur avec qui le contrat a été conclu ou le dernier transporteur.

2052. La responsabilité du transporteur, en cas de perte, ne peut excéder la valeur du bien déclarée par l'expéditeur.

À défaut de déclaration, la valeur du bien est établie suivant sa valeur au lieu et au moment de l'expédition.

2053. Le transporteur n'est pas tenu de transporter des documents, des espèces ou des biens de grande valeur.

S'il accepte de transporter ce type de bien, il n'est responsable de la perte que dans le cas où la nature ou la valeur du bien lui a été déclarée; la déclaration mensongère qui trompe sur la nature ou qui augmente la valeur du bien l'exonère de toute responsabilité.

2054. L'expéditeur qui remet au transporteur un bien dangereux, sans en avoir fait connaître au préalable la nature exacte, doit indemniser le transporteur du préjudice que celui-ci subit en raison de ce transport.

De plus, il doit, le cas échéant, acquitter les frais d'entreposage de ce bien et en assumer les risques.

2055. L'expéditeur est tenu de réparer le préjudice subi par le transporteur lorsque ce préjudice résulte du vice propre du bien ou de l'omission, de l'insuffisance ou de l'inexactitude de ses déclarations relativement au bien transporté.

Toutefois, le transporteur demeure responsable envers les tiers qui subissent un préjudice en raison de l'un de ces faits, sous réserve de son recours contre l'expéditeur.

2056. Le fret et les frais de transport sont payables avant la délivrance, à moins de stipulation contraire sur le connaissement.

Dans l'un ou l'autre cas, si le bien n'est pas de la même nature que celui décrit dans le contrat ou si sa valeur est supérieure au montant déclaré, le transporteur peut réclamer le prix qu'il aurait pu exiger pour ce transport.

2057. Lorsque le prix du bien transporté est payable lors de la délivrance, le transporteur ne doit le délivrer qu'après avoir reçu le paiement.

À moins que l'expéditeur ne donne des instructions contraires sur le connaissement, les frais sont à sa charge.

2058. Le transporteur a le droit de retenir le bien transporté jusqu'au paiement du fret, des frais de transport et, le cas échéant, des frais raisonnables d'entreposage.

Si, selon les instructions de l'expéditeur, ces sommes sont dues par le destinataire, le transporteur qui n'en exige pas l'exécution perd son droit de les réclamer de l'expéditeur.

SECTION II

DES RÈGLES PARTICULIÈRES AU TRANSPORT MARITIME DE BIENS

§ 1.—*Dispositions générales*

2059. À moins que les parties n'en conviennent autrement, la présente section s'applique au transport de biens par voie d'eau, lorsque les ports de départ et de destination sont situés au Québec.

2060. Le transport de biens couvre la période qui s'étend de la prise en charge des biens par le transporteur jusqu'à leur délivrance.

§ 2.—*Des obligations des parties*

2061. L'expéditeur ou chargeur doit le fret.

Le destinataire en est également débiteur lorsque le fret est payable à destination et qu'il accepte la délivrance du bien.

2062. Le chargeur doit présenter le bien, au lieu et au moment fixés par la convention des parties ou l'usage du port de chargement. À défaut, il doit payer au transporteur une indemnité correspondant au préjudice subi par celui-ci, sans toutefois excéder le montant du fret convenu.

2063. Le transporteur est tenu, au début du transport et même avant, de faire diligence pour mettre le navire en état de navigabilité, pour convenablement l'armer, l'équiper et l'approvisionner, et pour approprier et mettre en bon état toute partie de navire où les biens doivent être chargés et conservés pendant le transport.

2064. Le transporteur est tenu de procéder, de façon appropriée, au chargement, à la manutention, à l'arrimage, au transport, à la garde et au déchargement des biens transportés.

Sauf dans le petit cabotage, il commet une faute si, en l'absence de consentement du chargeur ou de règlements ou d'usages qui le permettent, il arrime le bien sur le pont du navire. Ce consentement est présumé en cas de chargement en conteneur, lorsque le navire est approprié pour ce type de transport.

2065. Le transporteur doit, sur demande du chargeur, lui délivrer un connaissement qu'il établit d'après les déclarations du chargeur.

Outre les mentions propres au connaissement, celui-ci porte les inscriptions qui permettent d'identifier clairement les biens à transporter, en indiquant les marques principales et les renseignements pertinents.

Le transporteur peut refuser d'inscrire des indications sur le connaissement lorsqu'il a des motifs sérieux de douter de leur exactitude ou qu'il n'a pas eu les moyens de les vérifier.

2066. Le chargeur est garant au moment du chargement de l'exactitude des déclarations qu'il a faites et il est responsable du préjudice qu'il cause au transporteur en raison de leur inexactitude.

Le transporteur ne peut se prévaloir de ce droit qu'à l'égard du chargeur.

2067. Lorsque le chargeur fait, sciemment, une déclaration inexacte de la nature ou de la valeur du bien, le transporteur n'encourt aucune responsabilité pour la perte qui survient.

2068. L'enlèvement du bien fait présumer que celui-ci a été reçu par le destinataire dans l'état indiqué au connaissement ou, en l'absence d'indication, dans l'état où il était lors du chargement, à moins que, par écrit, le destinataire ne dénonce la perte du bien au transporteur, ou à son représentant au port du déchargement, au plus tard au moment de l'enlèvement du bien ou, si la perte n'est pas apparente, dans les trois jours de l'enlèvement.

Le transporteur et le destinataire peuvent, lors de l'enlèvement, requérir une constatation de l'état du bien.

2069. En cas de perte du bien, certaine ou présumée, le transporteur et le destinataire sont tenus de se donner réciproquement les moyens d'inspecter le bien et de vérifier le nombre de colis.

2070. Est nulle toute stipulation du contrat qui exonère le transporteur ou le propriétaire du navire de l'obligation de réparer le préjudice résultant des pertes survenues aux biens transportés, à moins qu'il ne s'agisse du transport d'animaux vivants ou de marchandises en pontée, mais non, en ce cas, du transport de conteneurs chargés à bord, si le navire est muni d'installations appropriées pour ce type de transport.

Une clause cédant le bénéfice de l'assurance au transporteur ou toute clause semblable est considérée comme une stipulation exonérant le transporteur.

2071. Le transporteur est responsable de la perte survenue aux biens transportés, depuis la prise en charge jusqu'à la délivrance.

Il l'est, notamment, si la perte résulte de l'état d'innavigabilité du navire, à moins qu'il n'établisse avoir fait diligence pour mettre le navire en état.

2072. Le transporteur n'est pas responsable de la perte du bien résultant :

1° Des fautes nautiques du capitaine, du pilote ou des préposés du transporteur ;

2° D'un incendie, à moins qu'il ne soit causé par son fait ou sa faute ;

3° D'une force majeure ;

4° D'une faute du propriétaire du bien ou du chargeur, notamment dans l'emballage, le conditionnement ou le marquage du bien ;

5° Du vice propre du bien ou de la freinte ;

6° D'un acte ou d'une tentative de sauvetage de vies ou de biens au cours du transport ou d'un déroutement à cette fin.

2073. Le chargeur n'est pas responsable du préjudice subi par le transporteur ni du dommage causé au navire sans qu'il y ait eu faute de sa part ou de ses préposés.

2074. Le transporteur est tenu de la perte du bien transporté jusqu'à concurrence de la somme fixée par règlement du gouvernement, mais il peut convenir avec le chargeur d'une indemnité différente, dans la mesure où elle est supérieure à celle fixée par règlement.

Il peut être tenu au-delà du montant fixé par règlement lorsqu'il y a eu dol de sa part, ou que la nature et la valeur des biens ont été déclarées par le chargeur avant leur embarquement et que cette déclaration a été jointe au connaissement. Pareille déclaration fait foi à l'égard du transporteur, sauf preuve contraire de sa part.

2075. Il n'est dû aucun fret pour les biens perdus par fortune de mer ou par suite de la négligence du transporteur à mettre le navire en état de navigabilité.

2076. Le transporteur peut débarquer, détruire ou rendre inoffensifs les biens dangereux, à l'embarquement desquels il n'aurait pas consenti s'il avait connu leur nature ou leur caractère.

Le chargeur de ces biens est responsable du préjudice qui résulte de leur embarquement et des dépenses faites par le transporteur pour se départir de ces biens ou les rendre inoffensifs.

2077. Lorsqu'un bien dangereux a été embarqué à la connaissance et avec le consentement du transporteur et qu'il devient un danger pour le navire ou la cargaison, il peut néanmoins être débarqué, détruit ou rendu inoffensif par le transporteur, sans responsabilité de sa part, si ce n'est qu'à titre d'avaries communes, s'il y a lieu.

2078. Le contrat est résolu, sans dommages-intérêts de part et d'autre si, en raison d'une force majeure, le départ du navire qui devait effectuer le transport est empêché ou retardé d'une manière telle que le transport ne puisse plus se faire utilement pour le chargeur et sans risque d'engager sa responsabilité à l'égard du transporteur.

2079. Toute action contre le transporteur, le chargeur ou le destinataire, en raison du contrat de transport, se prescrit par un an à compter de la délivrance du bien ou, en cas de perte totale, de la date à laquelle il eût dû être délivré.

§ 3.—*De la manutention des biens*

2080. L'entrepreneur de manutention est chargé de toutes les opérations de mise à bord et de débarquement des biens, y compris les opérations qui en sont le préalable ou la suite nécessaire.

Il est présumé, dans ses activités, avoir reçu le bien tel qu'il a été déclaré par le déposant.

2081. L'entrepreneur de manutention agit pour le compte de celui qui a requis ses services, et sa responsabilité n'est engagée qu'envers celui-ci qui seul a une action contre lui.

2082. L'entrepreneur de manutention peut, éventuellement, être appelé à effectuer pour le compte du transporteur, du chargeur ou du destinataire la réception et la reconnaissance à terre des biens à embarquer, ainsi que leur garde jusqu'à leur embarquement; il peut, de même, être appelé à effectuer la réception et la reconnaissance à terre des biens débarqués, ainsi que leur garde et leur délivrance.

Ces services supplémentaires sont dus s'ils sont convenus ou sont conformes aux usages du port.

2083. L'entrepreneur de manutention peut être exonéré de sa responsabilité pour la perte d'un bien pour les mêmes motifs que le transporteur; néanmoins, le demandeur peut, dans ces cas, faire la preuve que la perte est due à une faute de l'entrepreneur ou de ses préposés.

L'entrepreneur de manutention ne peut en aucun cas être tenu au-delà de la somme fixée par règlement du gouvernement, à moins qu'il n'y ait eu dol de sa part ou qu'une déclaration de la valeur du bien ne lui ait été notifiée.

2084. Est inopposable au chargeur et au destinataire, toute clause ayant pour objet ou pour effet de dégager l'entrepreneur de manutention de sa responsabilité, de renverser la charge de la preuve qui lui incombe, de limiter sa responsabilité à une somme inférieure à celle fixée par règlement, ou de lui céder le bénéfice d'une assurance du bien.

CHAPITRE SEPTIÈME

DU CONTRAT DE TRAVAIL

2085. Le contrat de travail est celui par lequel une personne, le salarié, s'oblige, pour un temps limité et moyennant rémunération, à effectuer un travail sous la direction ou le contrôle d'une autre personne, l'employeur.

2086. Le contrat de travail est à durée déterminée ou indéterminée.

2087. L'employeur, outre qu'il est tenu de permettre l'exécution de la prestation de travail convenue et de payer la rémunération fixée, doit prendre les mesures appropriées à la nature du travail, en vue de protéger la santé, la sécurité et la dignité du salarié.

2088. Le salarié, outre qu'il est tenu d'exécuter son travail avec prudence et diligence, doit agir avec loyauté et ne pas faire usage de l'information à caractère confidentiel qu'il obtient dans l'exécution ou à l'occasion de son travail.

Ces obligations survivent pendant un délai raisonnable après cessation du contrat, et survivent en tout temps lorsque l'information réfère à la réputation et à la vie privée d'autrui.

2089. Les parties peuvent, par écrit et en termes exprès, stipuler que, même après la fin du contrat, le salarié ne pourra faire concurrence à l'employeur ni participer à quelque titre que ce soit à une entreprise qui lui ferait concurrence.

Toutefois, cette stipulation doit être limitée, quant au temps, au lieu et au genre de travail, à ce qui est nécessaire pour protéger les intérêts légitimes de l'employeur.

Il incombe à l'employeur de prouver que cette stipulation est valide.

2090. Le contrat de travail est reconduit tacitement pour une durée indéterminée lorsque, après l'arrivée du terme, le salarié continue d'effectuer son travail durant cinq jours, sans opposition de la part de l'employeur.

2091. Chacune des parties à un contrat à durée indéterminée peut y mettre fin en donnant à l'autre un délai de congé.

Le délai de congé doit être raisonnable et tenir compte, notamment, de la nature de l'emploi, des circonstances particulières dans lesquelles il s'exerce et de la durée de la prestation de travail.

2092. Le salarié ne peut renoncer au droit qu'il a d'obtenir une indemnité en réparation du préjudice qu'il subit, lorsque le délai de congé est insuffisant ou que la résiliation est faite de manière abusive.

2093. Le décès du salarié met fin au contrat de travail.

Le décès de l'employeur peut aussi, suivant les circonstances, y mettre fin.

2094. Une partie peut, pour un motif sérieux, résilier unilatéralement et sans préavis le contrat de travail.

2095. L'employeur ne peut se prévaloir d'une stipulation de non-concurrence, s'il a résilié le contrat sans motif sérieux ou s'il a lui-même donné au salarié un tel motif de résiliation.

2096. Lorsque le contrat prend fin, l'employeur doit fournir au salarié qui le demande un certificat de travail faisant état uniquement de la nature et de la durée de l'emploi et indiquant l'identité des parties.

2097. L'aliénation de l'entreprise ou la modification de sa structure juridique par fusion ou autrement, ne met pas fin au contrat de travail.

Ce contrat lie l'ayant cause de l'employeur.

CHAPITRE HUITIÈME

DU CONTRAT D'ENTREPRISE OU DE SERVICE

SECTION I

DE LA NATURE ET DE L'ÉTENDUE DU CONTRAT

2098. Le contrat d'entreprise ou de service est celui par lequel une personne, selon le cas l'entrepreneur ou le prestataire de services, s'engage envers une autre personne, le client, à réaliser un ouvrage matériel ou intellectuel ou à fournir un service moyennant un prix que le client s'oblige à lui payer.

2099. L'entrepreneur ou le prestataire de services a le libre choix des moyens d'exécution du contrat et il n'existe entre lui et le client aucun lien de subordination quant à son exécution.

2100. L'entrepreneur et le prestataire de services sont tenus d'agir au mieux des intérêts de leur client, avec prudence et diligence. Ils sont aussi tenus, suivant la nature de l'ouvrage à réaliser ou du service à fournir, d'agir conformément aux usages et règles de leur art, et de s'assurer, le cas échéant, que l'ouvrage réalisé ou le service fourni est conforme au contrat.

Lorsqu'ils sont tenus du résultat, ils ne peuvent se dégager de leur responsabilité qu'en prouvant la force majeure.

SECTION II

DES DROITS ET OBLIGATIONS DES PARTIES

§ 1.—*Dispositions générales applicables tant aux services qu'aux ouvrages*

2101. À moins que le contrat n'ait été conclu en considération de ses qualités personnelles ou que cela ne soit incompatible avec la nature même du contrat, l'entrepreneur ou le prestataire de services peut s'adjoindre un tiers pour l'exécuter; il conserve néanmoins la direction et la responsabilité de l'exécution.

2102. L'entrepreneur ou le prestataire de services est tenu, avant la conclusion du contrat, de fournir au client, dans la mesure où les circonstances le permettent, toute information utile relativement à la nature de la tâche qu'il s'engage à effectuer ainsi qu'aux biens et au temps nécessaires à cette fin.

2103. L'entrepreneur ou le prestataire de services fournit les biens nécessaires à l'exécution du contrat, à moins que les parties n'aient stipulé qu'il ne fournirait que son travail.

Les biens qu'il fournit doivent être de bonne qualité; il est tenu, quant à ces biens, des mêmes garanties que le vendeur.

Il y a contrat de vente, et non contrat d'entreprise ou de service, lorsque l'ouvrage ou le service n'est qu'un accessoire par rapport à la valeur des biens fournis.

2104. Lorsque les biens sont fournis par le client, l'entrepreneur ou le prestataire de services est tenu d'en user avec soin et de rendre compte de cette utilisation; si les biens sont manifestement impropres à l'utilisation à laquelle ils sont destinés ou s'ils sont affectés d'un vice apparent ou d'un vice caché qu'il devait connaître, l'entrepreneur ou le prestataire de services est tenu d'en informer immédiatement le client, à défaut de quoi il est responsable du préjudice qui peut résulter de l'utilisation des biens.

2105. Si les biens nécessaires à l'exécution du contrat périssent par force majeure, leur perte est à la charge de la partie qui les fournit.

2106. Le prix de l'ouvrage ou du service est déterminé par le contrat, les usages ou la loi, ou encore d'après la valeur des travaux effectués ou des services rendus.

2107. Si, lors de la conclusion du contrat, le prix des travaux ou des services a fait l'objet d'une estimation, l'entrepreneur ou le prestataire de services doit justifier toute augmentation du prix.

Le client n'est tenu de payer cette augmentation que dans la mesure où elle résulte de travaux, de services ou de dépenses qui n'étaient pas prévisibles par l'entrepreneur ou le prestataire de services au moment de la conclusion du contrat.

2108. Lorsque le prix est établi en fonction de la valeur des travaux exécutés, des services rendus ou des biens fournis, l'entrepreneur ou le prestataire de services est tenu, à la demande du client, de lui rendre compte de l'état d'avancement des travaux, des services déjà rendus et des dépenses déjà faites.

2109. Lorsque le contrat est à forfait, le client doit payer le prix convenu et il ne peut prétendre à une diminution du prix en faisant valoir que l'ouvrage ou le service a exigé moins de travail ou a coûté moins cher qu'il n'avait été prévu.

Pareillement, l'entrepreneur ou le prestataire de services ne peut prétendre à une augmentation du prix pour un motif contraire.

Le prix forfaitaire reste le même, bien que des modifications aient été apportées aux conditions d'exécution initialement prévues, à moins que les parties n'en aient convenu autrement.

§ 2.—*Dispositions particulières aux ouvrages*

I — Dispositions générales

2110. Le client est tenu de recevoir l'ouvrage à la fin des travaux; celle-ci a lieu lorsque l'ouvrage est exécuté et en état de servir conformément à l'usage auquel on le destine.

La réception de l'ouvrage est l'acte par lequel le client déclare l'accepter, avec ou sans réserve.

2111. Le client n'est pas tenu de payer le prix avant la réception de l'ouvrage.

Lors du paiement, il peut retenir sur le prix, jusqu'à ce que les réparations ou les corrections soient faites à l'ouvrage, une somme suffisante pour satisfaire aux réserves faites quant aux vices ou malfaçons apparents qui existaient lors de la réception de l'ouvrage.

Le client ne peut exercer ce droit si l'entrepreneur lui fournit une sûreté suffisante garantissant l'exécution de ses obligations.

2112. Si les parties ne s'entendent pas sur la somme à retenir et les travaux à compléter, l'évaluation est faite par un expert que désignent les parties ou, à défaut, le tribunal.

2113. Le client qui accepte sans réserve, conserve, néanmoins, ses recours contre l'entrepreneur aux cas de vices ou malfaçons non apparents.

2114. Si l'ouvrage est exécuté par phases successives, il peut être reçu par parties; le prix afférent à chacune d'elles est payable au moment de la délivrance et de la réception de cette partie et le paiement fait présumer qu'elle a été ainsi reçue, à moins que les sommes versées ne doivent être considérées comme de simples acomptes sur le prix.

2115. L'entrepreneur est tenu de la perte de l'ouvrage qui survient avant sa délivrance, à moins qu'elle ne soit due à la faute du client ou que celui-ci ne soit en demeure de recevoir l'ouvrage.

Toutefois, si les biens sont fournis par le client, l'entrepreneur n'est pas tenu de la perte de l'ouvrage, à moins qu'elle ne soit due à sa faute ou à un autre manquement de sa part. Il ne peut réclamer le prix de son travail que si la perte de l'ouvrage résulte du vice propre des biens fournis ou d'un vice du bien qu'il ne pouvait déceler, ou encore si la perte est due à la faute du client.

2116. La prescription des recours entre les parties ne commence à courir qu'à compter de la fin des travaux, même à l'égard de ceux qui ont fait l'objet de réserves lors de la réception de l'ouvrage.

II — Des ouvrages immobiliers

2117. À tout moment de la construction ou de la rénovation d'un immeuble, le client peut, mais de manière à ne pas nuire au déroulement des travaux, vérifier leur état d'avancement, la qualité des matériaux utilisés et celle du travail effectué, ainsi que l'état des dépenses faites.

2118. À moins qu'ils ne puissent se dégager de leur responsabilité, l'entrepreneur, l'architecte et l'ingénieur qui ont, selon le cas, dirigé ou surveillé les travaux, et le sous-entrepreneur pour les travaux qu'il a exécutés, sont solidairement tenus de la perte de l'ouvrage qui survient dans les cinq ans qui suivent la fin des travaux, que la perte résulte d'un vice de conception, de construction ou de réalisation de l'ouvrage, ou, encore, d'un vice du sol.

2119. L'architecte ou l'ingénieur ne sera dégagé de sa responsabilité qu'en prouvant que les vices de l'ouvrage ou de la partie qu'il a réalisée ne résultent ni d'une erreur ou d'un défaut dans les expertises ou les plans qu'il a pu fournir, ni d'un manquement dans la direction ou dans la surveillance des travaux.

L'entrepreneur n'en sera dégagé qu'en prouvant que ces vices résultent d'une erreur ou d'un défaut dans les expertises ou les plans de l'architecte ou de l'ingénieur choisi par le client. Le sous-entrepreneur n'en sera dégagé qu'en prouvant que ces vices résultent des décisions de l'entrepreneur ou des expertises ou plans de l'architecte ou de l'ingénieur.

Chacun pourra encore se dégager de sa responsabilité en prouvant que ces vices résultent de décisions imposées par le client dans le choix du sol ou des matériaux, ou dans le choix des sous-entrepreneurs, des experts ou des méthodes de construction.

2120. L'entrepreneur, l'architecte et l'ingénieur pour les travaux qu'ils ont dirigés ou surveillés et, le cas échéant, le sous-entrepreneur pour les travaux qu'il a exécutés, sont tenus conjointement pendant un an de garantir l'ouvrage contre les malfaçons existantes au moment de la réception, ou découvertes dans l'année qui suit la réception.

2121. L'architecte et l'ingénieur qui ne dirigent pas ou ne surveillent pas les travaux ne sont responsables que de la perte qui résulte d'un défaut ou d'une erreur dans les plans ou les expertises qu'ils ont fournis.

2122. Pendant la durée des travaux, l'entrepreneur peut, si la convention le prévoit, exiger des acomptes sur le prix du contrat pour la valeur des travaux exécutés et des matériaux nécessaires à la réalisation de l'ouvrage ; il est tenu, préalablement, de fournir au client un état des sommes payées aux sous-entrepreneurs, à ceux qui ont fourni ces matériaux et aux autres personnes qui ont participé à ces travaux, et des sommes qu'il leur doit encore pour terminer les travaux.

2123. Au moment du paiement, le client peut retenir, sur le prix du contrat, une somme suffisante pour acquitter les créances des ouvriers, de même que celles des autres personnes qui peuvent faire valoir une hypothèque légale sur l'ouvrage immobilier et qui lui ont dénoncé leur contrat avec l'entrepreneur, pour les travaux faits ou les matériaux ou services fournis après cette dénonciation.

Cette retenue est valable tant que l'entrepreneur n'a pas remis au client une quittance de ces créances.

Il ne peut exercer ce droit si l'entrepreneur lui fournit une sûreté suffisante garantissant ces créances.

2124. Pour l'application des dispositions du présent chapitre, le promoteur immobilier qui vend, même après son achèvement, un ouvrage qu'il a construit ou a fait construire est assimilé à l'entrepreneur.

SECTION III

DE LA RÉSILIATION DU CONTRAT

2125. Le client peut, unilatéralement, résilier le contrat, quoique la réalisation de l'ouvrage ou la prestation du service ait déjà été entreprise.

2126. L'entrepreneur ou le prestataire de services ne peut résilier unilatéralement le contrat que pour un motif sérieux et, même alors, il ne peut le faire à contretemps; autrement, il est tenu de réparer le préjudice causé au client par cette résiliation.

Il est tenu, lorsqu'il résilie le contrat, de faire tout ce qui est immédiatement nécessaire pour prévenir une perte.

2127. Le décès du client ne met fin au contrat que si cela rend impossible ou inutile l'exécution du contrat.

2128. Le décès ou l'inaptitude de l'entrepreneur ou du prestataire de services ne met pas fin au contrat, à moins qu'il n'ait été conclu en considération de ses qualités personnelles ou qu'il ne puisse être continué de manière adéquate par celui qui lui succède dans ses activités, auquel cas le client peut résilier le contrat.

2129. Le client est tenu, lors de la résiliation du contrat, de payer à l'entrepreneur ou au prestataire de services, en proportion du prix convenu, les frais et dépenses actuelles, la valeur des travaux exécutés avant la fin du contrat ou avant la notification de la résiliation, ainsi que, le cas échéant, la valeur des biens fournis, lorsque ceux-ci peuvent lui être remis et qu'il peut les utiliser.

L'entrepreneur ou le prestataire de services est tenu, pour sa part, de restituer les avances qu'il a reçues en excédent de ce qu'il a gagné.

Dans l'un et l'autre cas, chacune des parties est aussi tenue de tout autre préjudice que l'autre partie a pu subir.

CHAPITRE NEUVIÈME

DU MANDAT

SECTION I

DE LA NATURE ET DE L'ÉTENDUE DU MANDAT

2130. Le mandat est le contrat par lequel une personne, le mandant, donne le pouvoir de la représenter dans l'accomplissement d'un acte juridique avec un tiers, à une autre personne, le mandataire qui, par le fait de son acceptation, s'oblige à l'exercer.

Ce pouvoir et, le cas échéant, l'écrit qui le constate, s'appellent aussi procuration.

2131. Le mandat peut aussi avoir pour objet les actes destinés à assurer, en prévision de l'inaptitude du mandant à prendre soin de lui-même ou à administrer ses biens, la protection de sa personne, l'administration, en tout ou en partie, de son patrimoine et, en général, son bien-être moral et matériel.

2132. L'acceptation du mandat est expresse ou tacite; elle est tacite lorsqu'elle s'induit des actes et même du silence du mandataire.

2133. Le mandat est à titre gratuit ou à titre onéreux. Le mandat conclu entre deux personnes physiques est présumé à titre gratuit, mais le mandat professionnel est présumé à titre onéreux.

2134. La rémunération, s'il y a lieu, est déterminée par le contrat, les usages ou la loi, ou encore d'après la valeur des services rendus.

2135. Le mandat peut être soit spécial pour une affaire particulière, soit général pour toutes les affaires du mandant.

Le mandat conçu en termes généraux ne confère que le pouvoir de passer des actes de "simple administration." Il doit être exprès lorsqu'il confère le pouvoir de passer des actes autres que ceux-là, à moins que, s'agissant d'un mandat donné en prévision d'une inaptitude, il ne confie la pleine administration.

2136. Les pouvoirs du mandataire s'étendent non seulement à ce qui est exprimé dans le mandat, mais encore à tout ce qui peut s'en déduire. Le mandataire peut faire tous les actes qui découlent de ces pouvoirs et qui sont nécessaires à l'exécution du mandat.

2137. Les pouvoirs que l'on donne à des personnes de faire un acte qui n'est pas étranger à la profession ou aux fonctions qu'elles exercent, mais se déduisent de leur nature, n'ont pas besoin d'être mentionnés expressément.

SECTION II

DES OBLIGATIONS DES PARTIES ENTRE ELLES

§ 1.—*Des obligations du mandataire envers le mandant*

2138. Le mandataire est tenu d'accomplir le mandat qu'il a accepté et il doit, dans l'exécution de son mandat, agir avec prudence et diligence.

Il doit également agir avec honnêteté et loyauté dans le meilleur intérêt du mandant et éviter de se placer dans une situation de conflit entre son intérêt personnel et celui de son mandant.

2139. Au cours du mandat, le mandataire est tenu, à la demande du mandant ou lorsque les circonstances le justifient, de l'informer de l'état d'exécution du mandat.

Il doit, sans délai, faire savoir au mandant qu'il a accompli son mandat.

2140. Le mandataire est tenu d'accomplir personnellement le mandat, à moins que le mandant ne l'ait autorisé à se substituer une autre personne pour exécuter tout ou partie du mandat.

Il doit cependant, si l'intérêt du mandant l'exige, se substituer un tiers, lorsque des circonstances imprévues l'empêchent d'accomplir le mandat et qu'il ne peut en aviser le mandant en temps utile.

2141. Le mandataire répond, comme s'il les avait personnellement accomplis, des actes de la personne qu'il s'est substituée, lorsqu'il n'était pas autorisé à le faire; s'il était autorisé à se substituer quelqu'un, il ne répond que du soin avec lequel il a choisi son substitut et lui a donné ses instructions.

Dans tous les cas, le mandant a une action directe contre la personne que le mandataire s'est substituée.

2142. Le mandataire peut, dans l'exécution du mandat, se faire assister par une autre personne et lui déléguer des pouvoirs à cette fin, à moins que le mandant ou l'usage ne l'interdise.

Il demeure tenu, à l'égard du mandant, des actes accomplis par la personne qui l'a assisté.

2143. Un mandataire qui accepte de représenter, pour un même acte, des parties dont les intérêts sont en conflit ou susceptibles de l'être, doit en informer chacun des mandants, à moins que l'usage ou leur connaissance respective du double mandat ne l'en dispense, et il doit agir envers chacun d'eux avec impartialité.

Le mandant qui n'était pas en mesure de connaître le double mandat peut, s'il en subit un préjudice, demander la nullité de l'acte du mandataire.

2144. Lorsque plusieurs mandataires sont nommés ensemble pour la même affaire, le mandat n'a d'effet que s'il est accepté par tous.

Ils doivent agir de concert quant à tous les actes visés par le mandat, à moins d'une stipulation contraire ou que cela ne découle implicitement du mandat. Ils sont tenus solidairement à l'exécution de leurs obligations.

2145. Le mandataire qui exerce seul des pouvoirs qu'il est chargé d'exercer avec un autre excède ses pouvoirs, à moins qu'il ne les ait exercés d'une manière plus avantageuse pour le mandant que celle qui était convenue.

2146. Le mandataire ne peut utiliser à son profit l'information qu'il obtient ou le bien qu'il est chargé de recevoir ou d'administrer dans l'exécution de son mandat, à moins que le mandant n'y ait consenti ou que l'utilisation ne résulte de la loi ou du mandat.

Outre la compensation à laquelle il peut être tenu pour le préjudice subi, le mandataire doit, s'il utilise le bien ou l'information sans y être autorisé, indemniser le mandant en payant, s'il s'agit d'une information, une somme équivalant à l'enrichissement qu'il obtient ou, s'il s'agit d'un bien, un loyer approprié ou l'intérêt sur les sommes utilisées.

2147. Le mandataire ne peut se porter partie, même par personne interposée, à un acte qu'il a accepté de conclure pour son mandant, à moins que celui-ci ne l'autorise, ou ne connaisse sa qualité de cocontractant.

Seul le mandant peut se prévaloir de la nullité résultant de la violation de cette règle.

2148. Si le mandat est gratuit, le tribunal peut, lorsqu'il apprécie l'étendue de la responsabilité du mandataire, réduire le montant des dommages-intérêts dont il est tenu.

§ 2.—*Des obligations du mandant envers le mandataire*

2149. Le mandant est tenu de coopérer avec le mandataire de manière à favoriser l'accomplissement du mandat.

2150. Le mandant, s'il en est requis, avance au mandataire les sommes nécessaires à l'exécution du mandat. Il rembourse au mandataire les frais raisonnables que celui-ci a engagés et lui verse la rémunération à laquelle il a droit.

2151. Le mandant doit l'intérêt sur les frais engagés par le mandataire dans l'exécution de son mandat, à compter du jour où ils ont été déboursés.

2152. Le mandant est tenu de décharger le mandataire des obligations que celui-ci a contractées envers les tiers dans les limites du mandat.

Il n'est pas tenu envers le mandataire pour l'acte qui excède les limites du mandat; mais ses obligations sont entières s'il ratifie cet acte ou si le mandataire, au moment où il agit, ignorait la fin du mandat.

2153. Le mandant est présumé avoir ratifié l'acte qui excède les limites du mandat, lorsque cet acte a été accompli d'une manière qui lui est plus avantageuse que celle même qu'il avait indiquée.

2154. Le mandant est tenu d'indemniser le mandataire qui n'a commis aucune faute, du préjudice que ce dernier a subi en raison de l'exécution du mandat.

2155. Si aucune faute n'est imputable au mandataire, les sommes qui lui sont dues le sont lors même que l'affaire n'aurait pas réussi.

2156. Si le mandat a été donné par plusieurs personnes, leur obligation à l'égard du mandataire est solidaire.

SECTION III

DES OBLIGATIONS DES PARTIES ENVERS LES TIERS

§ 1.—*Des obligations du mandataire envers les tiers*

2157. Le mandataire qui, dans les limites de son mandat, s'oblige au nom et pour le compte du mandant, n'est pas personnellement tenu envers le tiers avec qui il contracte.

Il est tenu envers lui lorsqu'il agit en son propre nom, sous réserve des droits du tiers contre le mandant, le cas échéant.

2158. Le mandataire qui outrepasse ses pouvoirs est personnellement tenu envers le tiers avec qui il contracte, à moins que le tiers n'ait eu une connaissance suffisante du mandat, ou que le mandant n'ait ratifié les actes que le mandataire a accomplis.

2159. Le mandataire s'engage personnellement, s'il convient avec le tiers que, dans un délai fixé, il révélera l'identité de son mandant et qu'il omet de le faire.

Il s'engage aussi personnellement s'il est tenu de taire le nom du mandant ou s'il sait que celui qu'il déclare est insolvable, mineur ou placé sous un régime de protection et qu'il omet de le mentionner.

§ 2.—*Des obligations du mandant envers les tiers*

2160. Le mandant est tenu envers le tiers pour les actes accomplis par le mandataire dans l'exécution et les limites du mandat, sauf si, par la convention ou les usages, le mandataire est seul tenu.

Il est aussi tenu des actes qui excédaient les limites du mandat et qu'il a ratifiés.

2161. Le mandant peut, s'il en subit un préjudice, répudier les actes de la personne que le mandataire s'est substituée lorsque cette substitution s'est faite sans l'autorisation du mandant ou sans que son intérêt ou les circonstances justifient la substitution.

2162. Le mandant ou, à son décès, ses héritiers, sont tenus envers le tiers des actes accomplis par le mandataire dans l'exécution et les limites du mandat après la fin de celui-ci, lorsque ces actes étaient la suite nécessaire de ceux déjà accomplis ou qu'ils ne pouvaient être différés sans risque de perte, ou encore lorsque la fin du mandat est restée inconnue du tiers.

2163. Celui qui a laissé croire qu'une personne était son mandataire est tenu, comme s'il y avait eu mandat, envers le tiers qui a contracté de bonne foi avec celle-ci, à moins qu'il n'ait pris des mesures appropriées pour prévenir l'erreur dans des circonstances qui la rendaient prévisible.

2164. Le mandant répond du préjudice causé par la faute du mandataire dans l'exécution de son mandat, à moins qu'il ne prouve, lorsque le mandataire n'était pas son préposé, qu'il n'aurait pas pu empêcher le dommage.

2165. Le mandant peut, après avoir révélé au tiers le mandat qu'il avait consenti, poursuivre directement le tiers pour l'exécution des obligations contractées par ce dernier à l'égard du mandataire qui avait agi en son propre nom; toutefois, le tiers peut lui opposer l'incompatibilité du mandat avec les stipulations ou la nature de son contrat et les moyens respectivement opposables au mandant et au mandataire.

Si une action est déjà intentée par le mandataire contre le tiers, le droit du mandant ne peut alors s'exercer que par son intervention dans l'instance.

SECTION IV

DES RÈGLES PARTICULIÈRES AU MANDAT DONNÉ EN PRÉVISION DE L'INAPTITUDE DU MANDANT

2166. Le mandat donné par une personne majeure en prévision de son inaptitude à prendre soin d'elle-même ou à administrer ses biens est fait par acte notarié en minute ou devant témoins.

Son exécution est subordonnée à la survenance de l'inaptitude et à l'homologation par le tribunal, sur demande du mandataire désigné dans l'acte.

2167. Le mandat devant témoins est rédigé par le mandant ou par un tiers.

Le mandant, en présence de deux témoins qui n'ont pas d'intérêt à l'acte et qui sont en mesure de constater son aptitude à agir, déclare la nature de l'acte mais sans être tenu d'en divulguer le contenu. Il signe cet acte à la fin ou, s'il l'a déjà signé, il reconnaît sa signature; il peut aussi le faire signer par un tiers pour lui, en sa présence et suivant ses instructions. Les témoins signent aussitôt le mandat en présence du mandant.

2168. Lorsque la portée du mandat est douteuse, le mandataire l'interprète selon les règles relatives à la tutelle au majeur.

Si, alors, des avis, consentements ou autorisations sont requis en application des règles relatives à l'administration du bien d'autrui, le mandataire les obtient du curateur public ou du tribunal.

2169. Lorsque le mandat ne permet pas d'assurer pleinement les soins de la personne ou l'administration de ses biens, un régime de protection peut être établi pour le compléter; le mandataire poursuit alors l'exécution de son mandat et fait rapport, sur demande et au moins une fois l'an, au tuteur ou au curateur et, à la fin du mandat, il leur rend compte.

Le mandataire n'est tenu de ces obligations qu'à l'égard du tuteur ou curateur à la personne. S'il assure lui-même la protection de la personne, le tuteur ou le curateur aux biens est tenu aux mêmes obligations envers le mandataire.

2170. Les actes faits antérieurement à l'homologation du mandat peuvent être annulés ou les obligations qui en découlent réduites, sur la seule preuve que l'inaptitude était notoire ou connue du cocontractant à l'époque où les actes ont été passés.

2171. Sauf stipulation contraire dans le mandat, le mandataire est autorisé à exécuter à son profit les obligations du mandant prévues aux articles 2150 à 2152 et 2154.

2172. Le mandat cesse d'avoir effet lorsque le tribunal constate que le mandant est redevenu apte ; ce dernier peut alors, s'il le considère approprié, révoquer son mandat.

2173. S'il constate que le mandant est redevenu apte, le directeur général de l'établissement de santé ou de services sociaux qui prodigue des soins ou procure des services au mandant doit attester cette aptitude dans un rapport qu'il dépose au greffe du tribunal. Ce rapport est constitué, entre autres, de l'évaluation médicale et psychosociale.

Le greffier avise de ce dépôt le mandataire, le mandant et les personnes habilitées à intervenir à une demande d'ouverture de régime de protection. À défaut d'opposition dans les trente jours, la constatation de l'aptitude du mandant par le tribunal est présumée et le greffier doit transmettre un avis de la cessation des effets du mandat, sans délai, au mandant, au mandataire et au curateur public.

2174. Le mandataire ne peut, malgré toute stipulation contraire, renoncer à son mandat sans avoir au préalable pourvu à son remplacement si le mandat y pourvoit, ou sans avoir demandé l'ouverture d'un régime de protection à l'égard du mandant.

SECTION V

DE LA FIN DU MANDAT

2175. Outre les causes d'extinction communes aux obligations, le mandat prend fin par la révocation qu'en fait le mandant, par la renonciation du mandataire ou par l'extinction du pouvoir qui lui a été donné, ou encore par le décès de l'une ou l'autre des parties.

Il prend aussi fin par la faillite, sauf dans le cas où le mandat a été donné en prévision de l'inaptitude d'une personne, à titre gratuit ; il peut également prendre fin, en certains cas, par l'ouverture d'un régime de protection à l'égard de l'une ou l'autre des parties.

2176. Le mandant peut révoquer le mandat et contraindre le mandataire à lui remettre la procuration, pour qu'il y fasse mention de la fin du mandat. Le mandataire a le droit d'exiger du mandant qu'il lui fournisse un double de la procuration portant cette mention.

Si la procuration est faite par acte notarié en minute, le mandant effectue la mention sur une copie et peut donner avis de la fin du mandat au dépositaire de la minute, lequel est tenu d'en faire mention sur celle-ci et sur toute copie qu'il en délivre.

2177. Lorsque le mandant est inapte, toute personne intéressée, y compris le curateur public, peut, si le mandat n'est pas fidèlement exécuté ou pour un autre motif sérieux, demander au tribunal de révoquer le mandat, d'ordonner la reddition de compte du mandataire et d'ouvrir un régime de protection à l'égard du mandant.

2178. Le mandataire peut renoncer au mandat qu'il a accepté, en notifiant sa renonciation au mandant. Il a alors droit, si le mandat était donné à titre onéreux, à la rémunération qu'il a gagnée jusqu'au jour de sa renonciation.

Toutefois, il est tenu de réparer le préjudice causé au mandant par la renonciation faite sans motif sérieux et à contretemps.

2179. Le mandant peut, pour une durée déterminée ou pour assurer l'exécution d'une obligation particulière, renoncer à son droit de révoquer unilatéralement le mandat.

Le mandataire peut, de la même façon, s'engager à ne pas exercer le droit qu'il a de renoncer.

La renonciation ou la révocation unilatérale faite par le mandataire malgré son engagement met fin au mandat.

2180. La constitution par le mandant d'un nouveau mandataire, pour la même affaire, vaut révocation du premier mandataire, à compter du jour où elle lui a été notifiée.

2181. Le mandant qui révoque le mandat demeure tenu d'exécuter ses obligations envers le mandataire ; il est aussi tenu de réparer le préjudice causé au mandataire par la révocation faite sans motif sérieux et à contretemps.

Si avis n'en a été donné qu'au mandataire, la révocation ne peut affecter le tiers qui, dans l'ignorance de cette révocation, traite avec lui, sauf le recours du mandant contre le mandataire.

2182. Lorsque le mandat prend fin, le mandataire est tenu de faire ce qui est la suite nécessaire de ses actes ou ce qui ne peut être différé sans risque de perte.

2183. En cas de décès du mandataire ou en cas d'ouverture à son égard d'un régime de protection, le liquidateur, tuteur ou curateur qui connaît le mandat et qui n'est pas dans l'impossibilité d'agir est tenu d'en aviser le mandant et de faire, dans les affaires commencées, tout ce qui ne peut être différé sans risque de perte.

Si le mandat a été donné en prévision de l'inaptitude du mandant, le liquidateur du mandataire est tenu, dans les mêmes circonstances, d'aviser le curateur public du décès du mandataire.

2184. À la fin du mandat, le mandataire est tenu de rendre compte et de remettre au mandant tout ce qu'il a reçu dans l'exécution de ses fonctions, même si ce qu'il a reçu n'était pas dû au mandant.

Il doit l'intérêt des sommes qu'il a reçues et qui constituent le reliquat du compte, depuis la demeure.

2185. Le mandataire a le droit de déduire, des sommes qu'il doit remettre, ce que le mandant lui doit en raison du mandat.

Il peut aussi retenir, jusqu'au paiement des sommes qui lui sont dues, ce qui lui a été confié par le mandant pour l'exécution du mandat.

CHAPITRE DIXIÈME

DU CONTRAT DE SOCIÉTÉ ET D'ASSOCIATION

SECTION I

DISPOSITIONS GÉNÉRALES

2186. Le contrat de société est celui par lequel les parties conviennent, dans un esprit de collaboration, d'exercer une activité, incluant celle d'exploiter une entreprise, d'y contribuer par la mise en commun de biens, de connaissances ou d'activités et de partager entre elles les bénéfices pécuniaires qui en résultent.

Le contrat d'association est celui par lequel les parties conviennent de poursuivre un but commun autre que la réalisation de bénéfices pécuniaires à partager entre les membres de l'association.

2187. La société ou l'association est formée dès la conclusion du contrat, si une autre époque n'y est indiquée.

2188. La société est en nom collectif, en commandite ou en participation.

Elle peut être aussi par actions ; dans ce cas, elle est une personne morale.

2189. La société en nom collectif ou en commandite est formée sous un nom commun aux associés.

Elle est tenue de se déclarer, de la manière prescrite par les lois relatives à la publicité légale des sociétés ; à défaut, elle est réputée être une société en participation, sous réserve des droits des tiers de bonne foi.

2190. La déclaration de société doit indiquer, outre les renseignements prescrits par les lois relatives à la publicité légale des sociétés, l'objet de la société et mentionner qu'aucune autre personne que celles qui y sont nommées ne fait partie de la société.

La déclaration d'une société en commandite doit, de plus, indiquer les nom et domicile des commandités et des commanditaires connus lors de la conclusion du contrat, en distinguant les premiers des seconds, et faire état du lieu où peut être consulté le registre dans lequel est inscrite l'information mise à jour concernant les nom et domicile de tous les commanditaires et tous les renseignements concernant les apports des associés au fond commun.

2191. Lorsque la déclaration de société est incomplète, inexacte ou irrégulière, elle peut être rectifiée par un acte de régularisation.

2192. L'acte de régularisation qui porterait atteinte aux droits des associés ou des tiers est sans effet à leur égard, à moins qu'ils n'y aient consenti ou que le tribunal n'ait ordonné le dépôt de l'acte, après avoir entendu les intéressés et modifié, au besoin, l'acte proposé.

2193. La régularisation est réputée faire partie de la déclaration et avoir pris effet au même moment, à moins qu'une date ultérieure ne soit prévue à l'acte de régularisation ou au jugement.

2194. Tout changement apporté au contenu de la déclaration de société doit faire l'objet d'une déclaration modificative.

2195. La déclaration de société et la déclaration modificative sont opposables aux tiers à compter du moment où elles sont faites ; elles font preuve de leur contenu, en faveur des tiers de bonne foi, tant qu'une déclaration modificative ne leur apporte pas de changement ou que la déclaration de société n'est pas radiée.

Les tiers peuvent contredire les mentions d'une déclaration par tous moyens.

2196. Si la déclaration de société est incomplète, inexacte ou irrégulière ou si, malgré un changement intervenu dans la société, la déclaration modificative n'est pas faite, les associés sont responsables, envers les tiers, des obligations de la société qui en résultent; cependant, les commanditaires qui ne sont pas par ailleurs tenus des obligations de la société n'encourent pas cette responsabilité.

2197. La société en nom collectif ou en commandite doit, dans le cours de ses activités, indiquer sa forme juridique dans son nom même ou à la suite de celui-ci.

À défaut d'une telle mention dans un acte conclu par la société, le tribunal peut, pour statuer sur l'action d'un tiers de bonne foi, décider que la société et les associés seront tenus, à l'égard de cet acte, au même titre qu'une société en participation et ses associés.

SECTION II

DE LA SOCIÉTÉ EN NOM COLLECTIF

§ 1.—*Des rapports des associés entre eux et envers la société*

2198. L'associé est débiteur envers la société de tout ce qu'il promet d'y apporter.

Celui qui a promis d'apporter une somme d'argent et qui manque de le faire est tenu des intérêts, à compter du jour où son apport devait être versé, sous réserve des dommages-intérêts additionnels qui peuvent lui être réclamés.

2199. L'apport de biens est réalisé par le transfert des droits de propriété ou de jouissance et par la mise des biens à la disposition de la société.

Dans ses rapports avec la société, celui qui apporte des biens en est garant, de la même manière que le vendeur l'est envers l'acheteur, lorsque son apport est en propriété; lorsque son apport est en jouissance, il en est garant comme le locateur l'est envers le locataire.

L'apport en jouissance de biens normalement appelés à être renouvelés pendant la durée de la société transfère la propriété des biens à la société, à la charge, pour celle-ci, d'en rendre une pareille quantité, qualité et valeur.

2200. L'apport de connaissances ou d'activités est dû de façon continue, tant que l'associé qui s'est engagé à fournir un tel apport est membre de la société ; l'associé est tenu envers cette dernière des bénéfices qu'il réalise par cet apport.

2201. La participation aux bénéfices d'une société emporte l'obligation de partager les pertes.

2202. La part de chaque associé dans l'actif, dans les bénéfices et dans la contribution aux pertes est égale si elle n'est pas déterminée par le contrat.

Si le contrat ne détermine que la part de chacun dans l'actif, dans les bénéfices ou dans la contribution aux pertes, cette détermination est présumée faite pour les trois cas.

2203. La stipulation qui exclut un associé de la participation aux bénéfices de la société est sans effet.

Celle qui dispense l'associé de l'obligation de partager les pertes est inopposable aux tiers.

2204. L'associé ne peut, pour son compte ou celui d'un tiers, faire concurrence à la société ni participer à une activité qui prive celle-ci des biens, des connaissances ou de l'activité qu'il est tenu d'y apporter ; le cas échéant, les bénéfices qui en résultent sont acquis à la société, sans préjudice des recours que celle-ci peut exercer.

2205. L'associé a le droit, s'il était de bonne foi, de recouvrer la somme qu'il a déboursée pour le compte de la société et d'être indemnisé en raison des obligations qu'il a contractées et des pertes qu'il a subies en agissant pour celle-ci.

2206. Lorsque l'un des associés est, pour son propre compte, créancier d'une personne qui est aussi débitrice de la société, et que les dettes sont également exigibles, l'imputation de ce qu'il reçoit de ce débiteur doit se faire sur les deux créances dans la proportion de leur montant respectif.

2207. Lorsque l'un des associés a reçu sa part entière d'une créance de la société et que le débiteur devient insolvable, cet associé est tenu de rapporter à la société ce qu'il a reçu, encore qu'il ait donné quittance pour sa part.

2208. Chaque associé peut utiliser les biens de la société pourvu qu'il les emploie dans l'intérêt de la société et suivant leur destination, et de manière à ne pas empêcher les autres associés d'en user selon leur droit.

Chacun peut aussi, dans le cours des activités de la société, lier celle-ci, sauf le droit qu'ont les associés de s'opposer à l'opération avant qu'elle ne soit conclue ou de limiter le droit d'un associé de lier la société.

2209. Un associé peut, sans le consentement des autres associés, s'associer un tiers relativement à la part qu'il a dans la société; mais il ne peut, sans ce consentement, l'introduire dans la société.

Tout associé peut, dans les soixante jours où il apprend qu'une personne étrangère à la société a acquis, à titre onéreux, la part d'un associé, l'écarter de la société en remboursant à cette personne le prix de la part et les frais qu'elle a acquittés. Ce droit ne peut être exercé que dans l'année qui suit l'acquisition de la part.

2210. Lorsqu'un associé cède sa part dans la société à un autre associé ou à la société, ou que celle-ci la lui rachète, la valeur de cette part, si les parties ne s'entendent pas pour la fixer, est déterminée par un expert que désignent les parties ou, à défaut, le tribunal.

2211. La part d'un associé dans l'actif ou dans les bénéfices de la société peut faire l'objet d'une hypothèque. Cependant, l'hypothèque qui porte sur la part d'un associé dans l'actif n'est possible que si les autres associés y consentent ou si le contrat le prévoit.

2212. Les associés peuvent faire entre eux toute convention qu'ils jugent appropriée quant à leurs pouvoirs respectifs dans la gestion des affaires de la société.

2213. Les associés peuvent nommer l'un ou plusieurs d'entre eux, ou même un tiers, pour gérer les affaires de la société.

L'administrateur peut faire, malgré l'opposition des associés, tous les actes qui dépendent de sa gestion, pourvu que ce soit sans fraude. Ce pouvoir de gestion ne peut être révoqué sans motif sérieux tant que dure la société; mais s'il a été donné par un acte postérieur au contrat de société, il est révocable comme un simple mandat.

2214. Lorsque plusieurs administrateurs sont chargés de la gestion sans que celle-ci soit partagée entre eux et sans qu'il soit stipulé que l'un ne pourra agir sans les autres, chacun d'eux peut agir séparément; mais si cette stipulation existe, l'un d'eux ne peut agir en l'absence des autres, lors même qu'il est impossible à ces derniers de concourir à l'acte.

2215. À défaut de stipulation sur le mode de gestion, les associés sont réputés s'être donné réciproquement le pouvoir de gérer les affaires de la société.

Tout acte accompli par un associé concernant les activités communes oblige les autres associés, sauf le droit de ces derniers, ensemble ou séparément, de s'opposer à l'acte avant que celui-ci ne soit accompli.

De plus, chaque associé peut contraindre ses coassociés aux dépenses nécessaires à la conservation des biens mis en commun, mais un associé ne peut changer l'état de ces biens sans le consentement des autres, si avantageux que soit le changement.

2216. Tout associé a le droit de participer aux décisions collectives et le contrat de société ne peut empêcher l'exercice de ce droit.

À moins de stipulation contraire dans le contrat, ces décisions se prennent à la majorité des voix des associés, sans égard à la valeur de l'intérêt de ceux-ci dans la société, mais celles qui ont trait à la modification du contrat de société se prennent à l'unanimité.

2217. L'associé sans pouvoir de gestion ne peut ni aliéner ni autrement disposer des biens mis en commun, sous réserve des droits des tiers de bonne foi.

2218. Tout associé, même s'il est exclu de la gestion, et malgré toute stipulation contraire, a le droit de se renseigner sur l'état des affaires de la société et d'en consulter les livres et registres.

Il est tenu d'exercer ce droit de manière à ne pas entraver indûment les opérations de la société ou à ne pas empêcher les autres associés d'exercer ce même droit.

§ 2.—*Des rapports de la société et des associés envers les tiers*

2219. À l'égard des tiers de bonne foi, chaque associé est mandataire de la société et lie celle-ci pour tout acte conclu au nom de la société dans le cours de ses activités.

Toute stipulation contraire est inopposable aux tiers de bonne foi.

2220. L'obligation contractée par un associé en son nom propre lie la société lorsqu'elle s'inscrit dans le cours des activités de celle-ci ou a pour objet des biens dont cette dernière a l'usage.

Le tiers peut, toutefois, cumuler les moyens opposables à l'associé et à la société, et faire valoir qu'il n'aurait pas contracté s'il avait su que l'associé agissait pour le compte de la société.

2221. À l'égard des tiers, les associés sont tenus conjointement des obligations de la société; mais ils en sont tenus solidairement si les obligations ont été contractées pour le service ou l'exploitation d'une entreprise de la société.

Les créanciers ne peuvent poursuivre le paiement contre un associé qu'après avoir, au préalable, discuté les biens de la société; même alors, les biens de l'associé ne sont affectés au paiement des créanciers de la société qu'après paiement de ses propres créanciers.

2222. La personne qui donne à croire qu'elle est un associé, bien qu'elle ne le soit pas, peut être tenue comme un associé envers les tiers de bonne foi agissant suivant cette croyance.

La société n'est cependant obligée envers les tiers que si elle a elle-même donné à croire qu'une telle personne était un associé et qu'elle n'a pas pris de mesures pour prévenir l'erreur des tiers dans des circonstances qui la rendaient prévisible.

2223. L'associé non déclaré est tenu envers les tiers aux mêmes obligations que l'associé déclaré.

2224. La société ne peut faire publiquement appel à l'épargne ou émettre des titres négociables, à peine de nullité des contrats conclus ou des titres émis et de l'obligation de réparer le préjudice qu'elle a causé aux tiers de bonne foi.

Les associés sont, en ce cas, tenus solidairement des obligations de la société.

2225. La société peut ester en justice sous le nom qu'elle déclare et elle peut être poursuivie sous ce nom.

§ 3.—*De la perte de la qualité d'associé*

2226. Outre qu'il cesse d'être membre de la société par la cession de sa part ou par son rachat, un associé cesse également de l'être par son décès, par l'ouverture à son égard d'un régime de protection, par sa faillite ou par l'exercice de son droit de retrait; il cesse aussi de l'être par sa volonté, par son expulsion ou par un jugement autorisant son retrait ou ordonnant la saisie de sa part.

2227. L'associé qui cesse d'être membre de la société autrement que par suite de la cession ou de la saisie de sa part a le droit d'obtenir la valeur de sa part au moment où il cesse d'être associé et les autres associés sont tenus au paiement, dès que le montant en est établi, avec intérêts à compter du jour où l'associé cesse d'être membre.

En l'absence de stipulation du contrat de société ou d'accord entre les intéressés sur la valeur de la part, cette valeur est déterminée par un expert que désignent les intéressés ou, à défaut, le tribunal. L'expert ou le tribunal peut, toutefois, différer l'évaluation d'éléments éventuels qui sont compris dans l'actif ou le passif.

2228. L'associé d'une société dont la durée n'est pas fixée ou dont le contrat réserve le droit de retrait peut se retirer de la société en donnant, de bonne foi et non à contretemps, un avis de son retrait à la société.

L'associé d'une société dont la durée est fixée ne peut se retirer qu'avec l'accord de la majorité des autres associés, à moins que le contrat ne règle autrement ce cas.

2229. Les associés peuvent, à la majorité, convenir de l'expulsion d'un associé qui manque à ses obligations ou nuit à l'exercice des activités de la société.

Dans les mêmes circonstances, un associé peut demander au tribunal l'autorisation de se retirer de la société; il est fait droit à cette demande, à moins que le tribunal ne juge plus approprié d'ordonner l'expulsion de l'associé fautif.

§ 4.—*De la dissolution et de la liquidation de la société*

2230. La société, outre les causes de dissolution prévues par le contrat, est dissoute par l'accomplissement de son objet ou l'impossibilité de l'accomplir, ou, encore, du consentement de tous les associés. Elle peut aussi être dissoute par le tribunal, pour une cause légitime.

On procède alors à la liquidation de la société.

2231. La société constituée pour une durée déclarée peut être continuée du consentement de tous les associés.

2232. La réunion de toutes les parts sociales entre les mains d'un seul associé n'emporte pas la dissolution de la société, pourvu que, dans les cent vingt jours, au moins un autre associé se joigne à la société.

2233. Les pouvoirs des associés d'agir pour la société cessent avec la dissolution de celle-ci, sauf quant aux actes qui sont une suite nécessaire des opérations en cours.

Néanmoins, tout ce qui est fait dans le cours des activités de la société par un associé agissant de bonne foi et dans l'ignorance de la dissolution de la société, lie cette dernière et les autres associés, comme si la société subsistait.

2234. La dissolution de la société ne porte pas atteinte aux droits des tiers de bonne foi qui contractent subséquemment avec un associé ou un mandataire agissant pour le compte de la société.

2235. On suit, pour la liquidation de la société, les règles prévues aux articles 358 à 364 du livre Des personnes, compte tenu des adaptations nécessaires et du fait que les avis requis par ces règles doivent être déposés conformément aux lois relatives à la publicité légale des sociétés.

SECTION III

DE LA SOCIÉTÉ EN COMMANDITE

2236. La société en commandite est constituée entre un ou plusieurs commandités, qui sont seuls autorisés à administrer la société et à l'obliger, et un ou plusieurs commanditaires qui sont tenus de fournir un apport au fonds commun de la société.

2237. La société en commandite peut faire publiquement appel à l'épargne de tiers pour la constitution ou l'augmentation du fonds commun et émettre des titres négociables.

Le tiers qui s'engage à fournir un apport devient commanditaire de la société.

2238. Les commandités ont les pouvoirs, droits et obligations des associés de la société en nom collectif, mais ils sont tenus de rendre compte de leur administration aux commanditaires.

Ils sont tenus, envers ces derniers, des mêmes obligations que celles auxquelles l'administrateur chargé de la pleine administration du bien d'autrui est tenu envers le bénéficiaire de l'administration.

Les clauses limitant les pouvoirs des commandités sont inopposables aux tiers de bonne foi.

2239. Les commandités tiennent, au lieu du principal établissement de la société, un registre dans lequel sont inscrits les nom et domicile des commanditaires et tous les renseignements concernant leur apport au fonds commun.

2240. L'apport du commanditaire, lorsque cet apport consiste en une somme d'argent ou en un autre bien, est fourni lors de la constitution du fonds commun ou en tout autre temps, comme apport additionnel à ce fonds.

Le commanditaire assume jusqu'à la délivrance, les risques de perte, par force majeure, de l'apport convenu.

2241. Pendant la durée de la société, le commanditaire ne peut, de quelque manière, retirer une partie de son apport en biens au fonds commun, à moins d'obtenir le consentement de la majorité des autres associés et que suffisamment de biens subsistent, après ce retrait, pour acquitter les dettes de la société.

2242. Le commanditaire a le droit de recevoir sa part des bénéfices, mais si le paiement de ces bénéfices entame le fonds commun, le commanditaire qui les reçoit est tenu de remettre la somme nécessaire pour couvrir sa part du déficit, avec intérêts.

Dans le cas d'une société dont le capital comprend des biens qui se consomment par l'exploitation qu'elle en fait, le commanditaire ne peut recevoir sa part des bénéfices que si suffisamment de biens subsistent, après ce paiement, pour acquitter les dettes de la société.

2243. La part d'un commanditaire dans le fonds commun de la société est cessible.

À l'égard des tiers, le cédant demeure tenu des obligations pouvant résulter de sa participation à la société, alors qu'il en était encore commanditaire.

2244. Les commanditaires ne peuvent donner que des avis de nature consultative concernant la gestion de la société.

Ils ne peuvent négocier aucune affaire pour le compte de la société, ni agir pour celle-ci comme mandataire ou agent, ni permettre que leur nom soit utilisé dans un acte de la société; le cas échéant, ils sont tenus, comme un commandité, des obligations de la société résultant de ces actes et, suivant l'importance ou le nombre de ces actes, ils peuvent être tenus, comme celui-ci, de toutes les obligations de la société.

2245. Les commanditaires peuvent faire les actes de simple administration que requiert la gestion de la société, lorsque les commandités ne peuvent plus agir.

Si les commandités ne sont pas remplacés dans les cent vingt jours, la société est dissoute.

2246. En cas d'insuffisance des biens de la société, chaque commandité est tenu solidairement des dettes de la société envers les tiers; le commanditaire y est tenu jusqu'à concurrence de l'apport convenu, malgré toute cession de part dans le fonds commun.

Est sans effet la stipulation qui oblige le commanditaire à cautionner ou à assumer les dettes de la société au-delà de l'apport convenu.

2247. Le commanditaire dont le nom apparaît dans le nom de la société, répond des obligations de la société de la même manière qu'un commandité, à moins que sa qualité de commanditaire ne soit clairement indiquée.

2248. Dans le cas d'insuffisance des biens de la société, le commanditaire ne peut, en cette qualité, réclamer comme créancier avant que les autres créanciers de la société n'aient été satisfaits.

2249. Les règles relatives à la société en nom collectif sont, pour le reste, applicables à la société en commandite, compte tenu des adaptations nécessaires.

SECTION IV

DE LA SOCIÉTÉ EN PARTICIPATION

§ 1.—*De la constitution de la société*

2250. Le contrat constitutif de la société en participation est écrit ou verbal. Il peut aussi résulter de faits manifestes qui indiquent l'intention de s'associer.

La seule indivision de biens existant entre plusieurs personnes ne fait pas présumer leur intention de s'associer.

§ 2.—*Des rapports des associés entre eux*

2251. Les associés conviennent de l'objet, du fonctionnement, de la gestion et des autres modalités de la société en participation.

En l'absence de convention particulière, les rapports des associés entre eux sont réglés par les dispositions qui régissent les rapports des associés en nom collectif, entre eux et envers leur société, compte tenu des adaptations nécessaires.

§ 3.—*Des rapports des associés envers les tiers*

2252. À l'égard des tiers, chaque associé demeure propriétaire des biens constituant son apport à la société.

Sont indivis entre les associés, les biens dont l'indivision existait avant la mise en commun de leur apport, ou a été convenue par eux, et ceux acquis par l'emploi de sommes indivises pendant que subsiste le contrat de société.

2253. Chaque associé contracte en son nom personnel et est seul obligé à l'égard des tiers.

Toutefois, lorsque les associés agissent en qualité d'associés à la connaissance des tiers, chaque associé est tenu à l'égard de ceux-ci des obligations résultant des actes accomplis en cette qualité par l'un des autres associés.

2254. Les associés ne sont pas tenus solidairement des dettes contractées dans l'exercice de leur activité, à moins que celles-ci n'aient été contractées pour le service ou l'exploitation d'une entreprise commune; ils sont tenus envers le créancier, chacun pour une part égale, encore que leurs parts dans la société soient inégales.

2255. Toute stipulation qui limite l'étendue de l'obligation des associés envers les tiers est inopposable à ces derniers.

2256. Les associés peuvent exercer tous les droits résultant des contrats conclus par un autre associé, mais le tiers n'est lié qu'envers l'associé avec lequel il a contracté, sauf si cet associé a déclaré sa qualité.

2257. Toute action qui peut être intentée contre tous les associés peut aussi l'être contre l'un ou plusieurs d'entre eux, en tant qu'associés d'autres personnes, sans que celles-ci y soient nommées.

Si le jugement est rendu contre celui ou ceux des associés qui sont poursuivis, tous les autres peuvent ensuite être poursuivis ensemble ou séparément, sur la même cause d'action. Si l'action est fondée sur une obligation constatée dans un écrit où sont nommés tous les associés obligés, tous doivent être partie à l'action pour que le jugement leur soit opposable.

§ 4.—*De la fin du contrat de société*

2258. Le contrat de société, outre sa résiliation du consentement de tous les associés, prend fin par l'arrivée du terme ou l'avènement de la condition apposée au contrat, par l'accomplissement de l'objet du contrat ou par l'impossibilité d'accomplir cet objet.

Il prend fin aussi par le décès ou la faillite de l'un des associés, par l'ouverture à son égard d'un régime de protection ou par un jugement ordonnant la saisie de sa part.

2259. Il est permis de stipuler qu'advenant le décès de l'un des associés, la société continuera avec ses représentants légaux ou entre les associés survivants. Dans le second cas, les représentants de l'associé défunt ont droit au partage des biens de la société seulement telle qu'elle existait au moment du décès de cet associé. Ils ne peuvent réclamer le bénéfice des opérations subséquentes, à moins qu'elles ne soient la suite nécessaire des opérations faites avant le décès.

2260. Le contrat de société dont la durée n'est pas fixée ou qui réserve un droit de retrait peut prendre fin à tout moment sur simple avis adressé par un associé aux autres associés, pourvu que cet avis soit donné de bonne foi et non à contretemps.

2261. Le contrat de société peut être résilié pour une cause légitime, notamment si l'un des associés manque à ses obligations ou nuit à l'exercice de l'activité des associés.

2262. Les pouvoirs des associés d'agir en vertu du contrat de société cessent avec la fin de celui-ci, sauf quant aux actes qui sont une suite nécessaire des opérations en cours.

Néanmoins, tout ce qui est fait dans le cours des activités de la société par un associé agissant de bonne foi et dans l'ignorance de la fin du contrat lie tous les associés comme si la société subsistait.

2263. La fin du contrat de société ne porte pas atteinte aux droits des tiers de bonne foi qui contractent subséquemment avec un associé ou un autre mandataire de tous les associés.

2264. À défaut d'accord sur le mode de liquidation de la société ou sur le choix d'un liquidateur, tout intéressé peut s'adresser au tribunal afin qu'un liquidateur soit nommé.

2265. L'associé a le droit d'obtenir la restitution des biens correspondant à la part dont il a la propriété, et d'exiger l'attribution, en nature ou par équivalent, des biens dont il a la propriété indivise dans la société, au moment où le contrat prend fin.

En l'absence d'accord sur la valeur d'une part, cette valeur est déterminée par le liquidateur ou, à défaut, par le tribunal. Le liquidateur ou le tribunal peut, toutefois, différer l'évaluation d'éléments éventuels qui sont compris dans l'actif ou le passif.

2266. Le liquidateur a la saisine des biens mis en commun et agit à titre d'administrateur du bien d'autrui chargé de la pleine administration.

Il procède au paiement des dettes, puis au remboursement des apports et, ensuite, au partage de l'actif entre les associés.

SECTION V

DE L'ASSOCIATION

2267. Le contrat constitutif de l'association est écrit ou verbal. Il peut aussi résulter de faits manifestes qui indiquent l'intention de s'associer.

2268. Le contrat d'association régit l'objet, le fonctionnement, la gestion et les autres modalités de l'association.

Il est présumé permettre l'admission de membres autres que les membres fondateurs.

2269. En l'absence de règles particulières dans le contrat d'association, les administrateurs de l'association sont choisis parmi ses membres, et les membres fondateurs sont, de plein droit, les administrateurs jusqu'à ce qu'ils soient remplacés.

2270. Les administrateurs agissent à titre de mandataire des membres de l'association.

Ils n'ont pas d'autres pouvoirs que ceux qui leur sont conférés par le contrat d'association ou par la loi, ou qui découlent de leur mandat.

2271. Les administrateurs peuvent ester en justice pour faire valoir les droits et les intérêts de l'association.

2272. Tout membre a le droit de participer aux décisions collectives et le contrat d'association ne peut empêcher l'exercice de ce droit.

Ces décisions, y compris celles qui ont trait à la modification du contrat d'association, se prennent à la majorité des voix des membres, sauf stipulation contraire dudit contrat.

2273. Tout membre, même s'il est exclu de la gestion, et malgré toute stipulation contraire, a le droit de se renseigner sur l'état des affaires de l'association et de consulter les livres et registres de celle-ci.

Il est tenu d'exercer ce droit de manière à ne pas entraver indûment les activités de l'association ou à ne pas empêcher les autres membres d'exercer ce même droit.

2274. En cas d'insuffisance des biens de l'association, les administrateurs et tout membre qui administre de fait les affaires de l'association, sont solidairement ou conjointement tenus des obligations de l'association qui résultent des décisions auxquelles ils ont souscrit pendant leur administration, selon que ces obligations ont été, ou non, contractées pour le service ou l'exploitation d'une entreprise de l'association.

Toutefois, les biens de chacune de ces personnes ne sont affectés au paiement des créanciers de l'association qu'après paiement de leurs propres créanciers.

2275. Le membre qui n'a pas administré l'association n'est tenu des dettes de celle-ci qu'à concurrence de la contribution promise et des cotisations échues.

2276. Un membre peut, malgré toute stipulation contraire, se retirer de l'association, même constituée pour une durée déterminée; le cas échéant, il est tenu au paiement de la contribution promise et des cotisations échues.

Il peut être exclu de l'association par une décision des membres.

2277. Le contrat d'association prend fin par l'arrivée du terme ou l'avènement de la condition apposée au contrat, par l'accomplissement de l'objet du contrat ou par l'impossibilité d'accomplir cet objet.

En outre, il prend fin par une décision des membres.

2278. Lorsque le contrat prend fin, l'association est liquidée par une personne nommée par les administrateurs ou, à défaut, par le tribunal.

2279. Après le paiement des dettes, les biens qui restent sont dévolus conformément aux règles du contrat d'association ou, en l'absence de règles particulières, partagés entre les membres, en parts égales.

Toutefois, les biens qui proviennent des contributions de tiers sont, malgré toute stipulation contraire, dévolus à une association, à une personne morale ou à une fiducie partageant des objectifs semblables à l'association; si les biens ne peuvent être ainsi employés, ils sont dévolus à l'État et administrés par le curateur public comme des biens sans maître ou, s'ils sont de peu d'importance, partagés également entre les membres.

CHAPITRE ONZIÈME

DU DÉPÔT

SECTION I

DU DÉPÔT EN GÉNÉRAL

§ 1.—*Dispositions générales*

2280. Le dépôt est le contrat par lequel une personne, le déposant, remet un bien meuble à une autre personne, le dépositaire, qui s'oblige à garder le bien pendant un certain temps et à le restituer.

Le dépôt est à titre gratuit; il peut, cependant, être à titre onéreux lorsque l'usage ou la convention le prévoit.

2281. La remise du bien est essentielle pour que le contrat de dépôt soit parfait.

La remise feinte suffit quand le dépositaire détient déjà le bien à un autre titre.

2282. Si le dépôt a été fait à une personne mineure ou placée sous un régime de protection, le déposant peut revendiquer le bien déposé, tant qu'il demeure entre les mains de cette personne; il a le droit, si la restitution en nature est impossible, de demander la valeur du bien, jusqu'à concurrence de l'enrichissement qu'en a retiré celle qui l'a reçu.

§ 2.—*Des obligations du dépositaire*

2283. Le dépositaire doit agir, dans la garde du bien, avec prudence et diligence; il ne peut se servir du bien sans la permission du déposant.

2284. Le dépositaire ne peut exiger du déposant la preuve qu'il est propriétaire du bien déposé; il ne peut l'exiger, non plus, de la personne à qui le bien doit être restitué.

2285. Le dépositaire est tenu de restituer au déposant le bien déposé, dès que ce dernier le demande, alors même qu'un terme aurait été fixé pour la restitution.

Il peut, s'il a émis un reçu ou un autre titre qui constate le dépôt ou donne à celui qui le détient le droit de retirer le bien, exiger la remise de ce titre.

2286. Le dépositaire doit rendre le bien même qu'il a reçu en dépôt.

S'il a reçu quelque chose en remplacement du bien qui a péri par force majeure, il doit rendre au déposant ce qu'il a ainsi reçu.

2287. Le dépositaire est tenu de restituer les fruits et les revenus qu'il a perçus du bien déposé.

Il ne doit les intérêts des sommes déposées que lorsqu'il est en demeure de les restituer.

2288. L'héritier ou un autre représentant légal du dépositaire, qui vend de bonne foi le bien dont il ignorait le dépôt, n'est tenu que de rendre le prix qu'il a reçu, ou de céder son droit contre l'acheteur si le prix n'a pas été payé.

2289. Le dépositaire est tenu, si le dépôt est à titre gratuit, de la perte du bien déposé qui survient par sa faute; si le dépôt est à titre onéreux ou s'il a été exigé par le dépositaire, celui-ci est tenu de la perte du bien, à moins qu'il ne prouve la force majeure.

2290. Le tribunal peut réduire les dommages-intérêts dus par le dépositaire, lorsque le dépôt est à titre gratuit ou que le dépositaire a reçu en dépôt des documents, espèces ou autres biens de valeur, sans que le déposant ait déclaré leur nature ou leur valeur.

2291. La restitution du bien se fait au lieu où le bien a été remis en dépôt, à moins que les parties n'aient convenu d'un autre lieu.

2292. Lorsque le dépôt est à titre gratuit, les frais de la restitution sont à la charge du déposant ; cependant, ils sont à la charge du dépositaire si celui-ci a, à l'insu du déposant, transporté le bien ailleurs qu'au lieu convenu pour la restitution, à moins qu'il ne l'ait fait pour en assurer la conservation.

Lorsque le dépôt est à titre onéreux, les frais de la restitution sont à la charge du dépositaire.

§ 3.—*Des obligations du déposant*

2293. Le déposant est tenu de rembourser au dépositaire les dépenses faites pour la conservation du bien, de l'indemniser de toute perte que le bien lui a causée et de lui verser la rémunération convenue.

Le dépositaire a le droit de retenir le bien déposé jusqu'au paiement.

2294. Le déposant est tenu d'indemniser le dépositaire du préjudice que lui cause la restitution anticipée du bien si le terme a été convenu dans le seul intérêt du dépositaire.

SECTION II

DU DÉPÔT NÉCESSAIRE

2295. Il y a dépôt nécessaire lorsqu'une personne est contrainte par une nécessité imprévue et pressante provenant d'un accident ou d'une force majeure de remettre à une autre la garde d'un bien.

2296. Le dépositaire ne peut refuser de recevoir le bien, à moins qu'il n'ait un motif sérieux de le faire.

Il est tenu de la perte du bien, de la même façon qu'un dépositaire à titre gratuit.

2297. Le dépôt d'un bien dans un établissement de santé ou de services sociaux est présumé être un dépôt nécessaire.

SECTION III
DU DÉPÔT HÔTELIER

2298. La personne qui offre au public des services d'hébergement, appelée l'hôtelier, est tenue de la perte des effets personnels et des bagages apportés par ceux qui logent chez elle, de la même manière qu'un dépositaire à titre onéreux, jusqu'à concurrence de dix fois le prix quotidien du logement qui est affiché ou, s'il s'agit de biens qu'elle a acceptés en dépôt, jusqu'à concurrence de cinquante fois ce prix.

2299. L'hôtelier est tenu d'accepter en dépôt les documents, les espèces et les autres biens de valeur apportés par ses clients; il ne peut les refuser que si, compte tenu de l'importance ou des conditions d'exploitation de l'hôtel, les biens paraissent d'une valeur excessive ou sont encombrants, ou encore s'ils sont dangereux.

Il peut examiner les biens qui lui sont remis en dépôt et exiger qu'ils soient placés dans un réceptacle fermé ou scellé.

2300. L'hôtelier qui met à la disposition de ses clients un coffre-fort dans la chambre même, n'est pas réputé avoir accepté en dépôt les biens qui y sont déposés par les clients.

2301. Malgré ce qui précède, la responsabilité de l'hôtelier est illimitée lorsque la perte d'un bien apporté par un client provient de la faute intentionnelle ou lourde de l'hôtelier ou d'une personne dont celui-ci est responsable.

La responsabilité de l'hôtelier est encore illimitée lorsqu'il refuse le dépôt de biens qu'il est tenu d'accepter, ou lorsqu'il n'a pas pris les moyens nécessaires pour informer le client des limites de sa responsabilité.

2302. L'hôtelier a le droit, en garantie du paiement du prix du logement, ainsi que des services et prestations effectivement fournis par lui, de retenir les effets et les bagages apportés par le client à l'hôtel, à l'exclusion des papiers et des effets personnels de ce dernier qui n'ont pas de valeur marchande.

2303. L'hôtelier peut disposer des biens retenus, à défaut de paiement, conformément aux règles prescrites au livre Des biens pour le détenteur du bien confié et oublié.

2304. L'hôtelier est tenu d'afficher, dans les bureaux, les salles et les chambres de son établissement, le texte, imprimé en caractères lisibles, des articles de la présente section.

SECTION IV

DU SÉQUESTRE

2305. Le séquestre est le dépôt par lequel des personnes remettent un bien qu'elles se disputent entre les mains d'une autre personne de leur choix qui s'oblige à ne le restituer qu'à celle qui y aura droit, une fois la contestation terminée.

2306. Le séquestre peut porter tant sur un bien immeuble que sur un bien meuble.

La remise de l'immeuble s'effectue par l'abandon de la détention de l'immeuble au dépositaire chargé d'agir à titre de séquestre.

2307. Les parties choisissent le séquestre d'un commun accord ; elles peuvent désigner l'une d'entre elles pour agir à ce titre.

Si elles ne s'accordent pas sur le choix de la personne à nommer ou sur certaines conditions de sa charge, elles peuvent demander au tribunal d'en décider.

2308. Le séquestre ne peut faire, relativement au bien sous séquestre, ni impense ni aucun acte autre que de simple administration, à moins de stipulation contraire ou d'autorisation du tribunal.

Il peut, cependant, avec le consentement des parties ou, à défaut, avec l'autorisation du tribunal, aliéner, sans délai ni formalités, les biens dont la garde ou l'entretien entraîne des frais disproportionnés par rapport à leur valeur.

2309. Le séquestre est déchargé, lorsque la contestation est terminée, par la restitution du bien à celui qui y a droit.

Il ne peut, auparavant, être déchargé et restituer le bien que si toutes les parties y consentent ou, à défaut d'accord, s'il existe une cause suffisante ; en ce dernier cas, la décharge doit être autorisée par le tribunal.

2310. Le séquestre doit rendre compte de sa gestion à la fin de son administration, et même auparavant si les parties le requièrent ou si le tribunal l'ordonne.

2311. Le séquestre peut être constitué par l'autorité judiciaire ; il est alors soumis aux dispositions du Code de procédure civile, ainsi qu'aux règles du présent chapitre, s'il n'y a pas incompatibilité.

CHAPITRE DOUZIÈME

DU PRÊT

SECTION I

DES ESPÈCES DE PRÊT ET DE LEUR NATURE

2312. Il y a deux espèces de prêt : le prêt à usage et le simple prêt.

2313. Le prêt à usage est le contrat à titre gratuit par lequel une personne, le prêteur, remet un bien à une autre personne, l'emprunteur, pour qu'il en use, à la charge de le lui rendre après un certain temps.

2314. Le simple prêt est le contrat par lequel le prêteur remet une certaine quantité d'argent ou d'autres biens qui se consomment par l'usage à l'emprunteur, qui s'oblige à lui en rendre autant, de même espèce et qualité, après un certain temps.

2315. Le simple prêt est présumé fait à titre gratuit, à moins de stipulation contraire ou qu'il ne s'agisse d'un prêt d'argent, auquel cas il est présumé fait à titre onéreux.

2316. La promesse de prêter ne confère au bénéficiaire de la promesse, à défaut par le promettant de l'exécuter, que le droit de réclamer des dommages-intérêts de ce dernier.

SECTION II

DU PRÊT À USAGE

2317. L'emprunteur est tenu, quant à la garde et à la conservation du bien prêté, d'agir avec prudence et diligence.

2318. L'emprunteur ne peut se servir du bien prêté que pour l'usage auquel ce bien est destiné ; il ne peut, non plus, permettre qu'un tiers l'utilise, à moins que le prêteur ne l'autorise.

2319. Le prêteur peut réclamer le bien avant l'échéance du terme, ou, si le terme est indéterminé, avant que l'emprunteur ait cessé d'en avoir besoin, lorsqu'il en a lui-même un besoin urgent et imprévu, lorsque l'emprunteur décède ou lorsqu'il manque à ses obligations.

2320. L'emprunteur a le droit d'être remboursé des dépenses nécessaires et urgentes faites pour la conservation du bien.

Il supporte seul les dépenses qu'il a dû faire pour utiliser le bien.

2321. Le prêteur qui connaissait les vices cachés du bien prêté et n'en a pas averti l'emprunteur, est tenu de réparer le préjudice qui en résulte pour ce dernier.

2322. L'emprunteur n'est pas tenu de la perte du bien qui résulte de l'usage pour lequel il est prêté.

Cependant, s'il emploie le bien à un usage autre que celui auquel il est destiné ou pour un temps plus long qu'il ne le devait, il est tenu de la perte, même si celle-ci résulte d'une force majeure, sauf dans le cas où la perte se serait, de toute façon, produite en raison de cette force majeure.

2323. Si le bien prêté périt par force majeure, alors que l'emprunteur pouvait le protéger en employant le sien propre, ou si, ne pouvant en sauver qu'un, il a préféré le sien, il est tenu de la perte.

2324. L'emprunteur ne peut retenir le bien pour ce que le prêteur lui doit, à moins que la dette ne consiste en une dépense nécessaire et urgente faite pour la conservation du bien.

2325. L'action en réparation du dommage causé par la faute d'un tiers au bien prêté appartient au plus diligent du prêteur ou de l'emprunteur.

2326. Si plusieurs personnes ont emprunté ensemble le même bien, elles en sont solidairement responsables envers le prêteur.

SECTION III

DU SIMPLE PRÊT

2327. Par le simple prêt, l'emprunteur devient le propriétaire du bien prêté et il en assume, dès la remise, les risques de perte.

2328. Le prêteur est tenu, de la même manière que le prêteur à usage, du préjudice causé par les défauts ou les vices du bien prêté.

2329. L'emprunteur est tenu de rendre la même quantité et qualité de biens qu'il a reçue et rien de plus, quelle que soit l'augmentation ou la diminution de leur prix.

Si le prêt porte sur une somme d'argent, il n'est tenu de rendre que la somme nominale reçue, malgré toute variation de valeur du numéraire.

2330. Le prêt d'une somme d'argent porte intérêt à compter de la remise de la somme à l'emprunteur.

2331. La quittance du capital d'un prêt d'une somme d'argent emporte celle des intérêts.

2332. Lorsque le prêt porte sur une somme d'argent, le tribunal peut prononcer la nullité du contrat, ordonner la réduction des obligations qui en découlent ou, encore, réviser les modalités de leur exécution dans la mesure où il juge, eu égard au risque et à toutes les circonstances, qu'il y a eu lésion à l'égard de l'une des parties.

CHAPITRE TREIZIÈME

DU CAUTIONNEMENT

SECTION I

DE LA NATURE, DE L'OBJET ET DE L'ÉTENDUE DU CAUTIONNEMENT

2333. Le cautionnement est le contrat par lequel une personne, la caution, s'oblige envers le créancier, gratuitement ou contre rémunération, à exécuter l'obligation du débiteur si celui-ci n'y satisfait pas.

2334. Outre qu'il puisse résulter d'une convention, le cautionnement peut être imposé par la loi ou ordonné par jugement.

2335. Le cautionnement ne se présume pas; il doit être exprès.

2336. On peut se rendre caution d'une obligation sans ordre de celui pour lequel on s'oblige, et même à son insu.

On peut aussi se rendre caution non seulement du débiteur principal, mais encore de celui qui l'a cautionné.

2337. Le débiteur tenu de fournir une caution doit en présenter une qui a et maintient au Québec des biens suffisants pour répondre de l'objet de l'obligation et qui a son domicile au Canada; à défaut de quoi, il doit en donner une autre.

Cette règle ne s'applique pas lorsque le créancier a exigé pour caution une personne déterminée.

2338. Le débiteur tenu de fournir une caution, légale ou judiciaire, peut donner à la place une autre sûreté suffisante.

2339. S'il y a litige quant à la suffisance des biens de la caution ou quant à la suffisance de la sûreté offerte, il est tranché par le tribunal.

2340. Le cautionnement ne peut exister que pour une obligation valable.

On peut cautionner l'obligation dont le débiteur principal peut se faire décharger en invoquant son incapacité, à la condition d'en avoir connaissance, ainsi que l'obligation naturelle.

2341. Le cautionnement ne peut excéder ce qui est dû par le débiteur, ni être contracté à des conditions plus onéreuses.

Le cautionnement qui ne respecte pas cette exigence n'est pas nul pour autant; il est seulement réductible à la mesure de l'obligation principale.

2342. Le cautionnement peut être contracté pour une partie de l'obligation principale seulement et à des conditions moins onéreuses.

2343. Le cautionnement ne peut être étendu au-delà des limites dans lesquelles il a été contracté.

2344. Le cautionnement d'une obligation principale s'étend à tous les accessoires de la dette, même aux frais de la première demande et à tous ceux qui sont postérieurs à la dénonciation qui en est faite à la caution.

SECTION II

DES EFFETS DU CAUTIONNEMENT

§ 1.—*Des effets entre le créancier et la caution*

2345. Le créancier est tenu de fournir à la caution, sur sa demande, tout renseignement utile sur le contenu et les modalités de l'obligation principale et sur l'état de son exécution.

2346. La caution n'est tenue de satisfaire à l'obligation du débiteur qu'à défaut par celui-ci de l'exécuter.

2347. La caution conventionnelle ou légale jouit du bénéfice de discussion, à moins qu'elle n'y renonce expressément.

Celui qui a cautionné la caution judiciaire ne peut demander la discussion du débiteur principal, ni de la caution.

2348. La caution qui se prévaut du bénéfice de discussion doit l'invoquer dans l'action intentée contre elle, indiquer au créancier les biens saisissables du débiteur principal en lui avançant les sommes nécessaires pour la discussion.

Le créancier qui néglige de procéder à la discussion est tenu, à l'égard de la caution et jusqu'à concurrence de la valeur des biens indiqués, de l'insolvabilité du débiteur principal survenue après l'indication, par la caution, des biens saisissables du débiteur principal.

2349. Lorsque plusieurs personnes se sont rendues cautions d'un même débiteur pour une même dette, chacune d'elles est obligée à toute la dette, mais elle peut invoquer le bénéfice de division si elle n'y a pas renoncé expressément à l'avance.

Les cautions qui se prévalent du bénéfice de division peuvent exiger que le créancier divise son action et la réduise à la part et portion de chacune d'elles.

2350. Lorsque, dans le temps où l'une des cautions a fait prononcer la division, il y en avait d'insolvables, cette caution est proportionnellement tenue de ces insolvabilités ; mais elle ne peut plus être recherchée en raison des insolvabilités survenues depuis la division.

2351. Si le créancier a divisé lui-même et volontairement son action, il ne peut remettre en cause cette division, quoiqu'il y eût, même antérieurement au moment où il l'a ainsi consentie, des cautions insolvables.

2352. Lorsque la caution s'oblige, avec le débiteur principal, en prenant la qualification de caution solidaire ou de codébiteur solidaire, elle ne peut plus invoquer les bénéfices de discussion et de division ; les effets de son engagement se règlent par les principes établis pour les dettes solidaires, dans la mesure où ils sont compatibles avec la nature du cautionnement.

2353. La caution, même qualifiée de solidaire, peut opposer au créancier tous les moyens que pouvait opposer le débiteur principal, sauf ceux qui sont purement personnels à ce dernier ou qui sont exclus par les termes de son engagement.

2354. La caution n'est point déchargée par la simple prorogation du terme accordée par le créancier au débiteur principal; de même, la déchéance du terme encourue par le débiteur principal produit ses effets à l'égard de la caution.

2355. La caution ne peut renoncer à l'avance au droit à l'information et au bénéfice de subrogation.

§ 2.—*Des effets entre le débiteur et la caution*

2356. La caution qui s'est obligée avec le consentement du débiteur peut lui réclamer ce qu'elle a payé en capital, intérêts et frais, outre les dommages-intérêts pour la réparation de tout préjudice qu'elle a subi en raison du cautionnement; elle peut aussi exiger des intérêts sur toute somme qu'elle a dû verser au créancier, même si la dette principale ne produisait pas d'intérêts.

Celle qui s'est obligée sans le consentement du débiteur ne peut recouvrer de ce dernier que ce qu'il aurait été tenu de payer, y compris les dommages-intérêts, si le cautionnement n'avait pas eu lieu, sauf les frais subséquents à la dénonciation du paiement, lesquels sont à la charge du débiteur.

2357. Lorsque le débiteur principal s'est fait décharger de son obligation en invoquant son incapacité, la caution a, dans la mesure de l'enrichissement qu'en conserve ce débiteur, un recours en remboursement contre lui.

2358. La caution qui a payé une dette n'a point de recours contre le débiteur principal qui l'a payée ultérieurement, lorsqu'elle ne l'a pas averti du paiement.

Celle qui a payé sans avertir le débiteur principal n'a point de recours contre lui si, au moment du paiement, le débiteur avait des moyens pour faire déclarer la dette éteinte. Elle n'a, dans les mêmes circonstances, de recours que pour la somme que le débiteur aurait pu être appelé à payer, dans la mesure où ce dernier pouvait opposer au créancier d'autres moyens pour faire réduire la dette.

Dans tous les cas, la caution conserve son action en répétition contre le créancier.

2359. La caution qui s'est obligée avec le consentement du débiteur peut agir contre lui, même avant d'avoir payé, lorsqu'elle est poursuivie en justice pour le paiement ou que le débiteur est insolvable, ou que celui-ci s'est obligé à lui rapporter sa quittance dans un certain temps.

Il en est de même lorsque la dette est devenue exigible par l'arrivée de son terme, abstraction faite du délai que le créancier a, sans le consentement de la caution, accordé au débiteur ou lorsque, en raison de pertes subies par le débiteur ou d'une faute que ce dernier a commise, elle court des risques sensiblement plus élevés qu'au moment où elle s'est obligée.

§ 3.—*Des effets entre les cautions*

2360. Lorsque plusieurs personnes ont cautionné un même débiteur pour une même dette, la caution qui a acquitté la dette a, outre l'action subrogatoire, une action personnelle contre les autres cautions, chacune pour sa part et portion.

Cette action personnelle n'a lieu que lorsque la caution a payé dans l'un des cas où elle pouvait agir contre le débiteur, avant d'avoir payé.

S'il y a insolvabilité de l'une des cautions, elle se répartit par contribution entre les autres et celle qui a fait le paiement.

SECTION III

DE LA FIN DU CAUTIONNEMENT

2361. Le décès de la caution met fin au cautionnement, malgré toute stipulation contraire.

2362. Le cautionnement consenti en vue de couvrir des dettes futures ou indéterminées, ou encore pour une période indéterminée, comporte, après trois ans et tant que la dette n'est pas devenue exigible, la faculté pour la caution d'y mettre fin en donnant un préavis suffisant au débiteur, au créancier et aux autres cautions.

Cette règle ne s'applique pas dans le cas d'un cautionnement judiciaire.

2363. Le cautionnement attaché à l'exercice de fonctions particulières prend fin lorsque cessent ces fonctions.

2364. Lorsque le cautionnement prend fin, la caution demeure tenue des dettes existantes à ce moment, même si elles sont soumises à une condition ou à un terme.

2365. Lorsque la subrogation aux droits du créancier ne peut plus, par le fait de ce dernier, s'opérer utilement en faveur de la caution, celle-ci est déchargée dans la mesure du préjudice qu'elle en subit.

2366. L'acceptation volontaire que le créancier a faite d'un bien, en paiement de la dette principale, décharge la caution, encore que le créancier vienne à être évincé.

CHAPITRE QUATORZIÈME

DE LA RENTE

SECTION I

DE LA NATURE DU CONTRAT ET DE LA PORTÉE DES RÈGLES QUI LE RÉGISSENT

2367. Le contrat constitutif de rente est celui par lequel une personne, le débirentier, gratuitement ou moyennant l'aliénation à son profit d'un capital, s'oblige à servir périodiquement et pendant un certain temps des redevances à une autre personne, le crédirentier.

Le capital peut être constitué d'un bien immeuble ou meuble; s'il s'agit d'une somme d'argent, il peut être payé au comptant ou par versements.

2368. Lorsque le débirentier s'oblige au service de la rente moyennant le transfert, à son profit, de la propriété d'un immeuble, le contrat est dit bail à rente et est principalement régi par les règles du contrat de vente auquel il s'apparente.

2369. La rente peut être constituée au profit d'une personne autre que celle qui en fournit le capital.

En ce cas, le contrat n'est point assujetti aux formes requises pour les donations, bien que la rente ainsi constituée soit reçue à titre gratuit par le crédirentier.

2370. Outre qu'elle puisse être constituée par contrat, la rente peut l'être aussi par testament, par jugement ou par la loi.

Les règles du présent chapitre s'appliquent à ces rentes, compte tenu des adaptations nécessaires.

SECTION II

DE L'ÉTENDUE DU CONTRAT

2371. La rente peut être viagère ou non viagère.

Elle est viagère lorsque la durée de son service est limitée au temps de la vie d'une ou de plusieurs personnes.

Elle est non viagère lorsque la durée de son service est autrement déterminée.

2372. La rente viagère peut être établie pour la durée de la vie de la personne qui la constitue ou qui la reçoit, ou pour la vie d'un tiers qui n'a aucun droit de jouir de cette rente.

Néanmoins, il peut être stipulé que le service de la rente se continuera au-delà du décès de la personne en fonction de laquelle la durée du service a été établie, au profit, selon le cas, d'une personne déterminée ou des héritiers du crédirentier.

2373. Est sans effet la rente viagère établie pour la durée de la vie d'une personne qui est décédée au jour où le débirentier doit commencer à servir la rente, ou qui décède dans les trente jours qui suivent.

De même, est sans effet la rente viagère établie pour la durée de la vie d'une personne n'existant pas encore au jour où le débirentier doit commencer à servir la rente, à moins que cette personne n'ait été alors conçue et qu'elle naisse vivante et viable.

2374. La rente viagère qui est établie pour la durée de la vie de plusieurs personnes successivement n'a d'effet que si la première d'entre elles existe au jour où le débirentier doit commencer à servir la rente ou si, étant alors conçue, elle naît vivante et viable.

Elle prend fin lorsque les personnes visées sont décédées ou lorsqu'elles ne sont pas nées vivantes et viables, mais au plus tard, cent ans après sa constitution.

2375. Le prêt à fonds perdu est présumé constituer une rente viagère au profit du prêteur et pour la durée de sa vie.

2376. La durée du service de toute rente, qu'elle soit viagère ou non, est dans tous les cas limitée ou réduite à cent ans depuis la constitution de la rente, même si le contrat prévoit une durée plus longue ou constitue une rente successive.

SECTION III

DE CERTAINS EFFETS DU CONTRAT

2377. La rente ne peut être stipulée insaisissable et inaliénable que lorsqu'elle est reçue à titre gratuit par le crédirentier; même alors, la stipulation n'a d'effet qu'à concurrence du montant de la rente qui est nécessaire au crédirentier en tant qu'aliments.

2378. Le capital accumulé pour le service de la rente est insaisissable, lorsque la rente doit être servie à un crédirentier et à celui qui lui est substitué, tant que ce capital demeure affecté au service d'une rente.

Il ne l'est, cependant, que pour cette partie du capital qui, suivant l'appréciation du créancier saisissant, du débirentier et du crédirentier ou, s'ils ne s'entendent pas, du tribunal, serait nécessaire pour servir, pendant la durée prévue au contrat, une rente qui satisferait les besoins d'aliments du crédirentier.

2379. La désignation ou la révocation d'un crédirentier autre que la personne qui a fourni le capital de la rente, est régie par les règles de la stipulation pour autrui.

Toutefois, la désignation ou la révocation d'un crédirentier, au titre de rentes pratiquées par les assureurs ou dans le cadre d'un régime de retraite, est régie par les règles du contrat d'assurance relatives aux bénéficiaires et aux titulaires subrogés, compte tenu des adaptations nécessaires.

2380. La rente viagère constituée au profit de deux ou plusieurs crédirentiers conjointement peut être stipulée réversible, au décès de l'un d'eux, sur la tête des crédirentiers qui lui survivent.

Celle qui est, de même, constituée au profit de conjoints est, au décès de l'un d'eux, présumée réversible sur la tête du conjoint survivant.

2381. La rente viagère n'est due au crédirentier, que dans la proportion du nombre de jours qu'a vécu la personne en fonction de laquelle la durée du service de la rente a été établie, et le crédirentier n'en peut demander le paiement qu'en justifiant l'existence de cette personne.

Toutefois, s'il a été stipulé que la rente serait payée d'avance, ce qui a dû être payé est acquis du jour où le paiement a dû en être fait.

2382. Les redevances se paient à la fin de chaque période prévue, laquelle ne peut excéder un an; elles sont comptées à partir du jour où le débirentier doit commencer à servir la rente.

2383. Le débirentier ne peut se libérer du service de la rente en offrant de rembourser la valeur de la rente en capital et en renonçant à la répétition des redevances payées; il est tenu de servir la rente pendant toute la durée prévue au contrat.

2384. Le débirentier a la faculté de se faire remplacer par un assureur autorisé en lui versant la valeur de la rente qu'il doit.

De même, le propriétaire d'un immeuble grevé d'une sûreté pour la garantie du service de la rente, a la faculté de substituer la sûreté attachée à cette rente par celle qui est offerte par un assureur autorisé.

Le crédirentier ne peut s'opposer à la substitution, mais il peut demander que l'achat de la rente se fasse auprès d'un autre assureur ou contester la valeur du capital arrêté ou celle de la rente en découlant.

2385. La substitution libère le débirentier ou le propriétaire de l'immeuble grevé d'une sûreté pour la garantie du service de la rente, dès le paiement du capital requis; elle oblige l'assureur envers le crédirentier et, le cas échéant, emporte extinction de l'hypothèque garantissant le service de la rente.

2386. Le seul défaut du paiement des redevances n'est pas une cause qui permette au crédirentier d'exiger la remise du capital aliéné pour constituer la rente; il ne lui permet, outre d'exiger le paiement de ce qui est dû, que de saisir et vendre les biens du débirentier et de faire consentir ou ordonner, sur le produit de la vente, l'emploi d'une somme suffisante pour le service de la rente ou d'exiger que le débirentier soit remplacé par un assureur autorisé.

La remise du capital peut néanmoins être exigée si le débirentier devient insolvable, est déclaré failli ou diminue, par son fait et sans le consentement du crédirentier, les sûretés qu'il a consenties pour la garantie du service de la rente.

2387. Lorsque le service de la rente est garanti par une hypothèque sur un bien qui doit faire l'objet d'une vente forcée, le crédirentier ne peut demander que la vente soit réalisée à charge de sa rente; mais il peut, si son hypothèque est de premier rang, exiger que le créancier lui fournisse caution suffisante pour que la rente continue d'être servie.

Le défaut de fournir caution confère au crédirentier le droit de recevoir, suivant son rang, la valeur de la rente en capital, au jour de la collocation ou de la distribution.

2388. La valeur de la rente en capital est toujours estimée égale au montant qui serait suffisant pour acquérir d'un assureur autorisé une rente de même valeur.

CHAPITRE QUINZIÈME

DES ASSURANCES

SECTION I

DISPOSITIONS GÉNÉRALES

§ 1.—*De la nature du contrat et des diverses espèces d'assurance*

2389. Le contrat d'assurance est celui par lequel l'assureur, moyennant une prime ou cotisation, s'oblige à verser au preneur ou à un tiers une prestation dans le cas où un risque couvert par l'assurance se réalise.

L'assurance est maritime ou terrestre.

2390. L'assurance maritime a pour objet d'indemniser l'assuré des sinistres qui peuvent résulter des risques relatifs à une opération maritime.

2391. L'assurance terrestre comprend l'assurance de personnes et l'assurance de dommages.

2392. L'assurance de personnes porte sur la vie, l'intégrité physique ou la santé de l'assuré.

L'assurance de personnes est individuelle ou collective.

L'assurance collective de personnes couvre, en vertu d'un contrat-cadre, les personnes adhérant à un groupe déterminé et, dans certains cas, leur famille ou les personnes à leur charge.

2393. L'assurance sur la vie garantit le paiement de la somme convenue, au décès de l'assuré; elle peut aussi garantir le paiement de cette somme du vivant de l'assuré, que celui-ci soit encore en vie à une époque déterminée ou qu'un événement touchant son existence arrive.

Les rentes viagères ou à terme, pratiquées par les assureurs, sont assimilées à l'assurance sur la vie, mais elles demeurent aussi régies par les dispositions du chapitre De la rente. Cependant, les règles du présent chapitre sur l'insaisissabilité s'appliquent en priorité.

2394. Les clauses d'assurance contre la maladie ou les accidents qui sont accessoires à un contrat d'assurance sur la vie, et les clauses d'assurance sur la vie qui sont accessoires à un contrat d'assurance contre la maladie ou les accidents, sont, les unes et les autres, régies par les dispositions relatives au contrat principal.

2395. L'assurance de dommages garantit l'assuré contre les conséquences d'un événement pouvant porter atteinte à son patrimoine.

2396. L'assurance de dommages comprend l'assurance de biens, qui a pour objet d'indemniser l'assuré des pertes matérielles qu'il subit, et l'assurance de responsabilité, qui a pour objet de garantir l'assuré contre les conséquences pécuniaires de l'obligation qui peut lui incomber, en raison d'un fait dommageable, de réparer le préjudice causé à autrui.

2397. Le contrat de réassurance n'a d'effet qu'entre l'assureur et le réassureur.

§ 2.—*De la formation et du contenu du contrat*

2398. Le contrat d'assurance est formé dès que l'assureur accepte la proposition du preneur.

2399. La police est le document qui constate l'existence du contrat d'assurance.

Elle doit indiquer, outre le nom des parties au contrat et celui des personnes à qui les sommes assurées sont payables ou, si ces personnes sont indéterminées, le moyen de les identifier, l'objet et le montant de l'assurance, la nature des risques, le moment à partir duquel ils sont garantis et la durée de la garantie, ainsi que le montant ou le taux des primes et les dates auxquelles celles-ci viennent à échéance.

2400. En matière d'assurance terrestre, l'assureur est tenu de remettre la police au preneur, ainsi qu'une copie de toute proposition écrite faite par ce dernier ou pour lui.

En cas de divergence entre la police et la proposition, cette dernière fait foi du contrat, à moins que l'assureur n'ait, dans un document séparé, indiqué par écrit au preneur les éléments sur lesquels il y a divergence.

2401. L'assureur délivre la police d'assurance collective au preneur et il lui remet également les attestations d'assurance que ce dernier doit distribuer aux adhérents.

L'adhérent et le bénéficiaire ont le droit de consulter la police à l'établissement du preneur et d'en prendre copie et, en cas de divergence entre la police et l'attestation d'assurance, ils peuvent invoquer l'une ou l'autre, selon leur intérêt.

2402. En matière d'assurance terrestre, est réputée non écrite la clause générale par laquelle l'assureur est libéré de ses obligations en cas de violation de la loi, à moins que cette violation ne constitue un acte criminel.

Est aussi réputée non écrite la clause de la police par laquelle l'assuré consent en faveur de son assureur, en cas de sinistre, une cession de créance qui aurait pour effet d'accorder à ce dernier plus de droits que ceux que lui confèrent les règles de la subrogation.

2403. Sous réserve des dispositions particulières à l'assurance maritime, l'assureur ne peut invoquer des conditions ou déclarations qui ne sont pas énoncées par écrit dans le contrat.

2404. En matière d'assurance de personnes, l'assureur ne peut invoquer que les exclusions ou les clauses de réduction de la garantie qui sont clairement indiquées sous un titre approprié.

2405. En matière d'assurance terrestre, les modifications que les parties apportent au contrat sont constatées par un avenant à la police.

Toutefois, l'avenant constatant une réduction des engagements de l'assureur ou un accroissement des obligations de l'assuré autre que l'augmentation de la prime, n'a d'effet que si le titulaire de la police consent, par écrit, à cette modification.

Lorsqu'une telle modification est faite à l'occasion du renouvellement du contrat, l'assureur doit l'indiquer clairement à l'assuré dans un document distinct de l'avenant qui la constate. La modification est présumée acceptée par l'assuré trente jours après la réception du document.

2406. Les déclarations de celui qui adhère à une assurance collective ne lui sont opposables que si l'assureur lui en a remis copie.

2407. Le certificat de participation dans une société mutuelle peut établir les droits et obligations des membres par référence aux statuts de la société, mais seuls l'acte constitutif et les règlements qui sont précisément indiqués dans le certificat sont opposables aux membres.

Tout membre a le droit d'obtenir une copie des statuts de la société qui sont en vigueur.

§ 3.—*Des déclarations et engagements du preneur en assurance terrestre*

2408. Le preneur, de même que l'assuré si l'assureur le demande, est tenu de déclarer toutes les circonstances connues de lui qui sont de nature à influencer de façon importante un assureur dans l'établissement de la prime, l'appréciation du risque ou la décision de l'accepter, mais il n'est pas tenu de déclarer les circonstances que l'assureur connaît ou est présumé connaître en raison de leur notoriété, sauf en réponse aux questions posées.

2409. L'obligation relative aux déclarations est réputée correctement exécutée lorsque les déclarations faites sont celles d'un assuré normalement prévoyant, qu'elles ont été faites sans qu'il y ait de réticence importante et que les circonstances en cause sont, en substance, conformes à la déclaration qui en est faite.

2410. Sous réserve des dispositions relatives à la déclaration de l'âge et du risque, les fausses déclarations et les réticences du preneur ou de l'assuré à révéler les circonstances en cause entraînent, à la demande de l'assureur, la nullité du contrat, même en ce qui concerne les sinistres non rattachés au risque ainsi dénaturé.

2411. En matière d'assurance de dommages, à moins que la mauvaise foi du preneur ne soit établie ou qu'il ne soit démontré que le risque n'aurait pas été accepté par l'assureur s'il avait connu les circonstances en cause, ce dernier demeure tenu de l'indemnité envers l'assuré, dans le rapport de la prime perçue à celle qu'il aurait dû percevoir.

2412. Les manquements aux engagements formels aggravant le risque suspendent la garantie. La suspension prend fin dès que l'assureur donne son acquiescement ou que l'assuré respecte à nouveau ses engagements.

2413. Lorsque les déclarations contenues dans la proposition d'assurance y ont été inscrites ou suggérées par le représentant de l'assureur ou par tout courtier d'assurance, la preuve testimoniale est admise pour démontrer qu'elles ne correspondent pas à ce qui a été effectivement déclaré.

§ 4.—*Disposition particulière*

2414. Toute clause d'un contrat d'assurance terrestre qui accorde au preneur, à l'assuré, à l'adhérent, au bénéficiaire ou au titulaire du contrat moins de droits que les dispositions du présent chapitre est nulle.

Est également nulle la stipulation qui déroge aux règles relatives à l'intérêt d'assurance ou, en matière d'assurance de responsabilité, à celles protégeant les droits du tiers lésé.

SECTION II

DES ASSURANCES DE PERSONNES

§ 1.—*Du contenu de la police d'assurance*

2415. Outre les mentions prescrites pour toute police d'assurance, la police d'assurance de personnes doit, le cas échéant, indiquer le nom de l'assuré ou un moyen de l'identifier, les délais de paiement de prime et les droits de participation aux bénéfices, ainsi que la méthode et le tableau devant servir à établir la valeur de rachat et les droits à la valeur de rachat et aux avances sur police.

Elle doit aussi indiquer, le cas échéant, les conditions de remise en vigueur, les droits de transformation de l'assurance, les modalités de paiement des sommes dues et la période durant laquelle les prestations sont payables.

2416. L'assureur doit, dans une police d'assurance contre la maladie ou les accidents, indiquer expressément et en caractères apparents la nature de la garantie qui y est stipulée.

Lorsque l'assurance porte sur l'invalidité, il doit indiquer, de la même manière, les conditions de paiement des indemnités, ainsi que la nature et le caractère de l'invalidité assurée. À défaut d'indication claire dans la police concernant la nature et le caractère de l'invalidité assurée, cette invalidité est l'inaptitude à exercer le travail habituel.

2417. En matière d'assurance contre la maladie ou les accidents, si l'affection est déclarée dans la proposition, l'assureur ne peut, sauf en cas de fraude, exclure ou réduire la garantie en raison de cette affection, si ce n'est en vertu d'une clause la désignant nommément.

L'assureur ne peut, par une clause générale, exclure ou limiter la garantie d'assurance en raison d'une affection non déclarée dans la proposition, à moins que cette affection ne se manifeste dans les deux premières années de l'assurance ou qu'il n'y ait fraude.

§ 2.—*De l'intérêt d'assurance*

2418. Le contrat d'assurance individuelle est nul si, au moment où il est conclu, le preneur n'a pas un intérêt susceptible d'assurance dans la vie ou la santé de l'assuré, à moins que ce dernier n'y consente par écrit.

Sous cette même réserve, la cession d'un tel contrat est aussi nulle lorsque, au moment où elle est consentie, le cessionnaire n'a pas l'intérêt requis.

2419. Une personne a un intérêt susceptible d'assurance dans sa propre vie et sa propre santé, ainsi que dans la vie et la santé de son conjoint, de ses descendants et des descendants de son conjoint ou des personnes qui contribuent à son soutien ou à son éducation.

Elle a aussi un intérêt dans la vie et la santé de ses préposés et de son personnel, ou des personnes dont la vie et la santé présentent pour elle un intérêt moral ou pécuniaire.

§ 3.—*De la déclaration de l'âge et du risque*

2420. La fausse déclaration sur l'âge de l'assuré n'entraîne pas la nullité de l'assurance. Dans ce cas, la somme assurée est ajustée suivant le rapport de la prime perçue à celle qui aurait dû être perçue.

Toutefois, si l'assurance porte sur la maladie ou les accidents, l'assureur peut choisir de redresser la prime pour la rendre conforme aux tarifs applicables à l'âge véritable de l'assuré.

2421. L'assureur est fondé à demander la nullité du contrat d'assurance sur la vie lorsque l'âge de l'assuré se trouve, au moment où se forme le contrat, hors des limites d'âge fixées par les tarifs de l'assureur.

Ce dernier est tenu d'agir dans les trois ans de la conclusion du contrat, pourvu qu'il le fasse du vivant de l'assuré et dans les soixante jours de la connaissance de l'erreur par l'assureur.

2422. Seul l'âge véritable est déterminant lorsque le début ou la fin d'un contrat d'assurance contre la maladie ou les accidents dépend de l'âge de l'assuré.

Cet âge détermine aussi la fin d'un contrat d'assurance sur la vie lorsque l'assurance doit prendre fin à un âge donné et que la fausse déclaration est découverte avant le décès de l'assuré.

2423. Les fausses déclarations et les réticences de l'adhérent à un contrat d'assurance collective, sur l'âge ou le risque, n'ont d'effet que sur l'assurance des personnes qui en font l'objet.

2424. En l'absence de fraude, la fausse déclaration ou la réticence portant sur le risque ne peut fonder la nullité ou la réduction de l'assurance qui a été en vigueur pendant deux ans.

Toutefois, cette règle ne s'applique pas à l'assurance portant sur l'invalidité si le début de celle-ci est survenu durant les deux premières années de l'assurance.

§ 4.—*De la prise d'effet de l'assurance*

2425. L'assurance sur la vie prend effet au moment de l'acceptation de la proposition par l'assureur, pour autant que cette dernière ait été acceptée sans modification, que la première prime ait été versée et qu'aucun changement ne soit intervenu dans le caractère assurable du risque depuis la signature de la proposition.

2426. L'assurance contre la maladie ou les accidents prend effet au moment de la délivrance de la police au preneur, même si cette délivrance n'est pas le fait d'un représentant de l'assureur.

La police est aussi valablement délivrée lorsqu'elle est établie conformément à la proposition et remise à un représentant de l'assureur pour délivrance au preneur, sans réserve.

§ 5.—*Des primes, des avances et de la remise en vigueur de l'assurance*

2427. Le titulaire d'une police d'assurance sur la vie bénéficie pour le paiement de chaque prime, sauf la première, d'un délai de trente jours; l'assurance reste en vigueur pendant ce délai, mais le défaut de paiement à l'intérieur de ce délai met fin à l'assurance.

Le délai court en même temps que tout autre délai consenti par l'assureur, mais aucune convention ne peut le réduire.

2428. Lorsque le paiement est fait au moyen d'une lettre de change, il est réputé fait si la lettre est payée dès la première présentation.

Il l'est également si le défaut de paiement est attribuable au décès de celui qui a émis la lettre de change, sous réserve du paiement de la prime.

2429. La prime ne porte pas intérêt durant le délai de paiement, sauf en assurance collective.

Lorsque l'assureur a droit à des intérêts sur la prime échue, ceux-ci ne peuvent être supérieurs au taux fixé par les règlements pris à ce sujet par le gouvernement.

2430. Le contrat d'assurance contre la maladie ou les accidents, lorsqu'il est en vigueur, ne peut être résilié pour défaut de paiement de la prime, à moins que le débiteur n'en ait été avisé par écrit au moins quinze jours auparavant.

2431. L'assureur est tenu de remettre en vigueur l'assurance individuelle sur la vie qui a été résiliée pour défaut de paiement de la prime, si le titulaire de la police lui en fait la demande dans les deux ans de la date de la résiliation et s'il établit que l'assuré remplit encore les conditions nécessaires pour être assurable au titre du contrat résilié. Le titulaire est alors tenu de payer les primes en souffrance et de rembourser les avances qu'il a reçues sur la police, avec un intérêt n'excédant pas le taux fixé par les règlements pris à ce sujet par le gouvernement.

Toutefois, l'assureur n'est pas tenu de le faire lorsque la valeur de rachat de la police a été payée ou que le titulaire a opté pour la réduction ou la prolongation de l'assurance.

2432. Le remboursement qui doit être effectué pour la remise en vigueur d'un contrat peut se faire au moyen des avances à recevoir sur la police, jusqu'à concurrence de la somme stipulée par le contrat.

2433. L'assureur peut exiger le paiement des primes échues lorsqu'il s'agit d'exécuter un contrat d'assurance collective sur la vie ou un contrat d'assurance contre la maladie ou les accidents.

Il peut, pour tout contrat d'assurance individuelle, retenir le montant de la prime due sur les prestations qu'il doit verser.

2434. Dès que le contrat d'assurance est remis en vigueur, le délai de deux ans pendant lequel l'assureur est fondé à demander la nullité du contrat ou la réduction de l'assurance pour les fausses déclarations ou réticences relatives à la déclaration du risque, ou l'exécution d'une clause d'exclusion de garantie en cas de suicide de l'assuré, court à nouveau.

§ 6.—*De l'exécution du contrat d'assurance*

2435. Le titulaire, le bénéficiaire ou l'assuré d'une police d'assurance contre la maladie ou les accidents est tenu d'informer l'assureur, par écrit, du sinistre dans les trente jours de celui où il en a eu connaissance. Il doit également, dans les quatre-vingt-dix jours, transmettre à l'assureur tous les renseignements auxquels ce dernier peut raisonnablement s'attendre sur les circonstances et sur l'étendue du sinistre.

Lorsque la personne qui a droit à la prestation démontre qu'il lui a été impossible d'agir dans les délais impartis, elle n'est pas pour autant empêchée de toucher la prestation, pourvu que l'information soit transmise à l'assureur dans l'année du sinistre.

2436. L'assureur est tenu de payer les sommes assurées et les autres avantages prévus au contrat, suivant les conditions qui y sont fixées, dans les trente jours suivant la réception de la justification requise pour le paiement.

Toutefois, ce délai est de soixante jours lorsque l'assurance porte sur la maladie ou les accidents, à moins que l'assurance ne couvre la perte de revenus occasionnée par l'invalidité.

2437. Lorsque l'assurance couvre la perte de revenus occasionnée par l'invalidité et que le contrat stipule un délai de carence, le délai de trente jours pour payer la première indemnité court à compter de l'expiration du délai de carence.

Les paiements ultérieurs sont effectués à des intervalles d'au plus trente jours, pourvu que justification soit fournie à l'assureur sur demande.

2438. L'assuré doit se soumettre à un examen médical, lorsque l'assureur est justifié de le demander en raison de la nature de l'invalidité.

2439. L'assureur peut, lorsqu'il y a eu aggravation du risque professionnel persistant pendant six mois ou plus, réduire l'indemnité prévue par le contrat d'assurance contre la maladie ou les accidents, à la somme qui aurait été payable en fonction de la prime stipulée au contrat, pour le nouveau risque.

Cependant, lorsqu'il y a diminution du risque professionnel, il est tenu, à compter de l'avis qu'il en reçoit, de réduire le taux de la prime ou de prolonger l'assurance en fonction du taux correspondant au nouveau risque, au choix du preneur.

2440. Les héritiers du bénéficiaire d'une assurance peuvent exiger de l'assureur qu'il leur escompte en un paiement unique toutes les sommes payables par versements.

2441. L'assureur ne peut refuser de payer les sommes assurées en raison du suicide de l'assuré, à moins qu'il n'ait stipulé l'exclusion de garantie expresse pour ce cas. Même alors, la stipulation est sans effet si le suicide survient après deux ans d'assurance ininterrompue.

2442. Le contrat d'assurance de frais funéraires par lequel une personne, moyennant une prime payée en une seule fois ou par versements, s'engage à fournir des services ou effets lors du décès d'une autre personne, à acquitter des frais funéraires ou à affecter une somme d'argent à cette fin, est nul.

La nullité de ce contrat, de même que la répétition de la prime payée, ne peut être demandée que par ceux qui ont payé la prime ou fait des versements, ou par l'inspecteur général des institution. financières agissant en leur nom.

2443. L'attentat à la vie de l'assuré par le titulaire de la police entraîne de plein droit la résiliation de l'assurance et le paiement de la valeur de rachat.

L'attentat à la vie de l'assuré par toute autre personne n'entraîne la déchéance qu'à l'égard du droit de cette personne à la garantie.

2444. Les avantages établis en faveur d'un membre d'une société de secours mutuels, de son conjoint, de ses ascendants et de ses descendants, sont insaisissables, tant pour les dettes de ce membre que pour celles des personnes avantagées.

§ 7.—*De la désignation des bénéficiaires et des titulaires subrogés*

I — Des conditions de la désignation

2445. La somme assurée peut être payable au titulaire de la police, à l'adhérent ou à un bénéficiaire déterminé.

Lorsqu'une assurance individuelle porte sur la tête d'un tiers, le titulaire de la police peut désigner un titulaire subrogé qui le remplacera à son décès; il peut aussi désigner plusieurs titulaires subrogés et déterminer l'ordre dans lequel chacun succédera au titulaire précédent.

La police d'assurance-vie ne peut être payable au porteur.

2446. La désignation de bénéficiaires ou de titulaires subrogés se fait dans la police ou dans un autre écrit revêtu, ou non, de la forme testamentaire.

2447. Il n'est pas nécessaire que le bénéficiaire ou le titulaire subrogé existe lors de la désignation, ni qu'il soit alors expressément déterminé; il suffit qu'à l'époque où son droit devient exigible, le bénéficiaire ou le titulaire subrogé existe ou, s'il est conçu, mais non encore né, qu'il naisse vivant et viable, et que sa qualité soit reconnue.

La désignation de bénéficiaire est présumée faite sous la condition de l'existence de la personne bénéficiaire à l'époque de l'exigibilité de la somme assurée; celle du titulaire subrogé, sous la condition de l'existence de la personne ainsi désignée au décès du titulaire précédent de la police.

2448. Lorsque l'assuré et le bénéficiaire décèdent en même temps ou dans des circonstances qui ne permettent pas d'établir l'ordre des décès, l'assuré est, aux fins de l'assurance, réputé avoir survécu au bénéficiaire. Dans le cas où l'assuré décède ab intestat et ne laisse aucun héritier au degré successible, le bénéficiaire est réputé avoir survécu à l'assuré. De même, entre le titulaire précédent et le titulaire subrogé, le premier est réputé avoir survécu au second.

2449. La désignation du conjoint à titre de bénéficiaire, par le titulaire de la police ou l'adhérent, dans un écrit autre qu'un testament, est irrévocable, à moins de stipulation contraire. La désignation de toute autre personne à titre de bénéficiaire est révocable, sauf stipulation contraire dans la police ou dans un écrit distinct autre qu'un testament. La désignation d'une personne en tant que titulaire subrogé est toujours révocable.

Lorsqu'elle peut être faite, la révocation doit résulter d'un écrit; il n'est pas nécessaire, toutefois, qu'elle soit expresse.

2450. La désignation ou la révocation contenue dans un testament nul pour vice de forme n'est pas nulle pour autant; mais elle l'est si le testament est révoqué.

Cependant, la désignation ou la révocation contenue dans un testament ne vaut pas à l'encontre d'une autre désignation ou révocation postérieure à la signature du testament. Elle ne vaut pas, non plus, à l'encontre d'une désignation antérieure à la signature du testament, à moins que le testament ne mentionne la police d'assurance en cause ou que l'intention du testateur à cet égard ne soit évidente.

2451. Toute désignation de bénéficiaire demeure révocable tant que l'assureur ne l'a pas reçue, quels que soient les termes employés.

2452. Les désignation et révocation ne sont opposables à l'assureur que du jour où il les a reçues; lorsque plusieurs désignations de bénéficiaires irrévocables sont faites, sans être conjointes ou simultanées, la priorité est donnée suivant les dates auxquelles l'assureur les reçoit.

Le paiement que l'assureur fait de bonne foi, suivant ces règles, à la dernière personne connue qui y a droit, est libératoire.

II — Des effets de la désignation

2453. Le bénéficiaire et le titulaire subrogé sont créanciers de l'assureur; toutefois, l'assureur peut alors opposer les causes de nullité ou de déchéance susceptibles d'être invoquées contre le titulaire ou l'adhérent.

2454. Le titulaire de la police a le droit de participer aux bénéfices et aux autres avantages qui lui sont conférés par le contrat, même si le bénéficiaire a été désigné irrévocablement.

Les participations et avantages doivent être imputés par l'assureur à toute prime échue afin de maintenir l'assurance en vigueur.

Dans les deux cas, le contrat peut en disposer autrement.

2455. La somme assurée payable à un bénéficiaire ne fait pas partie de la succession de l'assuré. De même, le contrat transmis au titulaire subrogé ne fait pas partie de la succession du titulaire précédent.

2456. L'assurance payable à la succession ou aux ayants cause, héritiers, liquidateurs ou autres représentants légaux d'une personne, en vertu d'une stipulation employant ces expressions ou des expressions analogues, fait partie de la succession de cette personne.

Les règles sur la représentation successorale ne jouent pas en matière d'assurance, mais celles sur l'accroissement au profit des légataires particuliers s'appliquent entre cobénéficiaires et entre cotitulaires subrogés.

2457. Lorsque le bénéficiaire désigné de l'assurance est le conjoint, le descendant ou l'ascendant du titulaire ou de l'adhérent, les droits conférés par le contrat sont insaisissables, tant que le bénéficiaire n'a pas touché la somme assurée.

2458. La stipulation d'irrévocabilité lie le titulaire de la police, même si le bénéficiaire désigné n'en a pas connaissance. Tant que la désignation à titre irrévocable subsiste, les droits conférés par le contrat au titulaire, à l'adhérent et au bénéficiaire sont insaisissables.

2459. La séparation de corps ne porte pas atteinte aux droits du conjoint, qu'il soit bénéficiaire ou titulaire subrogé. Toutefois, le tribunal peut, au moment où il prononce la séparation, les déclarer révocables ou caducs.

Le divorce ou la nullité du mariage rend caduque toute désignation du conjoint à titre de bénéficiaire ou de titulaire subrogé.

2460. Même si le bénéficiaire a été désigné à titre irrévocable, le titulaire de la police et l'adhérent peuvent disposer de leurs droits, sous réserve des droits du bénéficiaire.

§ 8.—*De la cession et de l'hypothèque d'un droit résultant d'un contrat d'assurance*

2461. La cession ou l'hypothèque d'un droit résultant d'un contrat d'assurance n'est opposable à l'assureur, au bénéficiaire ou aux tiers qu'à compter du moment où l'assureur en reçoit avis.

En présence de plusieurs cessions ou hypothèques d'un droit résultant d'un contrat d'assurance, la priorité est fonction de la date à laquelle l'assureur est avisé.

2462. La cession d'une assurance confère au cessionnaire tous les droits et obligations du cédant; elle entraîne la révocation de la désignation du bénéficiaire révocable et du titulaire subrogé.

Cependant, l'hypothèque d'un droit résultant d'un contrat d'assurance ne confère de droits au créancier hypothécaire qu'à concurrence du solde de la créance, des intérêts et des accessoires; elle n'emporte révocation du bénéficiaire révocable et du titulaire subrogé que pour ces sommes.

SECTION III

§ 1.—*Dispositions communes à l'assurance de biens et de responsabilité*

I — Du caractère indemnitaire de l'assurance

2463. L'assurance de dommages oblige l'assureur à réparer le préjudice subi au moment du sinistre, mais seulement jusqu'à concurrence du montant de l'assurance.

2464. L'assureur est tenu de réparer le préjudice causé par une force majeure ou par la faute de l'assuré, à moins qu'une exclusion ne soit expressément et limitativement stipulée dans le contrat. Il n'est toutefois jamais tenu de réparer le préjudice qui résulte de la faute intentionnelle de l'assuré. En cas de pluralité d'assurés, l'obligation de garantie demeure à l'égard des assurés qui n'ont pas commis de faute intentionnelle.

Lorsque l'assureur est garant du préjudice que l'assuré est tenu de réparer en raison du fait d'une autre personne, l'obligation de garantie subsiste quelles que soient la nature et la gravité de la faute commise par cette personne.

2465. L'assureur n'est pas tenu d'indemniser le préjudice qui résulte des freintes, diminutions ou pertes du bien et qui proviennent de son vice propre ou de la nature de celui-ci.

II — De l'aggravation du risque

2466. L'assuré est tenu de déclarer à l'assureur, promptement, les circonstances qui aggravent les risques stipulés dans la police et qui résultent de ses faits et gestes si elles sont de nature à influencer de façon importante un assureur dans l'établissement du taux de la prime, l'appréciation du risque ou la décision de maintenir l'assurance.

Lorsque l'assuré ne remplit pas cette obligation, les dispositions de l'article 2411 s'appliquent, compte tenu des adaptations nécessaires.

2467. L'assureur qui est informé des nouvelles circonstances peut résilier le contrat ou proposer, par écrit, un nouveau taux de prime, auquel cas l'assuré est tenu d'accepter et d'acquitter la prime ainsi fixée, dans les trente jours de la proposition qui lui est faite, à défaut de quoi la police cesse d'être en vigueur.

Toutefois, s'il continue d'accepter les primes ou s'il paie une indemnité après un sinistre, il est réputé avoir acquiescé au changement qui lui a été déclaré.

2468. L'inoccupation d'une résidence ne constitue pas une aggravation du risque lorsqu'elle ne dure pas plus de trente jours consécutifs ou que l'assurance porte sur une résidence secondaire désignée comme telle.

Ne constitue pas, non plus, une aggravation du risque le fait d'y laisser entrer des gens de métier pour effectuer des travaux d'entretien ou de réparation d'une durée d'au plus trente jours.

III — Du paiement de la prime

2469. L'assureur n'a droit à la prime qu'à compter du moment où le risque commence, et uniquement pour sa durée si le risque disparaît totalement par suite d'un événement qui ne fait pas l'objet de l'assurance.

Il peut poursuivre le paiement de la prime ou la déduire de l'indemnité qu'il doit verser.

IV — De la déclaration de sinistre et du paiement de l'indemnité

2470. L'assuré doit déclarer à l'assureur tout sinistre de nature à mettre en jeu la garantie, dès qu'il en a eu connaissance. Tout intéressé peut faire cette déclaration.

Lorsque l'assureur n'a pas été ainsi informé et qu'il en a subi un préjudice, il est admis à invoquer, contre l'assuré, toute clause de la police qui prévoit la déchéance du droit à l'indemnisation dans un tel cas.

2471. À la demande de l'assureur, l'assuré doit, le plus tôt possible, faire connaître à l'assureur toutes les circonstances entourant le sinistre, y compris sa cause probable, la nature et l'étendue des dommages, l'emplacement du bien, les droits des tiers et les assurances concurrentes; il doit aussi lui fournir les pièces justificatives et attester, sous serment, la véracité de celles-ci.

Lorsque l'assuré ne peut, pour un motif sérieux, remplir cette obligation, il a droit à un délai raisonnable pour l'exécuter.

À défaut par l'assuré de se conformer à son obligation, tout intéressé peut le faire à sa place.

2472. Toute déclaration mensongère entraîne pour son auteur la déchéance de son droit à l'indemnisation à l'égard du risque auquel se rattache ladite déclaration.

Toutefois, si la réalisation du risque a entraîné la perte à la fois de biens mobiliers et immobiliers, ou à la fois de biens à usage professionnel et à usage personnel, la déchéance ne vaut qu'à l'égard de la catégorie de biens à laquelle se rattache la déclaration mensongère.

2473. L'assureur est tenu de payer l'indemnité dans les soixante jours suivant la réception de la déclaration de sinistre ou, s'il en a fait la demande, des renseignements pertinents et des pièces justificatives.

2474. L'assureur est subrogé dans les droits de l'assuré contre l'auteur du préjudice, jusqu'à concurrence des indemnités qu'il a payées. Quand, du fait de l'assuré, il ne peut être ainsi subrogé, il peut être libéré, en tout ou en partie, de son obligation envers l'assuré.

L'assureur ne peut jamais être subrogé contre les personnes qui font partie de la maison de l'assuré.

V — De la cession de l'assurance

2475. Le contrat d'assurance ne peut être cédé qu'avec le consentement de l'assureur et qu'en faveur d'une personne ayant un intérêt d'assurance dans le bien assuré.

2476. Lors du décès de l'assuré, de sa faillite ou de la cession, entre coassurés, de leur intérêt dans l'assurance, celle-ci continue au profit de l'héritier, du syndic ou de l'assuré restant, à charge pour eux d'exécuter les obligations dont l'assuré était tenu.

VI — De la résiliation du contrat

2477. L'assureur peut résilier le contrat moyennant un préavis qui doit être envoyé à chacun des assurés nommés dans la police. La résiliation a lieu quinze jours après la réception du préavis par l'assuré à sa dernière adresse connue.

Le contrat d'assurance peut aussi être résilié sur simple avis écrit donné à l'assureur par chacun des assurés nommés dans la police. La résiliation a lieu dès la réception de l'avis.

Les assurés nommés dans la police peuvent toutefois confier à un ou plusieurs d'entre eux le mandat de recevoir ou d'expédier l'avis de résiliation.

2478. Lorsque le droit à l'indemnité a été hypothéqué et que notification en a été faite à l'assureur, le contrat ne peut être ni résilié ni modifié au détriment du créancier hypothécaire, à moins que l'assureur n'ait avisé ce dernier au moins quinze jours à l'avance.

2479. Lorsque l'assurance est résiliée, l'assureur n'a droit qu'à la portion de prime acquise, calculée au jour le jour si la résiliation procède de lui ou d'après le taux à court terme si elle procède de l'assuré; il est alors tenu de rembourser le trop-perçu de prime.

§ 2.—*Des assurances de biens*

I — Du contenu de la police

2480. Outre les mentions prescrites pour toute police d'assurance, la police d'assurance de biens doit indiquer les exclusions de garantie qui ne résultent pas du sens courant des mots ou les limitations qui s'appliquent à des objets ou à des catégories d'objets déterminés, et préciser les conditions de résiliation du contrat par l'assuré, ainsi que les conditions de rétablissement ou de continuation de l'assurance après un sinistre.

II — De l'intérêt d'assurance

2481. Une personne a un intérêt d'assurance dans un bien lorsque la perte de celui-ci peut lui causer un préjudice direct et immédiat.

L'intérêt doit exister au moment du sinistre, mais il n'est pas nécessaire que le même intérêt ait existé pendant toute la durée du contrat.

2482. Les biens à venir et les biens incorporels peuvent faire l'objet d'un contrat d'assurance.

2483. L'assurance de biens peut être contractée pour le compte de qui il appartiendra. La clause vaut, tant comme assurance au profit du titulaire de la police que comme stipulation pour autrui au profit du bénéficiaire connu ou éventuel de ladite clause.

Le titulaire de la police est seul tenu au paiement de la prime envers l'assureur; les exceptions que l'assureur pourrait lui opposer sont également opposables au bénéficiaire du contrat, quel qu'il soit.

2484. L'assurance d'un bien dans lequel l'assuré n'a aucun intérêt d'assurance est nulle.

III — De l'étendue de la garantie

2485. L'assureur qui assure un bien contre l'incendie est tenu de réparer le préjudice qui est une conséquence immédiate du feu ou de la combustion, quelle qu'en soit la cause, y compris le dommage subi par le bien en cours de transport, ou occasionné par les moyens employés pour éteindre le feu, sauf les exceptions particulières contenues dans la police. Il est aussi garant de la disparition des objets assurés survenue pendant l'incendie, à moins qu'il ne prouve qu'elle provient d'un vol qu'il n'assure pas.

Il n'est cependant pas tenu de réparer le préjudice occasionné uniquement par la chaleur excessive d'un appareil de chauffage ou par une opération comportant l'application de la chaleur, lorsqu'il n'y a ni incendie ni commencement d'incendie mais, même en l'absence d'incendie, il est tenu de réparer le préjudice causé par la foudre ou l'explosion d'un combustible.

2486. L'assureur qui assure un bien contre l'incendie n'est pas garant du préjudice causé par les incendies ou les explosions résultant d'une guerre étrangère ou civile, d'une émeute ou d'un mouvement populaire, d'une explosion nucléaire, d'une éruption volcanique, d'un tremblement de terre ou d'autres cataclysmes.

2487. L'assureur est tenu de réparer le dommage causé au bien assuré par les mesures de secours ou de sauvetage.

2488. L'assurance portant sur des objets désignés généralement comme se trouvant en un lieu couvre tous les objets du même genre qui s'y trouvent au moment du sinistre.

2489. L'assurance d'une résidence meublée et celle des meubles en général couvre toutes les catégories de meubles, à l'exception de ce qui est exclu expressément ou de ce qui n'est assuré que pour un montant limité.

IV — Du montant d'assurance

2490. La valeur du bien assuré s'établit de la manière habituelle lorsque le contrat ne prévoit pas de formule d'évaluation particulière.

2491. Dans les contrats à valeur indéterminée, le montant de l'assurance ne fait pas preuve de la valeur du bien assuré.

Dans les contrats à valeur agréée, la valeur convenue fait pleinement foi, entre l'assureur et l'assuré, de la valeur du bien.

2492. Le contrat fait sans fraude pour un montant supérieur à la valeur du bien est valable jusqu'à concurrence de cette valeur; l'assureur n'a pas le droit d'exiger une prime pour l'excédent, mais celles qui ont été payées ou sont échues lui restent acquises.

2493. L'assureur ne peut, pour la seule raison que le montant de l'assurance est inférieur à la valeur du bien, refuser de couvrir le risque. En pareil cas, l'assureur est libéré par le paiement du montant de l'assurance, s'il y a perte totale, ou d'une indemnité proportionnelle, s'il y a perte partielle.

V — Du sinistre et du paiement de l'indemnité

2494. Sous réserve des droits des créanciers prioritaires et hypothécaires, l'assureur peut se réserver la faculté de réparer, de reconstruire ou de remplacer le bien assuré. Il bénéficie alors du droit au sauvetage et peut récupérer le bien.

2495. L'assuré ne peut abandonner le bien endommagé en l'absence de convention à cet effet.

Il doit faciliter le sauvetage du bien assuré et les vérifications de l'assureur. Il doit, notamment, permettre à l'assureur et à ses représentants de visiter les lieux et d'examiner le bien assuré.

2496. Celui qui, sans fraude, est assuré auprès de plusieurs assureurs, par plusieurs polices, pour un même intérêt et contre un même risque, de telle sorte que le total des indemnités qui résulteraient de leur exécution indépendante dépasse le montant du préjudice subi, peut se faire indemniser par le ou les assureurs de son choix, chacun n'étant tenu que pour le montant auquel il s'est engagé.

Est inopposable à l'assuré la clause qui suspend, en tout ou en partie, l'exécution du contrat en cas de pluralité d'assurances.

Entre les assureurs, à moins d'entente contraire, l'indemnité est répartie en proportion de la part de chacun dans la garantie totale, sauf en ce qui concerne une assurance spécifique, laquelle constitue une assurance en première ligne.

2497. Les indemnités dues à l'assuré sont attribuées aux créanciers prioritaires ou aux créanciers titulaires d'une hypothèque sur le bien endommagé, suivant leur rang et sans délégation expresse, moyennant une simple dénonciation et justification de leur part, malgré toute disposition contraire.

Néanmoins, les paiements faits de bonne foi par l'assureur, avant la dénonciation, sont libératoires.

§ 3.—*Des assurances de responsabilité*

2498. La responsabilité civile, contractuelle ou extracontractuelle, peut faire l'objet d'un contrat d'assurance.

2499. Outre les mentions prescrites pour toute police d'assurance, la police d'assurance de responsabilité doit indiquer la relation entre les personnes et les biens, ainsi que celle entre les personnes et les faits, qui entraîne la responsabilité, de même que les montants et les exclusions de garantie, le caractère obligatoire ou facultatif de l'assurance et les bénéficiaires directs et indirects de celle-ci.

2500. Le montant de l'assurance est affecté exclusivement au paiement des tiers lésés.

2501. Le tiers lésé peut faire valoir son droit d'action contre l'assuré ou l'assureur ou contre l'un et l'autre.

Le choix fait par le tiers lésé à cet égard n'emporte pas renonciation à ses autres recours.

2502. L'assureur peut opposer au tiers lésé les moyens qu'il aurait pu faire valoir contre l'assuré au jour du sinistre, mais il ne peut opposer ceux qui sont relatifs à des faits survenus postérieurement au sinistre; l'assureur dispose, quant à ceux-ci, d'une action récursoire contre l'assuré.

2503. L'assureur est tenu de prendre fait et cause pour toute personne qui a droit au bénéfice de l'assurance et d'assumer sa défense dans toute action dirigée contre elle.

Les frais et dépens qui résultent des actions contre l'assuré, y compris ceux de la défense, ainsi que les intérêts sur le montant de l'assurance, sont à la charge de l'assureur, en plus du montant d'assurance.

2504. Aucune transaction conclue sans le consentement de l'assureur ne lui est opposable.

SECTION IV

DE L'ASSURANCE MARITIME

§ 1.—*Dispositions générales*

2505. Outre les risques relatifs à une opération maritime, l'assurance maritime peut couvrir les risques découlant d'opérations analogues aux opérations maritimes, les risques terrestres qui se rattachent à une opération maritime, de même que les risques relatifs à la construction, à la réparation et au lancement des navires.

2506. Il y a risque relatif à une opération maritime, notamment lorsqu'un navire, des marchandises ou d'autres biens meubles sont exposés à des périls de la mer ou lorsqu'en raison de ces périls, la responsabilité civile d'une personne qui a un intérêt dans les biens assurables ou à leur égard peut être engagée.

Il en est de même lorsque des avances, notamment le fret, le prix de passage, la commission et la sûreté donnée pour les avances, les prêts ou les débours, sont compromises parce que les biens assurables en cause sont exposés à des périls de la mer.

2507. Les périls de la mer sont notamment ceux mentionnés dans la police et ceux qui sont connexes à la navigation ou qui en découlent, comme les fortunes de mer, le fait des écumeurs de mer, les contraintes, le jet à la mer et la baraterie, ainsi que la prise, la contrainte, la saisie ou la détention du navire ou des autres biens assurables par un gouvernement.

2508. L'assurance d'un navire porte tant sur la coque du navire que sur l'armement, les approvisionnements, les machines et chaudières et, dans le cas d'un navire affecté à un transport particulier, sur les accessoires prévus à cette fin, de même que sur les approvisionnements des machines et le carburant qui appartiennent à l'assuré.

2509. L'assurance du fret porte tant sur le profit que peut retirer un armateur de l'emploi de son navire au transport de ses propres marchandises ou de ses autres biens meubles, que sur le fret payable par un tiers, mais elle ne couvre pas le prix du passage.

2510. L'assurance des biens meubles porte sur tous les meubles non couverts par l'assurance du navire.

§ 2.—*De l'intérêt d'assurance*

I — De la nécessité de l'intérêt

2511. Il n'est pas nécessaire que l'intérêt d'assurance existe à la conclusion du contrat, mais il doit exister au moment du sinistre.

L'acquisition d'un intérêt après la survenance du sinistre ne rend pas l'assurance valide. Toutefois, l'assurance sur bonnes ou mauvaises nouvelles est valide, que l'assuré ait acquis son intérêt avant ou après le sinistre, pourvu, en ce dernier cas, qu'au moment de la conclusion du contrat, l'assuré n'ait pas été au courant du sinistre.

2512. Un contrat d'assurance maritime par manière de jeu ou de pari est nul, de nullité absolue.

Il y a contrat de jeu ou de pari lorsque l'assuré n'a pas d'intérêt d'assurance et que le contrat est conclu sans l'attente d'en acquérir un.

Sont réputés des contrats de jeu et pari ceux qui comportent des stipulations comme «intérêt ou sans intérêt», ou «sans autre preuve d'intérêt que la police elle-même», de même que ceux qui stipulent qu'il n'y aura pas de délaissement en faveur de l'assureur alors que, dans les faits, il y a possibilité de délaissement.

II — Des cas d'intérêt d'assurance

2513. L'intérêt d'assurance existe lorsqu'une personne est intéressée dans une opération maritime et, particulièrement, lorsqu'il existe, entre cette personne et l'opération ou entre elle et le bien assurable, un rapport de nature telle que sa responsabilité puisse être engagée ou qu'elle puisse tirer un avantage de la sécurité ou de la bonne arrivée du bien assurable ou subir un préjudice en cas de détention, perte ou avarie.

2514. Un intérêt d'assurance annulable, éventuel ou partiel peut faire l'objet du contrat d'assurance maritime.

2515. Ont, notamment, un intérêt d'assurance, l'assureur, pour le risque qu'il assure, l'assuré, pour les frais de l'assurance souscrite et pour assurer la solvabilité de son assureur, ainsi que le capitaine du navire ou un membre de l'équipage, pour son salaire.

Ont aussi un tel intérêt la personne qui paie le fret à l'avance lorsqu'il ne lui est pas remboursable en cas de sinistre, l'acheteur de marchandises, même s'il est en droit de refuser les marchandises ou de les considérer aux risques du vendeur, ainsi que le débiteur hypothécaire, pour le plein montant de la valeur du bien hypothéqué, et le créancier hypothécaire, sur le bien hypothéqué, à concurrence de sa créance.

III — De l'étendue de l'intérêt d'assurance

2516. Toute personne ayant un intérêt dans le bien assuré peut souscrire une assurance aussi bien pour son propre compte que pour celui d'un tiers qui y a un intérêt.

2517. L'intérêt d'assurance du propriétaire d'un bien est la valeur de celui-ci, sans qu'il y ait lieu de considérer l'obligation qu'un tiers pourrait avoir de l'indemniser en cas de sinistre.

§ 3.—*De la détermination de la valeur assurable des biens*

2518. La valeur assurable des biens est la valeur des biens qui, au moment où le contrat est formé, est aux risques de l'assuré.

Elle comprend aussi les frais d'assurance sur les biens.

2519. La valeur assurable d'un navire comprend, outre la valeur du navire, celle des débours et des avances sur le salaire des membres de l'équipage, ainsi que la valeur des dépenses faites pour réaliser le voyage ou l'opération prévue au contrat.

Celle du fret est le montant brut du fret aux risques de l'assuré, qu'il ait été payé à l'avance ou autrement et celle des marchandises est le prix coûtant de celles-ci, augmenté des frais d'embarquement et de ceux s'y rattachant.

§ 4.—*Du contrat et de la police*

I — De la souscription

2520. La souscription de chaque assureur constitue un contrat distinct avec l'assuré.

II — Des espèces de contrats

2521. Les contrats sont au voyage ou de durée ; ils peuvent faire l'objet d'une seule et même police.

Ils sont aussi à valeur agréée, à valeur indéterminée ou flottants.

2522. Le contrat au voyage couvre l'assuré d'un lieu de départ à un ou plusieurs lieux d'arrivée et, lorsque le contrat le précise, au lieu de départ même.

Le contrat de durée couvre l'assuré pour la période stipulée.

2523. Le contrat à valeur agréée fixe la valeur convenue du bien assuré.

En l'absence de fraude, la valeur ainsi fixée fait foi, entre l'assureur et l'assuré, de la valeur du bien, qu'il y ait perte totale ou seulement avarie, mais elle ne les lie pas lorsqu'il s'agit de déterminer s'il y a perte totale implicite.

2524. Le contrat à valeur indéterminée ne fixe pas la valeur du bien assuré, mais permet, sans excéder le montant de la garantie, d'établir ultérieurement la valeur qui était assurable.

Lorsque la valeur d'un bien assuré n'est pas déclarée avant l'avis de l'arrivée ou de la perte, le contrat est considéré à valeur indéterminée en ce qui concerne ce bien, à moins que la police n'en dispose autrement.

2525. Le contrat flottant décrit l'assurance en termes généraux et permet de déclarer ultérieurement les précisions nécessaires, dont le nom du navire.

2526. Les déclarations peuvent être faites au moyen d'une mention dans la police ou de toute autre manière consacrée par l'usage, mais, lorsqu'elles concernent des biens à expédier ou à charger, elles doivent, à moins que la police n'en dispose autrement, être faites dans l'ordre d'expédition ou de chargement, indiquer la valeur de ces biens et porter sur tous les envois visés par la police.

Les omissions et les déclarations erronées, faites de bonne foi, peuvent être corrigées, même après le sinistre ou après l'arrivée des biens à destination.

III — Du contenu de la police d'assurance

2527. Une police d'assurance maritime doit, outre le nom de l'assureur, de l'assuré ou de la personne qui effectue l'assurance pour son compte, spécifier le bien assuré, le risque contre lequel il est assuré et les sommes assurées, ainsi que le voyage ou la période de temps couverts par l'assurance, la date et le lieu de la souscription, le montant ou le taux des primes et les dates de leur échéance.

IV — De la cession de la police d'assurance

2528. La cession de l'assurance est permise, que ce soit avant ou après le sinistre.

Elle se fait au moyen d'une mention dans la police ou de toute autre manière consacrée par l'usage.

2529. L'assuré qui a aliéné ou perdu son intérêt dans le bien assuré ne peut céder l'assurance, à moins qu'il n'ait, auparavant ou à ce moment, convenu expressément ou implicitement de la céder.

2530. L'aliénation du bien assuré n'emporte pas la cession de l'assurance, à moins qu'elle ne résulte d'une transmission qui a lieu par l'effet de la loi ou par succession au profit d'un héritier.

2531. Le cessionnaire peut faire valoir ses droits contre l'assureur directement, mais celui-ci peut lui opposer tous les moyens découlant du contrat qu'il aurait pu invoquer contre l'assuré.

V — De la preuve et de la ratification du contrat

2532. Le contrat ne se prouve que par la production de la police d'assurance, mais lorsque celle-ci a été établie, les attestations d'assurance, comme la note de couverture, sont recevables comme preuve, notamment pour établir la teneur véritable du contrat et le moment où l'assureur a accepté la demande d'assurance.

2533. Lorsqu'un contrat est fait de bonne foi pour le compte d'un tiers, ce dernier peut le ratifier, même après avoir eu connaissance du sinistre.

§ 5.—*Des droits et obligations des parties relativement à la prime*

2534. L'assureur n'est pas tenu de délivrer la police avant qu'il n'y ait eu paiement de la prime ou que des offres réelles de paiement ne lui aient été faites.

2535. Lorsque l'assurance souscrite prévoit que le montant de la prime doit être établi par une entente ultérieure et que celle-ci n'intervient pas, l'assuré doit néanmoins une prime raisonnable.

Il en est de même lorsque l'assurance est souscrite à la condition qu'une prime supplémentaire soit fixée dans une éventualité donnée et que celle-ci se présente sans que cette prime ait été fixée.

2536. Le courtier doit la prime à l'assureur lorsque la police est obtenue par son intermédiaire; sinon, elle est due par l'assuré.

2537. L'assureur est redevable des sommes exigibles envers l'assuré. Lors d'un sinistre ou d'une ristourne de la prime, l'assureur doit ces sommes à l'assuré, qu'il ait ou non perçu la prime du courtier.

2538. L'assureur est tenu de restituer la prime quand la contrepartie du paiement de celle-ci fait totalement défaut et qu'il n'y a eu ni fraude ni illégalité de la part de l'assuré.

Si la contrepartie du paiement de la prime est divisible et qu'une fraction de cette contrepartie fait totalement défaut, l'assureur est également tenu, aux mêmes conditions, de restituer la prime, en proportion de l'absence de contrepartie.

2539. Lorsque la police est nulle ou qu'elle est annulée par l'assureur avant le commencement du risque, ce dernier doit restituer la prime, pourvu qu'il n'y ait eu ni fraude ni illégalité de la part de l'assuré; toutefois, lorsque le risque n'est pas divisible et qu'il a commencé à courir, cette restitution n'est pas due.

2540. Il y a lieu à une ristourne intégrale lorsque les biens assurés n'ont jamais été exposés au risque; il y a lieu à une ristourne partielle lorsqu'une partie seulement des biens assurés n'a pas été exposée au risque.

Toutefois, en assurance sur bonnes ou mauvaises nouvelles, lorsque les biens assurés étaient déjà arrivés à destination en bon état, au moment de la conclusion du contrat, il n'y a lieu à une ristourne que si l'assureur était déjà au courant de la bonne arrivée.

2541. Il y a lieu à une ristourne lorsque l'assuré n'a eu aucun intérêt d'assurance pendant toute la durée du risque et qu'il ne s'agit pas d'un contrat de jeu ou de pari.

Cependant, il n'a pas ce droit lorsque l'intérêt d'assurance est annulable et qu'il prend fin pendant la durée du risque.

2542. L'assurance souscrite pour un montant supérieur à la valeur du bien, dans un contrat à valeur indéterminée, donne lieu à une restitution proportionnelle de la prime.

Il en est de même de la surassurance résultant du cumul de contrats, survenue hors de la connaissance de l'assuré. Toutefois, lorsque les contrats ont pris effet à des époques différentes et qu'un des contrats, à un moment donné, a couvert seul l'intégralité du risque, ou si, encore, une indemnité a été acquittée par l'assureur en regard du plein montant de l'assurance, il n'y a pas lieu à la restitution de la prime de ce contrat.

2543. Le courtier a le droit de retenir la police pour le montant de la prime et des frais engagés pour la souscription de la police.

Lorsque le courtier a fait affaire avec une personne comme si cette dernière agissait pour son propre compte, il a également le droit de retenir la police pour le solde de tout compte d'assurance qui peut lui être dû par cette personne, à moins qu'au moment où la dette a été contractée, il n'ait eu de bonnes raisons de croire que cette personne n'agissait que pour le compte d'autrui.

2544. Lorsque la police obtenue par un courtier mentionne que la prime a été payée, cette mention, en l'absence de fraude, fait foi entre l'assureur et l'assuré, mais non entre l'assureur et le courtier.

§ 6.—*Des déclarations*

2545. La formation du contrat d'assurance maritime nécessite la plus absolue bonne foi.

Si celle-ci n'est pas observée par l'une des parties, l'autre peut demander la nullité du contrat.

2546. L'assuré doit, avant la formation du contrat, déclarer toutes les circonstances qu'il connaît et qui sont de nature à influencer de façon importante un assureur dans l'établissement de la prime, l'appréciation du risque ou la décision de l'accepter; ces déclarations doivent être vraies.

L'obligation de déclaration s'étend aux communications qui ont été faites à l'assuré et aux renseignements reçus par lui.

2547. S'il n'est pas interrogé, l'assuré n'est pas tenu de déclarer les circonstances qui ont pour effet de réduire le risque, de même que celles qu'il est superflu de déclarer en raison d'engagements exprès ou implicites.

De même, il n'est pas tenu de déclarer ce qui est de notoriété, ni les circonstances que l'assureur connaît ou sur lesquelles il renonce à être informé.

2548. Les déclarations portant sur des faits sont réputées vraies lorsque la différence entre la réalité et ce qui est déclaré n'est pas de nature à influencer, de façon importante, le jugement d'un assureur.

Les déclarations exprimant des attentes ou des croyances sont réputées vraies lorsqu'elles sont faites de bonne foi.

2549. Lorsque l'assurance est conclue par un représentant de l'assuré, le représentant est soumis aux mêmes obligations que l'assuré quant aux déclarations à faire.

Toutefois, on ne peut pas lui imputer d'omission lorsque les circonstances sont arrivées trop tard à la connaissance de l'assuré pour lui être communiquées.

2550. L'assuré et l'assureur, de même que leurs représentants, sont réputés connaître toutes les circonstances qui, dans le cours de leurs activités, devraient être connues d'eux.

2551. Les déclarations peuvent être rectifiées ou retirées avant la formation du contrat.

2552. Toute omission ou fausse déclaration de la part de l'assuré entraîne la nullité du contrat à la demande de l'assureur, même en ce qui concerne les pertes et dommages qui ne sont pas rattachés aux risques ainsi dénaturés.

§ 7.—*Des engagements*

2553. Il y a engagement lorsque l'assuré affirme ou nie l'existence d'un certain état de fait ou lorsqu'il s'oblige à ce qu'une chose soit faite ou ne soit pas faite ou que certaines conditions soient remplies.

L'affirmation ou la négation d'un état de fait sous-entend nécessairement que cet état ne variera pas.

2554. Les engagements doivent être respectés intégralement, qu'ils soient susceptibles ou non d'influencer de façon importante le jugement d'un assureur.

S'ils ne sont pas ainsi respectés, l'assureur est libéré de ses obligations, à compter de la violation de l'engagement, quant à tout sinistre qui survient ultérieurement; l'assuré ne peut invoquer en défense le fait qu'il a été remédié à la violation et que l'on s'est conformé à l'engagement avant le sinistre.

2555. L'assuré n'est pas obligé de respecter les engagements qui sont devenus illégaux ou qui, en raison d'un changement de circonstances, ne sont plus pertinents au contrat.

2556. L'engagement peut être exprès ou implicite. L'engagement exprès n'est soumis à aucune forme particulière, mais il doit figurer dans la police ou dans un document qui y est intégré par un avenant.

Un engagement exprès n'exclut pas un engagement implicite, à moins qu'il n'y ait incompatibilité entre les deux.

2557. L'engagement exprès portant sur la neutralité d'un navire ou d'autres biens assurables comporte l'engagement implicite que la neutralité existe au commencement du risque et que, dans la mesure où l'assuré en a le contrôle, elle sera maintenue pendant la durée du risque.

L'engagement exprès portant sur la neutralité d'un navire comporte également l'engagement implicite que, dans la mesure où l'assuré en a le contrôle, le navire aura à son bord les documents nécessaires à l'établissement de sa neutralité, que ces documents ne seront ni supprimés ni falsifiés et que des faux ne seront pas utilisés. Si un sinistre survient par suite de la violation de cet engagement implicite, le contrat peut être annulé à la demande de l'assureur.

2558. Il n'y a pas d'engagement implicite quant à la nationalité du navire ou au maintien de cette nationalité pendant la durée du risque.

2559. Lorsqu'il y a engagement que les biens assurés sont en bon état ou en sécurité un jour donné, il suffit qu'ils le soient à un moment de cette journée.

2560. Dans un contrat au voyage, il y a engagement implicite que le navire est, au commencement du voyage, en bon état de navigabilité pour l'opération maritime assurée.

Si le risque commence alors que le navire est au port, il y a engagement implicite que le navire sera, alors, en état de faire face aux périls ordinaires du port; si les diverses étapes d'un voyage exigent une préparation ou un armement différent ou supplémentaire pour le navire, il y a engagement implicite que le navire sera en bon état de navigabilité au début de chaque étape.

2561. Dans un contrat de durée, il n'y a pas d'engagement implicite que le navire est en bon état de navigabilité.

Toutefois, lorsque, au su de l'assuré, le navire prend la mer en état d'innavigabilité, l'assureur n'est pas tenu des pertes et des dommages qui en résultent.

2562. Un navire est réputé en bon état de navigabilité lorsqu'il est, à tous égards, en état de faire face aux périls habituels de la mer durant l'opération maritime assurée.

2563. Lorsque l'assurance porte sur des marchandises ou d'autres biens meubles, il n'y a pas d'engagement implicite garantissant que ces biens sont en état de voyager par mer.

Cependant, si le contrat est au voyage, il y a engagement implicite qu'au commencement du voyage, le navire est en bon état de navigabilité et qu'il est en état de transporter ces biens à la destination envisagée.

2564. Il y a engagement implicite que l'opération maritime assurée n'est pas prohibée par la loi et que, dans la mesure du possible pour l'assuré, l'opération maritime sera exécutée conformément à la loi.

§ 8.—*Du voyage*

I — Du départ

2565. Le contrat au voyage comporte une condition implicite que si, lors de la conclusion du contrat, le navire n'est pas au lieu de départ qui y est indiqué, l'opération maritime commencera, néanmoins, dans un délai raisonnable.

Si tel n'est pas le cas, le contrat peut être annulé à la demande de l'assureur, à moins que l'assuré ne démontre que le retard était dû à des circonstances connues de l'assureur avant la conclusion du contrat.

2566. Lorsque le navire prend la mer d'un lieu de départ autre que celui indiqué au contrat, le risque n'est pas assuré.

Il en est de même lorsque le navire, au départ, prend la mer pour une destination autre que celle indiquée au contrat.

II — Du changement de voyage

2567. Il y a changement de voyage dès que se manifeste, après le début du risque, la décision de changer volontairement la destination du navire de celle indiquée au contrat.

L'assureur est libéré de ses obligations dès ce changement, que l'itinéraire ait ou non, en fait, été changé au moment du sinistre.

III — Du déroutement

2568. Il y a déroutement lorsque le navire s'écarte effectivement de l'itinéraire indiqué au contrat ou, lorsque aucun itinéraire n'étant indiqué, il s'écarte de l'itinéraire habituel.

L'assureur est libéré de ses obligations, dès qu'il y a déroutement sans excuse légitime, que le navire ait ou non repris son itinéraire avant le sinistre.

2569. Lorsque le contrat indique plusieurs lieux de déchargement, il n'est pas obligatoire que le navire se rende à tous ces lieux.

Toutefois, en l'absence d'usage contraire ou d'excuse légitime, il doit se rendre aux lieux qu'il touchera, en suivant l'ordre indiqué au contrat, sans quoi il y a déroutement.

2570. Lorsque le contrat désigne les lieux de déchargement d'une région, généralement et sans les nommer, le navire doit, en l'absence d'usage contraire ou d'excuse légitime, se rendre aux lieux qu'il touchera dans l'ordre géographique, sans quoi il y a déroutement.

IV — Du retard

2571. Lorsque le contrat est au voyage, l'opération maritime doit être poursuivie avec diligence; si, sans excuse légitime, elle ne se poursuit pas ainsi, l'assureur est libéré de ses obligations à compter du moment où l'absence de diligence devient manifeste.

V — Des retards et des déroutements excusables

2572. Les déroutements et les retards dans la poursuite du voyage sont excusés lorsqu'ils sont autorisés par le contrat ou qu'ils sont rendus nécessaires pour respecter un engagement prévu au contrat; ils le sont, aussi, lorsqu'ils sont causés par des circonstances qui échappent au contrôle du capitaine et de son employeur ou qu'ils sont rendus nécessaires pour la sécurité des biens assurés.

Ils sont également excusés lorsqu'il s'agit de sauver des vies humaines ou de rendre des services de sauvetage à un navire en détresse, à bord duquel des vies humaines peuvent être en danger, ou qu'ils sont nécessaires en vue de procurer des soins médicaux ou chirurgicaux à une personne à bord du navire, ou encore lorsqu'ils sont causés par la baraterie du capitaine ou de l'équipage, à condition que la baraterie soit un risque assuré.

2573. Lorsque la cause excusant le déroutement ou le retard disparaît, le navire doit, avec diligence, reprendre son itinéraire et poursuivre son voyage.

2574. L'assureur n'est pas libéré de ses obligations lorsque, par suite de la réalisation d'un risque couvert par l'assurance, le voyage est interrompu dans un lieu intermédiaire, dans des circonstances qui, à moins de stipulation particulière dans le contrat d'affrètement, autorisent le capitaine à débarquer et à rembarquer les marchandises ou autres biens meubles ou à les transborder et à les envoyer à leur destination.

§ 9.—*De la déclaration du sinistre, des pertes et des dommages*

2575. La déclaration d'un sinistre obéit aux règles applicables à l'assurance terrestre de dommages.

2576. L'assureur n'est tenu que des pertes et des dommages résultant directement d'un risque couvert par la police.

Il est libéré de ses obligations lorsque ces pertes et dommages résultent de la faute intentionnelle de l'assuré, mais il ne l'est pas s'ils résultent de la faute du capitaine ou de l'équipage.

2577. L'assureur du navire ou des marchandises est libéré de ses obligations lorsque les pertes et dommages résultent directement du retard, même si le retard est imputable à la réalisation d'un risque couvert.

Il l'est également si les dommages causés aux machines ne résultent pas directement d'un péril de la mer ou si les pertes et les dommages proviennent directement du fait des rats et de la vermine, de l'usure, du coulage et du bris qui se produisent normalement au cours d'un voyage, ou de la nature même du bien assuré ou de son vice propre.

2578. Le préjudice subi par l'assuré peut être soit une avarie, soit la perte totale des biens assurés.

Les pertes totales sont réelles ou implicites.

Seules les pertes visées au présent paragraphe peuvent être considérées comme des pertes totales.

2579. L'assurance contre les pertes totales comprend tant celles qui sont réelles que celles qui sont implicites, à moins que les conditions du contrat n'autorisent des conclusions différentes.

2580. La perte est totale et réelle lorsque l'assuré est irrémédiablement privé du bien assuré ou que celui-ci est détruit ou endommagé à un point tel qu'il perd son identité. Elle est présumée telle lorsque le navire a disparu et qu'on n'a pas reçu de ses nouvelles pendant une période de temps raisonnable.

2581. La perte est totale et implicite lorsque le bien assuré est abandonné et qu'il l'a été parce que la perte totale réelle paraissait inévitable ou qu'elle ne pouvait être évitée qu'en engageant des frais excédant la valeur du bien assuré.

Elle l'est également lorsque l'assuré est privé de la possession du bien assuré, en raison de la réalisation d'un risque couvert par l'assurance, et qu'il est soit improbable qu'il puisse recouvrer le bien, soit trop onéreux de le tenter; elle l'est encore lorsque le bien est endommagé et qu'il serait trop onéreux de le réparer.

2582. Le recouvrement ou la réparation est présumé trop onéreux lorsque le coût excéderait la valeur du bien au moment où il serait fait, ou lorsque les frais à engager pour la réparation des biens et leur envoi à destination excéderaient leur valeur à l'arrivée ou lorsque les frais à engager pour la réparation du navire excéderaient sa valeur une fois réparé.

2583. Les contributions d'avarie commune à percevoir d'un tiers pour la réparation d'un navire ne sont pas comptées pour calculer les frais à engager pour cette réparation.

Cependant, on tient compte des frais d'opération de sauvetage et des contributions d'avarie commune auxquels serait tenu le navire s'il était réparé.

2584. L'assuré a le choix de considérer les pertes totales implicites soit comme des avaries, soit, en délaissant les biens assurés à l'assureur, comme des pertes totales réelles.

2585. Lorsque l'assuré intente une action pour une perte totale et que la preuve révèle qu'il n'y a eu qu'avarie, il a quand même le droit d'être indemnisé pour le préjudice subi, à moins que le contrat ne couvre pas les avaries.

2586. L'impossibilité d'identifier les marchandises, à destination, pour quelque raison que ce soit et notamment par suite de l'oblitération des marques, ne donne droit qu'à une action d'avaries.

§ 10.—*Du délaissement*

2587. L'assuré qui choisit de délaisser le bien assuré doit donner un avis de délaissement ; il est dispensé de donner l'avis lorsque la perte est totale et réelle. Autrement, il n'a droit qu'à une action d'avaries.

2588. Il n'y a aucune exigence particulière quant à la forme ou à la teneur de l'avis de délaissement, mais l'intention de l'assuré d'effectuer un délaissement sans condition doit être manifeste.

2589. L'avis de délaissement doit être donné avec diligence, dès que l'assuré est informé, de sources dignes de foi, de la survenance d'un sinistre.

Cependant, lorsque la nature des renseignements est douteuse, l'assuré a droit à un délai raisonnable pour faire enquête.

2590. L'avis de délaissement n'est pas nécessaire si, au moment où l'assuré a été mis au courant de la perte, l'assureur n'aurait pu de toute façon tirer aucun avantage du délaissement, même si l'avis lui avait été donné.

2591. L'assureur n'est pas tenu de donner un avis du délaissement à son réassureur.

2592. L'assureur peut accepter ou refuser le délaissement qui lui est valablement offert. Il peut aussi renoncer à l'avis de délaissement.

L'acceptation du délaissement est expresse ou découle de la conduite de l'assureur, mais son silence ne constitue pas une acceptation.

2593. L'acceptation de l'avis en justifie la validité, rend le délaissement irrévocable et comporte reconnaissance de la part de l'assureur de son obligation d'indemniser l'assuré.

2594. L'assureur qui accepte le délaissement devient propriétaire, à compter du sinistre, tant de l'intérêt de l'assuré dans tout ce qui peut subsister du bien assuré que des droits qui y sont afférents. Il assume, en même temps, les obligations qui s'y rattachent.

L'assureur qui a accepté le délaissement d'un navire a droit au fret gagné après le sinistre, déduction faite des frais engagés, après le sinistre, pour le gagner. De plus, quand le navire transporte les marchandises du propriétaire du navire, l'assureur a droit à une rémunération raisonnable pour le transport effectué après le sinistre.

2595. Le refus de l'assureur d'accepter le délaissement, alors même que l'avis en a été valablement donné, ne porte pas atteinte aux droits de l'assuré, notamment à celui d'être indemnisé pour une perte totale implicite.

L'assuré conserve son intérêt dans tout ce qui peut subsister du bien assuré, ainsi que les droits et les obligations qui s'y rattachent, même si l'assureur l'indemnise des pertes et des dommages qui ont donné lieu au délaissement.

§ 11.—*Des espèces d'avaries*

2596. Ne sont considérées comme avaries particulières que les avaries matérielles causées par la réalisation d'un risque assuré et qui ne résultent pas d'un fait d'avarie commune.

2597. Les avaries-frais sont les frais engagés par l'assuré, ou pour son compte, pour la préservation ou la sécurité du bien assuré, à l'exclusion des frais d'avarie commune et de sauvetage.

Elles ne sont pas comprises dans les avaries particulières.

2598. Les frais de sauvetage engagés pour prévenir des pertes et des dommages résultant de la réalisation d'un risque assuré peuvent être recouvrés comme une perte causée par ces risques.

On entend par frais de sauvetage, les frais qui, en vertu du droit maritime, peuvent être recouvrés par un sauveteur agissant sans contrat de sauvetage. Ils ne comprennent pas les frais pour les services de sauvetage rendus par l'assuré ou son mandataire, ou par toute autre personne employée par eux, à seule fin d'éviter la réalisation du risque, à moins que ces frais ne soient justifiés, auquel cas ils peuvent être recouvrés à titre d'avaries-frais ou de pertes par avarie commune, compte tenu des circonstances dans lesquelles ils ont été engagés.

2599. La perte par avarie commune est celle qui résulte d'un fait d'avarie commune.

Il y a fait d'avarie commune lorsqu'un sacrifice ou une dépense extraordinaire est volontairement et raisonnablement consenti à un moment périlleux, dans le but de préserver les biens en péril.

2600. Sous réserve des règles du droit maritime, la perte par avarie commune donne le droit, à la partie qui la subit, d'exiger une contribution proportionnelle des autres intéressés; cette contribution est dite contribution d'avarie commune.

2601. L'assuré qui a engagé une dépense d'avarie commune peut se faire indemniser par l'assureur, dans la mesure et la proportion de la perte qui lui incombe; celui qui a consenti un sacrifice d'avarie commune peut se faire indemniser par l'assureur de la totalité de la perte qu'il a subie, sans être tenu d'exiger une contribution des autres parties.

2602. L'assureur n'est pas tenu d'indemniser les pertes par avarie commune ou les contributions à leur égard si les dommages n'ont pas été subis dans le but d'éviter la réalisation d'un risque couvert ou s'ils ne se rattachent pas à des mesures prises pour l'éviter.

2603. Lorsque le navire, le fret, les marchandises ou d'autres biens meubles, ou au moins deux d'entre eux, sont la propriété d'un même assuré, la responsabilité de l'assureur, en ce qui concerne les pertes par avarie commune ou les contributions à leur égard, est établie comme si les biens appartenaient à des personnes différentes.

§ 12.—*Du calcul de l'indemnité*

2604. L'indemnité exigible se calcule en fonction de la pleine valeur assurable, si le contrat est à valeur indéterminée, ou en fonction de la somme fixée au contrat, si celui-ci est à valeur agréée.

2605. Lorsqu'une perte ou une avarie donne le droit d'exiger une indemnité, l'assureur ou chacun d'eux, s'il y en a plusieurs, est tenu de payer une indemnité égale au rapport existant entre, d'une part, le montant de sa souscription et, d'autre part, soit la valeur fixée au contrat, si celui-ci est à valeur agréée, soit la valeur assurable, si le contrat est à valeur indéterminée.

2606. L'indemnité pour la perte totale est la somme fixée au contrat, s'il est à valeur agréée, ou la valeur assurable du bien assuré, si le contrat est à valeur indéterminée.

2607. L'indemnité due pour la perte de fret est déterminée par comparaison entre la valeur globale du fret assuré et celle du fret obtenu, le taux de dépréciation ainsi obtenu devant être appliqué sur la valeur agréée, le cas échéant, sinon sur la valeur assurable.

2608. L'avarie d'un navire donne droit aux indemnités qui suivent:

1° Lorsque le navire a été réparé, l'assuré a droit au coût raisonnable des réparations, moins les déductions habituelles, mais sans que l'indemnité puisse excéder, pour un sinistre, la somme assurée;

2° Lorsque le navire n'a été que partiellement réparé, l'assuré a droit au coût raisonnable des réparations, calculé conformément au 1°; il a également le droit d'être indemnisé pour la dépréciation raisonnable résultant des dommages non réparés, sans toutefois que le montant total de l'indemnité puisse excéder le coût de la réparation de la totalité des dommages;

3° Lorsque le navire n'a pas été réparé et n'a pas été vendu dans son état d'avarie pendant la durée du risque, l'assuré a droit à une indemnité pour la dépréciation raisonnable résultant des dommages non réparés sans, toutefois, que l'indemnité puisse excéder le coût raisonnable et la réparation de ces dommages, calculé conformément au 1°.

2609. L'indemnité due pour la perte totale d'une partie des marchandises ou des autres biens meubles assurés par un contrat à valeur agréée est égale à la somme fixée au contrat, multipliée par le rapport existant entre la valeur assurable de la partie perdue et la valeur assurable du tout, ces deux valeurs étant établies de la même façon que s'il s'agissait d'un contrat à valeur indéterminée.

Celle due pour la perte totale d'une partie des biens assurés par un contrat à valeur indéterminée est la valeur assurable de la partie perdue, établie de la même façon que s'il s'agissait d'une perte totale de tous les biens.

2610. Lorsque la totalité ou une partie quelconque des marchandises ou des autres biens meubles assurés a été livrée à destination en état d'avarie, l'indemnité due est déterminée par comparaison entre la valeur brute à l'état sain et la valeur brute en état d'avarie, le taux de dépréciation ainsi obtenu devant être appliqué sur la valeur agréée, le cas échéant, sinon sur la valeur assurable.

On entend par valeur brute, le prix de gros au lieu de destination ou, à défaut, l'estimation de la valeur des biens en y ajoutant, dans chaque cas, les droits acquittés à l'avance, ainsi que les frais de débarquement et le fret ou, pour les marchandises qui se vendent ordinairement en entrepôt, le prix en entrepôt.

2611. La ventilation de la valeur assurée de biens de nature différente ayant fait l'objet d'une évaluation globale se fait en proportion de la valeur assurable de chaque groupe; de même, la ventilation de la valeur assurée de chacun des éléments d'un groupe se fait en proportion de la valeur assurable de chacun des éléments du groupe.

La ventilation de la valeur assurée de marchandises de nature différente dont il est impossible de déterminer séparément le prix facturé, la qualité ou le genre peut se faire en fonction de la valeur nette des marchandises saines à destination.

2612. L'assuré appelé à contribuer aux pertes par avarie commune a droit à une indemnité pour le montant total de sa contribution, si le bien est assuré pour sa pleine valeur contributive. S'il n'est pas ainsi assuré ou s'il n'est assuré qu'en partie, l'indemnité est réduite en proportion de la sous-assurance.

La somme attribuée en compensation du préjudice subi par l'assuré, en raison d'une avarie particulière garantie par l'assureur et déductible de la valeur contributive, doit être déduite de la valeur assurée, afin d'établir le montant de la contribution qui incombe à l'assureur.

Ces règles s'appliquent également pour calculer les frais de sauvetage que l'assureur est tenu de rembourser.

2613. L'indemnité exigible en vertu d'une assurance de responsabilité civile est la somme payée ou payable aux tiers, jusqu'à concurrence du montant de l'assurance.

2614. Lorsque les pertes ou les dommages subis ne sont pas visés par le présent paragraphe, l'indemnité s'établit néanmoins, autant que possible, conformément à celui-ci.

2615. Lorsque le bien est assuré franc d'avaries particulières, l'assuré n'a pas droit à une indemnité pour la perte partielle du bien assuré, à moins que la perte ne résulte d'un sacrifice d'avarie commune ou que le contrat ne puisse faire l'objet d'un fractionnement.

Dans ce dernier cas, l'assuré a droit à une indemnité pour la perte totale de toute fraction du bien assuré.

2616. Lorsque le bien est assuré franc d'avaries particulières, soit totalement, soit en deçà d'un certain pourcentage, l'assureur est néanmoins tenu aux frais de sauvetage, de même qu'aux frais engagés pour éviter une perte couverte par l'assurance et, notamment, aux avaries-frais et aux frais engagés conformément à la clause sur les mesures conservatoires et préventives.

On ne peut ajouter les avaries communes aux avaries particulières pour atteindre le pourcentage stipulé au contrat. De la même façon, on ne tient pas compte des avaries-frais et des frais engagés pour établir le montant du préjudice subi.

2617. Sous réserve des dispositions du présent paragraphe, l'assureur est garant des sinistres successifs, même si le montant total des pertes et des dommages dépasse la somme assurée.

Toutefois, lorsque des avaries sont suivies d'une perte totale, l'assuré ne peut, en vertu d'un même contrat, recouvrer que l'indemnité due pour la perte totale, à moins que l'avarie n'ait déjà fait l'objet de réparations ou d'un remplacement.

Les obligations de l'assureur, en vertu de la clause sur les mesures conservatoires et préventives, demeurent.

2618. La clause sur les mesures conservatoires et préventives est réputée supplémentaire au contrat d'assurance; l'assuré peut, en vertu de cette clause, recouvrer tous les frais qu'il a engagés, même si l'assureur a déjà réglé les dommages sur la base d'une perte totale ou même si le bien a été assuré franc d'avaries particulières, totalement ou en deçà d'un certain pourcentage.

Cette clause ne couvre cependant pas les pertes par avarie commune, les contributions aux avaries communes, les frais de sauvetage, ni les frais engagés pour éviter ou limiter des pertes ou des dommages non couverts par le contrat.

2619. Il est du devoir de l'assuré et de ses représentants de prendre, dans tous les cas, les mesures raisonnables afin d'éviter ou de limiter les pertes et les dommages.

§ 13.—*Dispositions diverses*

I — De la subrogation

2620. Lorsque l'assureur indemnise l'assuré en raison d'une perte totale, soit pour le tout, soit, s'il s'agit de marchandises, pour une partie divisible du bien assuré, il acquiert de ce fait le droit de recueillir l'intérêt de l'assuré dans tout ce qui peut subsister du bien qu'il assurait; il est, par là même, subrogé dans tous les droits et recours de l'assuré relativement à ce bien, depuis le moment de l'événement qui a causé la perte.

Cependant, l'indemnisation de l'assuré pour des avaries particulières ne confère à l'assureur aucun droit dans le bien assuré ou dans ce qui peut en rester. L'assureur est de ce fait subrogé, à compter du sinistre, dans tous les droits de l'assuré relativement à ce bien, jusqu'à concurrence de l'indemnité d'assurance payée.

II — Du cumul de contrats

2621. Il y a cumul de contrats lorsque plusieurs polices d'assurance sont établies par l'assuré ou pour son compte, couvrant en tout ou en partie le même intérêt d'assurance et la même opération maritime, et que les sommes assurées sont supérieures au montant de l'indemnité exigible.

2622. L'assuré peut, en cas de cumul de contrats, exiger le paiement de ses assureurs dans l'ordre de son choix, mais, en aucun cas, il ne peut recevoir une somme supérieure à l'indemnité exigible.

2623. Lorsque le contrat est à valeur agréée, l'assuré doit déduire, jusqu'à concurrence de l'évaluation, les sommes qu'il a reçues en vertu d'un autre contrat, sans égard à la valeur réelle du bien assuré.

Lorsque le contrat est à valeur indéterminée, il doit déduire, jusqu'à concurrence de la pleine valeur d'assurance, les sommes qu'il a reçues en vertu d'un autre contrat.

2624. L'assuré qui recouvre une somme supérieure à l'indemnité exigible est réputé détenir cette somme pour le compte des assureurs, selon leurs droits respectifs.

2625. Lorsqu'il y a cumul de contrats, chaque assureur est tenu à l'égard des autres de contribuer à l'indemnisation de l'assuré, proportionnellement à la somme qu'il assure aux termes de son contrat.

L'assureur qui contribue au-delà de sa part a le droit de recouvrer l'excédent des autres assureurs, de la même manière que la caution qui contribue au-delà de sa part.

III — De la sous-assurance

2626. Lorsque l'assuré est couvert pour une somme inférieure à la valeur assurable ou, si le contrat est à valeur agréée, pour une somme inférieure à la valeur convenue, l'assuré est son propre assureur pour la différence.

IV — De l'assurance mutuelle

2627. L'assurance est mutuelle lorsque plusieurs personnes décident de s'assurer les unes les autres contre des risques maritimes.

Elle obéit aux règles de la présente section, sauf quant à la prime et les parties peuvent substituer toute autre forme d'engagement à celle-ci.

V — De l'action directe

2628. Les articles 2500 à 2502, relatifs à l'action directe du tiers lésé, s'appliquent à l'assurance maritime. Toute stipulation qui déroge à ces règles est nulle.

CHAPITRE SEIZIÈME

DU JEU ET DU PARI

2629. Les contrats de jeu et de pari sont valables dans les cas expressément autorisés par la loi.

Ils le sont aussi lorsqu'ils portent sur des exercices et des jeux licites qui tiennent à la seule adresse des parties ou à l'exercice de leur corps, à moins que la somme en jeu ne soit excessive, compte tenu des circonstances, ainsi que de l'état et des facultés des parties.

2630. Lorsque le jeu et le pari ne sont pas expressément autorisés, le gagnant ne peut exiger le paiement de la dette et le perdant ne peut répéter la somme payée.

Toutefois, il y a lieu à répétition dans les cas de fraude ou de supercherie, ou lorsque le perdant est un mineur ou un majeur protégé ou non doué de raison.

CHAPITRE DIX-SEPTIÈME

DE LA TRANSACTION

2631. La transaction est le contrat par lequel les parties préviennent une contestation à naître, terminent un procès ou règlent les difficultés qui surviennent lors de l'exécution d'un jugement, au moyen de concessions ou de réserves réciproques.

Elle est indivisible quant à son objet.

2632. On ne peut transiger relativement à l'état ou à la capacité des personnes ou sur les autres questions qui intéressent l'ordre public.

2633. La transaction a, entre les parties, l'autorité de la chose jugée.

La transaction n'est susceptible d'exécution forcée qu'après avoir été homologuée.

2634. L'erreur de droit n'est pas une cause de nullité de la transaction. Sauf cette exception, la transaction peut être annulée pour les mêmes causes que les contrats en général.

2635. La transaction fondée sur un titre nul est également nulle, à moins que les parties n'aient expressément traité sur la nullité.

Celle fondée sur des pièces qui ont depuis été reconnues fausses est aussi nulle.

2636. La transaction sur un procès est nulle si les parties, ou l'une d'elles, ignoraient qu'un jugement passé en force de chose jugée avait terminé le litige.

2637. Lorsque les parties ont transigé sur l'ensemble de leurs affaires, la découverte subséquente de documents qui leur étaient alors inconnus n'est pas une cause de nullité de la transaction, à moins qu'ils n'aient été retenus par le fait de l'une des parties ou, à sa connaissance, par un tiers.

Cependant, la transaction est nulle si elle n'a qu'un objet et que les documents nouvellement découverts établissent que l'une des parties n'y avait aucun droit.

CHAPITRE DIX-HUITIÈME

DE LA CONVENTION D'ARBITRAGE

2638. La convention d'arbitrage est le contrat par lequel les parties s'engagent à soumettre un différend né ou éventuel à la décision d'un ou de plusieurs arbitres, à l'exclusion des tribunaux.

2639. Ne peut être soumis à l'arbitrage, le différend portant sur l'état et la capacité des personnes, sur les matières familiales ou sur les autres questions qui intéressent l'ordre public.

Toutefois, il ne peut être fait obstacle à la convention d'arbitrage au motif que les règles applicables pour trancher le différend présentent un caractère d'ordre public.

2640. La convention d'arbitrage doit être constatée par écrit; elle est réputée l'être si elle est consignée dans un échange de communications qui en atteste l'existence ou dans un échange d'actes de procédure où son existence est alléguée par une partie et non contestée par l'autre.

2641. Est nulle la stipulation qui confère à une partie une situation privilégiée quant à la désignation des arbitres.

2642. Une convention d'arbitrage contenue dans un contrat est considérée comme une convention distincte des autres clauses de ce contrat et la constatation de la nullité du contrat par les arbitres ne rend pas nulle pour autant la convention d'arbitrage.

2643. Sous réserve des dispositions de la loi auxquelles on ne peut déroger, la procédure d'arbitrage est réglée par le contrat ou, à défaut, par le Code de procédure civile.

LIVRE SIXIÈME

DES PRIORITÉS ET DES HYPOTHÈQUES

TITRE PREMIER

DU GAGE COMMUN DES CRÉANCIERS

2644. Les biens du débiteur sont affectés à l'exécution de ses obligations et constituent le gage commun de ses créanciers.

2645. Quiconque est obligé personnellement est tenu de remplir son engagement sur tous ses biens meubles et immeubles, présents et à venir, à l'exception de ceux qui sont insaisissables et de ceux qui font l'objet d'une division de patrimoine permise par la loi.

Toutefois, le débiteur peut convenir avec son créancier qu'il ne sera tenu de remplir son engagement que sur les biens qu'ils désignent.

2646. Les créanciers peuvent agir en justice pour faire saisir et vendre les biens de leur débiteur.

En cas de concours entre les créanciers, la distribution du prix se fait en proportion de leur créance, à moins qu'il n'y ait entre eux des causes légitimes de préférence.

2647. Les causes légitimes de préférence sont les priorités et les hypothèques.

2648. Peuvent être soustraits à la saisie, dans les limites fixées par le Code de procédure civile, les meubles du débiteur qui garnissent sa résidence principale, servent à l'usage du ménage et sont nécessaires à la vie de celui-ci, sauf si ces meubles sont saisis pour les sommes dues sur le prix.

Peuvent l'être aussi, dans les limites ainsi fixées, les instruments de travail nécessaires à l'exercice personnel d'une activité professionnelle, sauf si ces meubles sont saisis par un créancier détenant une hypothèque sur ceux-ci.

2649. La stipulation d'insaisissabilité est sans effet, à moins qu'elle ne soit faite dans un acte à titre gratuit et qu'elle ne soit temporaire et justifiée par un intérêt sérieux et légitime; néanmoins, le bien demeure saisissable dans la mesure prévue au Code de procédure civile.

Elle n'est opposable aux tiers que si elle est publiée au registre approprié.

TITRE DEUXIÈME

DES PRIORITÉS

2650. Est prioritaire la créance à laquelle la loi attache, en faveur d'un créancier, le droit d'être préféré aux autres créanciers, même hypothécaires, suivant la cause de sa créance.

La priorité est indivisible.

2651. Les créances prioritaires sont les suivantes et, lorsqu'elles se rencontrent, elles sont, malgré toute convention contraire, colloquées dans cet ordre:

1° Les frais de justice et toutes les dépenses faites dans l'intérêt commun;

2° La créance du vendeur impayé pour le prix du meuble vendu à une personne physique qui n'exploite pas une entreprise;

3° Les créances de ceux qui ont un droit de rétention sur un meuble, pourvu que ce droit subsiste;

4° Les créances de l'État pour les sommes dues en vertu des lois fiscales;

5° Les créances des municipalités et des commissions scolaires pour les impôts fonciers sur les immeubles qui y sont assujettis.

2652. La créance prioritaire couvrant les frais de justice et les dépenses faites dans l'intérêt commun peut être exécutée sur les biens meubles ou immeubles.

2653. La créance prioritaire de l'État pour les sommes dues en vertu des lois fiscales peut être exécutée sur les biens meubles.

2654. Le créancier qui procède à une saisie-exécution ou celui qui, titulaire d'une hypothèque mobilière, a inscrit un préavis d'exercice de ses droits hypothécaires, peut demander à l'État de dénoncer le montant de sa créance prioritaire. Cette demande doit être inscrite et la preuve de sa notification présentée au bureau de la publicité des droits.

Dans les trente jours qui suivent la notification, l'État doit dénoncer et inscrire, au registre des droits personnels et réels mobiliers, le montant de sa créance; cette dénonciation n'a pas pour effet de limiter la priorité de l'État au montant inscrit.

2655. Les créances prioritaires sont opposables aux autres créanciers sans qu'il soit nécessaire de les publier.

2656. Outre leur action personnelle et les mesures provisionnelles prévues au Code de procédure civile, les créanciers prioritaires peuvent, pour faire valoir et réaliser leur priorité, exercer les recours que leur confère la loi.

2657. Les créances prioritaires prennent rang, suivant leur ordre respectif, avant les hypothèques mobilières ou immobilières, quelle que soit leur date.

Si elles prennent le même rang, elles viennent en proportion du montant de chacune des créances.

2658. Lorsqu'il y a lieu à distribution ou à collocation entre plusieurs créanciers prioritaires, celui dont la créance est indéterminée ou non liquidée, ou suspendue par une condition, est colloqué suivant son rang, sujet cependant aux conditions prescrites par le Code de procédure civile.

2659. La priorité accordée par la loi à certaines créances cesse de plein droit lorsque l'obligation qui en est la cause s'éteint.

TITRE TROISIÈME

DES HYPOTHÈQUES

CHAPITRE PREMIER

DISPOSITIONS GÉNÉRALES

SECTION I

DE LA NATURE DE L'HYPOTHÈQUE

2660. L'hypothèque est un droit réel sur un bien, meuble ou immeuble, affecté à l'exécution d'une obligation; elle confère au créancier le droit de suivre le bien en quelques mains qu'il soit, de le prendre en possession ou en paiement, de le vendre ou de le faire vendre et d'être alors préféré sur le produit de cette vente suivant le rang fixé dans le présent code.

2661. L'hypothèque n'est qu'un accessoire et ne vaut qu'autant que l'obligation dont elle garantit l'exécution subsiste.

2662. L'hypothèque est indivisible et subsiste en entier sur tous les biens qui sont grevés, sur chacun d'eux et sur chaque partie de ces biens, malgré la divisibilité du bien ou de l'obligation.

2663. L'hypothèque doit être publiée, conformément au présent livre ou au livre De la publicité des droits, pour que les droits hypothécaires qu'elle confère soient opposables aux tiers.

SECTION II

DES ESPÈCES D'HYPOTHÈQUE

2664. L'hypothèque n'a lieu que dans les conditions et suivant les formes autorisées par la loi.

Elle est conventionnelle ou légale.

2665. L'hypothèque est mobilière ou immobilière, selon qu'elle grève un meuble ou un immeuble, ou une universalité soit mobilière, soit immobilière.

L'hypothèque mobilière a lieu avec dépossession ou sans dépossession du meuble hypothéqué. Lorsqu'elle a lieu avec dépossession, elle est aussi appelée gage.

SECTION III

DE L'OBJET ET DE L'ÉTENDUE DE L'HYPOTHÈQUE

2666. L'hypothèque grève soit un ou plusieurs biens particuliers, corporels ou incorporels, soit un ensemble de biens compris dans une universalité.

2667. L'hypothèque garantit, outre le capital, les intérêts qu'il produit et les frais légitimement engagés pour les recouvrer ou pour conserver le bien grevé.

2668. L'hypothèque ne peut grever des biens insaisissables.

Elle ne peut non plus grever les meubles du débiteur qui garnissent sa résidence principale, servent à l'usage du ménage et sont nécessaires à la vie de celui-ci.

2669. L'hypothèque constituée sur la nue-propriété ne s'étend pas à la pleine propriété lors de l'extinction du démembrement du droit de propriété.

2670. L'hypothèque sur le bien d'autrui ou sur un bien à venir ne grève ce bien qu'à compter du moment où le constituant devient le titulaire du droit hypothéqué.

2671. L'hypothèque s'étend à tout ce qui s'unit au bien par accession.

2672. Les meubles grevés d'hypothèque qui sont, à demeure, matériellement attachés ou réunis à l'immeuble, sans perdre leur individualité et sans y être incorporés, sont considérés, pour l'exécution de l'hypothèque, conserver leur nature mobilière tant que subsiste l'hypothèque.

2673. L'hypothèque subsiste sur le meuble nouveau qui résulte de la transformation d'un bien grevé d'hypothèque et s'étend à celui qui résulte du mélange ou de l'union de plusieurs meubles dont certains sont ainsi grevés. Celui qui acquiert la propriété du nouveau bien, notamment par application des règles de l'accession mobilière, est tenu de cette hypothèque.

2674. L'hypothèque qui grève une universalité de biens subsiste mais se reporte sur le bien de même nature qui remplace celui qui a été aliéné dans le cours des activités de l'entreprise.

Celle qui grève un bien individualisé ainsi aliéné se reporte sur le bien qui le remplace, par l'inscription d'un avis identifiant ce nouveau bien.

Si aucun bien ne remplace le bien aliéné, l'hypothèque ne subsiste et n'est reportée que sur les sommes d'argent provenant de l'aliénation, pourvu que celles-ci puissent être identifiées.

2675. L'hypothèque qui grève une universalité de biens subsiste, malgré la perte des biens hypothéqués, lorsque le débiteur ou le constituant les remplace dans un délai qui, eu égard à la quantité et à la nature de ces biens, revêt un caractère raisonnable.

2676. L'hypothèque qui grève une universalité de créances ne s'étend pas aux nouvelles créances de celui qui a constitué l'hypothèque, quand celles-ci résultent de la vente de ses autres biens, faite par un tiers dans l'exercice de ses droits.

Elle ne s'étend pas, non plus, à la créance qui résulte d'un contrat d'assurance sur les autres biens du constituant.

2677. L'hypothèque sur des actions du capital-actions d'une personne morale subsiste sur les actions ou autres valeurs mobilières reçues ou émises lors de l'achat, du rachat, de la conversion ou de l'annulation, ou d'une autre transformation des actions hypothéquées, si son inscription est renouvelée sur les actions ou les autres valeurs reçues ou émises.

Le créancier ne peut s'opposer à ces transformations en raison de son hypothèque.

2678. Lorsque ce qui est dû au créancier fait l'objet d'offres réelles ou d'une consignation selon les termes du présent code, le tribunal peut, à la demande du débiteur qui les fait, autoriser le report de l'hypothèque sur le bien offert ou consigné, et permettre la réduction du montant initialement inscrit.

Dès lors que la réduction du montant initial est inscrite au registre approprié, le débiteur ne peut plus retirer ses offres ou le bien consigné.

2679. L'hypothèque sur une partie indivise d'un bien subsiste si, par le partage ou par un autre acte déclaratif ou attributif de propriété, le constituant ou son ayant cause conserve des droits sur quelque partie de ce bien, sous réserve des dispositions du livre Des successions.

Si le constituant ne conserve aucun droit sur le bien, l'hypothèque subsiste néanmoins, mais elle est reportée, selon son rang, sur le prix de la cession qui revient au constituant, sur le paiement résultant de l'exercice d'un droit de retrait ou d'un pacte de préférence, ou sur la soulte payable au constituant.

2680. Lorsqu'il y a lieu à distribution ou à collocation entre plusieurs créanciers hypothécaires, celui dont la créance est indéterminée ou non liquidée, ou suspendue par une condition, est colloqué suivant son rang, sujet cependant aux conditions prescrites par le Code de procédure civile.

CHAPITRE DEUXIÈME

DE L'HYPOTHÈQUE CONVENTIONNELLE

SECTION I

DU CONSTITUANT DE L'HYPOTHÈQUE

2681. L'hypothèque conventionnelle ne peut être consentie que par celui qui a la capacité d'aliéner les biens qu'il y soumet.

Elle peut être consentie par le débiteur de l'obligation qu'elle garantit ou par un tiers.

2682. Celui qui n'a sur un bien qu'un droit conditionnel ou susceptible d'être frappé de nullité ne peut consentir qu'une hypothèque sujette à la même condition ou nullité.

2683. À moins qu'elle n'exploite une entreprise et que l'hypothèque ne grève les biens de l'entreprise, une personne physique ne peut consentir une hypothèque mobilière sans dépossession que dans les conditions et suivant les formes autorisées par la loi.

2684. Seule la personne ou le fiduciaire qui exploite une entreprise peut consentir une hypothèque sur une universalité de biens, meubles ou immeubles, présents ou à venir, corporels ou incorporels.

Celui qui exploite l'entreprise peut, ainsi, hypothéquer les animaux, l'outillage ou le matériel d'équipement professionnel, les créances et comptes clients, les brevets et marques de commerce, ou encore les meubles corporels qui font partie de l'actif de l'une ou l'autre de ses entreprises et qui sont détenus afin d'être vendus, loués ou traités dans le processus de fabrication ou de transformation d'un bien destiné à la vente, à la location ou à la prestation de services.

2685. Seule la personne qui exploite une entreprise peut consentir une hypothèque sur un meuble représenté par un connaissement.

2686. Seule la personne ou le fiduciaire qui exploite une entreprise peut consentir une hypothèque ouverte sur les biens de l'entreprise.

SECTION II

DE L'OBLIGATION GARANTIE PAR HYPOTHÈQUE

2687. L'hypothèque peut être consentie pour quelque obligation que ce soit.

2688. L'hypothèque constituée pour garantir le paiement d'une somme d'argent est valable, encore qu'au moment de sa constitution le débiteur n'ait pas reçu ou n'ait reçu que partiellement la prestation en raison de laquelle il s'est obligé.

Cette règle s'applique, notamment, en matière d'ouverture de crédit ou d'émission d'obligations et autres titres d'emprunt.

2689. L'acte constitutif d'hypothèque doit indiquer la somme déterminée pour laquelle elle est consentie.

Cette règle s'applique alors même que l'hypothèque est constituée pour garantir l'exécution d'une obligation dont la valeur ne peut être déterminée ou est incertaine.

2690. La somme pour laquelle l'hypothèque est consentie n'est pas considérée indéterminée si l'acte, plutôt que de stipuler un taux fixe d'intérêt, contient les éléments nécessaires à la détermination du taux d'intérêt effectif de cette somme.

2691. Si le créancier refuse de remettre les sommes d'argent qu'il s'est engagé à prêter et en garantie desquelles il détient une hypothèque, le débiteur ou le constituant peut obtenir, aux frais du créancier, la réduction ou la radiation de l'hypothèque, sur paiement, en ce dernier cas, des seules sommes alors dues.

2692. L'hypothèque qui garantit le paiement des obligations ou autres titres d'emprunt, émis par le fiduciaire, la société en commandite ou la personne morale autorisée à le faire en vertu de la loi, doit, à peine de nullité absolue, être constituée par acte notarié en minute, en faveur du fondé de pouvoir des créanciers.

SECTION III

DE L'HYPOTHÈQUE IMMOBILIÈRE

2693. L'hypothèque immobilière doit, à peine de nullité absolue, être constituée par acte notarié en minute.

2694. L'hypothèque immobilière n'est valable qu'autant que l'acte constitutif désigne de façon précise le bien hypothéqué.

2695. Sont considérées comme immobilières l'hypothèque des loyers, présents et à venir, que produit un immeuble, et celle des indemnités versées en vertu des contrats d'assurance qui couvrent ces loyers.

Ces hypothèques sont publiées au registre foncier.

SECTION IV

DE L'HYPOTHÈQUE MOBILIÈRE

§ 1.—*Dispositions particulières à l'hypothèque mobilière sans dépossession*

2696. L'hypothèque mobilière sans dépossession doit, à peine de nullité absolue, être constituée par écrit.

2697. L'acte constitutif d'une hypothèque mobilière doit contenir une description suffisante du bien qui en est l'objet ou, s'il s'agit d'une universalité de meubles, l'indication de la nature de cette universalité.

2698. L'hypothèque mobilière grevant les fruits et les produits du sol, ainsi que les matériaux ou d'autres choses qui font partie intégrante d'un immeuble, prend effet au moment où ceux-ci deviennent des meubles ayant une entité distincte. Elle prend rang à compter de son inscription au registre des droits personnels et réels mobiliers.

2699. L'hypothèque mobilière qui grève des biens représentés par un connaissement ou un autre titre négociable ou qui grève des créances est opposable aux créanciers du constituant depuis le moment où le créancier a exécuté sa prestation, si elle est inscrite dans les dix jours qui suivent.

2700. L'hypothèque mobilière sur un bien qui n'est pas aliéné dans le cours des activités de l'entreprise et qui est inscrite sous le nom du constituant est conservée par la production au registre des droits personnels et réels mobiliers, d'un avis de conservation de l'hypothèque.

Cet avis doit être inscrit dans les quinze jours qui suivent le moment où le créancier a été informé, par écrit, du transfert du bien et du nom de l'acquéreur ou le moment où il a consenti par écrit à ce transfert ; dans le même délai, le créancier transmet une copie de l'avis à l'acquéreur.

L'avis doit indiquer le nom du débiteur ou du constituant, de même que celui de l'acquéreur, et contenir une description du bien.

2701. L'hypothèque mobilière assumée par un acquéreur peut être publiée.

§ 2.—*Dispositions particulières à l'hypothèque mobilière avec dépossession*

2702. L'hypothèque mobilière avec dépossession est constituée par la remise du bien ou du titre au créancier ou, si le bien est déjà entre ses mains, par le maintien de la détention, du consentement du constituant, afin de garantir sa créance.

2703. L'hypothèque mobilière avec dépossession est publiée par la détention du bien ou du titre qu'exerce le créancier, et elle ne le demeure que si la détention est continue.

2704. La détention demeure continue même si son exercice est empêché par le fait d'un tiers, sans que le créancier y ait consenti, ou même si cet exercice est interrompu, temporairement, par la remise du bien ou du titre au constituant, ou à un tiers, afin qu'il l'évalue, le répare, le transforme ou l'améliore.

2705. Le créancier peut, avec l'accord du constituant, exercer sa détention par l'intermédiaire d'un tiers, mais, en ce cas, la détention par le tiers n'équivaut à publicité qu'à compter du moment où celui-ci reçoit une preuve écrite de l'hypothèque.

2706. Le créancier qui est empêché d'exercer sa détention peut revendiquer le bien de celui qui le détient, à moins que l'empêchement ne résulte de l'exercice, par un autre créancier, de ses droits hypothécaires ou d'une procédure de saisie-exécution.

2707. L'hypothèque mobilière avec dépossession peut être, postérieurement à sa constitution, publiée par inscription, pourvu qu'il n'y ait pas interruption de publicité.

2708. L'hypothèque mobilière qui grève des biens représentés par un connaissement ou un autre titre négociable ou qui grève des créances, est opposable aux créanciers du constituant depuis le moment où le créancier a exécuté sa prestation, si le titre lui est remis dans les dix jours qui suivent.

2709. Si le titre est négociable par endossement et délivrance, ou par délivrance seulement, la remise au créancier a lieu par l'endossement et la délivrance, ou par la délivrance seulement.

§ 3.—*Dispositions particulières à l'hypothèque mobilière sur des créances*

2710. L'hypothèque mobilière qui grève une créance que détient le constituant contre un tiers, ou une universalité de créances, peut être constituée avec ou sans dépossession.

Cependant, dans l'un et l'autre cas, le créancier ne peut faire valoir son hypothèque à l'encontre des débiteurs des créances hypothéquées tant qu'elle ne leur est pas rendue opposable de la même manière qu'une cession de créance.

2711. L'hypothèque qui grève une universalité de créances doit, même lorsqu'elle est constituée par la remise du titre au créancier, être inscrite au registre approprié.

2712. L'hypothèque qui grève une créance que détient le constituant contre un tiers, créance qui est elle-même garantie par une hypothèque inscrite, doit être publiée par inscription ; le créancier doit remettre une copie d'un état certifié de l'inscription au débiteur de la créance hypothéquée.

2713. Dans tous les cas, le créancier ou le constituant peut, en mettant l'autre en cause, intenter une action en recouvrement d'une créance hypothéquée.

§ 4.—*Dispositions particulières à l'hypothèque mobilière sur navire, cargaison ou fret*

2714. L'hypothèque mobilière qui grève un navire n'a d'effet que si, au moment où elle est publiée, le navire qui en fait l'objet n'est pas immatriculé en vertu de la Loi sur la marine marchande du Canada ou en vertu d'une loi étrangère équivalente.

L'hypothèque peut aussi être constituée sur la cargaison d'un navire immatriculé ou sur le fret, que les biens soient ou non à bord, mais elle est alors assujettie, le cas échéant, aux droits que d'autres personnes peuvent avoir sur les biens en vertu de telles lois.

SECTION V

DE L'HYPOTHÈQUE OUVERTE

2715. L'hypothèque ouverte est celle dont certains des effets sont suspendus jusqu'au moment où, le débiteur ou le constituant ayant manqué à ses obligations, le créancier provoque la clôture de l'hypothèque en leur signifiant un avis dénonçant le défaut et la clôture de l'hypothèque.

Le caractère ouvert de l'hypothèque doit être expressément stipulé dans l'acte.

2716. Il est nécessaire pour que l'hypothèque ouverte produise ses effets qu'elle ait été publiée au préalable et, dans le cas d'une affectation de biens immeubles, qu'elle ait été inscrite contre chacun des biens.

Elle n'est opposable aux tiers que par l'inscription de l'avis de clôture.

2717. Les conditions ou restrictions stipulées à l'acte constitutif quant au droit du constituant d'aliéner, d'hypothéquer ou de disposer des biens grevés ont effet entre les parties avant même la clôture.

2718. L'hypothèque ouverte qui grève plusieurs créances produit ses effets à l'égard des débiteurs des créances hypothéquées dès l'inscription de l'avis de clôture, à condition que cet avis soit publié dans un journal distribué dans la localité de la dernière adresse connue du constituant de l'hypothèque ouverte ou, si celui-ci exploite une entreprise, dans la localité où son principal établissement est situé.

La publication de l'avis n'est pas nécessaire si l'hypothèque et l'avis de clôture sont rendus opposables aux débiteurs des créances hypothéquées, de la même manière qu'une cession de créance.

2719. L'hypothèque ouverte emporte, par sa clôture, les effets d'une hypothèque, mobilière ou immobilière, à l'égard des droits que le constituant peut encore avoir, à ce moment, dans les biens grevés; si, parmi ceux-ci, se trouve une universalité, elle grève aussi les biens acquis par le constituant après la clôture.

2720. La vente d'entreprise consentie par le constituant n'est pas opposable au titulaire de l'hypothèque ouverte; il en est de même de la fusion ou de la réorganisation dont l'entreprise fait l'objet.

2721. Le créancier titulaire d'une hypothèque ouverte grevant une universalité de biens peut, à compter de l'inscription de l'avis de clôture, prendre possession des biens pour les administrer, par préférence à tout autre créancier qui n'aurait publié son hypothèque qu'après l'inscription de l'hypothèque ouverte.

2722. Lorsque plusieurs hypothèques ouvertes grèvent les mêmes biens, la clôture de l'une d'elles permet aux autres créanciers d'inscrire eux-mêmes un avis de clôture au bureau de la publicité des droits.

2723. Lorsqu'il est remédié au défaut du débiteur, le créancier requiert l'officier d'inscription de radier l'avis de clôture.

Les effets de la clôture cessent à compter de cette radiation et les effets de l'hypothèque sont à nouveau suspendus.

CHAPITRE TROISIÈME

DE L'HYPOTHÈQUE LÉGALE

2724. Les seules créances qui peuvent donner lieu à une hypothèque légale sont les suivantes:

1° Les créances de l'État pour les sommes dues en vertu des lois fiscales, ainsi que certaines autres créances de l'État ou de personnes morales de droit public, spécialement prévues dans les lois particulières;

2° Les créances des personnes qui ont participé à la construction ou à la rénovation d'un immeuble;

3° La créance du syndicat des copropriétaires pour le paiement des charges communes et des contributions au fonds de prévoyance;

4° Les créances qui résultent d'un jugement.

2725. Les hypothèques légales de l'État, y compris celles pour les sommes dues en vertu des lois fiscales, de même que les hypothèques des personnes morales de droit public, peuvent grever des biens meubles ou immeubles.

Ces hypothèques ne sont acquises que par leur inscription sur le registre approprié. La réquisition d'inscription se fait par la présentation d'un avis qui indique la loi créant l'hypothèque, les biens du débiteur sur lesquels le créancier entend la faire valoir, la cause et le montant de la créance. L'avis doit être signifié au débiteur.

L'inscription, par l'État, d'une hypothèque légale mobilière pour les sommes dues en vertu des lois fiscales, ne l'empêche pas de se prévaloir plutôt de sa créance prioritaire.

2726. L'hypothèque légale en faveur des personnes qui ont participé à la construction ou à la rénovation d'un immeuble ne peut grever que cet immeuble. Elle n'est acquise qu'en faveur des architecte, ingénieur, fournisseur de matériaux, ouvrier, entrepreneur ou sous-entrepreneur, à raison des travaux demandés par le propriétaire de l'immeuble, ou à raison des matériaux ou services qu'ils ont fournis ou préparés pour ces travaux. Elle existe sans qu'il soit nécessaire de la publier.

2727. L'hypothèque légale en faveur des personnes qui ont participé à la construction ou à la rénovation d'un immeuble subsiste, quoiqu'elle n'ait pas été publiée, pendant les trente jours qui suivent la fin des travaux.

Elle est conservée si, avant l'expiration de ce délai, il y a eu inscription d'un avis désignant l'immeuble grevé et indiquant le montant de la créance. Cet avis doit être signifié au propriétaire de l'immeuble.

Elle s'éteint six mois après la fin des travaux à moins que, pour conserver l'hypothèque, le créancier ne publie une action contre le propriétaire de l'immeuble ou qu'il n'inscrive un préavis d'exercice d'un droit hypothécaire.

2728. L'hypothèque garantit la plus-value donnée à l'immeuble par les travaux, matériaux ou services fournis ou préparés pour ces travaux; mais, lorsque ceux en faveur de qui elle existe n'ont pas eux-mêmes contracté avec le propriétaire, elle est limitée aux travaux, matériaux ou services qui suivent la dénonciation écrite du contrat au propriétaire. L'ouvrier n'est pas tenu de dénoncer son contrat.

2729. L'hypothèque légale du syndicat des copropriétaires grève la fraction du copropriétaire en défaut, pendant plus de trente jours, de payer sa quote-part des charges communes ou sa contribution au fonds de prévoyance; elle n'est acquise qu'à compter de l'inscription d'un avis indiquant la nature de la réclamation, le montant exigible au jour de l'inscription de l'avis, le montant prévu pour les charges et créances de l'année financière en cours et celles des deux années qui suivent.

2730. Tout créancier en faveur de qui un tribunal ayant compétence au Québec a rendu un jugement portant condamnation à verser une somme d'argent, peut acquérir une hypothèque légale sur un bien, meuble ou immeuble, de son débiteur.

Il l'acquiert par l'inscription d'un avis désignant le bien grevé par l'hypothèque et indiquant le montant de l'obligation, et, s'il s'agit de rente ou d'aliments, le montant des versements et, le cas échéant, l'indice d'indexation. L'avis est présenté avec une copie du jugement et une preuve de sa signification au débiteur.

2731. À moins que l'hypothèque légale ne soit celle de l'État ou d'une personne morale de droit public, le tribunal peut, à la demande du propriétaire du bien grevé d'une hypothèque légale, déterminer le bien que l'hypothèque pourra grever, réduire le nombre de ces biens ou permettre au requérant de substituer à cette hypothèque une autre sûreté suffisante pour garantir le paiement; il peut alors ordonner la radiation de l'inscription de l'hypothèque légale.

2732. Le créancier qui a inscrit son hypothèque légale conserve son droit de suite sur le bien meuble qui n'est pas aliéné dans le cours des activités d'une entreprise, de la même manière que s'il était titulaire d'une hypothèque conventionnelle.

CHAPITRE QUATRIÈME

DE CERTAINS EFFETS DE L'HYPOTHÈQUE

SECTION I

DISPOSITIONS GÉNÉRALES

2733. L'hypothèque ne dépouille ni le constituant ni le possesseur qui continuent de jouir des droits qu'ils ont sur les biens grevés et peuvent en disposer, sans porter atteinte aux droits du créancier hypothécaire.

2734. Ni le constituant ni son ayant cause ne peuvent détruire ou détériorer le bien hypothéqué, ou en diminuer sensiblement la valeur, si ce n'est par une utilisation normale ou en cas de nécessité.

Dans le cas où il en subit une perte, le créancier peut, outre ses autres recours et encore que sa créance ne soit ni liquide ni exigible, recouvrer des dommages-intérêts compensatoires jusqu'à concurrence de sa créance et au même titre d'hypothèque; la somme ainsi perçue est imputée sur sa créance.

2735. Les créanciers hypothécaires peuvent agir en justice pour faire reconnaître leur hypothèque et interrompre la prescription, encore que leur créance ne soit ni liquide ni exigible.

SECTION II

DES DROITS ET OBLIGATIONS DU CRÉANCIER QUI DÉTIENT LE BIEN HYPOTHÉQUÉ

2736. Le créancier d'une hypothèque mobilière avec dépossession doit faire tous les actes nécessaires à la conservation du bien grevé dont il a la détention; il ne peut l'utiliser sans la permission du constituant.

2737. Le créancier perçoit les fruits et revenus du bien hypothéqué.

À moins d'une stipulation contraire, le créancier remet au constituant les fruits qu'il a perçus et il impute les revenus perçus, d'abord au paiement des frais, puis des intérêts qui lui sont dus, et enfin au paiement du capital de la dette.

2738. Dans le cas de rachat en espèces des actions du capital-actions d'une personne morale par l'émetteur, le créancier qui reçoit le prix l'impute comme s'il s'agissait de revenus.

2739. Le créancier ne répond pas de la perte du bien hypothéqué, survenue par suite de force majeure ou résultant de la vétusté du bien, de son dépérissement ou de son usage normal et autorisé.

2740. Le constituant est tenu de rembourser au créancier les impenses faites par ce dernier pour la conservation du bien.

2741. Le constituant ne peut obtenir la restitution du bien hypothéqué qu'après l'exécution de l'obligation, à moins que le créancier n'abuse du bien.

Le créancier tenu de restituer le bien en vertu d'un jugement perd alors son hypothèque.

2742. L'héritier du débiteur, qui paie sa part de la dette, ne peut demander sa portion du bien hypothéqué tant qu'une partie de la dette reste due.

L'héritier du créancier qui reçoit sa portion de la dette, ne peut remettre le bien hypothéqué au préjudice de ceux de ses cohéritiers qui n'ont pas été payés.

SECTION III

DES DROITS ET OBLIGATIONS DU CRÉANCIER TITULAIRE D'UNE HYPOTHÈQUE SUR DES CRÉANCES

2743. Le créancier titulaire d'une hypothèque sur une créance perçoit les revenus qu'elle produit, ainsi que le capital qui échoit durant l'existence de l'hypothèque; il donne aussi quittance des sommes qu'il perçoit.

À moins d'une stipulation contraire, il impute les sommes perçues au paiement de l'obligation, même non encore exigible, suivant les règles générales du paiement.

2744. Le créancier peut, dans l'acte d'hypothèque, autoriser le constituant à percevoir, à leur échéance, les remboursements de capital ou les revenus des créances hypothéquées.

2745. Le créancier peut, à tout moment, retirer l'autorisation de percevoir qu'il a donnée au constituant. Il doit alors lui signifier, ainsi qu'au débiteur des droits hypothéqués, un avis leur indiquant qu'il percevra désormais lui-même les sommes exigibles. Le retrait d'autorisation doit être inscrit.

2746. Le créancier n'est pas tenu, durant l'existence de l'hypothèque, d'agir en justice pour recouvrer les droits hypothéqués, en capital ou en intérêts, mais il doit, dans un délai raisonnable, informer le constituant de toute irrégularité dans le paiement des sommes exigibles sur ces droits.

2747. Le créancier rend au constituant les sommes perçues qui excèdent l'obligation due en capital, intérêts et frais, malgré toute stipulation selon laquelle le créancier les conserverait, à quelque titre que ce soit.

CHAPITRE CINQUIÈME

DE L'EXERCICE DES DROITS HYPOTHÉCAIRES

SECTION I

DISPOSITION GÉNÉRALE

2748. Outre leur action personnelle et les mesures provisionnelles prévues au Code de procédure civile, les créanciers ne peuvent, pour faire valoir et réaliser leur sûreté, exercer que les droits hypothécaires prévus au présent chapitre.

Ils peuvent ainsi, lorsque leur débiteur est en défaut et que leur créance est liquide et exigible, exercer les droits hypothécaires suivants: ils peuvent prendre possession du bien grevé pour l'administrer, le prendre en paiement de leur créance, le faire vendre sous contrôle de justice ou le vendre eux-mêmes.

SECTION II

DES CONDITIONS GÉNÉRALES D'EXERCICE DES DROITS HYPOTHÉCAIRES

2749. Les créanciers ne peuvent exercer leurs droits hypothécaires avant l'expiration du délai imparti pour délaisser le bien tel qu'il est fixé par l'article 2758.

2750. Celui des créanciers dont le rang est antérieur a priorité, pour l'exercice de ses droits hypothécaires, sur ceux qui viennent après lui.

Il peut cependant être tenu de payer les frais engagés par un créancier subséquent si, étant avisé de l'exercice d'un droit hypothécaire par cet autre créancier, il néglige, dans un délai raisonnable, d'invoquer l'antériorité de ses droits.

2751. Le créancier exerce ses droits hypothécaires en quelques mains que le bien se trouve.

2752. Lorsque le bien grevé d'une hypothèque fait subséquemment l'objet d'un usufruit, les droits hypothécaires doivent être exercés simultanément contre le nu-propriétaire et contre l'usufruitier, ou dénoncés à celui contre qui ils n'ont pas été exercés en premier.

2753. Le créancier dont l'hypothèque grève plusieurs biens peut exercer ses droits hypothécaires, simultanément ou successivement, sur les biens qu'il juge à propos.

2754. Lorsque des créanciers de rang postérieur n'ont d'hypothèque à faire valoir que sur un seul des biens grevés en faveur d'un même créancier, l'hypothèque de ce dernier se répartit, si au moins deux de ces biens sont vendus sous l'autorité de la justice et que le prix à distribuer soit suffisant pour acquitter sa créance, proportionnellement à ce qui reste à distribuer sur leurs prix respectifs.

2755. Le titulaire d'une hypothèque ouverte ne peut exercer ses droits hypothécaires qu'après l'inscription de l'avis de clôture.

2756. Le titulaire d'une hypothèque mobilière avec dépossession, qui grève des actions du capital-actions d'une personne morale, n'est pas tenu de dénoncer son droit à celui qui a émis les actions; dans tous les cas, cependant, l'exercice de ses droits hypothécaires est soumis aux dispositions et conventions qui régissent le transfert des actions hypothéquées.

SECTION III

DES MESURES PRÉALABLES À L'EXERCICE DES DROITS HYPOTHÉCAIRES

§ 1.—*Du préavis*

2757. Le créancier qui entend exercer un droit hypothécaire doit produire au bureau de la publicité des droits un préavis, accompagné de la preuve de la signification au débiteur et, le cas échéant, au constituant, ainsi qu'à toute autre personne contre laquelle il entend exercer son droit.

L'inscription de ce préavis est dénoncée conformément au livre De la publicité des droits.

2758. Le préavis d'exercice d'un droit hypothécaire doit dénoncer tout défaut par le débiteur d'exécuter ses obligations et rappeler le droit, le cas échéant, du débiteur ou d'un tiers, de remédier à ce défaut. Il doit aussi indiquer le montant de la créance en capital et intérêts, s'il en existe, et la nature du droit hypothécaire que le créancier entend exercer, fournir une description du bien grevé et sommer celui contre qui le droit hypothécaire est exercé de délaisser le bien, avant l'expiration du délai imparti.

Ce délai est de vingt jours à compter de l'inscription du préavis s'il s'agit d'un bien meuble, de soixante jours s'il s'agit d'un bien immeuble, ou de dix jours lorsque l'intention du créancier est de prendre possession du bien.

2759. Les courtiers en valeurs mobilières qui, à titre de créanciers, ont une hypothèque sur les valeurs qu'ils détiennent pour leur débiteur peuvent, dans l'exercice de leurs fonctions et si les règles et les usages qui s'appliquent au lieu où ils transigent, ainsi que la convention qu'ils ont avec leur débiteur le permettent, vendre ces valeurs ou les prendre en paiement, sans être tenus de donner un préavis ou de respecter les délais prescrits par le présent titre.

2760. L'aliénation volontaire du bien grevé d'une hypothèque, faite après l'inscription par le créancier du préavis d'exercice d'un droit hypothécaire, est inopposable à ce créancier, à moins que l'acquéreur, avec le consentement du créancier, n'assume personnellement la dette, ou que ne soit consignée une somme suffisante pour couvrir le montant de la dette, les intérêts dus et les frais engagés par le créancier.

§ 2.—*Des droits du débiteur ou de celui contre qui le droit hypothécaire est exercé*

2761. Le débiteur ou celui contre qui le droit hypothécaire est exercé, ou tout autre intéressé, peut faire échec à l'exercice du droit du créancier en lui payant ce qui lui est dû ou en remédiant à l'omission ou à la contravention mentionnée dans le préavis et à toute omission ou contravention subséquente et, dans l'un ou l'autre cas, en payant les frais engagés.

Il peut exercer ce droit jusqu'à ce que le bien ait été pris en paiement ou vendu ou, si le droit exercé est la prise de possession, à tout moment.

2762. Le créancier qui a donné un préavis d'exercice d'un droit hypothécaire n'a le droit d'exiger du débiteur aucune indemnité autre que les intérêts échus et les frais engagés.

§ 3.—*Du délaissement*

2763. Le délaissement est volontaire ou forcé.

2764. Le délaissement est volontaire lorsque, avant l'expiration du délai indiqué dans le préavis, celui contre qui le droit hypothécaire est exercé abandonne le bien au créancier afin qu'il en prenne possession ou consent, par écrit, à le remettre au créancier au moment convenu.

Si le droit hypothécaire exercé est la prise en paiement, le délaissement volontaire doit être constaté dans un acte consenti par celui qui délaisse le bien.

2765. Le délaissement est forcé lorsque le tribunal l'ordonne, après avoir constaté l'existence de la créance, le défaut du débiteur, le refus de délaisser volontairement et l'absence d'une cause valable d'opposition.

Le jugement fixe le délai dans lequel le délaissement doit s'opérer, en détermine la manière et désigne la personne en faveur de qui il a lieu.

2766. Si la bonne foi du créancier ou son aptitude à administrer le bien dont il demande le délaissement, ou son habileté à le vendre est mise en doute, le tribunal peut ordonner au créancier de fournir une sûreté pour garantir l'exécution de ses obligations.

2767. Le délaissement est également forcé lorsque le tribunal, à la demande du créancier, ordonne le délaissement du bien, avant même que le délai indiqué dans le préavis ne soit expiré, parce qu'il est à craindre que, sans cette mesure, le recouvrement de sa créance ne soit mis en péril, ou lorsque le bien est susceptible de dépérir ou de se déprécier rapidement. En ces derniers cas, le créancier est autorisé à exercer immédiatement ses droits hypothécaires.

La demande n'a pas à être signifiée à celui contre qui le droit hypothécaire est exercé, mais l'ordonnance doit l'être. Si celle-ci est annulée par la suite, le créancier est tenu de remettre le bien ou de rembourser le prix de l'aliénation.

2768. Le créancier qui a obtenu le délaissement du bien en a la simple administration jusqu'à ce que le droit hypothécaire qu'il entend exercer soit effectivement exercé.

2769. Celui contre qui le droit hypothécaire est exercé et qui n'est pas tenu de la dette en devient personnellement responsable s'il fait défaut de délaisser le bien dans le délai imparti par le jugement.

2770. Lorsque celui contre qui le droit hypothécaire est exercé a une créance prioritaire en raison du droit qu'il a de retenir le meuble, il est tenu de le délaisser, mais à charge de sa priorité.

2771. Celui contre qui le droit hypothécaire est exercé peut, lorsqu'il a reçu le bien en paiement de sa créance, prioritaire ou hypothécaire, antérieure à celle visée au préavis, ou lorsqu'il a acquitté des créances prioritaires ou hypothécaires antérieures, exiger que le créancier procède lui-même à la vente du bien ou le fasse vendre sous contrôle de justice; il n'est alors tenu de délaisser le bien qu'à la condition que le créancier lui donne caution que la vente du bien se fera à un prix suffisamment élevé qu'il sera payé intégralement de ses créances prioritaires ou hypothécaires antérieures.

2772. Les droits réels que celui contre qui le droit hypothécaire est exercé avait sur le bien au moment où il l'a acquis, ou qu'il a éteints durant sa possession, renaissent après le délaissement s'ils n'ont pas été radiés.

SECTION IV

DE LA PRISE DE POSSESSION À DES FINS D'ADMINISTRATION

2773. Le créancier qui détient une hypothèque sur les biens d'une entreprise peut prendre temporairement possession des biens hypothéqués et les administrer ou en déléguer généralement l'administration à un tiers. Le créancier, ou celui à qui il a délégué l'administration, agit alors à titre d'administrateur du bien d'autrui chargé de la pleine administration.

2774. La prise de possession du bien ne porte pas atteinte aux droits du locataire.

2775. Outre qu'elle cesse lorsque le créancier est satisfait de sa créance en capital, intérêts et frais, ou lorsqu'il est fait échec à l'exercice de son droit, ou lorsque le créancier a publié un préavis d'exercice d'un autre droit hypothécaire, la prise de possession prend fin dans les circonstances où prend fin l'administration du bien d'autrui. La faillite de celui contre qui le droit hypothécaire est exercé ne met pas fin à la prise de possession.

2776. À la fin de la possession, le créancier doit rendre compte de son administration et, à moins qu'il n'ait publié un préavis d'exercice d'un autre droit hypothécaire, remettre les biens possédés à celui contre qui le droit hypothécaire a été exercé, ou encore à ses ayants cause, au lieu préalablement convenu ou, à défaut, au lieu où ils se trouvent.

Il inscrit au registre approprié un avis de remise des biens.

2777. Le créancier qui, en raison de son administration, obtient le paiement de la dette, est tenu de remettre à celui contre qui le droit hypothécaire a été exercé, outre le bien, tout surplus restant entre ses mains après l'acquittement de la dette, des dépenses de l'administration et des frais engagés pour exercer la possession du bien.

SECTION V

DE LA PRISE EN PAIEMENT

2778. À moins que celui contre qui le droit est exercé ne délaisse volontairement le bien, le créancier doit obtenir l'autorisation du tribunal pour exercer la prise en paiement lorsque le débiteur a déjà acquitté, au moment de l'inscription du préavis du créancier, la moitié, ou plus, de l'obligation garantie par hypothèque.

2779. Les créanciers hypothécaires subséquents ou le débiteur peuvent, dans les délais impartis pour délaisser, exiger que le créancier abandonne la prise en paiement et procède lui-même à la vente du bien ou le fasse vendre sous contrôle de justice; ils doivent, au préalable, avoir inscrit un avis à cet effet, remboursé les frais engagés par le créancier et avancé les sommes nécessaires à la vente du bien.

L'avis doit être signifié au créancier, au constituant ou au débiteur, ainsi qu'à celui contre qui le droit hypothécaire est exercé et son inscription est dénoncée, conformément au livre De la publicité des droits.

Les créanciers subséquents qui exigent que le créancier procède à la vente du bien doivent, en outre, lui donner caution que la vente se fera à un prix suffisamment élevé qu'il sera payé intégralement de sa créance.

2780. Le créancier requis de vendre doit procéder à la vente, à moins qu'il ne préfère désintéresser les créanciers subséquents qui ont inscrit l'avis ou, si l'avis a été inscrit par le débiteur, que le tribunal n'autorise le créancier, aux conditions qu'il détermine, à prendre en paiement.

À défaut par le créancier d'agir, le tribunal peut permettre à celui qui a inscrit l'avis exigeant la vente, ou à toute autre personne qu'il désigne, d'y procéder.

2781. Lorsqu'il n'a pas été remédié au défaut ou que le paiement n'a pas été fait dans le délai imparti pour délaisser, le créancier prend le bien en paiement par l'effet du jugement en délaissement, ou par un acte volontairement consenti, si les créanciers subséquents ou le débiteur n'ont pas exigé qu'il procède à la vente.

Le jugement en délaissement ou l'acte volontairement consenti constitue le titre de propriété du créancier.

2782. La prise en paiement éteint l'obligation.

Le créancier qui a pris le bien en paiement ne peut réclamer ce qu'il paie à un créancier prioritaire ou hypothécaire qui lui est préférable. Il n'a pas droit, dans tel cas, à subrogation contre son ancien débiteur.

2783. Le créancier qui a pris le bien en paiement en devient le propriétaire à compter de l'inscription du préavis. Il le prend dans l'état où il se trouvait alors, mais libre des hypothèques publiées après la sienne.

Les droits réels créés après l'inscription du préavis ne sont pas opposables au créancier s'il n'y a pas consenti.

SECTION VI

DE LA VENTE PAR LE CRÉANCIER

2784. Le créancier qui détient une hypothèque sur les biens d'une entreprise peut, s'il a présenté au bureau de la publicité des droits un préavis indiquant son intention de vendre lui-même le bien grevé et, après avoir obtenu le délaissement du bien, procéder à la vente de gré à gré, par appel d'offres ou aux enchères.

2785. Le créancier doit vendre le bien sans retard inutile, pour un prix commercialement raisonnable, et dans le meilleur intérêt de celui contre qui le droit hypothécaire est exercé.

S'il y a plus d'un bien, il peut les vendre ensemble ou séparément.

2786. Le créancier qui vend lui-même le bien agit au nom du propriétaire et il est tenu de dénoncer sa qualité à l'acquéreur lors de la vente.

2787. Le créancier qui procède par appel d'offres peut le faire par la voie des journaux ou sur invitation.

L'appel d'offres doit contenir les renseignements suffisants pour permettre à toute personne intéressée de présenter, en temps et lieu, une soumission.

Le créancier est tenu d'accepter la soumission la plus élevée, à moins que les conditions dont elle est assortie ne la rendent moins avantageuse qu'une autre offrant un prix moins élevé, ou que le prix offert ne soit pas un prix commercialement raisonnable.

2788. Le créancier qui procède à la vente aux enchères doit le faire aux date, heure et lieu fixés dans l'avis de vente signifié à celui contre qui le droit hypothécaire est exercé et au constituant, et notifié aux autres créanciers qui ont publié leur droit à l'égard du bien.

Il doit, en outre, informer de ses démarches les personnes intéressées qui lui en font la demande.

2789. Le créancier impute le produit de la vente au paiement des frais engagés pour l'exercer, au paiement des créances primant ses droits, puis à celui de sa créance.

Si d'autres créanciers ont des droits à faire valoir, le créancier qui a vendu le bien rend compte du produit de la vente au greffier du tribunal compétent et lui remet ce qui reste du prix après l'imputation; dans le cas contraire, il doit, dans les dix jours, rendre compte du produit de la vente au propriétaire des biens et lui remettre le surplus, s'il en existe; la reddition de compte peut être contestée de la manière établie au Code de procédure civile.

Si le produit de la vente ne suffit pas à payer sa créance et les frais, le créancier conserve, à l'encontre de son débiteur, une créance pour ce qui lui reste dû.

2790. L'acquéreur prend le bien à charge des droits réels qui le grevaient au moment de l'inscription du préavis, à l'exclusion de l'hypothèque du créancier qui a vendu le bien et des créances qui primaient les droits de ce dernier.

Les droits réels créés après l'inscription du préavis ne sont pas opposables à l'acquéreur s'il n'y a pas consenti.

SECTION VII

DE LA VENTE SOUS CONTRÔLE DE JUSTICE

2791. La vente a lieu sous contrôle de justice lorsque le tribunal désigne la personne qui y procédera, détermine les conditions et les charges de la vente, indique si elle peut être faite de gré à gré, par appel d'offres ou aux enchères et, s'il le juge opportun, fixe, après s'être enquis de la valeur du bien, une mise à prix.

2792. Un créancier ne peut demander que la vente ait lieu à charge de son hypothèque.

2793. La personne chargée de vendre le bien est tenue, outre de suivre les règles prescrites au Code de procédure civile pour la vente du bien d'autrui, d'informer de ses démarches les parties intéressées si celles-ci le demandent.

Elle agit au nom du propriétaire et elle est tenue de dénoncer sa qualité à l'acquéreur.

2794. La vente sous contrôle de justice purge les droits réels dans la mesure prévue au Code de procédure civile quant à l'effet du décret d'adjudication.

CHAPITRE SIXIÈME

DE L'EXTINCTION DES HYPOTHÈQUES

2795. Les hypothèques s'éteignent par la perte du bien grevé, son changement de nature, sa mise hors commerce ou son expropriation, lorsque ces événements portent sur la totalité du bien.

2796. Lorsqu'un bien meuble est incorporé à un immeuble, l'hypothèque mobilière peut subsister, à titre d'hypothèque immobilière, si elle est inscrite sur le registre foncier, malgré le changement de nature du bien ; elle prend rang selon les règles établies au livre De la publicité des droits.

2797. L'hypothèque s'éteint par l'extinction de l'obligation dont elle garantit l'exécution. Cependant, dans le cas d'une ouverture de crédit et dans tout autre cas où le débiteur s'oblige à nouveau en vertu d'une stipulation dans l'acte constitutif d'hypothèque, celle-ci subsiste malgré l'extinction de l'obligation, à moins qu'elle n'ait été radiée.

2798. L'hypothèque mobilière s'éteint au plus tard dix ans après son inscription ou après l'inscription d'un avis qui lui donne effet ou la renouvelle.

Le gage s'éteint lorsque cesse la détention.

2799. L'hypothèque immobilière s'éteint au plus tard trente ans après son inscription ou après l'inscription d'un avis qui lui donne effet ou la renouvelle.

2800. L'hypothèque légale du syndicat des copropriétaires sur la fraction d'un copropriétaire s'éteint trois ans après son inscription, à moins que le syndicat, afin de la conserver, ne publie une action contre le propriétaire en défaut ou n'inscrive un préavis d'exercice d'un droit hypothécaire.

2801. Dans le cas où un créancier hypothécaire prend le bien hypothéqué en paiement, l'hypothèque des créanciers de rang postérieur ne s'éteint que par l'inscription de l'acte volontairement consenti ou du jugement en délaissement.

2802. L'hypothèque s'éteint aussi par les autres causes prévues par la loi.

LIVRE SEPTIÈME

DE LA PREUVE

TITRE PREMIER

DU RÉGIME GÉNÉRAL DE LA PREUVE

CHAPITRE PREMIER

DISPOSITIONS GÉNÉRALES

2803. Celui qui veut faire valoir un droit doit prouver les faits qui soutiennent sa prétention.

Celui qui prétend qu'un droit est nul, a été modifié ou est éteint doit prouver les faits sur lesquels sa prétention est fondée.

2804. La preuve qui rend l'existence d'un fait plus probable que son inexistence est suffisante, à moins que la loi n'exige une preuve plus convaincante.

2805. La bonne foi se présume toujours, à moins que la loi n'exige expressément de la prouver.

CHAPITRE DEUXIÈME

DE LA CONNAISSANCE D'OFFICE

2806. Nul n'est tenu de prouver ce dont le tribunal est tenu de prendre connaissance d'office.

2807. Le tribunal doit prendre connaissance d'office du droit en vigueur au Québec.

Doivent cependant être allégués les textes d'application des lois en vigueur au Québec, qui ne sont pas publiés à la *Gazette officielle du Québec* ou d'une autre manière prévue par la loi, les traités et accords internationaux s'appliquant au Québec qui ne sont pas intégrés dans un texte de loi, ainsi que le droit international coutumier.

2808. Le tribunal doit prendre connaissance d'office de tout fait dont la notoriété rend l'existence raisonnablement incontestable.

2809. Le tribunal peut prendre connaissance d'office du droit des autres provinces ou territoires du Canada et du droit d'un État étranger, pourvu qu'il ait été allégué. Il peut aussi demander que la preuve en soit faite, laquelle peut l'être, entre autres, par le témoignage d'un expert ou par la production d'un certificat établi par un jurisconsulte.

Lorsque ce droit n'a pas été allégué ou que sa teneur n'a pas été établie, il applique le droit en vigueur au Québec.

2810. Le tribunal peut, en toute matière, prendre connaissance des faits litigieux, en présence des parties ou lorsque celles-ci ont été dûment appelées. Il peut procéder aux constatations qu'il estime nécessaires, et se transporter, au besoin, sur les lieux.

TITRE DEUXIÈME

DES MOYENS DE PREUVE

2811. La preuve d'un acte juridique ou d'un fait peut être établie par écrit, par témoignage, par présomption, par aveu ou par la présentation d'un élément matériel, conformément aux règles énoncées dans le présent livre et de la manière indiquée par le Code de procédure civile ou par quelque autre loi.

CHAPITRE PREMIER

DE L'ÉCRIT

SECTION I

DES COPIES DE LOIS

2812. Les copies de lois qui ont été ou sont en vigueur au Canada, et qui sont attestées par un officier public compétent ou publiées par un éditeur autorisé, font preuve de l'existence et de la teneur de ces lois, sans qu'il soit nécessaire de prouver la signature ni le sceau y apposés, non plus que la qualité de l'officier ou de l'éditeur.

SECTION II

DES ACTES AUTHENTIQUES

2813. L'acte authentique est celui qui a été reçu ou attesté par un officier public compétent selon les lois du Québec ou du Canada, avec les formalités requises par la loi.

L'acte dont l'apparence matérielle respecte ces exigences est présumé authentique.

2814. Sont authentiques, notamment les documents suivants, s'ils respectent les exigences de la loi:

1° Les documents officiels du Parlement du Canada et du Parlement du Québec;

2° Les documents officiels émanant du gouvernement du Canada ou du Québec, tels les lettres patentes, les décrets et les proclamations;

3° Les registres des tribunaux judiciaires ayant juridiction au Québec;

4° Les registres et les documents officiels émanant des municipalités et des autres personnes morales de droit public constituées par une loi du Québec;

5° Les registres à caractère public dont la loi requiert la tenue par des officiers publics;

6° L'acte notarié;

7° Le procès-verbal de bornage.

2815. La copie de l'original d'un acte authentique ou, en cas de perte de l'original, la copie d'une copie authentique de tel acte est authentique lorsqu'elle est attestée par l'officier public qui en est le dépositaire.

2816. Lorsque l'original d'un document, inscrit sur un registre dont la loi requiert la tenue et conservé par l'officier chargé du registre, est perdu ou est en la possession de la partie adverse ou d'un tiers, sans la collusion de la partie qui l'invoque, la copie de ce document est aussi authentique, si elle est attestée par l'officier public qui en est le dépositaire ou, si elle a été versée ou déposée aux archives nationales, par le Conservateur des archives nationales du Québec.

2817. L'extrait qui reproduit textuellement une partie d'un acte authentique est lui-même authentique lorsqu'il est certifié par le dépositaire de l'acte, pourvu qu'il indique la date de la délivrance et mentionne, quant à l'acte original, la date et la nature de celui-ci, le lieu où il a été passé et, le cas échéant, le nom des parties à l'acte et celui de l'officier public qui l'a rédigé.

2818. Les énonciations, dans l'acte authentique, des faits que l'officier public avait mission de constater ou d'inscrire, font preuve à l'égard de tous.

2819. L'acte notarié, pour être authentique, doit être signé par toutes les parties; il fait alors preuve, à l'égard de tous, de l'acte juridique qu'il renferme et des déclarations des parties qui s'y rapportent directement.

Lorsque les parties ne peuvent pas signer, leur déclaration ou consentement doit être reçu en présence d'un témoin qui signe. Ne peuvent servir de témoins, les mineurs, les majeurs inaptes à consentir, de même que les personnes qui ont un intérêt dans l'acte.

2820. La copie authentique d'un document fait preuve, à l'égard de tous, de sa conformité à l'original et supplée à ce dernier.

L'extrait authentique fait preuve de sa conformité avec la partie du document qu'il reproduit.

2821. L'inscription de faux n'est nécessaire que pour contredire les énonciations dans l'acte authentique des faits que l'officier public avait mission de constater.

Elle n'est pas requise pour contester la qualité de l'officier public et des témoins ou la signature de l'officier public.

SECTION III

DES ACTES SEMI-AUTHENTIQUES

2822. L'acte qui émane apparemment d'un officier public étranger compétent fait preuve, à l'égard de tous, de son contenu, sans qu'il soit nécessaire de prouver la qualité ni la signature de cet officier.

De même, la copie d'un document dont l'officier public étranger est dépositaire fait preuve, à l'égard de tous, de sa conformité à l'original et supplée à ce dernier, si elle émane apparemment de cet officier.

2823. Fait également preuve, à l'égard de tous, la procuration sous seing privé faite hors du Québec lorsqu'elle est certifiée par un officier public compétent qui a vérifié l'identité et la signature du mandant.

2824. Les actes, copies et procurations mentionnés dans la présente section peuvent être déposés chez un notaire pour qu'il en délivre copie.

La copie fait preuve de sa conformité au document déposé et supplée à ce dernier.

2825. Lorsqu'ont été contestés les actes et copies émanant d'un officier public étranger, de même que les procurations certifiées par un officier public étranger, il incombe à celui qui les invoque de faire la preuve de leur authenticité.

SECTION IV

DES ACTES SOUS SEING PRIVÉ

2826. L'acte sous seing privé est celui qui constate un acte juridique et qui porte la signature des parties; il n'est soumis à aucune autre formalité.

2827. La signature consiste dans l'apposition qu'une personne fait sur un acte de son nom ou d'une marque qui lui est personnelle et qu'elle utilise de façon courante, pour manifester son consentement.

2828. Celui qui invoque un acte sous seing privé doit en faire la preuve.

Toutefois, l'acte opposé à celui qui paraît l'avoir signé ou à ses héritiers est tenu pour reconnu s'il n'est pas contesté de la manière prévue au Code de procédure civile.

2829. L'acte sous seing privé fait preuve, à l'égard de ceux contre qui il est prouvé, de l'acte juridique qu'il renferme et des déclarations des parties qui s'y rapportent directement.

2830. L'acte sous seing privé n'a point de date contre les tiers, mais celle-ci peut être établie contre eux par tous moyens.

Néanmoins, les actes passés dans le cours des activités d'une entreprise sont présumés l'avoir été à la date qui y est inscrite.

SECTION V

DES AUTRES ÉCRITS

2831. L'écrit non signé, habituellement utilisé dans le cours des activités d'une entreprise pour constater un acte juridique, fait preuve de son contenu.

2832. L'écrit ni authentique ni semi-authentique qui rapporte un fait peut, sous réserve des règles contenues dans ce livre, être admis en preuve à titre de témoignage ou à titre d'aveu contre son auteur.

2833. Les papiers domestiques qui énoncent un paiement reçu ou qui contiennent la mention que la note suppléée au défaut de titre en faveur de celui au profit duquel ils énoncent une obligation, font preuve contre leur auteur.

2834. La mention libératoire apposée par le créancier sur le titre, ou une copie de celui-ci qui est toujours restée en sa possession, bien que non signée ni datée, fait preuve contre lui.

Cependant, la mention n'est pas admise comme preuve de paiement, si elle a pour effet de soustraire la dette aux règles relatives à la prescription.

2835. Celui qui invoque un écrit non signé doit prouver que cet écrit émane de celui qu'il prétend en être l'auteur.

2836. Les écrits visés par la présente section peuvent être contredits par tous moyens.

SECTION VI

DES INSCRIPTIONS INFORMATISÉES

2837. Lorsque les données d'un acte juridique sont inscrites sur support informatique, le document reproduisant ces données fait preuve du contenu de l'acte, s'il est intelligible et s'il présente des garanties suffisamment sérieuses pour qu'on puisse s'y fier.

Pour apprécier la qualité du document, le tribunal doit tenir compte des circonstances dans lesquelles les données ont été inscrites et le document reproduit.

2838. L'inscription des données d'un acte juridique sur support informatique est présumée présenter des garanties suffisamment sérieuses pour qu'on puisse s'y fier lorsqu'elle est effectuée de façon systématique et sans lacunes, et que les données inscrites sont protégées contre les altérations. Une telle présomption existe en faveur des tiers du seul fait que l'inscription a été effectuée par une entreprise.

2839. Le document reproduisant les données d'un acte juridique inscrites sur support informatique peut être contredit par tous moyens.

SECTION VII

DE LA REPRODUCTION DE CERTAINS DOCUMENTS

2840. La preuve d'un document, dont la reproduction est en la possession de l'État ou d'une personne morale de droit public ou de droit privé et qui a été reproduit afin d'en garder une preuve permanente, peut se faire par le dépôt d'une copie de la reproduction ou d'un extrait suffisant pour en permettre l'identification et le dépôt d'une déclaration attestant que la reproduction respecte les règles prévues par la présente section.

Une copie ou un extrait certifié conforme de la déclaration peut être admis en preuve, au même titre que l'original.

2841. Pour que la reproduction fasse preuve de la teneur du document, au même titre que l'original, elle doit reproduire fidèlement l'original, constituer une image indélébile de celui-ci et permettre de déterminer le lieu et la date de la reproduction.

En outre, la reproduction doit avoir été faite en présence d'une personne spécialement autorisée par la personne morale ou par le Conservateur des archives nationales du Québec.

2842. La personne qui a été désignée pour assister à la reproduction d'un document doit, dans un délai raisonnable, attester la réalisation de cette opération dans une déclaration faite sous serment, laquelle doit porter mention de la nature du document et des lieu et date de la reproduction et certifier la fidélité de la reproduction.

CHAPITRE DEUXIÈME

DU TÉMOIGNAGE

2843. Le témoignage est la déclaration par laquelle une personne relate les faits dont elle a eu personnellement connaissance ou par laquelle un expert donne son avis.

Il doit, pour faire preuve, être contenu dans une déposition faite à l'instance, sauf du consentement des parties ou dans les cas prévus par la loi.

↳ 2869 à 2874

2844. La preuve par témoignage peut être apportée par un seul témoin.

L'enfant qui, de l'avis du juge, ne comprend pas la nature du serment, peut être admis à rendre témoignage sans cette formalité, si le juge estime qu'il est assez développé pour pouvoir rapporter des faits dont il a eu connaissance, et qu'il comprend le devoir de dire la vérité ; toutefois, un jugement ne peut être fondé sur la foi de ce seul témoignage.

2845. La force probante du témoignage est laissée à l'appréciation du tribunal.

CHAPITRE TROISIÈME

DE LA PRÉSOMPTION

2846. La présomption est une conséquence que la loi ou le tribunal tire d'un fait connu à un fait inconnu.

2847. La présomption légale est celle qui est spécialement attachée par la loi à certains faits ; elle dispense de toute autre preuve celui en faveur de qui elle existe.

Celle qui concerne des faits présumés est simple et peut être repoussée par une preuve contraire; celle qui concerne des faits réputés est absolue et aucune preuve ne peut lui être opposée.

2848. L'autorité de la chose jugée est une présomption absolue; elle n'a lieu qu'à l'égard de ce qui a fait l'objet du jugement, lorsque la demande est fondée sur la même cause et mue entre les mêmes parties, agissant dans les mêmes qualités, et que la chose demandée est la même.

Cependant, le jugement qui dispose d'un recours collectif a l'autorité de la chose jugée à l'égard des parties et des membres du groupe qui ne s'en sont pas exclus.

2849. Les présomptions qui ne sont pas établies par la loi sont laissées à l'appréciation du tribunal qui ne doit prendre en considération que celles qui sont graves, précises et concordantes.

CHAPITRE QUATRIÈME

DE L'AVEU

2850. L'aveu est la reconnaissance d'un fait de nature à produire des conséquences juridiques contre son auteur.

2851. L'aveu peut être exprès ou implicite.

Il ne peut toutefois résulter du seul silence que dans les cas prévus par la loi.

2852. L'aveu fait par une partie au litige, ou par un mandataire autorisé à cette fin, fait preuve contre elle, s'il est fait au cours de l'instance où il est invoqué. Il ne peut être révoqué, à moins qu'on ne prouve qu'il a été la suite d'une erreur de fait.

La force probante de tout autre aveu est laissée à l'appréciation du tribunal.

2853. L'aveu ne peut être divisé, à moins qu'il ne contienne des faits étrangers à la contestation liée, que la partie contestée de l'aveu soit invraisemblable ou contredite par des indices de mauvaise foi ou par une preuve contraire, ou qu'il n'y ait pas de connexité entre les faits mentionnés dans l'aveu.

CHAPITRE CINQUIÈME

DE LA PRÉSENTATION D'UN ÉLÉMENT MATÉRIEL

2854. La présentation d'un élément matériel constitue un moyen de preuve qui permet au juge de faire directement ses propres constatations. Cet élément matériel peut consister en un objet, de même qu'en la représentation sensorielle de cet objet, d'un fait ou d'un lieu.

2855. La présentation d'un élément matériel, pour avoir force probante, doit au préalable faire l'objet d'une preuve distincte qui en établisse l'authenticité.

2856. Le tribunal peut tirer de la présentation d'un élément matériel toute conclusion qu'il estime raisonnable.

TITRE TROISIÈME

DE LA RECEVABILITÉ DES ÉLÉMENTS ET DES MOYENS DE PREUVE

CHAPITRE PREMIER

DES ÉLÉMENTS DE PREUVE

2857. La preuve de tout fait pertinent au litige est recevable et peut être faite par tous moyens.

2858. Le tribunal doit, même d'office, rejeter tout élément de preuve obtenu dans des conditions qui portent atteinte aux droits et libertés fondamentaux et dont l'utilisation est susceptible de déconsidérer l'administration de la justice.

Il n'est pas tenu compte de ce dernier critère lorsqu'il s'agit d'une violation du droit au respect du secret professionnel.

CHAPITRE DEUXIÈME

DES MOYENS DE PREUVE

2859. Le tribunal ne peut suppléer d'office les moyens d'irrecevabilité résultant des dispositions du présent chapitre qu'une partie présente ou représentée a fait défaut d'invoquer.

cf. 2866 - Contradiction.

2860. L'acte juridique constaté dans un écrit ou le contenu d'un écrit doit être prouvé par la production de l'original ou d'une copie qui légalement en tient lieu.

Toutefois, lorsqu'une partie ne peut, malgré sa bonne foi et sa diligence, produire l'original de l'écrit ou la copie qui légalement en tient lieu, la preuve peut être faite par tous moyens.

2861. Lorsqu'il n'a pas été possible à une partie, pour une raison valable, de se ménager la preuve écrite d'un acte juridique, la preuve de cet acte peut être faite par tous moyens.

2862. La preuve d'un acte juridique ne peut, entre les parties, se faire par témoignage lorsque la valeur du litige excède 1 500 $.

Néanmoins, en l'absence d'une preuve écrite et quelle que soit la valeur du litige, on peut prouver par témoignage tout acte juridique dès lors qu'il y a commencement de preuve; on peut aussi prouver par témoignage, contre une personne, tout acte juridique passé par elle dans le cours des activités d'une entreprise.

2863. Les parties à un acte juridique constaté par un écrit ne peuvent, par témoignage, le contredire ou en changer les termes, à moins qu'il n'y ait un commencement de preuve.

2864. La preuve par témoignage est admise lorsqu'il s'agit d'interpréter un écrit, de compléter un écrit manifestement incomplet ou d'attaquer la validité de l'acte juridique qu'il constate.

2865. Le commencement de preuve peut résulter d'un aveu ou d'un écrit émanant de la partie adverse, de son témoignage ou de la présentation d'un élément matériel, lorsqu'un tel moyen rend vraisemblable le fait allégué.

2866. Nulle preuve n'est admise contre une présomption légale, lorsque, à raison de cette présomption, la loi annule certains actes ou refuse l'action en justice, sans avoir réservé la preuve contraire.

Toutefois, cette présomption peut être contredite par un aveu fait à l'instance au cours de laquelle la présomption est invoquée, lorsqu'elle n'est pas d'ordre public.

2867. L'aveu, fait en dehors de l'instance où il est invoqué, se prouve par les moyens recevables pour prouver le fait qui en est l'objet.

2868. La preuve par la présentation d'un élément matériel est admise conformément aux règles de recevabilité prévues pour prouver l'objet, le fait ou le lieu qu'il représente.

CHAPITRE TROISIÈME
DE CERTAINES DÉCLARATIONS

2869. La déclaration d'une personne qui ne témoigne pas à l'instance ou celle d'un témoin faite antérieurement à l'instance est admise à titre de témoignage si les parties y consentent; est aussi admise à titre de témoignage la déclaration qui respecte les exigences prévues par le présent chapitre ou par la loi.

2870. La déclaration faite par une personne qui ne comparaît pas comme témoin, sur des faits au sujet desquels elle aurait pu légalement déposer, peut être admise à titre de témoignage, pourvu que, sur demande et après qu'avis en ait été donné à la partie adverse, le tribunal l'autorise.

Celui-ci doit cependant s'assurer qu'il est impossible d'obtenir la comparution du déclarant comme témoin, ou déraisonnable de l'exiger, et que les circonstances entourant la déclaration donnent à celle-ci des garanties suffisamment sérieuses pour pouvoir s'y fier.

Sont présumés présenter ces garanties, notamment, les documents établis dans le cours des activités d'une entreprise et les documents insérés dans un registre dont la tenue est exigée par la loi, de même que les déclarations spontanées et contemporaines de la survenance des faits.

2871. Lorsqu'une personne comparaît comme témoin, ses déclarations antérieures sur des faits au sujet desquels elle peut légalement déposer peuvent être admises à titre de témoignage, si elles présentent des garanties suffisamment sérieuses pour pouvoir s'y fier.

2872. Doit être prouvée par la production de l'écrit, la déclaration qui a été faite sous cette forme.

Toute autre déclaration ne peut être prouvée que par la déposition de l'auteur ou de ceux qui en ont eu personnellement connaissance, sauf les exceptions prévues aux articles 2873 et 2874.

2873. La déclaration, consignée dans un écrit par une personne autre que celle qui l'a faite, peut être prouvée par la production de cet écrit lorsque le déclarant a reconnu qu'il reproduisait fidèlement sa déclaration.

Il en est de même lorsque l'écrit a été rédigé à la demande de celui qui a fait la déclaration ou par une personne agissant dans l'exercice de ses fonctions, s'il y a lieu de présumer, eu égard aux circonstances, que l'écrit reproduit fidèlement la déclaration.

2874. La déclaration qui a été enregistrée sur ruban magnétique ou par une autre technique d'enregistrement à laquelle on peut se fier, peut être prouvée par ce moyen, à la condition qu'une preuve distincte en établisse l'authenticité.

LIVRE HUITIÈME

DE LA PRESCRIPTION

TITRE PREMIER

DU RÉGIME DE LA PRESCRIPTION

CHAPITRE PREMIER

DISPOSITIONS GÉNÉRALES

2875. La prescription est un moyen d'acquérir ou de se libérer par l'écoulement du temps et aux conditions déterminées par la loi: la prescription est dite acquisitive dans le premier cas et, dans le second, extinctive.

2876. Ce qui est hors commerce, incessible ou non susceptible d'appropriation, par nature ou par affectation, est imprescriptible.

2877. La prescription s'accomplit en faveur ou à l'encontre de tous, même de l'État, sous réserve des dispositions expresses de la loi.

2878. Le tribunal ne peut suppléer d'office le moyen résultant de la prescription.

Toutefois, le tribunal doit déclarer d'office la déchéance du recours, lorsque celle-ci est prévue par la loi. Cette déchéance ne se présume pas ; elle résulte d'un texte exprès.

2879. Le délai de prescription se compte par jour entier. Le jour à partir duquel court la prescription n'est pas compté dans le calcul du délai.

La prescription n'est acquise que lorsque le dernier jour du délai est révolu. Lorsque le dernier jour est un samedi ou un jour férié, la prescription n'est acquise qu'au premier jour ouvrable qui suit.

2880. La dépossession fixe le point de départ du délai de la prescription acquisitive.

Le jour où le droit d'action a pris naissance fixe le point de départ de la prescription extinctive.

2881. La prescription peut être opposée en tout état de cause, même en appel, à moins que la partie qui n'aurait pas opposé le moyen n'ait, en raison des circonstances, manifesté son intention d'y renoncer.

2882. Même si le délai pour s'en prévaloir par action directe est expiré, le moyen qui tend à repousser une action peut toujours être invoqué, à la condition qu'il ait pu constituer un moyen de défense valable à l'action, au moment où il pouvait encore fonder une action directe.

Ce moyen, s'il est reçu, ne fait pas revivre l'action directe prescrite.

CHAPITRE DEUXIÈME

DE LA RENONCIATION À LA PRESCRIPTION

2883. On ne peut pas renoncer d'avance à la prescription, mais on peut renoncer à la prescription acquise et au bénéfice du temps écoulé pour celle commencée.

2884. On ne peut pas convenir d'un délai de prescription autre que celui prévu par la loi.

2885. La renonciation à la prescription est soit expresse, soit tacite ; elle est tacite lorsqu'elle résulte d'un fait qui suppose l'abandon du droit acquis.

Toutefois, la renonciation à la prescription acquise de droits réels immobiliers doit être publiée au bureau de la publicité des droits.

2886. Celui qui ne peut aliéner ne peut renoncer à la prescription acquise.

2887. Toute personne ayant intérêt à ce que la prescription soit acquise peut l'opposer, lors même que le débiteur ou le possesseur y renonce.

2888. Après la renonciation, la prescription recommence à courir par le même laps de temps.

CHAPITRE TROISIÈME

DE L'INTERRUPTION DE LA PRESCRIPTION

2889. La prescription peut être interrompue naturellement ou civilement.

2890. Il y a interruption naturelle de la prescription acquisitive lorsque le possesseur est privé, pendant plus d'un an, de la jouissance du bien.

2891. Il y a interruption naturelle de la prescription extinctive lorsque le titulaire d'un droit, après avoir omis de s'en prévaloir, exerce ce droit.

2892. Le dépôt d'une demande en justice, avant l'expiration du délai de prescription, forme une interruption civile, pourvu que cette demande soit signifiée à celui qu'on veut empêcher de prescrire, au plus tard dans les soixante jours qui suivent l'expiration du délai de prescription.

La demande reconventionnelle, l'intervention, la saisie et l'opposition sont considérées comme des demandes en justice. Il en est de même de l'avis exprimant l'intention d'une partie de soumettre un différend à l'arbitrage, pourvu que cet avis expose l'objet du différend qui y sera soumis et qu'il soit signifié suivant les règles et dans les délais applicables à la demande en justice.

2893. Interrompt également la prescription, toute demande faite par un créancier en vue de participer à une distribution en concurrence avec d'autres créanciers.

2894. L'interruption n'a pas lieu s'il y a rejet de la demande, désistement ou péremption de l'instance.

2895. Lorsque la demande d'une partie est rejetée sans qu'une décision ait été rendue sur le fond de l'affaire et que, à la date du jugement, le délai de prescription est expiré ou doit expirer dans moins de trois mois, le demandeur bénéficie d'un délai supplémentaire de trois mois à compter de la signification du jugement, pour faire valoir son droit.

Il en est de même en matière d'arbitrage ; le délai de trois mois court alors depuis le dépôt de la sentence, la fin de la mission des arbitres ou la signification du jugement d'annulation de la sentence.

2896. L'interruption résultant d'une demande en justice se continue jusqu'au jugement passé en force de chose jugée ou, le cas échéant, jusqu'à la transaction intervenue entre les parties.

Elle a son effet, à l'égard de toutes les parties, pour tout droit découlant de la même source.

2897. L'interruption qui résulte de l'exercice d'un recours collectif profite à tous les membres du groupe qui n'ont pas demandé à en être exclus.

2898. La reconnaissance d'un droit, de même que la renonciation au bénéfice du temps écoulé, interrompt la prescription.

2899. La demande en justice, ou tout autre acte interruptif contre le débiteur principal ou contre la caution, interrompt la prescription à l'égard de l'un et de l'autre.

2900. L'interruption à l'égard de l'un des créanciers ou des débiteurs d'une obligation solidaire ou indivisible produit ses effets à l'égard des autres.

2901. L'interruption à l'égard de l'un des créanciers ou débiteurs conjoints d'une obligation divisible ne produit pas d'effet à l'égard des autres.

2902. L'interruption à l'égard de l'un des cohéritiers d'un créancier ou débiteur solidaire d'une obligation divisible ne produit ses effets, à l'égard des autres créanciers ou débiteurs solidaires, que pour la part de cet héritier.

2903. Après l'interruption, la prescription recommence à courir par le même laps de temps.

CHAPITRE QUATRIÈME

DE LA SUSPENSION DE LA PRESCRIPTION

2904. La prescription ne court pas contre les personnes qui sont dans l'impossibilité en fait d'agir soit par elles-mêmes, soit en se faisant représenter par d'autres.

2905. La prescription ne court pas contre l'enfant à naître.

Elle ne court pas, non plus, contre le mineur ou le majeur sous curatelle ou sous tutelle, à l'égard des recours qu'ils peuvent avoir contre leur représentant ou contre la personne qui est responsable de leur garde.

2906. La prescription ne court point entre les époux pendant la vie commune.

2907. La prescription ne court pas contre l'héritier, à l'égard des créances qu'il a contre la succession.

2908. La requête pour obtenir l'autorisation d'exercer un recours collectif suspend la prescription en faveur de tous les membres du groupe auquel elle profite ou, le cas échéant, en faveur du groupe que décrit le jugement qui fait droit à la requête.

Cette suspension dure tant que la requête n'est pas rejetée, annulée ou que le jugement qui y fait droit n'est pas annulé ; par contre, le membre qui demande à être exclu du recours, ou qui en est exclu par la description que fait du groupe le jugement qui autorise le recours, un jugement interlocutoire ou le jugement qui dispose du recours, cesse de profiter de la suspension de la prescription.

Toutefois, s'il s'agit d'un jugement, la prescription ne recommence à courir qu'au moment où le jugement n'est plus susceptible d'appel.

2909. La suspension de la prescription des créances solidaires et des créances indivisibles produit ses effets à l'égard des créanciers ou débiteurs et de leurs héritiers suivant les règles applicables à l'interruption de la prescription de ces mêmes créances.

TITRE DEUXIÈME

DE LA PRESCRIPTION ACQUISITIVE

CHAPITRE PREMIER

DES CONDITIONS D'EXERCICE DE LA PRESCRIPTION ACQUISITIVE

2910. La prescription acquisitive est un moyen d'acquérir le droit de propriété ou l'un de ses démembrements, par l'effet de la possession.

2911. La prescription acquisitive requiert une possession conforme aux conditions établies au livre Des biens.

2912. L'ayant cause à titre particulier peut, pour compléter la prescription, joindre à sa possession celle de ses auteurs.

L'ayant cause universel ou à titre universel continue la possession de son auteur.

2913. La détention ne peut fonder la prescription, même si elle se poursuit au-delà du terme convenu.

2914. Un titre précaire peut être interverti au moyen d'un titre émanant d'un tiers ou d'un acte du détenteur inconciliable avec la précarité.

L'interversion rend la possession utile à la prescription, à compter du moment où le propriétaire a connaissance du nouveau titre ou de l'acte du détenteur.

2915. Les tiers peuvent prescrire contre le propriétaire durant le démembrement ou la précarité.

2916. Le grevé et ses ayants cause universels ou à titre universel ne peuvent prescrire contre l'appelé avant l'ouverture de la substitution.

CHAPITRE DEUXIÈME

DES DÉLAIS DE LA PRESCRIPTION ACQUISITIVE

2917. Le délai de prescription acquisitive est de dix ans, s'il n'est autrement fixé par la loi.

2918. Celui qui, pendant dix ans, a possédé, à titre de propriétaire, un immeuble qui n'est pas immatriculé au registre foncier, ne peut en acquérir la propriété qu'à la suite d'une demande en justice.

Le possesseur peut, sous les mêmes conditions, exercer le même droit à l'égard d'un immeuble immatriculé, lorsque le registre foncier ne révèle pas qui en est le propriétaire; il en est de même, lorsque le propriétaire était décédé ou absent au début du délai de dix ans, ou s'il résulte du registre foncier que cet immeuble est devenu un bien sans maître.

2919. Le possesseur de bonne foi d'un meuble en acquiert la propriété par trois ans à compter de la dépossession du propriétaire.

Tant que ce délai n'est pas expiré, le propriétaire peut revendiquer le meuble, à moins qu'il n'ait été acquis sous l'autorité de la justice.

2920. Pour prescrire, il suffit que la bonne foi des tiers acquéreurs ait existé lors de l'acquisition, quand même leur possession utile n'aurait commencé que depuis cette date.

Il en est de même en cas de jonction des possessions, à l'égard de chaque acquéreur précédent.

TITRE TROISIÈME

DE LA PRESCRIPTION EXTINCTIVE

2921. La prescription extinctive est un moyen d'éteindre un droit par non-usage ou d'opposer une fin de non-recevoir à une action.

2922. Le délai de la prescription extinctive est de dix ans, s'il n'est autrement fixé par la loi.

2923. Les actions qui visent à faire valoir un droit réel immobilier se prescrivent par dix ans.

Toutefois, l'action qui vise à conserver ou obtenir la possession d'un immeuble doit être exercée dans l'année où survient le trouble ou la dépossession.

2924. Le droit qui résulte d'un jugement se prescrit par dix ans s'il n'est pas exercé.

2925. L'action qui tend à faire valoir un droit personnel ou un droit réel mobilier et dont le délai de prescription n'est pas autrement fixé se prescrit par trois ans.

2926. Lorsque le droit d'action résulte d'un préjudice moral, corporel ou matériel qui se manifeste graduellement ou tardivement, le délai court à compter du jour où il se manifeste pour la première fois.

2927. Le délai de prescription de l'action en nullité d'un contrat court à compter de la connaissance de la cause de nullité par celui qui l'invoque, ou à compter de la cessation de la violence ou de la crainte.

2928. La demande du conjoint survivant pour faire établir la prestation compensatoire se prescrit par un an à compter du décès de son conjoint.

2929. L'action fondée sur une atteinte à la réputation se prescrit par un an, à compter du jour où la connaissance en fut acquise par la personne diffamée.

2930. Malgré toute disposition contraire, lorsque l'action est fondée sur l'obligation de réparer le préjudice corporel causé à autrui, l'exigence de donner un avis préalablement à l'exercice d'une action, ou d'intenter celle-ci dans un délai inférieur à trois ans, ne peut faire échec au délai de prescription prévu par le présent livre.

2931. Lorsque le contrat est à exécution successive, la prescription des paiements dus a lieu quoique les parties continuent d'exécuter l'une ou l'autre des obligations du contrat.

2932. Le délai de prescription de l'action en réduction d'une obligation qui s'exécute de manière successive, que cette obligation résulte d'un contrat, de la loi ou d'un jugement, court à compter du jour où l'obligation est devenue exigible.

2933. Le détenteur ne peut se libérer par prescription de la prestation attachée à sa détention, mais la quotité et les arrérages en sont prescriptibles.

LIVRE NEUVIÈME

DE LA PUBLICITÉ DES DROITS

TITRE PREMIER

DU DOMAINE DE LA PUBLICITÉ

CHAPITRE PREMIER

DISPOSITIONS GÉNÉRALES

2934. La publicité des droits résulte de l'inscription qui en est faite sur le registre des droits personnels et réels mobiliers ou sur le registre foncier, à moins que la loi ne permette expressément un autre mode.

L'inscription profite aux personnes dont les droits sont ainsi rendus publics.

2935. La publication d'un droit peut être requise par toute personne, même mineure ou placée sous un régime de protection, pour elle-même ou pour une autre.

2936. Toute renonciation ou restriction au droit de publier un droit soumis ou admis à la publicité, ainsi que toute clause pénale qui s'y rapporte, sont sans effet.

2937. La publicité d'un droit peut être renouvelée à la demande de toute personne intéressée.

CHAPITRE DEUXIÈME

DES DROITS SOUMIS À LA PUBLICITÉ

2938. Sont soumises à la publicité, l'acquisition, la constitution, la reconnaissance, la modification, la transmission et l'extinction d'un droit réel immobilier.

Le sont aussi la renonciation à une succession, à un legs, à une communauté de biens, au partage de la valeur des acquêts ou du patrimoine familial, ainsi que le jugement qui annule la renonciation.

Les autres droits personnels et les droits réels mobiliers sont soumis à la publicité dans la mesure où la loi prescrit ou autorise expressément leur publication. La modification ou l'extinction d'un droit ainsi publié est soumise à la publicité.

2939. Les restrictions au droit de disposer qui ne sont pas purement personnelles, ainsi que les droits de résolution, de résiliation ou d'extinction éventuelle d'un droit soumis ou admis à la publicité, sont aussi soumises ou admises à la publicité, de même que la cession ou la transmission de ces droits.

2940. Les transferts d'autorité relatifs à des immeubles par le gouvernement du Québec en faveur du gouvernement du Canada, et inversement, sont admis à la publicité.

Il en est de même des transferts d'autorité par le gouvernement du Canada ou par le gouvernement du Québec en faveur de personnes morales de droit public, et inversement.

L'inscription du transfert s'obtient par la présentation d'un avis qui désigne l'immeuble visé, précise l'étendue de l'autorité transférée, ainsi que la durée du transfert, et qui indique la loi en vertu de laquelle le transfert est fait.

TITRE DEUXIÈME

DES EFFETS DE LA PUBLICITÉ

CHAPITRE PREMIER

DE L'OPPOSABILITÉ

2941. La publicité des droits les rend opposables aux tiers, établit leur rang et, lorsque la loi le prévoit, leur donne effet.

Entre les parties, les droits produisent leurs effets, encore qu'ils ne soient pas publiés, sauf disposition expresse de la loi.

2942. Le renouvellement de la publicité d'un droit se fait par avis, de la manière prescrite par les règlements pris en application du présent livre; ce renouvellement conserve à ce droit son caractère d'opposabilité à son rang initial.

2943. Un droit qui est inscrit sur le registre foncier à l'égard d'un immeuble qui a fait l'objet d'une immatriculation est réputé connu de celui qui acquiert ou publie un droit sur le même immeuble.

Un droit inscrit sur le registre des droits personnels et réels mobiliers, ou sur le registre foncier à l'égard d'un immeuble non immatriculé, est présumé connu de celui qui acquiert ou publie un droit sur le même bien.

2944. L'inscription d'un droit sur le registre des droits personnels et réels mobiliers ou sur le registre foncier emporte, à l'égard de tous, présomption simple de l'existence de ce droit.

L'inscription sur le registre foncier d'un droit de propriété dans un immeuble qui a fait l'objet d'une immatriculation, si elle n'est pas contestée dans les dix ans, emporte de même présomption irréfragable de l'existence du droit.

CHAPITRE DEUXIÈME

DU RANG DES DROITS

2945. À moins que la loi n'en dispose autrement, les droits prennent rang suivant la date, l'heure et la minute inscrites sur le bordereau de présentation, pourvu que les inscriptions soient faites sur les registres appropriés.

Lorsque la loi autorise ce mode de publicité, les droits prennent rang suivant le moment de la remise du bien ou du titre au créancier.

2946. De deux acquéreurs d'un immeuble qui tiennent leur titre du même auteur, le droit est acquis à celui qui, le premier, publie son droit.

2947. Lorsque des inscriptions concernant le même bien et des droits de même nature sont requises en même temps, les droits viennent en concurrence.

2948. L'hypothèque immobilière ne prend rang qu'à compter de l'inscription du titre du constituant, mais après l'hypothèque du vendeur créée dans l'acte d'acquisition du constituant.

Si plusieurs hypothèques ont été inscrites avant le titre du constituant, elles prennent rang suivant l'ordre de leur inscription respective.

2949. L'hypothèque qui grève une universalité d'immeubles ne prend rang, à l'égard de chaque immeuble, qu'à compter de l'inscription de l'hypothèque sur chacun d'eux.

L'inscription de l'hypothèque sur les immeubles acquis postérieurement s'obtient par la présentation d'un avis désignant l'immeuble acquis, faisant référence à l'acte constitutif d'hypothèque et indiquant la somme déterminée pour laquelle cette hypothèque a été consentie.

Toutefois, si l'hypothèque n'a pas été publiée au bureau de la circonscription foncière où se trouve l'immeuble acquis postérieurement, l'inscription de l'hypothèque s'obtient par le moyen d'un sommaire de l'acte constitutif, qui contient la désignation de l'immeuble acquis.

2950. L'hypothèque qui grève une universalité de meubles ne prend rang, à l'égard de chaque meuble composant l'universalité, qu'à compter de l'inscription qui en est faite sur le registre, sous la désignation du constituant et sous l'indication de la nature de l'universalité.

2951. L'hypothèque qui grevait un meuble incorporé ultérieurement à un immeuble et devenue immobilière ne peut être opposée aux tiers qu'à compter de son inscription sur le registre foncier.

Entre l'hypothèque qui grevait un meuble ultérieurement incorporé à un immeuble et l'hypothèque immobilière qui concerne le même immeuble, la priorité de rang est acquise à la première hypothèque inscrite sur le registre foncier.

L'inscription sur le registre foncier de l'hypothèque qui grevait le meuble s'obtient par la présentation d'un avis désignant l'immeuble visé, faisant référence à l'acte constitutif d'hypothèque, à l'inscription de celle-ci sur le registre des droits personnels et réels mobiliers et indiquant la somme déterminée pour laquelle cette hypothèque a été consentie.

2952. Les hypothèques légales en faveur des personnes qui ont participé à la construction ou à la rénovation d'un immeuble prennent rang avant toute autre hypothèque publiée, pour la plus-value apportée à l'immeuble; entre elles, ces hypothèques viennent en concurrence, proportionnellement à la valeur de chacune des créances.

2953. Les hypothèques grevant des meubles qui ont été transformés, mélangés ou unis, de telle sorte qu'un meuble nouveau en est résulté, prennent le rang de la première hypothèque qui a été publiée sur l'un des biens qui ont servi à former le meuble nouveau, pourvu que la publicité de l'hypothèque grevant le meuble qui a été transformé, mélangé ou uni ait été renouvelée sur le meuble nouveau; ces hypothèques viennent alors en concurrence, proportionnellement à la valeur respective des meubles ainsi transformés, mélangés ou unis.

2954. L'hypothèque mobilière qui, au moment où elle a été acquise, l'a été sur le meuble d'autrui ou sur un meuble à venir, prend rang à compter du moment où elle a été publiée, mais, le cas échéant, après l'hypothèque du vendeur créée dans l'acte d'acquisition du constituant si cette hypothèque est publiée dans les quinze jours de la vente.

2955. L'inscription de l'avis de clôture détermine le rang de l'hypothèque ouverte.

Si plusieurs hypothèques ouvertes ont fait l'objet d'un avis de clôture, elles prennent rang suivant leur inscription respective, sans égard à l'inscription des avis de clôture.

2956. La cession de rang entre créanciers hypothécaires doit être publiée.

Lorsqu'elle a lieu, une interversion s'opère entre les créanciers dans la mesure de leurs créances respectives, mais de manière à ne pas nuire aux créanciers intermédiaires, s'il s'en trouve.

CHAPITRE TROISIÈME

DE CERTAINS AUTRES EFFETS

2957. La publicité n'interrompt pas le cours de la prescription.

Néanmoins, tant qu'elle subsiste, la publicité du droit de propriété dans un immeuble qui a fait l'objet d'une immatriculation interrompt la prescription acquisitive de ce droit.

2958. Le créancier qui saisit un immeuble ne peut se voir opposer les droits publiés après l'inscription du procès-verbal de saisie, pourvu que celle-ci soit suivie d'une vente en justice.

2959. L'inscription d'une hypothèque conserve au créancier, au même rang que le capital, les intérêts échus de l'année courante et des trois années précédentes.

De même, l'inscription d'un droit de rente conserve au crédirentier, au même rang que la prestation, les redevances de l'année courante et les arrérages des trois années précédentes.

2960. Le créancier ou le crédirentier n'a d'hypothèque pour le surplus des intérêts échus ou des arrérages de rente, qu'à compter de l'inscription d'un avis indiquant le montant réclamé.

Néanmoins, les intérêts échus ou les arrérages dus lors de l'inscription de l'hypothèque ou de la rente et dont le montant est indiqué dans la réquisition sont conservés par cette inscription.

2961. La substitution n'a d'effet, à l'égard des biens acquis en remploi de biens substitués, que s'il en est fait mention dans l'acte d'acquisition et que cette substitution est publiée.

La publicité de la substitution ne porte pas atteinte aux droits des tiers qui ont déjà publié les droits qu'ils tiennent du grevé en vertu d'un acte à titre onéreux.

CHAPITRE QUATRIÈME

DE LA PROTECTION DES TIERS DE BONNE FOI

2962. Celui qui acquiert un droit réel sur un immeuble qui a fait l'objet d'une immatriculation, en se fondant de bonne foi sur les inscriptions du registre, est maintenu dans son droit, si celui-ci a été publié.

2963. L'avis donné ou la connaissance acquise d'un droit non publié ne supplée jamais le défaut de publicité.

2964. Le défaut de publicité peut être opposé par tout intéressé à toute personne, même mineure ou placée sous un régime de protection, ainsi qu'à l'État.

2965. Tout intéressé peut demander au tribunal, en cas d'erreur, de faire rectifier ou radier une inscription.

CHAPITRE CINQUIÈME

DE LA PRÉINSCRIPTION

2966. Toute demande en justice qui concerne un droit réel soumis ou admis à l'inscription sur le registre foncier, peut, au moyen d'un avis, faire l'objet d'une préinscription.

La demande en justice qui concerne un droit réel mobilier qui a été inscrit sur le registre des droits personnels et réels mobiliers, peut aussi, au moyen d'un avis, faire l'objet d'une préinscription.

2967. Lorsque, par suite du recel, de la suppression ou de la contestation d'un testament, ou à cause de tout autre obstacle, une personne se trouve, sans sa faute, hors d'état de publier un droit résultant de ce testament, elle peut, pour conserver ce droit, procéder, dans l'année qui suit le décès, à la préinscription du droit auquel elle prétend par la présentation d'un avis.

2968. Sont réputés publiés à compter de la préinscription les droits qui font l'objet du jugement ou de la transaction qui met fin à l'action, pourvu qu'ils soient publiés dans les trente jours qui suivent celui où le jugement est passé en force de chose jugée ou celui de la transaction.

Sont aussi réputés publiés depuis la préinscription les droits résultant d'un testament que l'on était empêché de publier, pourvu que le testament soit publié dans les trente jours qui suivent celui où l'obstacle a cessé, ou encore celui où il a été obtenu ou vérifié, et, au plus tard, dans les trois ans de l'ouverture de la succession.

TITRE TROISIÈME

DES MODALITÉS DE LA PUBLICITÉ

CHAPITRE PREMIER

DES REGISTRES OÙ SONT INSCRITS LES DROITS

SECTION I

DISPOSITIONS GÉNÉRALES

2969. Il est tenu, au bureau de la publicité des droits de chacune des circonscriptions foncières, un registre foncier, de même que tout autre registre dont la tenue est prescrite par la loi ou par les règlements pris en application du présent livre.

En outre, dans le bureau désigné par le ministre de la Justice, il est tenu, pour le Québec, un registre des droits personnels et réels mobiliers.

2970. La publicité des droits qui concernent un immeuble se fait au registre foncier du bureau de la publicité des droits dans le ressort duquel est situé l'immeuble.

La publicité des droits qui concernent un meuble et celle de tout autre droit s'opère par l'inscription du droit sur le registre des droits personnels et réels mobiliers; si le droit réel mobilier porte aussi sur un immeuble, l'inscription doit également être faite sur le registre foncier suivant les normes applicables à ce registre et déterminées par le présent livre ou par les règlements pris en application du présent livre.

2971. Les registres et les documents conservés par les bureaux de la publicité des droits, incluant les bordereaux de présentation, sont des documents publics; ils peuvent être consultés selon les modalités prévues par les règlements pris en application du présent livre.

SECTION II

DU REGISTRE FONCIER

2972. Le registre foncier d'un bureau de la publicité des droits est constitué d'autant de livres fonciers qu'il y a de cadastres dans le ressort du bureau.

Chaque livre foncier comprend autant de fiches immobilières qu'il y a de lots marqués sur le plan cadastral; sur chaque fiche sont répertoriées les inscriptions qui concernent l'immeuble.

2973. S'il est constitué sur l'immeuble un droit d'emphytéose, l'officier de la publicité des droits établit, de la manière prévue par les règlements pris en application du présent livre, une fiche complémentaire. La réquisition d'inscription du droit doit indiquer à l'officier les inscriptions faites sur la fiche principale à reporter sur la fiche complémentaire, ou celles faites sur la fiche complémentaire à reporter sur les fiches complémentaires nouvelles.

Il en est de même dans le cas où une convention d'indivision identifie la part de chaque indivisaire, qu'il y a attribution d'un droit d'usage ou de jouissance exclusive sur une partie de l'immeuble et qu'il y a réquisition expresse d'établissement d'une fiche complémentaire pour chaque partie qui a fait l'objet de l'attribution.

2974. S'il est constitué sur l'immeuble un droit d'usufruit ou d'usage, ou s'il y a attribution d'un droit d'usage ou de jouissance exclusive sur une partie de l'assiette de ces droits, ou si, suivant la déclaration de copropriété, une fraction de copropriété peut être détenue par plusieurs personnes ayant chacune un droit de jouissance, périodique et successif, de la fraction, l'officier établit, lorsque les règlements pris en application du présent livre le permettent et qu'il y a réquisition expresse à cet effet, une fiche complémentaire.

2975. L'inscription d'un droit sur la fiche complémentaire établie pour un droit d'emphytéose, pour la partie de l'assiette de ce droit ou de la copropriété indivise qui a fait l'objet de l'attribution d'un droit d'usage ou de jouissance exclusive, n'a pas à être reportée sous le numéro de la fiche principale.

Les fiches complémentaires sont établies et clôturées suivant les modalités prescrites par les règlements.

2976. Lorsqu'une portion du territoire d'une circonscription foncière n'est pas cadastrée, le registre comprend, pour cette portion, un seul livre foncier.

Ce livre est constitué d'autant de fiches immobilières qu'il y a d'immeubles non immatriculés dans cette portion de territoire, même si ces immeubles appartiennent à un même propriétaire.

Malgré ce qui précède, les fiches immobilières établies sous un numéro d'ordre pour un droit réel d'exploitation de ressources de l'État, qui s'exerce en territoire cadastré, ou pour un réseau de services publics situé en territoire cadastré, font partie de ce livre foncier.

2977. Dans un territoire non cadastré et, le cas échéant, lorsque la loi le permet, en territoire cadastré, la fiche immobilière est désignée par un numéro d'ordre établi de la manière prévue aux règles d'application.

2978. Le propriétaire de plusieurs immeubles non immatriculés mais contigus, grevés des mêmes droits réels et situés dans une même circonscription foncière, peut requérir de l'officier de la publicité des droits qu'il regroupe, sur une même fiche immobilière, les fiches établies pour chacun des immeubles.

Le titulaire d'un droit réel d'exploitation de ressources de l'État dont l'assiette n'est pas immatriculée peut faire la même réquisition, pourvu que les droits réels d'exploitation soient de même nature, de même durée, contigus et grevés des mêmes droits réels.

Le propriétaire ou le titulaire présente une réquisition désignant l'immeuble qui résulte de ce regroupement, indiquant les fiches visées et les inscriptions subsistantes à reporter sur la nouvelle fiche. L'officier de la publicité indique la concordance entre les fiches anciennes et la nouvelle et procède au report des inscriptions.

2979. Tout morcellement d'un immeuble non immatriculé donne lieu à l'établissement de nouvelles fiches immobilières.

Le document constatant le morcellement doit comporter une déclaration, incluse ou annexée, désignant les immeubles visés et indiquant la fiche primitive et les inscriptions à reporter sur les nouvelles fiches.

L'officier de la publicité établit la concordance entre l'ancienne fiche et les nouvelles et procède au report des inscriptions.

SECTION III
DU REGISTRE DES DROITS PERSONNELS ET RÉELS MOBILIERS

2980. Le registre des droits personnels et réels mobiliers est constitué, en ce qui concerne les droits personnels, de fiches tenues par ordre alphabétique, alphanumérique ou numérique, sous la désignation des personnes nommées dans les réquisitions d'inscription et, en ce qui concerne les droits réels mobiliers, de fiches tenues par catégories de biens ou d'universalités, sous la désignation des meubles grevés ou l'indication de la nature de l'universalité ou, encore, de fiches tenues sous le nom du constituant.

Sur chaque fiche sont répertoriées les inscriptions qui concernent la personne ou le meuble.

CHAPITRE DEUXIÈME
DES RÉQUISITIONS D'INSCRIPTION

SECTION I
RÈGLES GÉNÉRALES

2981. Les réquisitions d'inscription sur le registre foncier ou sur le registre des droits personnels et réels mobiliers désignent les titulaires et constituants des droits, qualifient ces droits, désignent les biens visés et mentionnent tout autre fait pertinent à des fins de publicité, ainsi qu'il est prescrit par la loi ou par les règlements pris en application du présent livre.

2982. La réquisition d'inscription sur le registre foncier est présentée au bureau de la publicité des droits dans le ressort duquel est situé l'immeuble.

Elle se fait par la présentation de l'acte lui-même ou d'un extrait authentique de celui-ci s'ils ne contiennent que l'information prescrite par les règlements ; elle peut aussi se faire par le moyen d'un sommaire qui résume le document et contient l'information prescrite par les règlements. La réquisition se fait aussi, lorsque la loi le prévoit, au moyen d'un avis.

En outre, la réquisition peut, s'il s'agit d'une hypothèque, d'une restriction au droit de disposer, ou d'un droit dont la durée est déterminée, fixer la date extrême d'effet de l'inscription.

2983. La réquisition d'inscription sur le registre des droits personnels et réels mobiliers est produite en un seul exemplaire au registre central; elle se fait par la présentation d'un avis, à moins que la loi ou les règlements n'en disposent autrement.

La réquisition d'inscription sur le registre d'une hypothèque ou d'une restriction au droit de disposer, ou d'un droit dont la durée est déterminée, doit fixer la date extrême d'effet de l'inscription.

2984. Les réquisitions d'inscription sont signées, attestées et présentées de la manière prévue par la loi, le présent titre ou les règlements.

2985. La personne qui requiert une inscription sur le registre foncier est tenue de présenter, à des fins de conservation et de consultation, avec le sommaire, l'acte, l'extrait ou tout autre document qui en fait l'objet.

2986. Quelle que soit la forme que prenne la réquisition d'inscription, seuls sont publiés les droits qui sont énoncés à la réquisition et qui doivent être inscrits sur le registre.

Néanmoins, pour préciser l'assiette ou l'étendue du droit, il est permis, lorsque les règlements l'autorisent, de faire référence, dans l'inscription, au document en vertu duquel celle-ci est requise.

2987. Lorsque la réquisition d'inscription se fait par la présentation d'un sommaire, on ne peut utiliser le même sommaire pour résumer des documents qui ne se complètent pas ou qui n'ont aucune relation entre eux.

Il suffit cependant d'un seul sommaire lorsque le droit qu'on entend publier est constaté dans plusieurs documents.

SECTION II

DES ATTESTATIONS

2988. Le notaire qui reçoit un acte visant l'inscription ou la suppression d'un droit sur le registre foncier, ou la réduction d'une inscription, est tenu d'attester qu'il a vérifié l'identité, la qualité et la capacité des parties, que le document traduit la volonté exprimée par les parties et, le cas échéant, que le titre du constituant ou du dernier titulaire du droit visé est déjà valablement publié.

2989. L'arpenteur-géomètre est tenu d'attester qu'il a vérifié l'identité, la qualité et la capacité des parties à un procès-verbal de bornage dressé par lui, même celui fait sans formalité; le cas échéant, il est tenu d'attester que le document traduit la volonté exprimée par les parties.

2990. Les officiers de justice, les syndics de faillite, les secrétaires ou greffiers municipaux et les officiers ministériels rédacteurs d'actes authentiques ou publics doivent attester qu'ils ont vérifié l'identité des personnes visées par les actes dressés par eux et soumis à la publicité foncière.

2991. L'acte sous seing privé visant l'inscription ou la suppression d'un droit sur le registre foncier, ou la réduction d'une inscription, doit indiquer la date et le lieu où il a été dressé; il y est joint l'attestation par un notaire ou un avocat qu'il a vérifié l'identité, la qualité et la capacité des parties, la validité de l'acte quant à sa forme, que le document traduit la volonté exprimée par les parties et, le cas échéant, que le titre du constituant ou du dernier titulaire du droit visé est déjà valablement publié.

Lorsque l'acte sous seing privé contient des informations autres que celles qui sont prescrites par les règlements, la réquisition d'inscription prend la forme d'un sommaire.

2992. Lorsque l'inscription sur le registre foncier est requise au moyen d'un sommaire, l'attestation du notaire ou de l'avocat qui dresse le sommaire du document porte en outre sur l'exactitude du contenu du sommaire.

2993. L'attestation est consignée dans une déclaration qui énonce obligatoirement les nom, qualité et domicile de son auteur.

2994. La réquisition d'inscription sur le registre foncier de droits constatés dans un acte qui n'a pas fait l'objet d'une attestation, au moment où l'acte a été dressé, doit prendre la forme d'un sommaire.

L'identité, la qualité et la capacité des parties au sommaire, ainsi que l'exactitude de son contenu, doivent être attestées.

2995. Aucune attestation de vérification n'est requise pour l'inscription sur le registre des droits personnels et réels mobiliers.

Pour l'inscription sur le registre foncier des déclarations de résidence familiale, des baux immobiliers ou des avis prévus par la loi, à l'exception des avis requis pour l'inscription d'une hypothèque légale ou mobilière, ou de l'avis cadastral d'inscription d'un droit, les documents présentés n'ont pas à être attestés par un notaire ou un avocat, mais par deux témoins, dont l'un sous serment.

SECTION III

DE CERTAINES RÈGLES D'INSCRIPTION

2996. Le procès-verbal de bornage est accompagné du plan qui s'y rapporte. Le cas échéant, le procès-verbal est présenté avec la réquisition d'inscription du jugement qui l'homologue. Il doit mentionner expressément que la limite entre les propriétés bornées coïncide avec la limite cadastrale des lots qui y sont visés.

À défaut de cette mention, l'inscription du procès-verbal sur le registre foncier doit être refusée jusqu'à ce qu'une modification du plan soit déposée au bureau de la publicité des droits et qu'un avis de la modification relatif aux lots visés soit inscrit sur le registre foncier.

2997. Le dépôt d'un plan au bureau de la publicité des droits, en vertu d'une loi qui l'exige, vaut publicité de ce plan, dans la mesure où il est accompagné d'un avis désignant l'immeuble qui y est visé.

La présente disposition ne s'applique pas au dépôt de plans cadastraux.

2998. Les droits de l'héritier et du légataire particulier dans un immeuble de la succession sont publiés par l'inscription d'une déclaration faite par acte notarié en minute.

Toutefois, en matière mobilière, l'inscription du droit de l'héritier et du légataire particulier est admise seulement si elle concerne la transmission d'une créance hypothécaire, d'une restriction au droit de disposer, ou une préinscription. La déclaration prend la forme d'un avis, lequel fait référence, le cas échéant, au testament.

2999. La déclaration indique, quant au défunt, son nom, l'adresse de son dernier domicile, la date et le lieu de sa naissance, la date et le lieu de son décès, sa nationalité et son état civil, ainsi que son régime matrimonial, s'il y a lieu.

Elle indique également la nature légale ou testamentaire de la succession, la qualité d'héritier, de légataire particulier ou de conjoint, de même que le degré de parenté de chacun des héritiers avec le défunt, les renonciations, la désignation des biens et des personnes visées, ainsi que le droit de chacun dans les biens.

3000. Les avis de vente forcée et les autres avis prescrits au livre Des priorités et des hypothèques doivent être publiés.

Il ne peut être délivré copie de l'acte constatant la vente, avant que celle-ci n'ait été publiée, aux frais de l'acquéreur, par la personne habilitée à procéder à la vente.

3001. La personne habilitée à procéder à la vente aux enchères pour défaut de paiement de l'impôt foncier est tenue de présenter, dans les dix jours de l'adjudication, une liste désignant les immeubles vendus, leur acquéreur et leur dernier propriétaire et indiquant le mode d'acquisition et le numéro d'inscription du titre du dernier propriétaire.

La vente est inscrite avec la mention qu'il s'agit d'une adjudication pour défaut de paiement de l'impôt foncier.

3002. La réquisition fondée sur un jugement qui ordonne la rectification d'une inscription sur le registre foncier ou qui prononce la reconnaissance du droit de propriété dans un immeuble n'est admise que si le jugement est passé en force de chose jugée.

3003. Lorsqu'une hypothèque a été acquise par subrogation ou cession, la publicité de la subrogation ou de la cession se fait au bureau de la publicité des droits où l'hypothèque immobilière a été publiée, ou, s'il s'agit d'une hypothèque mobilière, au registre des droits personnels et réels mobiliers.

Un état certifié de l'inscription faite sur le registre approprié doit être fourni au débiteur.

À défaut de l'accomplissement de ces formalités, la subrogation ou la cession est inopposable au cessionnaire subséquent qui s'y est conformé.

3004. Lorsque la subrogation à une créance hypothécaire est acquise de plein droit, la publicité de la subrogation s'opère par l'inscription de l'acte dont elle résulte; en l'absence d'acte, elle s'opère par la présentation d'un avis énonçant les causes de la subrogation.

3005. Le sommaire attesté par un notaire peut énoncer le numéro du lot ou de la fiche immobilière avec, le cas échéant, l'indication des tenants et aboutissants de l'immeuble sur lequel s'exerce le droit, même si ce numéro ne figure pas dans le document que le sommaire résume.

Le sommaire attesté par un avocat ou par un notaire peut, même si l'acte n'en fait pas mention, contenir l'indication de la date et du lieu de naissance des personnes qui y sont nommées, ainsi que les déclarations qu'exige la loi pour certaines mutations immobilières.

3006. Lorsque la loi prescrit que la réquisition doit être présentée accompagnée de documents, ces documents, s'il sont rédigés dans une langue autre que le français ou l'anglais, doivent, en plus, être accompagnés d'une traduction vidimée au Québec.

CHAPITRE TROISIÈME

DES DEVOIRS ET FONCTIONS DE L'OFFICIER DE LA PUBLICITÉ DES DROITS

3007. L'officier de la publicité des droits reçoit les réquisitions et délivre à celui qui les présente un bordereau sur lequel il indique la date, l'heure et la minute exactes de leur présentation, ainsi que les mentions nécessaires pour identifier la réquisition.

Ensuite, au jour le jour, dans l'ordre de la présentation des réquisitions, il fait, avec la plus grande diligence, les inscriptions prescrites par la loi ou par les règlements pris en application du présent livre sur le registre approprié.

3008. L'officier s'assure que la réquisition présentée à l'appui d'une inscription sur un registre contient les mentions prescrites et qu'elle satisfait aux dispositions de la loi et des règlements pris en application du présent livre et, le cas échéant, que les documents qui doivent l'accompagner sont aussi présentés.

3009. Lorsque la réquisition d'inscription sur le registre foncier a été attestée par un avocat ou un notaire, l'identité et la capacité des parties sont tenues pour vérifiées et le sommaire du document est tenu pour être exact. Il en est de même de l'identité et de la capacité des parties à un procès-verbal de bornage attesté par un arpenteur-géomètre.

L'identité des personnes est aussi tenue pour vérifiée lorsqu'elle est attestée par l'une des personnes visées à l'article 2990.

L'identité des parties à toute autre réquisition d'inscription sur le registre foncier ou sur le registre des droits personnels et réels mobiliers est présumée exacte et leur capacité tenue pour vérifiée.

3010. Lorsque la réquisition présentée est irrecevable, ou qu'elle contient des inexactitudes ou des irrégularités, l'officier ne fait aucune inscription sur les registres ; il informe le requérant des motifs du refus d'inscription.

3011. L'officier remet au requérant un état certifié de l'inscription qu'il a faite sur le registre, sur le fondement de la réquisition présentée. Un certificat peut aussi être apposé sur une copie de la réquisition faisant partie des archives du bureau de la publicité.

3012. Les réquisitions sont réputées présentées dès le moment de leur réception par l'officier chargé de la tenue du registre approprié.

Si plusieurs réquisitions parviennent au bureau de la publicité par le même courrier ou sont présentées par le même porteur, elles sont réputées présentées simultanément. Les réquisitions acheminées en bloc par un moyen technologique déterminé par les règlements sont assimilées à des réquisitions présentées simultanément; elles portent, toutefois, la date, l'heure et la minute de la réception de la dernière réquisition ainsi acheminée.

Celles qui parviennent au bureau de la publicité des droits en dehors des heures prévues pour la présentation des documents, sont réputées présentées à l'heure de la reprise de cette activité.

3013. L'officier ne peut, à moins que le tribunal n'en ordonne autrement, inscrire sur le registre foncier les droits indiqués sur la réquisition présentée, avant d'avoir vérifié que le titre du constituant ou du dernier titulaire du droit visé est déjà inscrit ou, s'il s'agit d'un titre originaire consenti par l'État, que le titre de celui-ci est présumé.

Cette règle ne s'applique pas aux baux immobiliers, aux hypothèques, ni aux droits acquis sans titre, notamment par accession naturelle.

3014. Avant d'inscrire sur le registre approprié une subrogation, une cession de créance ou le renouvellement de la publicité d'un droit, l'officier doit vérifier le numéro d'inscription, s'il en existe, du titre de créance. En cas d'inexactitude, il refuse l'inscription.

3015. L'officier doit, lorsqu'il reçoit un avis du changement de nom du titulaire ou du constituant d'un droit publié, contenant la référence au numéro d'inscription de ce droit et accompagné d'une copie certifiée du document constatant le changement, porter celui-ci sur le registre approprié, établir la concordance entre le nom ancien et le nouveau et indiquer le numéro d'inscription du droit visé.

Pour obtenir l'inscription du changement de nom sur le registre foncier, l'avis doit aussi désigner l'immeuble visé.

3016. Lorsque l'officier constate une erreur matérielle dans un registre ou dans un certificat d'inscription, il procède à la rectification de la manière prescrite par règlement; lorsqu'il constate l'omission d'une inscription, il procède à l'inscription, à la suite de la dernière figurant sur le registre.

Lorsque le requérant constate que l'inscription portée par l'officier sur le registre est inexacte ou incomplète, il requiert l'officier de rectifier l'inscription.

Dans tous les cas, l'officier indique la date, l'heure et la minute de la rectification ou de l'inscription.

3017. L'officier est tenu de notifier, dans les meilleurs délais, à chaque personne qui a requis l'inscription de son adresse, que le bien sur lequel son droit est publié est l'objet d'un préavis d'exercice d'un droit hypothécaire ou d'un préavis de vente pour défaut de paiement de l'impôt foncier. Il fait de même lorsqu'un avis exige l'abandon de la prise en paiement ou lorsque le bien doit être vendu sous l'autorité de la justice ou, s'il s'agit d'un immeuble a été adjugé pour défaut de paiement de l'impôt foncier ou fait l'objet d'une saisie; l'officier indique, le cas échéant, le lieu et la date de la vente.

Une telle notification doit être faite au procureur général lorsqu'il s'agit d'un bien grevé d'une hypothèque ou s'il s'agit d'une créance prioritaire publiée en faveur de l'État.

3018. Nul officier ne peut utiliser les registres pour fournir à quiconque une liste des propriétaires inscrits sur le registre foncier, une liste des biens immeubles qu'une personne possède ou une liste des créanciers hypothécaires. De plus, aucune recherche dans le registre foncier effectuée à partir du nom d'une personne n'est admise, à moins qu'elle ne porte sur un immeuble situé en territoire non cadastré, un droit réel d'exploitation des ressources de l'État ou un réseau de services publics qui n'est pas immatriculé.

3019. L'officier est tenu de délivrer à toute personne qui le requiert un état certifié des droits inscrits sur les registres; l'état énonce la date, l'heure et la minute de mise à jour du registre. Tout relevé qui est délivré par l'officier est certifié par lui.

Il est aussi tenu de fournir, à toute personne qui le demande, une copie des documents faisant partie des archives du bureau, ou un état certifié d'une inscription particulière.

3020. L'officier n'est pas responsable du préjudice pouvant résulter des renseignements qu'il a fournis, par suite d'une erreur qui n'est pas de son fait, dans l'identification d'une personne ou la désignation d'un bien.

3021. Les officiers sont tenus :

1° De conserver les documents déposés dans les bureaux de la publicité des droits ;

2° De faire les inscriptions sur les registres de manière à assurer l'intégrité de l'information ;

3° De préserver les inscriptions contre toute altération ;

4° D'établir et de conserver dans un autre lieu que le bureau de la publicité, en sûreté, un exemplaire des registres tenus sur support informatique et de maintenir, à des fins d'archives, le relevé des inscriptions qui n'ont plus d'effet.

Ils ne peuvent ni se départir des registres et documents, ni être requis d'en produire une copie hors du bureau, sauf en justice, dans le cadre d'une procédure d'inscription en faux ou d'une contestation portant sur l'authenticité d'un document.

De même, ils ne peuvent ni corriger ni modifier les plans cadastraux ; s'il s'y trouve des omissions ou des erreurs dans la description, l'étendue ou le numéro d'un lot, dans le nom du propriétaire, le mode d'acquisition ou le numéro d'inscription du titre, ils doivent en faire rapport au ministre responsable du cadastre qui peut, chaque fois qu'il y a lieu, en corriger l'original ainsi que la copie, certifiant la correction.

CHAPITRE QUATRIÈME

DE L'INSCRIPTION DES ADRESSES

3022. Les créanciers prioritaires ou hypothécaires, ou leurs ayants cause, les titulaires d'un droit réel, les époux qui publient une déclaration de résidence familiale ou les bénéficiaires de cette déclaration, ou encore toute autre personne intéressée, peuvent requérir, de la manière prévue par les règlements, l'inscription de leur adresse afin que l'officier leur notifie certains événements qui touchent leur droit.

L'inscription de l'adresse vaut tant que subsiste la publicité du droit auquel elle se rapporte.

3023. Lors d'un changement d'adresse ou d'une modification dans l'adresse ou dans le nom de la personne intéressée, un avis, fait de la manière prescrite par les règlements, peut être présenté à l'officier afin qu'il rectifie le nom ou l'adresse inscrits sur le registre approprié.

CHAPITRE CINQUIÈME

DES RÈGLEMENTS D'APPLICATION

3024. Le gouvernement peut, par règlement, prendre toute mesure nécessaire à la mise en application du présent livre; il peut notamment établir les normes de présentation des réquisitions d'inscription et en déterminer la forme et le contenu; il peut déterminer également la forme et le contenu des documents, avis, attestations et déclarations qui ne sont pas régis par la loi.

Le gouvernement peut aussi déterminer les normes et les critères permettant l'individualisation particulière d'un bien meuble et son identification spécifique, les catégories et les abréviations qui peuvent être utilisées pour désigner un bien meuble et la manière d'établir, de tenir et de clôturer les fiches.

Le gouvernement peut déterminer en outre la forme, le support et la teneur de tout registre et fiche tenus par un officier de la publicité, le support de conservation des réquisitions, le mode de numérotation de toute fiche immobilière, la manière de faire les différentes inscriptions sur les registres. Il fixe aussi les jours et les heures d'ouverture des bureaux, les modalités de consultation des registres et les formalités de délivrance des relevés ou des certificats.

3025. Le ministre de la Justice peut, si les circonstances l'exigent, modifier, par arrêté, les heures d'ouverture de tout bureau de la publicité des droits.

TITRE QUATRIÈME

DE L'IMMATRICULATION DES IMMEUBLES

CHAPITRE PREMIER

DU PLAN CADASTRAL

3026. L'immatriculation consiste à situer les immeubles en position relative sur un plan cadastral, à indiquer leurs limites, leurs mesures et leur contenance et à leur attribuer un numéro particulier.

Elle est complétée par l'identification du propriétaire, par l'indication du mode d'acquisition et du numéro d'inscription du titre et, le cas échéant, par l'établissement de la concordance entre les numéros cadastraux ancien et nouveau, ou entre le numéro d'ordre de la fiche de l'immeuble et de la fiche complémentaire et le numéro cadastral nouveau.

3027. Le plan cadastral est établi conformément à la loi et fait partie du registre foncier; il est présumé exact.

S'il y a discordance entre les limites, les mesures et la contenance indiquées sur le plan et celles mentionnées dans les documents présentés, l'exactitude des premières est présumée.

La présomption d'exactitude des mesures et de la contenance indiquées sur le plan est toujours simple.

3028. Le plan cadastral entre en vigueur le jour de l'établissement de la fiche immobilière au registre foncier du bureau de la publicité des droits.

L'établissement d'une fiche doit se faire dans l'ordre de la réception de chaque plan cadastral, avec la plus grande diligence.

3029. Tout plan cadastral doit être soumis au ministre responsable du cadastre, qui, s'il le trouve conforme à la loi et correct, en dépose une copie qu'il certifie au bureau de la publicité des droits; il en transmet aussi une copie au greffe de la municipalité de la situation de l'immeuble.

3030. À moins qu'il ne porte sur un immeuble situé en territoire non cadastré, aucun droit de propriété ne peut être publié au registre foncier si l'immeuble visé n'est pas identifié par un numéro de lot distinct au cadastre.

Aucune déclaration de copropriété ou de coemphytéose ne peut être inscrite, à moins que l'immeuble n'ait fait l'objet d'un plan cadastral qui pourvoit à l'immatriculation des parties privatives et communes.

3031. L'assiette d'un droit réel d'exploitation de ressources de l'État, que la loi déclare propriété distincte de celle du sol sur lequel il porte, tel un droit minier, ainsi que celle d'un réseau de voies ferrées, ou d'un réseau de télécommunication par câble, de distribution d'eau, de lignes électriques, de canalisations pour le transport de produits pétroliers ou l'évacuation des eaux usées, peut être immatriculée.

Toutefois, le raccordement du réseau et des immeubles desservis n'est pas marqué sur le plan cadastral.

3032. Dès le jour de l'entrée en vigueur du plan cadastral, le numéro donné à un lot est sa seule désignation et suffit dans tout document qui y fait référence.

Lorsque le droit à publier porte sur un immeuble formé de plusieurs lots entiers, chacun des lots doit être individuellement désigné.

3033. Dès l'entrée en vigueur du plan cadastral, toute personne qui rédige un acte soumis ou admis à la publicité est tenue de désigner les immeubles par le numéro qui leur est attribué sur le plan.

À défaut de cette désignation, la réquisition d'inscription d'un droit doit être refusée, à moins qu'un avis désignant l'immeuble visé ne soit présenté, avec l'acte même, l'extrait de celui-ci ou le sommaire, suivant les règles établies au présent livre.

L'avis cadastral d'inscription du droit doit être fait de la manière prescrite par les règlements pris en application du présent livre.

3034. Dès l'établissement, à la réquisition du propriétaire ou du titulaire d'un droit réel d'exploitation de ressources de l'État, d'une fiche immobilière sous un numéro d'ordre, ce numéro est la seule désignation de l'immeuble qui fait l'objet de la fiche et suffit dans tout document qui y fait référence.

De même, dès l'établissement d'une fiche complémentaire, le numéro d'ordre attribué à celle-ci est la seule désignation de l'assiette du droit qui en fait l'objet et suffit dans tout document qui y fait référence.

Après l'établissement de la fiche, toute personne qui rédige un acte soumis ou admis à la publicité est tenue de désigner l'immeuble qui a fait l'objet de l'établissement de la fiche par le numéro qui lui a été attribué et de préciser que celui-ci correspond en tout ou en partie à celui qui a justifié l'établissement de la fiche. Faute de ces précisions, l'inscription doit être refusée.

3035. L'officier ne peut accepter la réquisition relative à un immeuble situé en territoire non cadastré, à un réseau, ou à un droit réel d'exploitation de ressources de l'État, lorsqu'elle ne contient pas la désignation de la fiche immobilière visée ou qu'elle n'est pas accompagnée d'un avis qui fait référence à cette fiche, à moins qu'elle ne comprenne ou ne soit accompagnée d'une réquisition visant l'établissement d'une fiche.

3036. Dans un territoire non cadastré et, le cas échéant, en territoire cadastré, lorsque la loi le permet, l'immeuble doit être désigné par la mention de ses tenants et aboutissants et de ses mesures; la désignation doit aussi contenir les éléments utiles pour situer l'immeuble en position relative et faire état de l'absence de fiche.

3037. Lorsqu'un immeuble est formé de parties de plusieurs lots, chacune des parties de lot doit être désignée par ses tenants, aboutissants et mesures respectifs.

La désignation d'une partie de lot par distraction des parties de ce lot, ou par la seule mention du nom des propriétaires des tenants et aboutissants, n'est pas admise.

3038. La désignation d'un réseau de voies ferrées, de télécommunication par câble, de distribution d'eau, de lignes électriques, de canalisations pour le transport de produits pétroliers ou l'évacuation des eaux usées comprend, outre l'indication de sa nature générale:

1° S'il est immatriculé, la désignation du numéro cadastral qui lui est attribué;

2° S'il n'est pas immatriculé, la désignation, en territoire cadastré, des lots qu'il traverse ou, en territoire non cadastré, une désignation suffisante pour l'identifier, à moins qu'une fiche immobilière n'ait été établie pour le réseau.

La réquisition d'établissement de la fiche immobilière d'un réseau qui n'est pas immatriculé doit désigner les lots ou le territoire qu'il dessert.

3039. L'assiette du droit réel d'exploitation de ressources de l'État qui est immatriculée est désignée par le numéro d'immatriculation qui lui est donné. Ce numéro et l'indication de la nature du droit suffisent dans tout document qui y fait référence.

L'attribution d'un numéro d'immatriculation comprend aussi la désignation des immeubles sur lesquels s'exerce le droit réel d'exploitation de ressources de l'État, afin que les concordances soient portées sur le registre foncier.

3040. L'assiette du droit réel d'exploitation de ressources de l'État qui n'est pas immatriculée est désignée par la mention de la nature du droit et la description du lieu où il s'exerce, à moins qu'une fiche immobilière n'ait été établie pour l'assiette du droit visé.

La réquisition d'établissement de la fiche immobilière de ce droit doit désigner le numéro de la fiche des immeubles sur lesquels il s'exerce, afin que les concordances soient portées sur le registre.

3041. L'immatriculation des parties privatives et communes d'une copropriété divise verticale ne peut se faire avant que le gros oeuvre du bâtiment dans lequel elles sont situées ne permette de les mesurer et d'en déterminer les limites.

3042. Celui qui est autorisé à exproprier doit, en territoire cadastré, soumettre au ministre responsable du cadastre un plan, qu'il signe pour le propriétaire, afin que soient immatriculées la partie requise et la partie résiduelle; il doit, en outre, s'il s'agit d'un plan comportant une nouvelle numérotation, notifier ce dépôt à toute personne qui a fait inscrire son adresse, mais le consentement des créanciers et du bénéficiaire d'une déclaration de résidence familiale n'est pas requis pour l'obtention de la nouvelle numérotation cadastrale.

L'inscription du transfert visé par la Loi sur l'expropriation, ou de la cession de la partie de lot requise, ne peut être faite avant l'entrée en vigueur du plan au bureau de la publicité des droits.

Le premier alinéa s'applique également aux municipalités qui sont autorisées par la loi à s'approprier, sans formalité ni indemnité à verser, un droit de propriété en superficie, en surface ou dans le tréfonds d'un immeuble, pour une cause d'utilité publique.

CHAPITRE DEUXIÈME

DES MODIFICATIONS DU CADASTRE

3043. Toute personne peut soumettre au ministre responsable du cadastre un plan, signé par elle, pour modifier par subdivision ou autrement le plan d'un lot dont elle est propriétaire; elle peut aussi demander le numérotage d'un lot, l'annulation ou le remplacement de la numérotation existante ou en obtenir une nouvelle.

Le ministre peut aussi, en cas d'erreur, corriger un plan ou modifier la numérotation d'un lot, ajouter la numérotation omise, ou annuler ou remplacer la numérotation existante. Il doit alors notifier la modification au propriétaire inscrit sur le registre foncier et à toute personne qui a fait inscrire son adresse. La notification est motivée; il y est joint un extrait des plans cadastraux ancien et nouveau.

Le morcellement d'un lot oblige à l'immatriculation simultanée des parties qui résultent de ce morcellement.

3044. Le consentement des créanciers hypothécaires et du bénéficiaire d'une déclaration de résidence familiale est nécessaire pour l'obtention par le propriétaire d'une modification cadastrale qui entraîne une nouvelle numérotation.

Ce consentement, donné par acte notarié en minute, doit être publié et communiqué, avec un certificat d'inscription, au ministre responsable du cadastre.

3045. L'officier de la publicité des droits indique au registre, sous le numéro du lot visé, la nature de toute modification apportée au plan qui ne modifie pas le numéro cadastral.

Lors de l'établissement d'une fiche immobilière, exigée par une nouvelle numérotation cadastrale, il inscrit, suivant les données du plan, la désignation du propriétaire, le mode d'acquisition de l'immeuble et le numéro d'inscription du titre; il établit aussi, le cas échéant, la concordance entre l'ancien numéro de lot ou l'ancien numéro d'ordre de la fiche immobilière et le numéro de lot nouveau.

CHAPITRE TROISIÈME

DU REPORT DES DROITS

3046. Le dépôt d'un plan qui donne lieu à l'établissement d'une fiche immobilière oblige au report des droits qui concernent le lot nouveau.

L'officier de la publicité des droits effectue le report, conformément à un rapport d'actualisation de la fiche immobilière du lot ou à un jugement qui détermine les droits sur l'immeuble.

Les droits qui ne sont pas ainsi reportés sur la fiche immobilière sont éteints.

3047. Aucun droit réel établi par une convention ne peut être publié au registre foncier si un report des droits concernant l'immeuble qui a fait l'objet d'une immatriculation n'a été fait au préalable.

3048. Le rapport d'actualisation des droits qui concernent un immeuble se fait par acte notarié en minute et suivant les normes prescrites par les règlements.

Dans la préparation du rapport, le notaire est tenu de vérifier tous les droits publiés qui concernent l'immeuble, d'analyser le certificat de localisation, s'il en existe, et de vérifier, dans la mesure du possible, la capacité des parties aux actes qui ont été inscrits sur l'immeuble.

3049. Le rapport d'actualisation doit indiquer les droits subsistants qui doivent être reportés sur la fiche immobilière, de même que ceux qui sont incertains, ou éteints autrement que par la radiation et il fait mention des adresses inscrites qui correspondent à ces droits; il doit être motivé.

Il doit aussi indiquer l'adresse des titulaires des droits incertains.

3050. La présentation du rapport et l'inscription de celui-ci sur le registre foncier se font de la manière prescrite par les règlements. Le rapport d'actualisation fait partie des archives du bureau. Il est définitif et il ne peut faire l'objet d'un nouveau rapport visant à le modifier.

3051. L'officier reporte sur la fiche immobilière, les droits qui subsistent si, suivant le rapport d'actualisation, ceux-ci ne soulèvent aucune incertitude; il reporte aussi, en précisant le caractère provisoire de l'inscription, les droits que le rapport tient pour incertains, en indiquant en regard de chacun le motif porté au rapport. Le report d'un droit comprend aussi celui de l'adresse qui lui correspond, ainsi que le numéro d'inscription du rapport d'actualisation.

L'officier notifie aux personnes dont le droit est incertain le dépôt du rapport; il leur indique que si elles n'ont pas, avant l'expiration des trois ans qui suivent ce dépôt, agi en justice et préinscrit la demande pour contester le rapport ou obtenir la confirmation de leur droit, il radiera d'office les inscriptions provisoires.

Cette notification est faite par un avis public dans un journal si l'adresse des personnes à qui elle doit être faite n'est pas connue; les frais sont à la charge de la personne qui demande le report des droits.

3052. La préinscription de la demande en justice du titulaire d'un droit incertain, ainsi que l'inscription du droit incertain que la demande visait, sont radiées sur présentation d'un jugement prononçant la péremption de l'instance ou le rejet de l'action, ou d'une autre ordonnance enjoignant à l'officier de le faire, ou d'un certificat du greffier attestant que l'action a été discontinuée.

3053. Le caractère provisoire de l'inscription d'un droit qui était incertain est radié sur présentation d'une réquisition dans laquelle le propriétaire reconnaît l'existence du droit que l'inscription constatait.

Toutefois, lorsque le droit incertain a fait l'objet de la préinscription d'une demande en justice, le caractère provisoire de l'inscription du droit, de même que la préinscription de la demande en justice qui visait ce droit, sont radiés sur présentation soit d'une réquisition du propriétaire à laquelle est joint un certificat du greffier attestant que l'action a été discontinuée, soit d'un jugement, passé en force de chose jugée, qui confirme l'existence du droit que constatait l'inscription.

CHAPITRE QUATRIÈME

DES PARTIES DE LOT

3054. Les droits énoncés dans la réquisition qui constate l'acquisition d'une partie de lot ne peuvent être inscrits sur le registre foncier, jusqu'à ce qu'une modification cadastrale attribue:

1° Soit un numéro cadastral distinct à la partie acquise et à la partie résiduelle; ou,

2° Soit, lorsque la partie acquise est fusionnée à un lot contigu, un numéro cadastral distinct à l'immeuble qui résulte du fusionnement, ainsi qu'à l'immeuble qui résulte du morcellement.

Dans les deux cas, une référence précise à la modification cadastrale doit être contenue au rapport d'actualisation des droits de la fiche de l'immeuble nouveau.

3055. Sur la recommandation du ministre responsable du cadastre, le gouvernement peut, par décret, permettre, aux conditions qu'il détermine, dans un territoire qui a fait l'objet d'une rénovation cadastrale, l'inscription sur le registre foncier de l'aliénation d'une partie de lot qui est située dans une zone agricole établie en vertu de la Loi sur la protection du territoire agricole, ou qui est située à plus de 345 kilomètres du bureau de la publicité des droits dans le ressort duquel le lot est situé.

Le décret est publié dans la *Gazette officielle du Québec*; il entre en vigueur à la date, ultérieure à sa publication, qui y est fixée.

3056. L'officier transmet au ministre responsable du cadastre une copie de tout document énonçant une aliénation qu'il a inscrite sur le registre foncier, sous l'autorité du décret.

Sur réception du document, le ministre prépare la modification qui donne lieu à l'attribution d'un numéro cadastral distinct à chacune des parties de lot qui résulte de l'aliénation.

TITRE CINQUIÈME

DE LA RADIATION

CHAPITRE PREMIER

DES CAUSES DE RADIATION

3057. La radiation résulte d'une inscription qui vise la suppression d'une inscription antérieure sur le registre approprié; elle s'obtient, à moins que la loi n'en dispose autrement, par la présentation d'une réquisition faite suivant les règles applicables au registre foncier ou au registre des droits personnels et réels mobiliers.

La radiation est volontaire ou, à défaut, judiciaire; elle peut aussi être légale.

3058. L'inscription dont la date extrême d'effet est limitée par la loi, ou par la réquisition d'inscription, est périmée de plein droit le lendemain, à zéro heure, de la date d'expiration du délai fixé par la loi ou inscrit sur le registre, si elle n'a pas préalablement été renouvelée.

3059. L'inscription d'un droit est radiée, du consentement du titulaire ou du bénéficiaire de ce droit.

Néanmoins, l'inscription d'une hypothèque qui est éteinte, ou d'une restriction au droit de disposer, ou de tout autre droit dont la durée est déterminée, qui, d'après le registre approprié, est périmée ou celle de l'adresse qui n'a plus d'effet, peut être radiée d'office par l'officier. La radiation est motivée et datée.

3060. L'hypothèque immobilière garantissant le prix de l'emphytéose, la rente créée pour le prix de l'immeuble, la rente viagère ou l'usufruit viager, l'hypothèque immobilière constituée en faveur de l'Office du crédit agricole du Québec ou de la Société d'habitation du Québec, ou celle constituée en faveur d'un fondé de pouvoir des créanciers pour garantir le paiement d'obligations ou autres titres d'emprunt, ne peuvent être radiées d'office.

3061. L'inscription de l'hypothèque légale des personnes qui ont participé à la construction ou à la rénovation d'un immeuble est radiée, à la réquisition de tout intéressé, lorsque dans les six mois de la date de l'inscription aucune action n'a été intentée et publiée ou aucun préavis d'exercice d'un droit hypothécaire n'a été publié.

L'inscription de l'hypothèque légale du syndicat des copropriétaires sur la fraction d'une copropriété est radiée, à la réquisition de tout intéressé, à l'expiration des trois ans de sa date, à moins qu'une action n'ait été préalablement intentée et publiée.

Toutefois, si une action a été intentée et publiée, la radiation s'obtient par l'inscription du jugement rejetant l'action ou ordonnant la radiation, ou par la présentation d'un certificat du greffier du tribunal attestant que l'action a été discontinuée.

3062. L'inscription d'une déclaration de résidence familiale n'est radiée, à la réquisition de tout intéressé, que dans les cas suivants: les époux y consentent, l'un des époux est décédé et sa succession est liquidée, les époux sont séparés de corps ou divorcés, la nullité du mariage est prononcée ou l'immeuble a été aliéné du consentement des époux ou avec l'autorisation du tribunal.

Hormis le cas où les époux y consentent, la réquisition doit être accompagnée d'un certificat de décès et d'une déclaration attestée de la liquidation de la succession ou d'une copie du jugement, selon le cas.

3063. La radiation d'une inscription peut être ordonnée par le tribunal lorsque l'inscription a été faite sans droit ou irrégulièrement, sur un titre nul ou informe, ou lorsque le droit inscrit est annulé, résolu, résilié ou éteint par prescription ou autrement.

Elle est aussi ordonnée lorsque l'immeuble sur lequel une déclaration de résidence familiale avait été inscrite a cessé de servir à cette fin.

3064. La radiation de l'inscription d'un jugement passé en force de chose jugée, qui rectifie ou annule une inscription, peut aussi être ordonnée par le tribunal lorsque le jugement porte atteinte soit aux droits d'un tiers de bonne foi qui s'est fié au registre et qui a acquis un droit réel sur un immeuble qui a fait l'objet d'une immatriculation, soit aux droits de ses ayants cause, même à titre particulier.

3065. La quittance totale d'une créance emporte le consentement à la radiation. La quittance partielle n'entraîne que le consentement à une réduction équivalente.

Le créancier est tenu de faire inscrire la quittance, s'il reçoit une somme suffisante pour acquitter les frais d'inscription et les frais d'acheminement de la réquisition au bureau de la publicité des droits; il ne peut exiger aucune autre somme, malgré toute stipulation contraire.

3066. La réduction de l'hypothèque garantissant la créance que la consignation d'une somme d'argent est destinée à payer, se fait par l'inscription du jugement qui déclare les offres valables et qui, le cas échéant, détermine la personne qui a droit à la somme consignée, ou par l'inscription du jugement qui autorise, à la demande du débiteur, la réduction de l'hypothèque et le report de celle-ci sur le bien offert ou consigné.

CHAPITRE DEUXIÈME

DE CERTAINES RADIATIONS

3067. L'inscription d'un droit viager ou de l'hypothèque qui le garantit ne peut être radiée que du consentement du titulaire ou du bénéficiaire; s'il est décédé, la personne qui requiert la radiation doit présenter l'acte de décès, accompagné d'une déclaration sous serment concernant l'identité du défunt.

3068. L'inscription d'une hypothèque en faveur de l'État est radiée ou réduite par la présentation d'un certificat du procureur général ou du sous-procureur général du Québec, ou d'une personne désignée par le procureur général, énonçant que telle hypothèque est éteinte ou réduite.

Elle l'est aussi par la présentation d'un certificat du ministre ou du sous-ministre du Revenu, ou d'une personne désignée par le ministre du Revenu, énonçant que telle hypothèque est éteinte ou réduite, si cette hypothèque a été constituée en vertu d'une loi dont l'application relève de ce ministre.

Elle peut l'être encore par la présentation d'une copie d'un décret du gouvernement, certifiée par le greffier du Conseil exécutif.

3069. L'inscription des droits éteints par l'exercice des droits hypothécaires, par la vente forcée ou par la vente définitive du bien pour défaut de paiement de l'impôt foncier est radiée à la suite de l'inscription de la vente ou de la prise en paiement. Toutes les inscriptions des procès-verbaux de saisie, des préavis de vente, des préavis d'exercice d'un recours ou d'un droit et, le cas échéant, d'un avis exigeant l'abandon de la prise en paiement en vertu du livre Des priorités et des hypothèques, sont alors radiées d'office.

Cependant, lorsqu'il n'est pas procédé à la vente, les inscriptions des procès-verbaux, des préavis et des avis ne sont radiées que par la présentation d'un certificat constatant le fait et délivré par le greffier du tribunal ou par la personne désignée pour procéder à la vente.

3070. L'inscription du préavis de vente pour défaut de paiement de l'impôt foncier et celle de l'adjudication sont radiées à la suite de l'inscription de la vente définitive consentie par l'autorité municipale ou scolaire ou de l'acte constatant que l'immeuble a fait l'objet d'un retrait.

L'inscription du préavis de vente pour défaut de paiement de l'impôt foncier est aussi radiée à la suite de la présentation de la liste des immeubles non vendus.

3071. L'inscription d'un droit réel d'exploitation de ressources de l'État est radiée, lorsque le ministre responsable de la loi qui régit ce droit avise l'officier de la publicité des droits de l'abandon ou de la révocation du droit qui n'est pas exempté de l'inscription.

L'avis doit désigner le droit abandonné ou révoqué et identifier la fiche immobilière visée; l'abandon ou la révocation est inscrite sur cette fiche, ainsi que sur celle de l'immeuble sur lequel s'exerçait le droit.

Lorsque l'abandon ou la révocation concerne un droit dont l'assiette a été immatriculée, l'officier en donne avis au ministre responsable du cadastre afin qu'il puisse, d'office, annuler l'immatriculation du droit.

CHAPITRE TROISIÈME

DES FORMALITÉS ET DES EFFETS DE LA RADIATION

3072. La réquisition qui vise la réduction d'une inscription suit les règles applicables au registre approprié.

3073. La réquisition fondée sur un jugement qui ordonne la radiation d'un droit publié ou la réduction d'une inscription n'est admise que si ce jugement est passé en force de chose jugée.

L'exécution provisoire n'est pas admise lorsque le jugement porte sur la rectification, la réduction ou la radiation d'une inscription.

Le greffier du tribunal est tenu de délivrer un certificat attestant que le jugement n'est pas susceptible d'appel ou que, les délais d'appel étant expirés, il n'y a pas eu d'appel ou encore qu'à l'expiration d'un délai de trente jours de la date du jugement aucune demande en rétractation de jugement n'a été présentée.

3074. La radiation de l'inscription d'un droit principal autorise la radiation de l'inscription des droits accessoires et de toutes les mentions relatives à ces inscriptions.

3075. L'inscription de la radiation faite sans droit ou à la suite d'une erreur est radiée sur ordonnance du tribunal, à la demande de toute personne intéressée.

L'inscription de l'ordonnance ne peut porter atteinte aux droits du tiers de bonne foi qui a publié son droit après la radiation faite sans droit ou à la suite d'une erreur.

LIVRE DIXIÈME

DU DROIT INTERNATIONAL PRIVÉ

TITRE PREMIER

DISPOSITIONS GÉNÉRALES

3076. Les règles du présent livre s'appliquent sous réserve des règles de droit en vigueur au Québec dont l'application s'impose en raison de leur but particulier.

3077. Lorsqu'un État comprend plusieurs unités territoriales ayant des compétences législatives distinctes, chaque unité territoriale est considérée comme un État.

Lorsqu'un État comprend plusieurs systèmes juridiques applicables à différentes catégories de personnes, toute référence à la loi de cet État vise le système juridique déterminé par les règles en vigueur dans cet État; à défaut de telles règles, la référence vise le système juridique ayant les liens les plus étroits avec la situation.

3078. La qualification est demandée au système juridique du tribunal saisi; toutefois, la qualification des biens, comme meubles ou immeubles, est demandée à la loi du lieu de leur situation.

Lorsque le tribunal ignore une institution juridique ou qu'il ne la connaît que sous une désignation ou avec un contenu distincts, la loi étrangère peut être prise en considération.

3079. Lorsque des intérêts légitimes et manifestement prépondérants l'exigent, il peut être donné effet à une disposition impérative de la loi d'un autre État avec lequel la situation présente un lien étroit.

Pour en décider, il est tenu compte du but de la disposition, ainsi que des conséquences qui découleraient de son application.

3080. Lorsqu'en vertu des règles du présent livre la loi d'un État étranger s'applique, il s'agit des règles du droit interne de cet État, à l'exclusion de ses règles de conflits de lois.

3081. L'application des dispositions de la loi d'un État étranger est exclue lorsqu'elle conduit à un résultat manifestement incompatible avec l'ordre public tel qu'il est entendu dans les relations internationales.

3082. À titre exceptionnel, la loi désignée par le présent livre n'est pas applicable si, compte tenu de l'ensemble des circonstances, il est manifeste que la situation n'a qu'un lien éloigné avec cette loi et qu'elle se trouve en relation beaucoup plus étroite avec la loi d'un autre État. La présente disposition n'est pas applicable lorsque la loi est désignée dans un acte juridique.

TITRE DEUXIÈME

DES CONFLITS DE LOIS

CHAPITRE PREMIER

DU STATUT PERSONNEL

SECTION I

DISPOSITIONS GÉNÉRALES

3083. L'état et la capacité d'une personne physique sont régis par la loi de son domicile.

L'état et la capacité d'une personne morale sont régis par la loi de l'État en vertu de laquelle elle est constituée, sous réserve, quant à son activité, de la loi du lieu où elle s'exerce.

3084. En cas d'urgence ou d'inconvénients sérieux, la loi du tribunal saisi peut être appliquée à titre provisoire, en vue d'assurer la protection d'une personne ou de ses biens.

SECTION II

§ 1.—*Des incapacités*

3085. Le régime juridique des majeurs protégés et la tutelle du mineur sont régis par la loi du domicile des personnes qui en font l'objet.

Lorsqu'un mineur ou un majeur protégé domicilié hors du Québec possède des biens au Québec ou a des droits à y exercer et que la loi de son domicile ne pourvoit pas à ce qu'il ait un représentant, il peut lui être nommé un tuteur ou un curateur pour le représenter dans tous les cas où un tuteur ou un curateur peut représenter un mineur ou un majeur protégé d'après les lois du Québec.

3086. La partie à un acte juridique qui est incapable selon la loi de l'État de son domicile ne peut pas invoquer cette incapacité si elle était capable selon la loi de l'État du domicile de l'autre partie lorsque l'acte a été passé dans cet État, à moins que cette autre partie n'ait connu ou dû connaître cette incapacité.

3087. La personne morale qui est partie à un acte juridique ne peut pas invoquer les restrictions au pouvoir de représentation des personnes qui agissent pour elle si ces restrictions n'existaient pas selon la loi de l'État du domicile de l'autre partie lorsque l'acte a été passé dans cet État, à moins que cette autre partie n'ait connu ou dû connaître ces restrictions en raison de sa fonction ou de sa relation avec la partie qui les invoque.

§ 2.—*Du mariage*

3088. Le mariage est régi, quant à ses conditions de fond, par la loi applicable à l'état de chacun des futurs époux.

Il est régi, quant à ses conditions de forme, par la loi du lieu de sa célébration ou par la loi de l'État du domicile ou de la nationalité de l'un des époux.

3089. Les effets du mariage, notamment ceux qui s'imposent à tous les époux quel que soit leur régime matrimonial, sont soumis à la loi de leur domicile.

Lorsque les époux sont domiciliés dans des États différents, la loi du lieu de leur résidence commune s'applique ou, à défaut, la loi de leur dernière résidence commune ou, à défaut, la loi du lieu de la célébration du mariage.

§ 3.—*De la séparation de corps*

3090. La séparation de corps est régie par la loi du domicile des époux.

Lorsque les époux sont domiciliés dans des États différents, la loi du lieu de leur résidence commune s'applique ou, à défaut, la loi de leur dernière résidence commune ou, à défaut, la loi du tribunal saisi.

Les effets de la séparation de corps sont soumis à la loi qui a été appliquée à la séparation de corps.

§ 4.—*De la filiation par le sang et de la filiation adoptive*

3091. L'établissement de la filiation est régi par la loi du domicile ou de la nationalité de l'enfant ou de l'un de ses parents, lors de la naissance de l'enfant, selon celle qui est la plus avantageuse pour celui-ci.

Ses effets sont soumis à la loi du domicile de l'enfant.

3092. Les règles relatives au consentement et à l'admissibilité à l'adoption d'un enfant sont celles que prévoit la loi de son domicile.

Les effets de l'adoption sont soumis à la loi du domicile de l'adoptant.

3093. La garde de l'enfant est régie par la loi de son domicile.

§ 5.—*De l'obligation alimentaire*

3094. L'obligation alimentaire est régie par la loi du domicile du créancier. Toutefois, lorsque le créancier ne peut obtenir d'aliments du débiteur en vertu de cette loi, la loi applicable est celle du domicile de ce dernier.

3095. La créance alimentaire d'un collatéral ou d'un allié est irrecevable si, selon la loi de son domicile, il n'existe pour le débiteur aucune obligation alimentaire à l'égard du demandeur.

3096. L'obligation alimentaire entre époux divorcés, séparés de corps ou dont le mariage a été déclaré nul est régie par la loi qui est applicable au divorce, à la séparation de corps ou à la nullité.

CHAPITRE DEUXIÈME

DU STATUT RÉEL

SECTION I

DISPOSITION GÉNÉRALE

3097. Les droits réels ainsi que leur publicité sont régis par la loi du lieu de la situation du bien qui en fait l'objet.

Cependant, les droits réels sur des biens en transit sont régis par la loi de l'État du lieu de leur destination.

SECTION II

DISPOSITIONS PARTICULIÈRES

§ 1.—*Des successions*

3098. Les successions portant sur des meubles sont régies par la loi du dernier domicile du défunt; celles portant sur des immeubles sont régies par la loi du lieu de leur situation.

Cependant, une personne peut désigner, par testament, la loi applicable à sa succession à la condition que cette loi soit celle de l'État de sa nationalité ou de son domicile au moment de la désignation ou de son décès ou, encore, celle de la situation d'un immeuble qu'elle possède, mais en ce qui concerne cet immeuble seulement.

3099. La désignation d'une loi applicable à la succession est sans effet dans la mesure où la loi désignée prive le conjoint ou un enfant du défunt, dans une proportion importante, d'un droit de nature successorale auquel il aurait eu droit en l'absence d'une telle désignation.

Elle est aussi sans effet dans la mesure où elle porte atteinte aux régimes successoraux particuliers auxquels certains biens sont soumis par la loi de l'État de leur situation en raison de leur destination économique, familiale ou sociale.

3100. Dans la mesure où l'application de la loi successorale sur des biens situés à l'étranger ne peut se réaliser, des correctifs peuvent être apportés à même les biens situés au Québec notamment au moyen d'un rétablissement des parts, d'une nouvelle participation aux dettes ou d'un prélèvement compensatoire constatés par un partage rectificatif.

3101. Lorsque la loi régissant la succession du défunt ne pourvoit pas à ce qu'il y ait un administrateur ou un liquidateur capable d'agir au Québec, mais que les héritiers ont des droits à y exercer ou que certains biens de la succession s'y trouvent, il peut lui en être nommé un suivant la loi du Québec.

§ 2.—*Des sûretés mobilières*

3102. La validité d'une sûreté mobilière est régie par la loi de l'État de la situation du bien qu'elle grève au moment de sa constitution.

La publicité et ses effets sont régis par la loi de l'État de la situation actuelle du bien grevé.

3103. Tout meuble qui n'est pas destiné à rester dans l'État où il se trouve peut être grevé d'une sûreté suivant la loi de l'État de sa destination ; cette sûreté peut être publiée suivant la loi de cet État, mais la publicité n'a d'effet que si le bien y parvient effectivement dans les trente jours de la constitution de la sûreté.

3104. La sûreté qui a été publiée selon la loi de l'État où le bien était situé au moment de sa constitution sera réputée publiée au Québec, à compter de la première publication, si elle est publiée au Québec avant que se réalise la première des éventualités suivantes :

1° La publicité dans l'État où était situé le bien lors de la constitution de la sûreté cesse d'avoir effet ;

2° Un délai de trente jours s'est écoulé depuis le moment où le bien est parvenu au Québec ;

3° Un délai de quinze jours s'est écoulé depuis le moment où le créancier a été avisé que le bien est parvenu au Québec.

Toutefois, la sûreté n'est pas opposable à l'acheteur qui a acquis le bien dans le cours des activités du constituant.

3105. La validité d'une sûreté grevant un meuble corporel ordinairement utilisé dans plus d'un État ou de celle grevant un meuble incorporel est régie par la loi de l'État où était domicilié le constituant au moment de sa constitution.

La publicité et ses effets sont régis par la loi de l'État du domicile actuel du constituant.

La présente disposition ne s'applique ni à la sûreté grevant une créance ou un meuble incorporel constaté par un titre au porteur ni à celle publiée par la détention du titre qu'exerce le créancier.

3106. La sûreté régie, au moment de sa constitution, par la loi de l'État du domicile du constituant et qui a été publiée, sera réputée publiée au Québec, à compter de la première publication, si elle est publiée au Québec avant que se réalise la première des éventualités suivantes:

1° La publicité dans l'État de l'ancien domicile du constituant cesse d'avoir effet;

2° Un délai de trente jours s'est écoulé depuis le moment où le constituant a établi son nouveau domicile au Québec;

3° Un délai de quinze jours s'est écoulé depuis que le créancier a été avisé du nouveau domicile du constituant au Québec.

Toutefois, la sûreté n'est pas opposable à l'acheteur qui a acquis le bien dans le cours des activités du constituant.

§ 3.—*De la fiducie*

3107. À défaut d'une loi désignée expressément dans l'acte ou dont la désignation résulte d'une façon certaine des dispositions de cet acte, ou si la loi désignée ne connaît pas l'institution, la loi applicable à la fiducie créée par acte juridique est celle qui présente avec la fiducie les liens les plus étroits.

Afin de déterminer la loi applicable, il est tenu compte, notamment, du lieu où la fiducie est administrée, de la situation des biens, de la résidence ou de l'établissement du fiduciaire, de la finalité de la fiducie et des lieux où celle-ci s'accomplit.

Un élément de la fiducie susceptible d'être isolé, notamment son administration, peut être régi par une loi distincte.

3108. La loi qui régit la fiducie détermine si la question soumise concerne sa validité ou son administration.

Cette loi détermine également la possibilité et les conditions de son remplacement, ainsi que du remplacement de la loi applicable à un élément de la fiducie susceptible d'être isolé, par la loi d'un autre État.

CHAPITRE TROISIÈME

DU STATUT DES OBLIGATIONS

SECTION I

DISPOSITIONS GÉNÉRALES

§ 1.—*De la forme des actes juridiques*

3109. La forme d'un acte juridique est régie par la loi du lieu où il est passé.

Est néanmoins valable l'acte qui est fait dans la forme prescrite par la loi applicable au fond de cet acte ou par celle du lieu où, lors de sa conclusion, sont situés les biens qui en font l'objet ou, encore, par celle du domicile de l'une des parties lors de la conclusion de l'acte.

Une disposition testamentaire peut, en outre, être faite dans la forme prescrite par la loi du domicile ou de la nationalité du testateur soit au moment où il a disposé, soit au moment de son décès.

3110. Un acte peut être reçu hors du Québec par un notaire du Québec lorsqu'il porte sur un droit réel dont l'objet est situé au Québec, ou lorsque l'une des parties y a son domicile.

§ 2.—*Du fond des actes juridiques*

3111. L'acte juridique, qu'il présente ou non un élément d'extranéité, est régi par la loi désignée expressément dans l'acte ou dont la désignation résulte d'une façon certaine des dispositions de cet acte.

Néanmoins, s'il ne présente aucun élément d'extranéité, il demeure soumis aux dispositions impératives de la loi de l'État qui s'appliquerait en l'absence de désignation.

On peut désigner expressément la loi applicable à la totalité ou à une partie seulement d'un acte juridique.

3112. En l'absence de désignation de la loi dans l'acte ou si la loi désignée rend l'acte juridique invalide, les tribunaux appliquent la loi de l'État qui, compte tenu de la nature de l'acte et des circonstances qui l'entourent, présente les liens les plus étroits avec cet acte.

3113. Les liens les plus étroits sont présumés exister avec la loi de l'État dans lequel la partie qui doit fournir la prestation caractéristique de l'acte a sa résidence ou, si celui-ci est conclu dans le cours des activités d'une entreprise, son établissement.

SECTION II

DISPOSITIONS PARTICULIÈRES

§ 1.—*De la vente*

Vérifier si la Convention de Vienne a été écartée.

3114. En l'absence de désignation par les parties, la vente d'un meuble corporel est régie par la loi de l'État où le vendeur avait sa résidence ou, si la vente est conclue dans le cours des activités d'une entreprise, son établissement, au moment de la conclusion du contrat. Toutefois, la vente est régie par la loi de l'État où l'acheteur avait sa résidence ou son établissement, au moment de la conclusion du contrat, dans l'un ou l'autre des cas suivants:

1° Des négociations ont été menées et le contrat a été conclu dans cet État;

2° Le contrat prévoit expressément que l'obligation de délivrance doit être exécutée dans cet État;

3° Le contrat est conclu sous les conditions fixées principalement par l'acheteur, en réponse à un appel d'offres.

En l'absence de désignation par les parties, la vente d'un immeuble est régie par la loi de l'État où il est situé.

3115. En l'absence de désignation par les parties, la vente aux enchères ou la vente réalisée dans un marché de bourse est régie par la loi de l'État où sont effectuées les enchères ou celle de l'État où se trouve la bourse.

§ 2.—*De la représentation conventionnelle*

3116. L'existence et l'étendue des pouvoirs du représentant dans ses relations avec un tiers, ainsi que les conditions auxquelles sa responsabilité ou celle du représenté peut être engagée, sont régies par la loi désignée expressément par le représenté et le tiers ou, à défaut, par la loi de l'État où le représentant a agi si le représenté ou le tiers a son domicile ou sa résidence dans cet État.

§ 3.—*Du contrat de consommation*

3117. Le choix par les parties de la loi applicable au contrat de consommation ne peut avoir pour résultat de priver le consommateur de la protection que lui assurent les dispositions impératives de la loi de l'État où il a sa résidence si la conclusion du contrat a été précédée, dans ce lieu, d'une offre spéciale ou d'une publicité et que les actes nécessaires à sa conclusion y ont été accomplis par le consommateur, ou encore, si la commande de ce dernier y a été reçue.

Il en est de même lorsque le consommateur a été incité par son cocontractant à se rendre dans un État étranger afin d'y conclure le contrat.

En l'absence de désignation par les parties, la loi de la résidence du consommateur est, dans les mêmes circonstances, applicable au contrat de consommation.

§ 4.—*Du contrat de travail*

3118. Le choix par les parties de la loi applicable au contrat de travail ne peut avoir pour résultat de priver le travailleur de la protection que lui assurent les dispositions impératives de la loi de l'État où il accomplit habituellement son travail, même s'il est affecté à titre temporaire dans un autre État ou, s'il n'accomplit pas habituellement son travail dans un même État, de la loi de l'État où son employeur a son domicile ou son établissement.

En l'absence de désignation par les parties, la loi de l'État où le travailleur accomplit habituellement son travail ou la loi de l'État où son employeur a son domicile ou son établissement sont, dans les mêmes circonstances, applicables au contrat de travail.

§ 5.—*Du contrat d'assurance terrestre*

3119. Malgré toute convention contraire, le contrat d'assurance qui porte sur un bien ou un intérêt situé au Québec ou qui est souscrit au Québec par une personne qui y réside, est régi par la loi du Québec dès lors que le preneur en fait la demande au Québec ou que l'assureur y signe ou y délivre la police.

De même, le contrat d'assurance collective de personnes est régi par la loi du Québec, lorsque l'adhérent a sa résidence au Québec au moment de son adhésion.

Toute somme due en vertu d'un contrat d'assurance régi par la loi du Québec est payable au Québec.

§ 6.—*De la cession de créance*

3120. Le caractère cessible de la créance, ainsi que les rapports entre le cessionnaire et le débiteur cédé, sont soumis à la loi qui régit les rapports entre le cédé et le cédant.

§ 7.—*De l'arbitrage*

3121. En l'absence de désignation par les parties, la convention d'arbitrage est régie par la loi applicable au contrat principal ou, si cette loi a pour effet d'invalider la convention, par la loi de l'État où l'arbitrage se déroule.

§ 8.—*Du régime matrimonial*

3122. La loi applicable au régime matrimonial conventionnel est déterminée par les règles générales applicables au fond des actes juridiques.

3123. Le régime matrimonial des époux qui se sont mariés sans passer de conventions matrimoniales est régi par la loi de leur domicile au moment du mariage.

Lorsque les époux sont alors domiciliés dans des États différents, la loi de leur première résidence commune s'applique ou, à défaut, la loi de leur nationalité commune ou, à défaut, la loi du lieu de la célébration du mariage.

3124. La validité d'une modification conventionnelle du régime matrimonial est régie par la loi du domicile des époux au moment de la modification.

Si les époux sont alors domiciliés dans des États différents, la loi applicable est celle de leur résidence commune ou, à défaut, la loi qui gouverne leur régime.

§ 9.—*De certaines autres sources de l'obligation*

3125. Les obligations fondées sur la gestion d'affaires, la réception de l'indu ou l'enrichissement injustifié sont régies par la loi du lieu de survenance du fait dont elles résultent.

§ 10.—*De la responsabilité civile*

3126. L'obligation de réparer le préjudice causé à autrui est régie par la loi de l'État où le fait générateur du préjudice est survenu.

Toutefois, si le préjudice est apparu dans un autre État, la loi de cet État s'applique si l'auteur devait prévoir que le préjudice s'y manifesterait.

Dans tous les cas, si l'auteur et la victime ont leur domicile ou leur résidence dans le même État, c'est la loi de cet État qui s'applique.

3127. Lorsque l'obligation de réparer un préjudice résulte de l'inexécution d'une obligation contractuelle, les prétentions fondées sur l'inexécution sont régies par la loi applicable au contrat.

3128. La responsabilité du fabricant d'un bien meuble, quelle qu'en soit la source, est régie, au choix de la victime:

1° Par la loi de l'État dans lequel le fabricant a son établissement ou, à défaut, sa résidence;

2° Par la loi de l'État dans lequel le bien a été acquis.

3129. Les règles du présent code s'appliquent de façon impérative à la responsabilité civile pour tout préjudice subi au Québec ou hors du Québec et résultant soit de l'exposition à une matière première provenant du Québec, soit de son utilisation, que cette matière première ait été traitée ou non.

§ 11.—*De la preuve*

3130. La preuve est régie par la loi qui s'applique au fond du litige, sous réserve des règles du tribunal saisi qui sont plus favorables à son établissement.

§ 12.—*De la prescription*

3131. La prescription est régie par la loi qui s'applique au fond du litige.

CHAPITRE QUATRIÈME

DU STATUT DE LA PROCÉDURE

3132. La procédure est régie par la loi du tribunal saisi.

3133. La procédure de l'arbitrage est régie par la loi de l'État où il se déroule lorsque les parties n'ont pas désigné soit la loi d'un autre État, soit un règlement d'arbitrage institutionnel ou particulier.

TITRE TROISIÈME

DE LA COMPÉTENCE INTERNATIONALE DES AUTORITÉS DU QUÉBEC

CHAPITRE PREMIER

DISPOSITIONS GÉNÉRALES

3134. En l'absence de disposition particulière, les autorités du Québec sont compétentes lorsque le défendeur a son domicile au Québec.

3135. Bien qu'elle soit compétente pour connaître d'un litige, une autorité du Québec peut, exceptionnellement et à la demande d'une partie, décliner cette compétence si elle estime que les autorités d'un autre État sont mieux à même de trancher le litige.

3136. Bien qu'une autorité québécoise ne soit pas compétente pour connaître d'un litige, elle peut, néanmoins, si une action à l'étranger se révèle impossible ou si on ne peut exiger qu'elle y soit introduite, entendre le litige si celui-ci présente un lien suffisant avec le Québec.

3137. L'autorité québécoise, à la demande d'une partie, peut, quand une action est introduite devant elle, surseoir à statuer si une autre action entre les mêmes parties, fondée sur les mêmes faits et ayant le même objet, est déjà pendante devant une autorité étrangère, pourvu qu'elle puisse donner lieu à une décision pouvant être reconnue au Québec, ou si une telle décision a déjà été rendue par une autorité étrangère.

3138. L'autorité québécoise peut ordonner des mesures provisoires ou conservatoires, même si elle n'est pas compétente pour connaître du fond du litige.

3139. L'autorité québécoise, compétente pour la demande principale, est aussi compétente pour la demande incidente ou reconventionnelle.

3140. En cas d'urgence ou d'inconvénients sérieux, les autorités québécoises sont compétentes pour prendre les mesures qu'elles estiment nécessaires à la protection d'une personne qui se trouve au Québec ou à la protection de ses biens s'ils y sont situés.

CHAPITRE DEUXIÈME

DISPOSITIONS PARTICULIÈRES

SECTION I

DES ACTIONS PERSONNELLES À CARACTÈRE EXTRAPATRIMONIAL ET FAMILIAL

3141. Les autorités du Québec sont compétentes pour connaître des actions personnelles à caractère extrapatrimonial et familial, lorsque l'une des personnes concernées est domiciliée au Québec.

3142. Les autorités québécoises sont compétentes pour statuer sur la garde d'un enfant pourvu que ce dernier soit domicilié au Québec.

3143. Les autorités québécoises sont compétentes pour statuer sur une action en matière d'aliments ou sur la demande de révision d'un jugement étranger rendu en matière d'aliments qui peut être reconnu au Québec lorsque l'une des parties a son domicile ou sa résidence au Québec.

3144. En matière de nullité du mariage, les autorités québécoises sont compétentes lorsque l'un des époux a son domicile ou sa résidence au Québec ou que le mariage y a été célébré.

3145. Pour ce qui est des effets du mariage, notamment ceux qui s'imposent à tous les époux quel que soit leur régime matrimonial, les autorités québécoises sont compétentes lorsque l'un des époux a son domicile ou sa résidence au Québec.

3146. Les autorités québécoises sont compétentes pour statuer sur la séparation de corps, lorsque l'un des époux a son domicile ou sa résidence au Québec à la date de l'introduction de l'action.

3147. Les autorités québécoises sont compétentes, en matière de filiation, si l'enfant ou l'un de ses parents a son domicile au Québec.

En matière d'adoption, elles sont compétentes si l'enfant ou le demandeur est domicilié au Québec.

SECTION II

DES ACTIONS PERSONNELLES À CARACTÈRE PATRIMONIAL

3148. Dans les actions personnelles à caractère patrimonial, les autorités québécoises sont compétentes dans les cas suivants:

1° Le défendeur a son domicile ou sa résidence au Québec;

2° Le défendeur est une personne morale qui n'est pas domiciliée au Québec mais y a un établissement et la contestation est relative à son activité au Québec;

3° Une faute a été commise au Québec, un préjudice y a été subi, un fait dommageable s'y est produit ou l'une des obligations découlant d'un contrat devait y être exécutée;

4° Les parties, par convention, leur ont soumis les litiges nés ou à naître entre elles à l'occasion d'un rapport de droit déterminé;

5° Le défendeur a reconnu leur compétence.

Cependant, les autorités québécoises ne sont pas compétentes lorsque les parties ont choisi, par convention, de soumettre les litiges nés ou à naître entre elles, à propos d'un rapport juridique déterminé, à une autorité étrangère ou à un arbitre, à moins que le défendeur n'ait reconnu la compétence des autorités québécoises.

3149. Les autorités québécoises sont, en outre, compétentes pour connaître d'une action fondée sur un contrat de consommation ou sur un contrat de travail si le consommateur ou le travailleur a son domicile ou sa résidence au Québec; la renonciation du consommateur ou du travailleur à cette compétence ne peut lui être opposée.

3150. Les autorités québécoises ont également compétence pour décider de l'action fondée sur un contrat d'assurance lorsque le titulaire, l'assuré ou le bénéficiaire du contrat a son domicile ou sa résidence au Québec, lorsque le contrat porte sur un intérêt d'assurance qui y est situé, ou encore lorsque le sinistre y est survenu.

3151. Les autorités québécoises ont compétence exclusive pour connaître en première instance de toute action fondée sur la responsabilité prévue à l'article 3129.

SECTION III

DES ACTIONS RÉELLES ET MIXTES

3152. Les autorités québécoises sont compétentes pour connaître d'une action réelle si le bien en litige est situé au Québec.

3153. En matière successorale, les autorités québécoises sont compétentes lorsque la succession est ouverte au Québec ou lorsque le défendeur ou l'un des défendeurs y a son domicile ou, encore, lorsque le défunt a choisi le droit québécois pour régir sa succession.

Elles le sont, en outre, lorsque des biens du défunt sont situés au Québec et qu'il s'agit de statuer sur leur dévolution ou leur transmission.

3154. Les autorités québécoises sont compétentes en matière de régime matrimonial dans les cas suivants:

1° Le régime est dissout par le décès de l'un des époux et les autorités sont compétentes quant à la succession de cet époux;

2° L'objet de la procédure ne concerne que des biens situés au Québec.

Dans les autres cas, les autorités québécoises sont compétentes lorsque l'un des époux a son domicile ou sa résidence au Québec à la date de l'introduction de l'action.

TITRE QUATRIÈME

DE LA RECONNAISSANCE ET DE L'EXÉCUTION DES DÉCISIONS ÉTRANGÈRES ET DE LA COMPÉTENCE DES AUTORITÉS ÉTRANGÈRES

CHAPITRE PREMIER

DE LA RECONNAISSANCE ET DE L'EXÉCUTION DES DÉCISIONS ÉTRANGÈRES

3155. Toute décision rendue hors du Québec est reconnue et, le cas échéant, déclarée exécutoire par l'autorité du Québec, sauf dans les cas suivants:

1° L'autorité de l'État dans lequel la décision a été rendue n'était pas compétente suivant les dispositions du présent titre;

2° La décision, au lieu où elle a été rendue, est susceptible d'un recours ordinaire, ou n'est pas définitive ou exécutoire;

3° La décision a été rendue en violation des principes essentiels de la procédure;

4° Un litige entre les mêmes parties, fondé sur les mêmes faits et ayant le même objet, a donné lieu au Québec à une décision passée ou non en force de chose jugée, ou est pendant devant une autorité québécoise, première saisie, ou a été jugé dans un État tiers et la décision remplit les conditions nécessaires pour sa reconnaissance au Québec;

5° Le résultat de la décision étrangère est manifestement incompatible avec l'ordre public tel qu'il est entendu dans les relations internationales;

6° La décision sanctionne des obligations découlant des lois fiscales d'un État étranger.

3156. Une décision rendue par défaut ne sera reconnue et déclarée exécutoire que si le demandeur prouve que l'acte introductif d'instance a été régulièrement signifié à la partie défaillante, selon la loi du lieu où elle a été rendue.

Toutefois, l'autorité pourra refuser la reconnaissance ou l'exécution si la partie défaillante prouve que, compte tenu des circonstances, elle n'a pu prendre connaissance de l'acte introductif d'instance ou n'a pu disposer d'un délai suffisant pour présenter sa défense.

3157. La reconnaissance ou l'exécution ne peut être refusée pour la seule raison que l'autorité d'origine a appliqué une loi autre que celle qui aurait été applicable, d'après les règles du présent livre.

3158. L'autorité québécoise se limite à vérifier si la décision dont la reconnaissance ou l'exécution est demandée remplit les conditions prévues au présent titre, sans procéder à l'examen au fond de cette décision.

3159. Si la décision statue sur plusieurs demandes qui sont dissociables, la reconnaissance ou l'exécution peut être accordée partiellement.

3160. La décision rendue hors du Québec qui accorde des aliments par versements périodiques peut être reconnue et déclarée exécutoire pour les versements échus et à échoir.

3161. Lorsqu'une décision étrangère condamne le débiteur au paiement d'une somme d'argent exprimée dans une monnaie étrangère, l'autorité québécoise convertit cette somme en monnaie canadienne, au cours du jour où la décision est devenue exécutoire au lieu où elle a été rendue.

La détermination des intérêts que peut porter une décision étrangère est régie par la loi de l'autorité qui l'a rendue, jusqu'à sa conversion.

3162. L'autorité du Québec reconnaît et sanctionne les obligations découlant des lois fiscales d'un État qui reconnaît et sanctionne les obligations découlant des lois fiscales du Québec.

3155(6)

3163. Les transactions exécutoires au lieu d'origine sont reconnues et, le cas échéant, déclarées exécutoires au Québec aux mêmes conditions que les décisions judiciaires pour autant que ces conditions leur sont applicables.

CHAPITRE DEUXIÈME

DE LA COMPÉTENCE DES AUTORITÉS ÉTRANGÈRES

3164. La compétence des autorités étrangères est établie suivant les règles de compétence applicables aux autorités québécoises en vertu du titre troisième du présent livre dans la mesure où le litige se rattache d'une façon importante à l'État dont l'autorité a été saisie.

3165. La compétence des autorités étrangères n'est pas reconnue par les autorités québécoises dans les cas suivants:

1° Lorsque, en raison de la matière ou d'une convention entre les parties, le droit du Québec attribue à ses autorités une compétence exclusive pour connaître de l'action qui a donné lieu à la décision étrangère;

2° Lorsque le droit du Québec admet, en raison de la matière ou d'une convention entre les parties, la compétence exclusive d'une autre autorité étrangère;

3° Lorsque le droit du Québec reconnaît une convention par laquelle la compétence exclusive a été attribuée à un arbitre.

3166. La compétence des autorités étrangères est reconnue en matière de filiation lorsque l'enfant ou l'un de ses parents est domicilié dans cet État ou a la nationalité qui y est rattachée.

3167. Dans les actions en matière de divorce, la compétence des autorités étrangères est reconnue soit que l'un des époux avait son domicile dans l'État où la décision a été rendue, ou y résidait depuis au moins un an, avant l'introduction de l'action, soit que les époux ont la nationalité de cet État, soit que la décision serait reconnue dans l'un de ces États.

3168. Dans les actions personnelles à caractère patrimonial, la compétence des autorités étrangères n'est reconnue que dans les cas suivants :

1° Le défendeur était domicilié dans l'État où la décision a été rendue ;

2° Le défendeur avait un établissement dans l'État où la décision a été rendue et la contestation est relative à son activité dans cet État ;

3° Un préjudice a été subi dans l'État où la décision a été rendue et il résulte d'une faute qui y a été commise ou d'un fait dommageable qui s'y est produit ;

4° Les obligations découlant d'un contrat devaient y être exécutées ;

5° Les parties leur ont soumis les litiges nés ou à naître entre elles à l'occasion d'un rapport de droit déterminé ; cependant, la renonciation du consommateur ou du travailleur à la compétence de l'autorité de son domicile ne peut lui être opposée ;

6° Le défendeur a reconnu leur compétence.

DISPOSITIONS FINALES

Le présent code remplace le Code civil du Bas Canada adopté par le chapitre 41 des lois de 1865 de la législature de la province du Canada, Acte concernant le Code civil du Bas Canada, tel qu'il a été modifié. Il remplace aussi l'article premier du chapitre 39 des lois de 1980, Loi instituant un nouveau Code civil et portant réforme du droit de la famille, tel qu'il a été modifié, ainsi que le chapitre 18 des lois de 1987, Loi portant réforme au Code civil du Québec du droit des personnes, des successions et des biens.

Le présent code entrera en vigueur à la date qui sera fixée par le gouvernement, conformément à ce qui sera prévu dans la loi relative à l'application de la réforme du Code civil.

TABLE DES MATIÈRES
DU CODE CIVIL DU QUÉBEC

	Sujet	suivi?	pkg $ – qui? – rien			nbr suivis	
			$	– qui? –	rien	1	M° Kélada
1.	Pers. 1	oui	7.50	–/–	CD		
2.	Pers. 2	non					
3.	Bières 1	non					Me Francine Mornay
4.	" 2	oui	750	–/–	JF	2	
5.	Oblig 1	oui ✓	n/a			3	Me Aubreuil — 1371-1553
							notaire
6.	" 2	oui	75⁰⁰	–/–	CD	4	Me Nicola Di Iorio
7.	" 3	oui	750	–/–	JF	5	Me Pauline Roy . 145788.
8.	" 4	oui	"	"	CD	6	Me JPierre Archambault
							VENTE 170888.
9.		non				7	Me V. Louignarath, Udell (mandat
10.	"	oui	∅	∅			travail, entreprise
11.	"	oui				8	Me Nicolas Perrault (Société
12.							
13.							
14.							
15.							
16.							
17.							
18.							
19.							
20.							

✓CD non